보육교사인성론

정옥분 · 김경은 · 김미진 · 노성향 · 박연정 · 방은정
서정연 · 엄세진 · 임정하 · 정순화 · 황현주 공저

Character and Virtue in Child Care Teacher

학지사

머리말

　보육의 개념은 시대에 따라 변하고 있다. 초기 보육이 영유아를 보호하는 것에 초점을 두었다면, 현대 사회의 보육은 단순히 보호 및 양육을 넘어서 교육의 개념을 포함하고 있다. 시대의 변화에 따라 영유아 보육에 대한 관점은 달라질 수 있지만, 영유아에게 질높은 보육을 제공해야 한다는 기본 원칙에는 변함이 없다.

　"교육의 질은 교사의 질을 능가할 수 없다"는 말을 보육에 적용해보면, 보육의 질은 보육교사의 질에 의해 좌우된다고 볼 수 있다. 특히 영유아기는 발달단계에서 매우 중요한 시기이며, 영유아기의 경험은 이후의 발달에 상당한 영향을 미친다. 그러므로 보육교사는 영유아를 사랑하고 존중하며, 영유아의 잠재력을 최대한 발휘할 수 있도록 지원해 줄 수 있는 전문성과 인성을 갖추는 것이 무엇보다 중요하다.

　보육교사의 중요성이 강조됨에 따라 국가적 차원에서 보육교사의 자격을 강화하고 보육교사의 전문성을 신장시키기 위한 다양한 노력이 이루어지고 있다. 보육교사의 전문성 신장에 있어 이러한 정책적 지원도 중요하지만, 무엇보다 보육교사 스스로 자신의 전문성 및 올바른 인성을 강화하기 위한 노력이 필요하다. 급격한 사회적 변화에 따라 보육의 내용과 방법이 변화하고 있고, 보육교사에 대한 기대도 달라지고 있으며, 이전과는 달리 보육 상황에서 일어나는 윤리적 문제들도 다양화하고 있다. 이에 보육교사는 '변화하는 사회에서 영유아에게 질높은 보육이 무엇인지, 질높은 보육을 실현하기 위해서는 무엇을 어떻게 해야 할지'에 대한 반성적 사고와 그에 따른 실천이 필요하다.

　이 책은 예비보육교사나 현장의 보육교사가 자신의 전문성을 높이고 올바른 인성을 함양하는 데 필요한 기초 지식, 보육교사로서의 역할 및 자기관리 그리고 해결해야 할 과제를 중심으로 구성되어 있다. 1장에서 3장까지는 현대 사회에서의 보육 및 보육교사의 역할, 보육교사의 인성 덕목, 보육철학 및 보육교사 윤리 등을 다루었다. 4장부터 9장까지는 보육교사의 다양한 역할을 살펴보았다. 보육교사는 전문적 지식과 기술을 가진 교수자, 상담자, 의사결정자로서의 역할을 수행하는데, 특히 영유아발달과 문제행동, 일과운영, 환경관리 및 학부모와 지역사회의 협력 등을 중심으로 살펴보았다. 또한 10장에서 12장까지는 보육교사의 자기이해를 기반으로 한 자기개발과 현대인으로서 피할 수 없는 스트레스를 효과적으로 관리하는 방법을 살펴보았으며, 나아가 보육교사직이 전문적 직업으로 성장하기 위해 해결해야 할 과제들을 제시하였다.

최근 영유아의 권리와 복지 증진에 대한 관심이 높아짐에 따라 보육교사의 전문성, 윤리의식 및 인성 함양에 대한 요구도도 높아질 것으로 사료된다. 또한 영유아기는 인성 형성의 결정적 시기이다. 영유아의 바른 인성은 건강한 인성의 보육교사에 의해서 형성되고 발달될 수 있기에, 현장의 보육교사뿐 아니라 미래의 보육교사가 될 학생들이 이 책을 통해 영유아를 사랑하고 존중하는 따뜻한 인성의 보육전문가가 되길 기대한다. 끝으로 이 책이 나오기까지 편집업무를 꼼꼼히 챙겨 주신 편집부 백소현 차장님의 노고에 진심으로 감사를 드린다.

2021년 유월에
저자 일동

차례

제1장

현대사회와 보육교사

　흔히 '교육의 질은 교사의 질을 능가할 수 없다'고 말한다. 교육의 성패를 좌우하는 데 있어서 그만큼 교사의 능력이나 자질이 미치는 영향이 크다는 것이다. 특히 보육교사는 전반적인 발달의 기초가 형성되는 어린 영유아에게 필요한 교육적 역할뿐 아니라 부모를 대신하여 양육적 역할, 즉 제2의 부모역할을 수행해야 하는 직업적 특성을 가지고 있다. 따라서 보육교사가 영유아와 그들의 부모 그리고 사회 전반에 미치는 영향은 지대하다.

　그러나 모든 보육교사가 영유아나 그들의 가족에게 동일한 영향을 미친다고 볼 수는 없을 것이다. 교사 개개인의 역량이나 자질에 따라 그 영향은 다양하게 나타날 수 있다. 따라서 보육이 소기의 목적을 달성하기 위해서는 무엇보다도 보육교사의 역량이나 자질이 우선되어야 한다는 사실에 많은 사람들은 공감한다. 특히, 최근 빈번하게 발생하는 어린이집에서의 아동학대 사건은 양질의 보육서비스를 제공하기 위해 보육교사의 자질이 얼마나 중요한가를 다시금 상기시켜 주고 있다.

　따라서 이 장에서는 보육활동의 주체인 보육교사의 의미와 역할 그리고 직업적 특성 및 현대사회에서 요구되는 보육교사의 역량을 개괄적으로 살펴봄으로써 보육교사가 갖추어야 할 자질로서 인성의 중요성에 대해 생각해 보고자 한다.

1. 보육교사의 의미

보육교사가 어떤 직업인지 이해를 돕기 위해서는 먼저 전반적인 교사의 의미에 기초하여 보육교사의 의미를 살펴볼 필요가 있다. 다음으로 보육교사는 그 법률적 근거가 「영유아보육법」에 기초하고 있으므로 「영유아보육법」에 명시된 보육교사의 의미를 살펴볼 필요가 있다.

1) 교사로서의 보육교사

사전적인 의미에서 교사(敎師)는 본받을, 가르칠, 훈계하는 의미의 '교(敎)'와 스승, 선생님, 본받을 어른을 의미하는 '사(師)'가 합쳐진 것으로, 포괄적인 의미로는 '가르치는 어른'을 의미한다. 그러므로 보육교사는 교사 중에서도 가장 나이 어린 영유아를 가르치는 어른을 의미한다. 그 의미를 보다 구체적으로 살펴보면 가르치는 어른으로서 갖추어야 할 자질적인 측면을 강조하는 경우와 외형적인 자격요건, 즉 형식적인 요건을 강조하는 경우로 구분해 볼 수 있다.

우리나라의 국어사전(국립국어원, 2020)에는 교사의 의미를 "주로 초등학교·중학교·고등학교 따위에서 일정한 자격을 가지고 학생을 가르치는 사람"으로 정의하고 있다. 이는 교사로서의 형식적인 요건을 강조한 것으로 볼 수 있다. 이러한 형식적인 요건을 강조하여 임재택(1996)은 보육교사를 "영유아보육 또는 유아교육분야에서 영유아의 보호와 교육에 필요한 자질을 갖추기 위해 일정 기간 교육과 훈련을 받고 법적인 자격요건을 가진 직업인"으로 정의하였다. 따라서 이러한 관점에서 본다면 보육교사는 영유아의 보호와 교육에 필요한 일정한 자격요건을 갖추고 어린이집에서 영유아를 가르치는 사람을 의미한다.

이와는 달리 자질적인 측면을 강조하는 관점에서는 교육의 본래 목적은 '사람임(Menschsein)'을 '사람됨(Menschwerden)'으로 이끄는 일이라고 본다. 즉, 교육의 궁극적인 목적은 교사와 학생 간의 상호작용을 통해 인간화 교육의 초석을 마련하는 것으로 볼 수 있으며, 1990년대 중반부터 우리나라에서 고조되기 시작한 인성교육에 대한 관심도 바로 이를 반영하는 것이다. 인성의 의미는 인간본성, 인간다운 품성이나 인격, 인간 본연의 모습 등으로 다양하게 이해되고 있으나, 이에는 우리 인간이 지향하고 성취해야 하는 인간다운 면모, 성질, 자질, 품성이라는 의미가 내포되어 있다(강선보 외, 2008). 이에 따라 우리나라의 유치원과 어린이집에서도 표준보육과정과 누리과정의 기본내용을 토대로 생활주제에 맞추어 배려, 존중, 협력, 나눔, 질서, 효의 6개 덕목의 인성교육을 실시하도록 하고 있으며, 이러한 인성교육의 내용은 다분히 개인의 독특한 특성을 바탕으로 더불어 살아갈 수 있는 품성과 역량을 길러가는 것에 초점을 맞추고 있다. 이는 각자가 고유하게 갖고 태어나는 인간으로서의 품성과 사회적 존재로서 인간이 요구받는 사회적 성품의 두 축의 조화를 꾀하는 역량으로 이해된다(황준성, 서정화, 2015). 이러한 관점에서 본다면 보육교사는 상호작용을 통해 영유아의 타고난 본성을 기초로 사회적 존재로서 사람답게 살아갈 수 있는 품성과 역량의 초석을 마련해 주는 사람으로 정의할 수 있다.

영유아기는 그 어느 시기보다도 발달의 가소성이 크다는 점에서 보육교사가 개인의 발달에 미치는 영향은 지대하다. 또한 전인교육의 기틀이 형성되고, 모방이 강하게 일어나는 영유아기의 특성상 보육교사의 인성은 중요한 의미를 갖는다. 따라서 보육교사는 그 어떤 교사보다도 교사로서의 외형적 자격요건뿐 아니라 인간으로서의 자질 요건, 즉 인성적 요소가 강조되는 직업이다.

2) 영유아보육법상의 보육교사

우리나라에서 보육교사제도가 정착된 역사는 그다지 길지 않다. 우리나라의 영유아보육은 1921년 태화기독교사회관(사진 참조)에서 빈민구제사업의 일환으로 빈민가정의 자녀를 맡아서 돌보아 준 것에서 출발한다. 따라서 보육이라는 용어 대신 부모가 맡긴 자녀를 보호한다는 탁아(託兒)라는 용어를 사용하였으며, 탁아시설의 운영은 특별한 자격이 없이도 누구나

할 수 있는 것이었다. 1961년 제정된 「아동복리법」이나 1981년 전면 개정된 「아동복지법」에서도 별도의 자격기준은 마련되지 않았다. 최근까지 보육교사가 전문직으로 인식되지 못하는 것도 바로 이러한 맥락에서 이해할 수 있다.

이후 1982년 제정된 「유아교육진흥법」에서는 영유아의 연령에 따라 영아반을 담당하는 '보육사'제도를 규정함으로써 교사자격을 유아교사와 보육사로 이원화하고

〈표 1-1〉 유아교육진흥법상 유아원 교직원의 자격규정

유아교육진흥법
제14조(새마을유아원 교직원의 종별 자격)
① 새마을유아원에는 원장 및 교사와 보육사(영아반을 설치한 새마을유아원에 한한다)를 두되 필요한 경우에는 원감 및 사무직원을 둘 수 있다.
② 원장은 명예직으로 할 수 있다.
③ 명예직인 원장은 유아교육에 대한 지식과 열의가 있는 자로서 대통령령이 정하는 자격기준에 해당하는 자이어야 한다.
④ 원장·원감과 교사는 각각 교육법에 의한 유치원의 원장·원감 및 교사의 자격을 가진 자이어야 한다.
⑤ 보육사의 자격은 대통령령으로 정한다.

유아교육진흥법 시행령
제12조(유아원 교직원의 자격 등)
① 유아교육기관에는 반마다 교사 1인 이상을 두어야 한다. 다만 영아반에는 보육사 1인 이상을 두어야 한다.
② 보육사는 아동복지법 시행령 별표 2에 의한 보육사 3급 이상의 자격을 가진 자이어야 한다.

별도의 자격제도를 운영하였다(〈표 1-1〉 참조). 이처럼 별도의 자격제도가 운영되기 시작했으나 '보육사'라는 명칭이 말해 주듯 이는 어디까지나 보호하고 돌보아준다는 측면만을 강조하여, 유아교사는 유아를 대상으로 교육을, 보육사는 영아를 대상으로 보호를 강조하는 형태로 이분화가 이루어졌다.

1991년에 이르러 「영유아보육법」이 제정·시행되면서 보육교사는 교사로서의 지위를 인정받게 되었다. 「영유아보육법」의 제정으로 지금까지 여러 부처에서 분산·관리되어온 보육업무를 보건사회부에서 일원화하여 관장하게 되었고, 이를 계기로 보육교사는 '보육시설종사자'의 일원으로서 지위를 인정받게 되었다. 또한, 보호하고 돌보아준다는 기존 '양육(care)'의 개념에 전인적인 발달을 도모하기 위한 '교육(education)'의 기능까지를 포괄하는 통합적인 '보육(educare)'의 개념으로 발전하였다. 그러나 이는 어디까지나 국가에서 자격증을 교부하는 것이 아니라 소정의 교육과정을 이수한 경우 이를 인정해 주는 제도였다.

2005년부터는 보육교사에 대한 국가자격증제도가 시행되고 보육교사의 전문성을 강화하기 위한 승급교육이나 직무교육 등 재교육이 강화되기 시작하였다. 이전까지는 보육교사가 1, 2급으로 구분되어 있었으나 종전의 1급이 2급으로, 2급이

〈표 1-2〉 **영유아보육법상 보육교직원의 정의**

영유아보육법
제2조(정의) 이 법에서 사용하는 용어의 뜻은 다음과 같다.
1. "영유아"란 6세 미만의 취학 전 아동을 말한다.
   ·
   ·
5. "보육교직원"이란 어린이집 영유아의 보육, 건강관리 및 보호자와의 상담, 그 밖에 어린이집
   의 관리 · 운영 등의 업무를 담당하는 자로서 어린이집의 원장 및 보육교사와 그 밖의 직원
   을 말한다.

3급으로 자격기준이 강화되고, 1급 보육교사제도가 신설되었다. 또한 1년 과정의 보육교사교육원에서 이수해야 할 교과목을 강화함으로써 보육교사의 전문성을 높이고자 하였다. 이후 2011년부터는 '보육시설종사자'에서 '보육교직원'으로 변경된 명칭을 사용하게 되었다(〈표 1-2〉 참조).

이상에서 살펴본 바와 같이 초기에는 보육교사에 대한 명칭이 별도로 존재하지 않았으나 「유아교육진흥법」에서는 '보육사'로, 이후 「영유아보육법」에서는 '보육시설종사자'로, 2011년에는 다시 '보육교직원'의 일원인 '보육교사'로 그 명칭이 변경되었다.

「영유아보육법」에는 보육교사에 대한 별도의 정의는 마련되어 있지 않으나 "보육이란 영유아를 건강하고 안전하게 보호 · 양육하고 영유아의 발달 특성에 맞는 교육을 제공하는 어린이집 및 가정양육 지원에 관한 사회복지서비스를 말한다"라고 정의하고 있다. 이에 기초해 볼 때, 보육교사는 영유아를 건강하고 안전하게 보호 · 양육하고 영유아의 발달 특성에 맞는 교육을 제공하는 어린이집 및 가정양육시설에 종사하는 교사로 정의할 수 있을 것이다.

현행 「영유아보육법」에서는 이러한 보육의 이념을 달성하기 위한 외형적 자격요건(〈표 1-3〉 참조)과 이러한 자격요건을 갖추더라도 보육교사로 근무할 수 없는 결격사유만을 규정하고 있을 뿐이다. 그러나 전인발달의 기틀이 형성되는 영유아를 제대로 보호하고 양육하기 위해서는 보육교사는 그 어떤 교사보다도 외형적 자격요건뿐 아니라 자질 요건으로서 인성이 중요시되는 직업이다.

⟨표 1-3⟩ **영유아보육법상 보육교사의 자격**

영유아보육법
제21조(어린이집 원장 또는 보육교사의 자격)
② 보육교사는 다음 각 호의 어느 하나에 해당하는 자로서 보건복지부장관이 검정·수여하는
  자격증을 받은 자이어야 한다.

1. 「고등교육법」 제2조에 따른 학교에서 보건복지부령으로 정하는 보육 관련 교과목과 학점을
   이수하고 전문학사학위 이상을 취득한 사람
1의2. 법령에 따라 「고등교육법」 제2조에 따른 학교를 졸업한 사람과 같은 수준 이상의 학력이
   있다고 인정된 사람으로서 보건복지부령으로 정하는 보육 관련 교과목과 학점을 이수하고
   전문학사학위 이상을 취득한 사람
2. 고등학교 또는 이와 같은 수준 이상의 학교를 졸업한 자로서 시·도지사가 지정한 교육훈련
   시설에서 소정의 교육과정을 이수한 사람

2. 보육교사의 역할

맞벌이가족의 증가와 저출산율 등 사회변화로 인해 보육교사의 역할은 점차 사회적 비중이 커지고 있다. 보육교사는 영유아의 발달 지원과 부모의 양육 지원 및 사회복지서비스의 제공 등 아동·가족·사회복지 실현의 기여자로 부각되고 있다.

1) 영유아의 발달 지원

Segal과 동료들(Segal, Bardige, Woika, & Leinfelder, 2005)은 보육의 중요한 목표를 첫째, 영유아의 안전과 건강을 위해 적절한 학습환경을 보장하고, 둘째, 신체적·인지적 발달을 촉진시키며, 셋째, 사회정서발달을 촉진시키고, 넷째, 가족을 지원하는 것이라고 하였다. 즉, 어디까지나 보육의 일차적 목표는 영유아의 발달을 지원하는 것이다. 보육에서 '발달에 적절한 개입(developmentally appropriate practice: DAP)'전략(사진 참조)이 제시된 것도 바로 이러한 이유에서이며, 우리나라의 보육과정도 신체운동·건강, 의사소통, 사회관계, 예술경험, 자연탐구 등 영유아의 균형 있는 발달을 도모하는 데 초점을 맞추고 있다.

사진 설명　DAP는 아동발달이론, 아동의 개인적 강점과 욕구, 아동의 문화적 배경에 근거하여 교사나 자녀양육자가 아동의 사회정서·인지·신체발달을 향상시키는 것을 목표로 한다.

　영유아기는 여러 영역의 발달에서 중요한 시기로 인식되고 있다. 삶에 도움이 되는 중요한 기술들의 기초가 형성되는 시기가 영유아기며, 이 시기의 조기개입이 성인기의 성공적인 삶을 위해 효과적임을 실증적으로 뒷받침해 준 대표적인 연구가 바로 '페리 학령전 프로젝트(Perry Preschool Project)'(〈표 1-4〉 참조)이다. 흑인 빈곤층 유아를 대상으로 이루어진 페리 프로젝트에서는 불우한 환경에 놓인 아이들은 부모로부터 양육을 제대로 받지 못해 인지 능력과 사회정서 능력이 모두 떨어져 인생에서 실패할 확률이 높지만 영유아기의 조기개입을 통해 이러한 능력을 향상시

〈표 1-4〉 페리 학령전 프로젝트(The Perry Preschool Project)

　페리 프로젝트는 학령전 취약계층 아동에 대한 양질의 교육적 조기개입이 긍정적인 영향을 미치는지를 알아보기 위해 이루어진 연구이다. 미국 미시간주 입실렌티의 페리초등학교 소재지에서 이루어진 이 연구에서는 학교생활 부적응을 유발하는 위험요인을 가지고 있는 123명의 흑인 빈곤층 학령전 아동을 무작위로 두 집단으로 구분하고, 이들 중 한 집단에게는 하이스코프 교육방법(HighScope's active learning approach)에 기초한 양질의 학령전 교육을 실시하고, 다른 집단에게는 아무런 교육도 실시하지 않았다.

　페리 프로젝트는 3세 아동을 대상으로 1962년 처음으로 실시되었으며, 교육의 지속적 효과를 탐색하기 위해 15세, 19세, 27세, 40세에 이르기까지 종단연구가 이루어졌다. 그 결과, 학령전 조기교육이 참가자들의 인성이나 재정적 측면에서 일생동안 지속적으로 긍정적 영향을 미치는 것으로 나타났으며, 이로 인해 유발된 경제적 이득은 투자비용의 248%로 나타났다.

출처: Schweinhart, L. J. & Weikart, D. P. (1981). Effects of the Perry Preschool Program on youths through age 15. *Journal of Early Intervention*, 4(1), 29-39.

키는 것이 가능한 것으로 나타났다. 또한 이러한 긍정적 효과는 성인기의 교육수준이나 직업, 소득, 결혼생활, 범죄율 등 다방면에 지속적인 영향을 미친다는 것을 보여 주었다.

페리 프로젝트에 대한 종단연구결과(Carneiro & Heckman, 2003; Cunha, Heckman, Lochner, & Masterov, 2006; Heckman, 2006; Heckman & Mosso, 2014; Heckman, Pinto, & Savelyev, 2013; Schweinhart & Weikart, 1981; Schweinhart, Barnes, & Weikart, 2003; Schweinhart et al., 2005)는 영유아기에서의 조기개입의 긍정적 효과에 대해 많은 것을 시사해 주고 있다. 먼저 개입시기에 있어서, 3세경에도 이미 부모의 사회경제적 지위에 따라 인지 능력이나 사회정서 능력에서의 차이가 나타나므로 이보다 더 이른 시기에 개입하는 것이 효과적이라고 한다. 또한 대다수의 사회교육정책은 이러한 긍정적인 효과가 인지능력의 상승에 기인하는 것으로 생각하고 아동의 인지능력을 향상시키는 데 초점을 맞추고 있으나 인지능력의 효과는 단기적인 것에 불과하며 오히려 인성요인의 지속적인 변화가 성공에 주요 역할을 하는 것으로 나타났다. 인성의 변화는 장기간 지속되었으며, 이로 인해 성취동기가 향상되고 학습능력이 향상되었으며, 공격성이나 규칙위반, 반사회적 행동과 같은 외현화된 문제행동이 감소함으로써 직장생활이나 건강 등에도 긍정적 영향을 미친 것으로 나타났다.

페리 프로젝트의 효과는 바로 영유아기에서의 교육과 보살핌의 중요성을 말해 주는 것이며 동시에 인성의 변화가 삶의 성공에 무엇보다도 중요한 요인임을 밝히고 있다. 영유아기를 대상으로 교육과 보살핌을 포괄하는 활동이 바로 보육이다. 그러나 보육경험 자체만으로 이러한 긍정적 효과를 기대할 수는 없으며, 어디까지나 양질의 보육이 전제되어야 한다. 양질의 보육을 제공하는 데 있어 가장 중요한 요소가 바로 보육교사이며, 영유아의 인성교육에 모델이 된다는 점에서 보육교사의 인성은 영유아의 발달에 지대한 영향을 미친다.

점차 어린이집을 이용하는 연령대가 낮아지면서 보육교사는 영아의 기본적 신뢰감이나 애착 형성 및 이후의 사회성발달에도 영향을 미친다. 한때 어린 영아가 가정이 아닌 어린이집에서 대리양육을 받는 것이 영아의 애착형성에 부정적 영향을 미치는 것은 아닌지에 대한 논란이 있었다. 생후 1년 이내에 시작된 보육경험이 영아의 불안정애착이나 불복종행동 및 공격성을 증가시키는 등 문제행동과 관련이 있는 것으로 나타나(Belsky, 2001) 부모들로 하여금 어린 영아를 어린이집에 맡기는 것에 대해 죄책감을 갖게 하기도 하였다. 그러나 이와는 달리 양호한 보육환경에서는 오히려 조기보육이 발달에 득이 된다는 연구결과도 제시되었다(신지연, 2004; Howes, Rodning, Galluzzo, & Myers, 1988; Howes & Ritchie, 1999). 영아가 어머니와 불안정애착을 형성하고 있다 할지라도 이와는 별개로 교사와 안정애착을 형성할 수도 있으며, 이러한 교사와의 안정애착이 어머니와의 애착관계를 상당 부분 보완해줌으로써 보다 활동적으로 놀이에 참여하고 또래와의 관계형성도 용이한 것으로 나타났다.

이처럼 보육의 효과는 보육경험 자체보다도 보육활동의 주체인 보육교사의 역량이나 자질, 교사-영유아 간 관계의 질에 따라 달라진다. Howes와 Ritchie(1999)는 영아와 교사와의 주요 애착형성요인으로 교사와 영아 간의 상호작용 시간의 양과 일대일 개별적 상호작용, 교사의 적절한 개입에 대한 인식, 교사의 민감성 등을 꼽았다. 즉, 모든 보육교사가 영유아에게 긍정적인 영향을 미친다고 볼 수는 없으며, 보육교사 개개인의 역량에 따라 보육의 효과는 달라질 수밖에 없다. 특히 교사의 인성요인에 따라 바람직한 인성을 가진 교사의 경우 영유아와의 언어적 상호작용이나 행동적 상호작용이 증가하였으며(정다우리, 2013; 최미곤, 황인옥, 2016), 유아-교사 간 친밀감도 증가한 것으로 나타났다(최선미, 부성숙, 2017). 따라서 영유아기에서의 조기개입의 효과를 극대화시킬 수 있는 양질의 보육경험을 제공하기 위해서는 보육교사의 자질이나 역량을 향상시키려는 노력이 무엇보다 필요하다.

2) 부모의 양육지원

지금까지 영유아보육이 질적·양적 측면에서 확대되어 온 것은 여성취업과 그 맥을 같이 하고 있다. 미국에서 1828년 보스턴 유아학교(Boston Infant School)가 설립되고 여러 다양한 보육시설이 설립되기 시작한 것도 여성취업을 지원하기 위해서였다. 우리나라에서 1991년 「영유아보육법」이 제정된 것도 이러한 시대적 요청에 따른 것이다.

일찍이 Marshall(1890)은 "가장 가치 있는 자본은 사람에 투자하는 것이고 그중 가장 중요한 요소는 어머니"라고 하였다. 이는 바로 인간발달에서 양육환경이 얼마나 중요한지를 말해 주는 것이며, 지금도 여러 학자들은 이러한 사실에 동의한다. 페리 프로젝트에서 어린 자녀뿐 아니라 그들의 어머니를 교육의 대상으로 포함시

킨 것도 이러한 인식에서 비롯된다. 부모의 적절한 돌봄이나 조언, 부모와의 애착
관계는 성공적인 가족의 필수적인 특성이며, 이를 통해 아이들은 이후의 성공적
인 삶에 도움이 되는 기술이나 역량을 길러나가게 된다. 인지적 능력보다 비인지
적 능력이 더 지속적으로 영향을 미치는 것도 이와 같은 이유 때문이다(Heckman &
Mosso, 2014). 그러므로 빈곤가정의 어린 자녀를 대상으로 하는 교육 못지않게 그
들 부모를 대상으로 부모역할을 지원하는 것 또한 중요하다.

　맞벌이가정의 증가로 영유아가 낮 시간의 대부분을 어린이집에서 보내게 되는
현대사회에서는 부모의 보살핌이나 부모자녀 간 상호작용의 양이 절대적으로 부
족할 수밖에 없다. 따라서 돌봄 공백을 최소화하기 위한 양육 지원이 무엇보다 필
요하며, 이에 따라 부모역할을 대신하는 보육교사의 역할은 더욱더 중요하다. 또한
성장과정에서 자연스럽게 부모역할을 익히고 배울 수 있었던 과거의 확대가족과는
달리 핵가족에서 성장한 현대의 부모세대들은 부모역할에 대한 학습이 거의 이루
어지지 않은 경우가 많아 부모역할을 대신하는 대리양육자이자 조력자로서 보육교
사의 역할은 그 어느 때보다도 중요하다. 특히 어린 자녀와 헤어질 때 강한 정서적
압박과 높은 수준의 불안, 즉 모성분리불안(maternal separation anxiety)을 보이는 취
업모들의 경우 일반적으로 둔감한 양육태도를 보이며 이들의 자녀도 회피애착유형
으로 나타난다(Stifter, Coulehan, & Fish, 1993)는 점에서 전문성과 인성을 갖춘 보육
교사의 역할은 중요한 의미를 갖는다.

　일반적으로 많은 사람들은 어린이집의 확충이 어머니의 권리를 우선시하는 것이
라고 생각하며, 동시에 어머니의 권리와 영유아의 권리는 상충되는 것이라고 생각
한다. 게다가 우리 문화에서는 어디까지나 어린 영아를 가족 내에서 부모나 가족원
이 양육하는 것이 가장 바람직하다고 생각한다. 이로 인해 우리나라에서는 다른 선
진국과는 달리 자녀출산 및 양육기의 여성들이 취업을 포기함으로써 특징적으로
M자형 취업패턴(〈그림 1-1〉 참조)이 나타난다. 따라서 부모의 돌봄 공백을 최소화
하고 적절한 양육기술을 지원해 주기 위해서는 보육서비스의 확충과 더불어 전문
적 지식과 인성적 자질을 갖춘 보육교사의 역할이 그 어느 때보다도 절실하다.

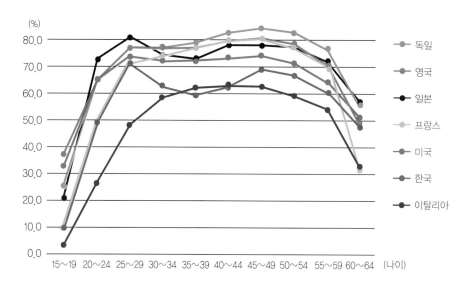

〈그림 1-1〉 15~64세 여성 연령대별 고용률 변화

출처: 한국경제연구원(2019). 15~64세 여성 연령대별 고용률 변화(2018). OECD Stat. https://m.newspim.
　　com/news/view/20191020000101에서 인출.

3) 사회복지서비스의 제공

　　우리나라의 '어린이 헌장'에는 모든 아동은 건강하게 자랄 권리가 있음을 명시하고 있으나 이러한 권리가 모든 아동에게 보장되고 있는 것은 아니다. 특히 가정환경이 열악한 저소득층 아동에게는 더욱더 그러하다. 부모의 사회경제적 지위가 그대로 자녀세대에도 답습되는 사회경제적 불평등의 세대 간 전이가 대를 이어 지속적으로 나타나며, 사회경제적 불평등으로 인해 발달에서의 불평등이 초래되기 때문이다. 이러한 불평등을 해소하기 위해서는 국가의 정책적 개입이 필요하며, 영유아기에서의 조기개입은 이후의 건강이나 소득증가 등 개인적 이점뿐 아니라 복지비용의 감소 등으로 인한 사회적 이점도 크다는 점에서 많은 관심을 받고 있다.

　　이러한 관점에서 미국의 존슨 행정부는 1965년 '빈곤과의 전쟁'이라는 정책을 표방하고 저소득층 자녀에게 교육과 건강서비스를 제공하기 위한 목적으로 헤드스타트 사업을 실시하기 시작하였다. 또한 조기개입의 긍정적 효과를 뚜렷하게 보여 준 '페리 학령전 프로그램'에 대한 장기종단연구결과를 토대로 여러 학자들(Carneiro & Heckman, 2003; Cunha et al., 2006; Doyle, Harmon, Heckman, & Tremblay, 2009; Heckman, 2006, 2013; Heckman, Moon, Pinto, Savelyev, & Yavitz, 2010; Heckman &

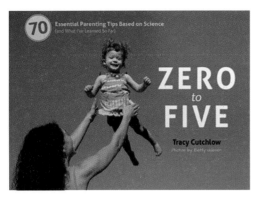

사진 설명 오바마 행정부가 빈곤층 자녀를 위해 추진한 '0~5세 계획(Zero-to-Five Plan)'

Mosso, 2014; Heckman et al., 2013; Schweinhart & Weikart, 1981; Schweinhart et al., 2003; Schweinhart et al., 2005)은 영유아기에서의 과감한 교육과 보살핌의 중요성을 역설하였다(〈표 1-5〉 참조). 오바마 행정부에서 추진한 빈곤층 자녀를 위한 '0~5세 계획(Zero-to-Five Plan)'(사진 참조)도 이들 연구결과에 기초를 두고 있으며, 우리나라에서 실시하고 있는 드림스타트 사업(사진 참조)도 이러한 맥락으로 이해할 수 있다.

사진 설명 취약계층 아동을 위한 맞춤형 지원서비스인 드림스타트 사업

〈표 1-5〉 **가장 수익률 높은 투자처는 영유아 교육**

　　오바마 대통령의 '0~5세 계획'을 이론적으로 뒷받침한 학자는 James Heckman 미국 시카고 대학교 경제학과 교수이다. 그는 불우한 환경에 있는 어린 아이들에게 예산이 적절히 투자된다면 이는 이후 고용에 따른 세수 증가, 실업수당 감소, 낮은 범죄율, 경찰·법원·감옥을 유지하기 위한 비용의 절약으로 이어져서 이러한 교육에 투자했을 때의 수익률을 연이율 7~10%로 추정하였다. Heckman은 조기교육에 대한 사회적 투자로 범죄율을 낮추는 데 드는 비용이 경찰관 수를 늘리는 것의 5분의 1 수준에 불과하며, 국가가 아이들 교육에 투자해서 얻는 이익은 빈곤층뿐 아니라 세금을 내는 중산층과 부유층을 포함해 모든 사회가 광범위하게 공유하게 된다고 강조했다.

　　그의 이름을 딴 '헤크먼 방정식' '투자(Invest)+개발(Develop)+유지(Sustain)=이득(Gain)'은 오바마 대통령 연설의 기초가 되었다. 즉, 인간은 어린 시절부터 동등한 학습기회를 가져야 하므로 가난한 아이들에 대한 학습권을 보장하도록 국가가 '재원을 투자하라' '태어나서 5세까지 집중적으로 아이들의 지적·사회적 능력을 개발하는 데 몰두하라' 그리고 성인이 될 때까지 '우수한 교육 프로그램을 유지하라'. 그러면 다음 세대에 훌륭한 일꾼이 되어 사회 전체적으로 이득이 된다는 것이다.

출처: 조원경(2016. 6. 27). 중앙시사매거진. 가장 수익률 높은 투자처는 영유아 교육.

이들 정책들은 영유아를 대상으로 한 조기개입의 효과를 전제로 한 것이다. 따라서 영유아를 대상으로 보살핌과 교육을 제공하는 보육활동은 빈곤계층을 대상으로 한 선별적 복지뿐 아니라 보편적 복지를 실현하는 중요한 수단이며, 보육의 긍정적 영향을 극대화시키기 위해서는 보육의 주체인 보육교사의 역량과 인성이 뒷받침되어야 할 것이다.

또한 최근의 심각한 저출산율도 영유아에 대한 보살핌을 강조하고 있다. 2020년 우리나라의 합계출산율은 0.84명으로 나타났으며(〈그림 1-2〉 참조), 2001년부터 나타나고 있는 합계출산율 1.3명 이하의 초저출산 현상은 국가 성장 동력의 감소뿐 아니라 나아가 국가존립의 위기를 거론할 정도로 심각한 사회문제로 제기되고 있다. 이에 따라 정부는 부모의 양육부담을 덜어주기 위해 다양한 어린이집을 제공하고 무상보육을 실시하는 등 출산율을 높이기 위해 노력하고 있으나 좀처럼 회복의 기미를 보이지 않고 있다.

저출산에는 여러 요인이 영향을 미치지만 우리나라와 같은 집단주의 문화권에서는 자녀양육의 역할이 여성에게 편중되어 있어 핵가족화로 인해 느껴지는 돌봄 공백의 문제가 더욱더 중요한 요인으로 부각될 수 있다. 그러나 아무리 시설이 좋고 다양한 보육시설이 무상으로 제공된다 하더라도 보육교사의 수준이 이에 미치지 못한다면 부모들은 어린이집에 자녀를 맡기지 않을 것이다. 따라서 영유아의 발달이나 부모역할을 지원해 주기는 어려울 것이며, 결과적으로 사회적인 복지서비스 제공효과도 기대하기 어려울 것이다. 그러므로 현 시점에서 가장 필요로 하는 것은 자격을 갖추고 동시에 인성을 갖춘 참된 보육교사의 역할이다.

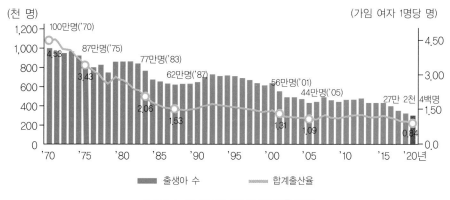

〈그림 1-2〉 **우리나라의 합계출산율**

출처: 통계청(2021). 출생·사망통계 잠정결과.

3. 보육교사의 직업적 특성

보육교사직이 다른 직업과 구분되는 직업적 특성은 무엇인가? 이를 살펴보기 위해 먼저 전반적인 교직의 특성을 살펴보고, 이에 기초하여 교직 가운데 가장 어린 영유아를 대상으로 하는 보육교사직의 직업적 특성을 살펴보고자 한다.

1) 교직의 특성

교사의 법적 용어는 교원이며, 그 일을 업으로 하는 직업을 교직이라고 한다. 국어사전(국립국어원, 2020)에는 교직을 "학생을 가르치는 직업이나 직무"라고 정의하고, 직업을 "생계를 유지하기 위하여 자신의 적성과 능력에 따라 일정 기간 동안 계속하여 종사하는 일"이라고 정의하고 있다. 이러한 정의에 기초해 볼 때, 교사라는 직업은 학생을 가르치는 일이 생계유지의 수단이 되기도 하지만 동시에 자신의 적성과 능력에 맞아야 한다는 것을 의미한다.

교직은 하나의 직업이라는 점에서는 다른 직업과 유사한 특성을 갖지만 다른 직업과는 구별되는 몇 가지 독립적인 특성을 가지고 있다(정일환, 권상혁, 1995). 첫째, 교직은 인간을 대상으로 하는 직업이다. 둘째, 교직은 주로 인간의 정신생활을 대상으로 하는 직업이다. 셋째, 교직은 무한한 가능성을 지닌 미성숙자를 대상으로 하는 직업이다. 넷째, 교직은 국가와 사회에 대한 소명의식과 헌신적인 자세를 요구하는 봉사직이다. 다섯째, 교직은 국가와 민족의 미래에 지대한 영향을 미치는 공적 사업의 성격을 지닌 직업이다. 이러한 교직의 직업적 특성은 전반적인 직업의 특성 가운데 인간을 대상으로 하는 직업, 그중에서도 미성숙자를 대상으로 하는 직업이며, 사회에 봉사 · 공헌하는 사회적 의미를 보다 강조한 것으로 볼 수 있다.

교직에서 사회적 의미가 강조된 것은 다분히 교직의 성직관에 근거한 것으로 볼 수 있다. 교직관은 교직을 성직으로 보는 성직관, 노동직의 하나로 간주하여 교사를 교육노동자로 보는 노동직관, 전문적 지식과 기술을 토대로 자율성을 최대한 보장받는 직업으로 간주하는 전문직관으로 구분할 수 있다. 이 가운데 성직관은 역사적으로 가장 오래된 교직관이다. 중세사회에서 교직은 독립된 직업이 아니라 성직자가 겸하여 맡고 있었기 때문에 교직을 성직이라 간주하는 전통이 지금까지도 지속되고 있는 것이다. 동양문화권에서 스승을 존경의 대상으로 여겨 '군사부일체(君師父一體)'라는 말이 생겨난 것도 천직이나 성직으로서 소명감을 가지고 가르치는 스승의 모습을 강조하였기 때문이다.

또한 Kalleberg(1977)는 직업이 갖는 가치를 직업의 특성이나 보상의 종류에 따라 내재적 직업가치(intrinsic work value)와 외재적 직업가치(extrinsic work value)로 구분하였다. 내재적 직업가치가 일 자체에 의미를 부여하는 것과 관련된 것이라면, 외재적 직업가치는 임금 등 직업에 따른 물질적 보상이나 조건과 관련된 것이다. 이러한 가치 가운데 교직의 경우, 교직의 성직관에 비추어 볼 때 생계유지라는 직업의 외재적 동기를 고려하지 않을 수 없지만 내재적 만족감 또한 중요하다. Lortie(2003)도 여러 다양한 직업 가운데 교직이 갖는 매력적인 특성에 대해 인간 상호관계, 봉사, 계속성, 물질적 이득과 근무시간의 융통성과 같은 5가지 유인가를 제시하였다. 먼저, 인간 상호관계는 교직만큼 젊은이들과 지속적인 상호작용을 하는 직업은 드물다는 것이다. 특히 어린 아이들과 상호작용을 하고 싶은 욕구는 교직의 가장 매력적인 특성으로 거론된다. 둘째, 많은 사람들은 교직을 봉사의 기회로 생각하고 이를 명예롭게 생각한다는 것이다. 셋째, 사람들은 학교에 애착을 갖고, 학교를 좋아하며, 학교와 같은 상황에서 일하기를 좋아하는데, 교직은 이러한 관심을 유지시킬 수 있는 매력적인 직업이라는 것이다. 넷째, 교직은 직업안정성과 물질적 이득을 부여한다. 다섯째, 근무시간의 융통성이다. 이처럼 교직의 매력적 특성으로 물질적 이득과 근무시간의 융통성과 같은 외재적 가치도 중요하지만, 상호작용이나 봉사의 기회, 관심의 지속성과 같은 특성에 우선적인 가치를 두는 것은 어디까지나 교직선택에서 내재적 동기도 중요함을 보여 주는 것이다. 이러한 결과는 교직이 전통적으로 성직관에 근거하고 있고 따라서 사회적 의미가 강조되는 직업이라는 사실에 기인한다.

오늘날과 같은 물질만능사회에서도 사회봉사적 의미를 강조하는 성직관은 교직관에서 가장 큰 비중을 차지한다. 교육 본연의 목적이 미성숙자를 대상으로 '사람임'을 '사람됨'으로 이끄는, 즉 인간을 인간답게 만들어가는 데 있는 것이라면 성직관은 오늘날에도 여전히 중요한 교직의 특성이다. 물질적 가치보다 정신적 가치를 더 중요시하고 미래사회의 동량을 길러내는 참된 교사의 모습은 다른 직업과는 차별화되는 교직의 특성으로 볼 수 있다. 영유아의 인성교육을 담당하는 보육교사의 인성이 중요시되는 이유도 바로 이러한 교직의 특성과 일맥상통하는 것이다.

2) 보육교사직의 특성

Lilian G. Katz

보육교사직의 특성은 이상에서 살펴본 교직의 특성과 차이점도 있지만 상당 부분 유사하다. 또한 유아를 대상으로 한다는 점에서 보육교사는 유치원교사와 동일하므로 보육교사직의 특성을 살펴보기에 앞서 유치원교사직의 특성을 살펴보면 다음과 같다(Katz & Goffin, 1990).

첫째, 유치원교사는 유아의 다양한 정서적 · 사회적 · 신체적 · 인지적 욕구와 발달과업을 충족시켜야 하기 때문에 수행해야 할 역할이 광범위하고 역할경계선이 명확하지 않다.

둘째, 유아교육기관은 교육목표 등이 상이한 다양한 유아교육 프로그램을 실시하고 있기 때문에, 교사의 역할도 실시하는 프로그램에 따라 달라진다.

셋째, 학습자가 어릴수록 신체적, 정신적, 사회적으로 교사에 대한 의존도가 높고 환경에 잠재되어 있는 위험에 취약하다. 그러므로 유치원교사는 유아들에게 전인적 경험을 제공할 수 있는 환경을 조성해 주고 보호해 주어야 한다.

넷째, 유아는 생애 처음으로 공적 집단의 일원이 되어 단체생활에 적응해나가야 한다. 그러므로 유치원교사는 유아들이 분리불안을 극복하는 것을 도와주고 유치원의 일상적인 일과에 적응하는 것을 도와주어, 가정에서 유아교육기관으로의 전환을 용이하게 해 주어야 한다.

다섯째, 유치원교사는 부모와 직접적으로 정서적 관계를 맺으며 유아의 전인발달을 비롯한 여러 광범위한 쟁점에 대하여 상호 협력해야 한다.

여섯째, 유아들은 교사에 대한 의존도가 높으므로 유치원교사는 내면화된 윤리강령에 의해 행동해야 한다.

일곱째, 유아교육과정은 통합 운영되므로 유치원교사는 유아의 발달과 흥미를 고려하여 교육과정을 구성하여야 한다.

이상과 같은 유치원교사의 직업적 특성은 보육교사에게도 동일하게 적용된다. 그러나 보육교사는 유치원교사에 비해 보다 어린 연령대의 영아도 대상에 포함되므로 역할경계선은 더욱더 불분명하다. 교사에 대한 의존도도 더 높고 일과적응에도 더 큰 어려움이 있기 때문에 부모와의 긴밀한 협력이 유치원교사보다 더욱더 필요하다. 또한 유치원교사는 법률적 근거가 「초·중등교육법」인데 반해, 보육교사는 「영유아보육법」에 근거하고 있다. 보육교사의 이러한 직업적 특성은 보육의 대상에 어린 연령대의 영아가 포함되므로 교육 못지않게 보호의 역할이 강조되는 데서 비롯된 것이다. 즉, 보육교사가 유치원교사와 차별화되는 가장 중요한 특성은 바로 교육과 양육 및 보호 역할 간에 균형을 이루는 것이다. 이러한 점들을 토대로 보육교사의 직업적 특성을 다음과 같이 정리해 볼 수 있다.

첫째, 보육교사는 어린 영아를 보육의 대상으로 삼기 때문에 대리부모의 역할을 수행해야 하는 직업적 특성을 갖는다. 영아들의 경우 교사에 대한 의존도가 높고 환경적 위험에 취약하므로 보육교사는 유치원교사보다 더 부모역할과의 경계선이 명확하지 않고 보호자로서의 역할이 우선시된다.

둘째, 보육교사는 애착의 안전기지 역할을 수행해야 하는 직업적 특성을 갖는다. 영아기는 특정인에게 애착이 형성되고 분리불안이 나타나는 시기이므로 보육교사는 영아와 안정애착을 형성함으로써 분리불안을 극복하는 것을 도와주고, 영유아의 어린이집 일과 적응을 도와주어야 한다.

셋째, 보육교사는 언어능력이 발달하지 않은 영유아를 대상으로 하므로 다양한 정보를 부모와 공유해야 하는 직업적 특성을 갖는다. 따라서 어린이집에서 영유아의 행동을 면밀히 관찰하고, 부모와 긴밀한 유대관계를 형성함으로써 영유아의 일상생활이나 신체발달, 질병 등 다양한 정보를 부모와 공유해야 한다.

넷째, 보육교사는 발달의 기본적인 틀이 형성되는 영유아를 대상으로 하므로 여러 영역에 대한 전문적인 지식과 기술을 습득해야 하는 전문직으로서의 직업적 특성을 갖는다.

다섯째, 보육교사는 영유아의 전인발달을 도모하는 직업적 특성을 갖는다. 따라서 어떤 직업보다도 교사의 인성이 중요시되는 직업적 특성을 갖는다.

이러한 직업적 특성에 비추어 볼 때 보육교사의 경우 자신의 적성과 능력에 맞는 직업선택이 더욱더 중요한 의미를 갖는다. Huberman(1993)은 직업선택의 동기를 능동적 동기, 수동적 동기, 물질적 동기의 세 가지 유형으로 구분하고, 영유아교사가 되고자 하는 동기 가운데 '어린이와의 상호작용이 좋아서'와 같은 능동적 동기가 가장 높은 비율을 차지한다고 하였다. Johnston과 동료들(Johnston, McKeown,

& McEwen, 1999)도 영유아교사직을 선택하는 요인으로 어린이와 함께하기, 사회공헌, 지식전달 등과 같은 내재적, 능동적 동기가 우선적으로 작용한다고 하였다. 국내연구에서도 영유아교사직을 선택하는 주요 이유는 '아이들이 좋아서' '적성에 맞아서' '호기심과 흥미' 등(고동섭, 2001; 서경숙, 2007; 유미림, 탁수연, 2010; 조경자, 이현숙, 2005)의 외재적 동기 못지않게 내재적 동기가 강하게 작용하는 것으로 나타났다. 또한 이와 유사한 맥락에서 여러 연구자들(구미향, 2017; 이병래, 김진호, 강정원, 2005; 이은화, 배소연, 조부경, 1995; 전재선, 2011)은 영유아교사가 갖추어야 할 인성요인으로 '영유아에 대한 사랑'을 공통적으로 꼽고 있다.

보육교사직은 단순히 자신의 직업을 선택하는 것에서 나아가 어린 영유아들의 삶에 지속적인 영향을 미칠 수 있다는 점에서 다른 직업과 차별화된다. 교직은 다른 어떤 직업보다도 적성과 인성이 중요한 직업이지만 그중에서도 어린 영유아와 상호작용을 하는 보육교사의 경우에는 더욱더 그러하다. 단순히 생계유지를 위한 수단으로만 생각하거나 단순히 아이들을 돌보는 일이 즐거울 것이라는 환상이나 착각 속에서 직업을 선택하는 것은 자제해야 할 것이다. 실제로 보육교사가 자신의 적성에 따라 보육교사직을 선택했을 경우 역할수행에도 긍정적 영향을 미치는 것으로 나타났다(이수정, 2008). 이를 위해 사전에 보육교사의 역할 등에 대한 충분한 정보를 제공해 주는 것이 필요하며, 이러한 취지에서 교원양성기관에서는 신입생 선발과정에서부터 교직적성·인성검사를 통해 예비교사의 자질을 평가하도록 하고 있다.

4. 현대사회가 요구하는 보육교사

현대사회에서 보육교사에게 요구되는 핵심적인 역량은 무엇인가? 많은 전문가들은 전문성과 인성을 좋은 보육교사가 갖추어야 할 핵심 역량으로 꼽고 있다.

1) 전문성을 갖춘 보육교사

"교직은 아직 전문직이 아니다. 그러나 교직은 전문직이어야 한다"(정범모, 1962)는 주장처럼, 과거 교직에 대한 인식은 전문직과는 다소 거리가 있었다. 전문직으로서 교직에 대한 인식은 점차 변화하고 있으나 아직까지 보육교사직의 전문직 여부에 대해서는 많은 논란이 이루어지고 있다. 이는 보육시설 종사자에게 특별한 자격을 요구하지 않았던 보육 초기의 역사적 배경에 기인하는 것으로 볼 수 있다.

　아직까지도 혹자는 짧은 훈련기간이나 낮은 사회적 지위, 전문직으로서의 정체감 부족 등 여러 요인들에 근거하여 보육교사직이 전문직이 아니라고 주장하는 반면, 다른 한편으로는 그 역할수행에서 다른 교육영역과는 특별한 지식체계를 필요로 하는 등 다양한 측면에서 전문성을 지니고 있다고 주장한다(Feeney, Christiansen, & Moravcik, 1983). Katz(1988)는 전문직으로서 갖추어야 할 기준으로 사회적 필요성, 이타성, 자율성, 윤리강령, 대상과의 적정 거리유지, 과업수행 기준, 장기적 훈련, 전문화된 지식의 여덟 가지 요인을 제시하였다(〈표 1-6〉 참조). 이러한 기준에서 본다면 보육교사직은 전문직으로서의 기준을 상당히 충족시킨다고 볼 수 있다.

　보육교사의 전문성은 영유아의 발달이나 교사 자신의 역할수행에 지대한 영향을 미친다. 보육교사의 전문성은 영유아의 권리인식 및 권리존중 보육실행(김태윤, 김미숙, 2018)이나 수업의 전문성(김지영, 윤진주, 2010), 교사-유아 상호작용(권미성, 문혁준, 2013; 정지은, 이유미, 2020) 등에 긍정적 영향을 미치는 것으로 나타났다. 또한 보육교사로서 교사 자신의 역할수행(황경애, 김현주, 2005)이나 직무만족도(강란혜, 2006)에도 영향을 미치는 것으로 나타났다.

　이처럼 보육의 질을 향상시키는 데 있어서 전문직으로서 보육교사의 직업적 위상은 상당히 중요한 의미를 가지며, '한국표준직업분류'에서도 보육교사를 종전의 '서비스 종사자'에서 '전문가 및 관련종사자'로 분류하고 있다. 그러나 보육교사의 전문성은 교사 개인의 노력만으로 성취하기는 어려운 일이다. 이러한 이유로 국가적 차

〈표 1-6〉 **전문직의 기준**

- 사회적 필요성(social necessity): 사회적으로 필요로 한다.
- 이타성(altruism): 이타주의적인 봉사정신을 필요로 한다.
- 자율성(autonomy): 자신의 철학과 신념에 따라 자율적으로 판단하고 행동한다.
- 윤리강령(code of ethics): 윤리강령이 있고 이에 근거해 역할을 수행한다.
- 적정 거리유지(distance from client): 대상과 적정한 심리적 거리를 유지한다.
- 과업수행 기준(standard of practice): 기준을 근거로 과업수행이 이루어진다.
- 장기적 훈련(prolonged training): 전문성을 갖추기 위해 장기적인 훈련이 필요하다.
- 전문화된 지식(specialized knowledge): 전문화된 지식을 필요로 한다.

출처: Katz, L. G. (1988). Issues in the preparation of teachers of young children. *Elements, 19*(2), 11-14.

원에서도 보육교사의 자격 강화와 교사보수교육제도 등을 실시함으로써 보육교사의 전문성을 향상시키기 위해 지속적으로 노력하고 있다. '제3차 중장기보육 기본계획(2018~2022)'에서도 "영유아의 행복한 성장을 위해 함께 하는 사회"라는 비전을 제시하고, 이를 달성하기 위해 '보육의 공공성 강화' '보육체계 개편' '보육서비스 품질 향상' '부모 양육지원 확대'의 4개 분야를 설정하였으며, 그 가운데 보육서비스 품질을 향상시키기 위한 주요 전략으로 보육교사의 전문성 강화를 제시하였다.

또한 전문성 발달에 장기적인 영향을 미치는 전문성 지원환경에 대해서도 많은 논의가 이루어지고 있다. 전문성 지원환경이란 교사가 지속적으로 자기 성장을 통해서 전문성을 발달시키고 질적 수준을 향상시킴으로써 효율적인 교사 역할을 수행할 수 있도록 지원하는 환경을 의미한다. Fullan과 Hargreaves(1992)는 보육교사의 전문성 발달과 관련하여 지식과 기술, 자기이해, 생태적 측면 등 세 가지 요소를 제시하였다. 지식과 기술은 보육교사에게 적절한 교수기술과 지식을 요구하고 이를 학습할 기회를 제공해야 한다는 것이다. 나아가 보육교사의 교수행동은 신념과 밀접하게 관련되어 있기 때문에 전문적인 보육교사가 되기 위해서는 보육교사 자신에 대한 이해와 개인적 자질을 개발할 기회가 제공되어야 한다는 것이다. 생태적 측면은 직무환경조성의 중요성을 의미하는 것으로, 보육교사의 성장과 발달은 근무환경과 분위기에 좌우된다는 것이다.

이러한 세 가지 요소 가운데 전문적 지식 및 기술을 습득하기 위한 노력은 비교적 많이 이루어지고 있다. 이는 주로 교사교육이나 연수 등을 참석함으로써 이루어진다. 또한 레지오 에밀리아에서 장학담당자(페다고지스타)가 전문적 지식을 바탕으로 교수학습뿐 아니라 정서적 지원을 제공하듯이 전문지식을 가진 장학담당자의 지원을 통해 보육교사의 전문성과 자율성을 증진시키고자하는 장학모델개발도 이루어지고 있다(심정선, 2012). 또한 생태적 측면에서 적절한 자원과 지지적인 근무환경, 긍정적인 어린이집 분위기도 보육교사의 전문성을 신장시키는 주요 요인이다. 특히 원장의 심리적 지지는 영유아보육교사의 전문성 지원환경에서 중요한 변인으로 인식된다. 나아가 보육교사들이 경험하는 심리적 스트레스의 상당 부분이 부모와의 상호작용에서 비롯되므로 부모교육을 통해 보육교사와 부모 간에 신뢰를 쌓고 부모로부터 심리적 지지를 받을 수 있도록 지원이 이루어지고 있다.

이처럼 전문성 발달과 관련된 세 가지 요소는 전문성이 단지 지식과 기술에 국한된 문제가 아니라 교사 자신에 대한 이해와 개인적인 자질을 포함하는 포괄적인 개

넘임을 말해 준다. 따라서 보육교사의 전문성을 신장시키기 위해서는 정부의 노력 뿐 아니라 교사 스스로가 자신의 직업에 대한 성찰과 전문성을 신장시키기 위한 노력이 필요할 것이다.

2) 인성을 갖춘 보육교사

최근 보육교사에게 요구되는 핵심 역량 가운데 전문성 못지않게 인성적 측면이 중요한 요인으로 대두되고 있다. 핵가족화와 맞벌이가족의 증가로 현대사회에서는 영유아가 보육시설을 이용하는 연령이 점차 낮아지고 있고, 이에 따라 영유아가 보육교사와 함께 보내는 시간은 점차 증가하고 있다. 또한 영유아기는 전인발달의 기초가 형성되는 결정적 시기이며 발달 특성상 교사의 말투나 행동을 모방하고 동일시하는 성향이 강하다. 따라서 대리양육자 혹은 모방의 대상자로서 보육교사의 인성은 영유아의 인성발달에 매우 중요한 요인으로 인식되고 있다.

특히 사회적 물의를 일으키고 있는 아동학대 문제로 인해 보육교사의 인성적 측면은 더욱더 강조되고 있다. 오랜 시간 영유아를 돌보고 가르치는 일은 육체적으로나 정신적으로 힘든 일이며, 인내심을 필요로 한다. 보육교사의 소진 문제는 많은 연구들에서 언급되고 있고 이는 아동학대를 유발하는 주요 요인으로 작용하게 된다. 자녀를 어린이집에 보내는 부모들은 보육교사의 인성이 아동학대 예방행동과 관련이 있는 것으로 생각하며(이용주, 조숙영, 2019), 부모들이 자녀의 어린이집 선정에서 우선적으로 고려하는 요인이 어린이집 교사의 인성이라는 것도 바로 이와 같은 이유에서이다.

보육교사의 인성이 영유아의 발달이나 교사 자신의 역할수행에 긍정적 영향을 미친다는 사실은 여러 연구결과로 뒷받침되고 있다. 보육교사의 인성은 영유아의 사회적 능력(최선미, 부성숙, 2017)이나 아동권리인식(조희정, 2019), 교사-영유아의 언어적 상호작용과 행동적 상호작용(정다우리, 2013; 최미곤, 황인옥, 2016) 등 영유아의 발달에 긍정적 영향을 미치는 것으로 나타났다. 뿐만 아니라 보육교사의 인성은 영유아인성교육 인식(신선애, 이성희, 2018)이나 교사 자신의 심리적 안녕감(염은하, 2020), 행복감(심영희, 권민균, 2018; 정민정, 김유진, 2017), 직무소진(이보영, 2018), 적극적이고 긍정적인 교사 역할수행(전재선, 2011) 및 교사로서의 전문성 발달(강인숙, 이희경, 2016; 전홍주, 권현조, 변길진, 2018)에도 영향을 미치는 것으로 나타났다.

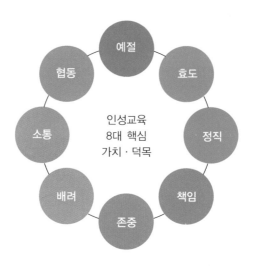

〈그림 1-3〉 **인성교육 8대 덕목**

이처럼 보육교사의 인성을 중요한 요인으로 인식함에 따라 정부에서는 2015년 인성교육진흥법을 제정하고, 보육교사 인성교육을 국가적으로 시행하고 있다. 건전하고 올바른 인성을 갖춘 시민을 육성하기 위한 목적으로 2015년 공포된 우리나라의 「인성교육진흥법」에서는 인성교육을 "자신의 내면을 바르고 건전하게 가꾸며, 타인, 공동체, 자연과 더불어 사는 데 필요한 인간다운 성품과 역량을 기르는 것을 목적으로 하는 교육"으로 규정하고 있다. 이 법에서는 예(禮), 효(孝), 정직, 책임, 존중, 배려, 소통, 협동 등의 주요 인성 덕목을 제시하고(〈그림 1-3〉 참조), 전국 초 · 중등학교에서 인성교육과정을 운영하도록 함과 동시에 교사도 교원양성과정에서 인성교육 관련 필수과목을 이수하고 인성교육을 위한 연수를 의무적으로 받도록 하였다. 교육인적자원부에서는 2009년 창의 · 인성 기본교육 방향을 발표하고 2013년부터 만 3~5세 누리과정에서 인성교육을 강조하고 있으며, 유치원과 어린이집에서는 표준보육과정과 누리과정의 기본적인 내용을 토대로 생활주제에 맞추어 배려, 존중, 협력, 나눔, 질서, 효도의 6개 덕목의 인성교육을 실시하고 있다.

한국보육진흥원에서도 2016년부터 보육교사를 대상으로 '마음성장 프로젝트'를 실시하기 시작하였으며, 보육교사의 인성 함양을 위해 자존감, 소명감, 정서능력, 대인관계, 스트레스(2020년부터 스트레스 척도 추가)의 5가지 영역으로 구성된 인성 자기진단 및 인성교육을 실시하고 있다(〈그림 1-4〉 참조). 또한 보건복지부에서도 전문성과 아울러 인성을 갖춘 보육교사를 양성하기 위한 방안으로 '보육교사인성

자기이해테스트는 보육교직원 스스로 자신의 강점과 약점을 파악하고 이와 연계된 인성교육에 참여 기회를 제공하여 보다 행복한 교사생활을 영위할 수 있도록 지원하는 검사입니다.

내용

5개 영역(자존감, 소명감, 정서능력, 대인관계, 스트레스) 중심 40문항을 측정하여 자신의 강점 및 약점 파악

기대 효과

보육교직원 자기점검 및 자기계발 척도로 활용, 추후 참여 프로그램 주제 선정에 참고

〈그림 1-4〉 **마음성장 프로젝트**

출처: 보육진흥원 마음성장 프로젝트. https://mindup.kcpi.or.kr/biz_guide/biz_cover에서 인출.

론'을 보육교사 자격 취득을 위한 필수 교과목으로 지정하였다.[1]

　교사를 대상으로 한 인성교육은 교사의 인성이 영유아의 인성발달에 영향을 미친다는 사실을 전제로 한다. 뿐만 아니라 인성교육 이후 보육교사들은 영유아의 인성과 행복감의 변화가 교사 자신의 행복감에 영향을 미치게 되는 선순환 구조임을 인식하게 되었으며, 교육전문성 향상에도 적극성을 보인 것으로 나타났다(장희선, 안영진, 2017). 그러나 최근 2년간 인성교육 프로그램을 수강한 보육교사의 비율은 전체 보육교사의 4.8%에 불과한 것으로 나타났는데(한국보육진흥원, 2018a), 이러한 결과는 보육교사가 인성교육을 받을 수 있도록 근무환경을 개선하고, 보육교사 인성의 중요성을 인식시킬 수 있는 교사교육이 지속적으로 이루어져야 함을 시사한다.

---

1 보건복지부령 제392호, 2016년 1월 12일 공포

생각해 보기

1 나는 왜 보육교사가 되고자 하는가? 내가 보육교사직을 선택하는 가장 중요한 이유는 무엇인지 생각해 봅시다.

2 다른 직종과 비교해 보육교사에게 가장 필요한 인성덕목은 무엇일까요? 또 그 이유는 무엇일지 생각해 봅시다.

제2장

보육교사의 인성과 자질

"스승은 제자의 인생에 영원히 영향을 미치고, 스승의 영향이 미치지 않는 부분이 어디인
지 말하는 것은 쉽지 않다"

-헨리 아담스-

매일 아침 어린이집에 아이를 맡기는 부모들은 그들의 아이가 안전하고 풍성한 하루일과를 보내기를 희망한다. 이와 함께 부모들이 중요하게 생각하고 기대하는 것은 자신의 아이가 사랑이 가득하고 바른 인성을 가진 선생님과 함께 일과를 보내는 것일 것이다.

영유아기의 초기 경험과 상호작용은 영유아의 두뇌발달과 애착 형성에 영향을 미치므로, 보육교사가 영유아와 지내는 시간은 영유아의 현재 발달과 미래에 영향을 미친다.

보육교사는 서로 다른 성격을 가진 영유아를 보호 · 교육하고, 그들과 상호작용하면서 어린 학습자를 위해 양질의 프로그램과 학습 환경을 제공해 준다. 보육교사로서 자신의 업무를 수행하기 위해서는 자신의 직무에 대해 제대로 이해하고 효율적인 직무수행기술을 익히는 것과 동시에 보육교사에게 적합한 바른 인성을 가지고 있어야 한다.

보육교사가 영유아에게 미치는 영향력이 강조될수록 보육현장에 있는 보육교사는 훌륭한 교사가 되고 싶지만, 무엇이 보육교사라는 직업에 적합한 인성인지, 좋은 보육교사가 되기 위해 갖출 자질은 무엇인지 등에 대해 명확하게 설명하기는 쉽지 않다. 보육교사의 인성이라는 단어가 다소 추상적이고 보육교사라는 직업에 필요한 자질 또한 한마디로 정의 내리기 어렵기 때문이다.

보육교사의 인성은 보육교사가 갖추어야 할 바람직한 성품과 태도를 의미하고, 자질은 보육교사가 갖추어야 하는 전문적인 지식이나 기술과 인간적인 성격을 말한다. 최근 인성교육에 대한 중요성이 강조되면서 그동안 개인적 자질의 한 영역에서 다루었던 인성을 보육교사의 인성으로 분리해서 살펴보는 접근이 시도되고 있다. 이 장에서는 보육교사의 인성을 보육교사 인성의 개념, 구성요소, 인성교육, 인성평가 도구로 나누어 살펴보고, 보육교사의 자질을 인간적 자질과 전문적 자질로 나누어서 자세히 살펴보고자 한다.

1. 보육교사의 인성

인성교육에 대한 사회적 요구가 많아지면서 우리나라는 세계최초로 2015년 인성교육을 의무로 규정한 인성교육진흥법을 제정하였다. 인성교육법에 근거해, 모든 교육기관은 매년 초 인성교육을 계획하고 인성에 바탕을 둔 교육과정을 운영하며, 교사도 인성교육 연수를 의무적으로 받아야 한다. 교원 양성기관은 인성교육 역량을 강화하기 위한 필수 과목을 개설해야 하고 영유아 교사를 양성하는 기관에서도 보육교사인성에 대한 교과목을 필수 교과목으로 개설해야 한다. 인성교육의 중요성이 강조되면서 교사에 의해 가장 많은 영향을 받는 영유아를 보육하는 보육교사의 인성에 대한 올바른 이해가 필요하다. 보육교사의 인성을 보육교사 인성의 개념, 보육교사 인성의 구성요소, 보육교사 인성교육, 그리고 보육교사 인성 평가 도구 순으로 살펴보고자 한다.

1) 보육교사 인성의 개념

인성은 우리말로 사람 됨됨이, 인격, 성품, 성향, 개성, 기질 등과 같은 의미로 사용되며 영어로는 기질(temperament), 개성(personality), 성격(character) 등으로 사용되고 있다. 국립국어원의 표준국어대사전(2020)에 의하면 인성은 "사람의 성품" 또는 "각 개인이 가지는 사고와 태도 및 행동 특성"으로 정의되어 있다. 사람의 성품(性品)은 '사람의 성질이나 됨됨이 또는 사람의 성질(性質)과 품격(品格)'이며 이를 좀 더 자세히 풀어서 설명하면 성질(性質)은 마음의 바탕이고, 품격(品格)은 사람된 모습이라고 할 수 있다(동아새국어사전, 2019). 사전적 의미에서 알 수 있듯이, 인성은 포괄적이고 추상적인 의미를 가지고 있고 해석하는 관점에 의해 다양하게 이해될 수 있다.

인성에 대한 학자들의 정의를 살펴보면, Guilford는(1988)는 인성은 인간의 개인적 특성으로서 신체, 지능, 지식, 정서, 동기, 흥미 등을 모두 포함하는 것이라고 했다. 인성이라는 단어는 지성, 능력, 습관, 태도, 신체적 특성에 이르기까지 많은 요인을 함축하고 있어 포괄적, 다의적(多義的)으로 사용되기 때문에 개념을 간결하고 정확히 표현하기는 쉽지 않은 일이다(강봉규, 1992). 인성은 자신의 내면적 요구와 사회 환경적 필요를 지혜롭게 잘 조화시킴으로써 세상에 유익함을 미치는 인간의 특성이고, 사람의 마음 바탕이 어떠하며, 사람 된 모습이 어떠하다는 것을 말하는 개념으로 인성은 사람의 마음과 사람됨이라는 두 가지 요소로 이루어졌다(차성원, 2012). 인성은 가치적인 인격의 의미와 가치 중립적인 성격의 의미를 모두 포함하고 있으며, 도덕적 가치가 개입된 인격과 개인이 지닌 독특한 특성의 총체를 가리키는 성격이 결합하여 일반적으로 인성으로 사용되고 있다(이명순 외, 2018). 인성은 존중, 공정성, 보살핌 등의 도덕적, 윤리적 가치와 책임감, 신뢰, 시민성 등을 망라하는 개념이며 이러한 가치들을 행동하고 추론하며, 정서 속에서 증명하는 것을 의미한다(교육부, 2020). 이처럼 인성은 용어 자체가 추상적이고 포괄적인 의미를 내포하고 있으므로 하나로 정의하기 어렵고 해석하는 관점에 따라 다양하게 이해될 수 있으며 학자마다 인성의 개념을 강조하는 부분에 따라 차이가 있다. 종합하면, 인성이란 품성, 사람됨을 뜻하며 개인이 공동체 안에서 사람답게 살아가기 위해 갖추어야 하는 가치관과 태도를 포함하고, 사회적 환경이나 교육을 통해 변화하고 발전할 수 있는 인간의 마음과 행동이라 할 수 있다.

Winnicott(2000)에 의하면 건강한 인격만이 한 명의 건강한 인격체를 키워낼 수 있다. 다시 말하면, 영유아의 바른 인성은 보육교사의 바른 인성에 의해서만 교육되고 발달할 수 있으므로 보육교사의 바른 인성은 영유아의 발달에 큰 영향을 미친다. 보육교사는 영유아를 안아주고, 기저귀 갈기 등의 돌봄을 제공하고, 영유아와 눈을 마주치고, 표정을 읽고, 상호작용을 하는 등의 정서적 교감을 나눈다. 보육교사가 진심으로 아이들을 사랑하고 인성에 대한 바른 모델링을 제시했을 때 영유아 또한 좋은 인성을 가진 어른으로 성장해 나갈 수 있다. 발달심리학자인 Berk(2006)에 의하면 모방은 영유아에게 가장 큰 영향을 미치는 학습도구이다. 특히, 영유아기는 보육교사가 영유아에게 미치는 영향이 매우 큰 시기이기 때문에 영유아를 지도하는 보육교사는 다른 연령을 가르치는 교사보다 책임감을 더 많이 가지고 보육에 임해야 한다. 다시 말하면, 보육교사는 영유아의 신체, 정서, 인지발달 등 전인적 발달과 성장을 지원하기 때문에 이에 적절한 교사로서의 인성을 갖추고 있어야 한다.

4차산업혁명 시대가 되면서 미래의 지식정보화 사회에 능동적으로 대처하기 위해서는 사람과 사람의 관계를 가치 있게 여기는 인성적 덕목을 갖춘 교육이 더 강조되고 있다. 인성 형성에 결정적 시기인 영유아기부터 타인을 배려하고 더불어 존중하며 협력적으로 살아가는 것을 가르치기 위해서는 영유아를 보육하는 보육교사의 인성이 강조될 수밖에 없다.

교사가 단순히 가르치는 노동행위에 종사하는 사람이 아니라 인간의 전인적 성장을 담당하는 사람이라는 인식 때문에 교육대학을 포함한 사범계 대학은 '교원자격검정령' 제19조(무시험검정의 방법 및 합격기준) 제3항 및 별표1에 의해 교직적성과 인성검사를 실시하고 있다. 유치원 교사자격을 취득하기 위해서는 교직적성 및 인성검사를 2회 이상 실시하여 적격 판정을 받아야 하지만 보육교사를 양성하는 과정은 아직 의무적으로 인성검사를 시행하지 않고 있다. 다만 보육교사를 양성하는 교육과정에 보육교사인성론이 필수 교과목으로 추가되어 운영 중이다. 강선보 등의 연구(2008)에 의하면 21세기형 인성은 인간이 태어날 때 갖추고 있는 완성된 성질이라기보다 인성교육을 통해서 갖추어질 수 있고, 2015년 7월 인성교육진흥법이 제정되면서 국가와 지방자치단체, 학교에서 의무적으로 인성교육을 하도록 하고 있으므로 보육교사 교육과정에 다양한 인성 관련 교과목이 보완되어야 한다.

2) 보육교사 인성의 구성요소

인성의 개념은 관점에 따라 다양하고, 다양한 관계 속에서 강조되는 덕목이 달라질 수 있지만, 인성은 한 개인이 속한 사회의 구성원으로 생활하는 데 요구되는 지식과 태도, 가치관 등 인간이 보편적으로 갖추어야 할 가치를 포함하고 있다. 보육교사 인성의 구성요소를 학자별로 정리하면 다음과 같다.

Seefeldt(1980)는 보육교사의 인성을 유아에 대한 감정이입, 현재 수준을 수용할 수 있는 능력, 융통성 있고 선입견을 갖지 않는 마음, 지적 호기심, 유아와 부모에 대한 이해와 사랑, 교사로서의 자기 성장 능력이라 하였다. 전재선(2011)은 현직 유아교사의 인성을 인간애, 긍정적 자아개념, 사회관계, 직무수행, 창의 · 인성으로 구분하였다. 인간애에는 이타심과 용서, 긍정적 자아개념에는 자기개발, 주도적 자아성취, 사회관계에는 자기조절, 의사소통, 공감적 이해, 직무수행에는 직무수행태도, 창의 · 인성에는 유머 · 위트, 사회문제인식, 창의적 성향 등이 있다. 김혜경(2012)은 예비 보육교사의 인성을 대인관계 능력, 영유아에 대한 수용성 · 민감성, 창의성 · 자기개발, 영유아에 대한 친화력, 영유아에 대한 안전관리 능력, 업무에 대한 소명감, 긍정적 정서로 구분하였다. 김은설 등(2015)은 현직 영유아교사의 인성을 보편적 인성과 교사로서의 인성으로 구분하여 제시하였다. 보편적 인성에는 사회성, 책임감 · 성실성, 타인존중 · 배려, 자기조절, 심리적 건강이 있으며, 교사로서의 인성은 공감 · 정의감, 교직관, 민감성 · 수용성으로 제안하였다. 김성원과 신정애(2019)의 연구에 의하면 보육교사 인성에 관한 선행연구에서 제시한 덕목과 원장, 교사, 부모 설문에서 추출된 덕목을 빈도에 따라 상위 13개를 선택한 결과 자기조절(인내), 존중, 책임, 성실, 배려, 열정, 의사소통, 공감(이해심), 협력, 교육신념, 소명, 유머감각, 정의로 나타났다.

위의 내용을 종합해 본 결과, 보육교사 인성의 구성요소는 보육교사직에 대한 신념, 소명의식, 영유아에 대한 열정, 배려, 존중하는 마음이 공통적 요소로 포함되어 있다. 이를 통해 보육교사 인성은 교육적 신념 및 가치관, 책임감을 느끼고 교직에 임하는 자세, 영유아를 존중하고 배려하며 수용하는 태도 등을 중요한 요소로 강조하고 있음을 알 수 있다(〈표 2-1〉 참조).

〈표 2-1〉 보육교사 인성의 구성요소

연구자(발표연도)	구성요소
Seefeldt(1980)	유아에 대한 감정이입, 현재 수준을 수용할 수 있는 능력, 융통성 있고 선입견을 갖지 않는 마음, 지적 호기심, 유아와 부모에 대한 이해와 사랑, 교사로서의 자기 성장 능력
Eyre & Eyre(1993)	기본생활습관(자기관리와 절제), 사회 · 정서적 덕목(평온함, 자신감, 존중, 사랑, 양보와 이해심, 친절과 다정함), 윤리 · 도덕적 덕목(정직, 용기, 정절과 순결, 책임, 성실과 신뢰, 정의와 자비)
Patterson(1999)	존중감, 애정, 공감적 이해, 진실성, 개방
이은화, 배소연, 조부경 (1995)	영유아에 대한 사랑, 인간에 대한 사랑, 타인에 대한 긍정적 사고, 원만한 인간관계, 긍정적 자아관, 자발성, 봉사성, 성실성, 사려성, 도덕성
김애경(2001)	심리적 안정감, 성숙한 인성, 유머감각, 직관, 긍정적 자아인식, 도덕성, 융통성, 창의성
교육인적자원부(2001)	개인생활(생명존중, 성실, 정직, 자주, 절제), 가정 · 이웃 · 학교생활(경애, 효도, 예절, 협동, 애교 · 애향), 사회생활(준법, 타인배려, 환경 보호, 정의, 공동체의식), 국가 · 민족생활(국가애, 민족애, 안보의식, 평화통일, 인류애)
이병래, 김진호, 강정원 (2005)	인간적 자질, 실천적 능력, 전문적 지식, 교원으로서의 신념
전재선(2011)	인간애(이타심, 용서), 긍정적 자아개념(자기개발, 주도적 자아성취), 사회관계(자기조절, 의사소통, 공감적 이해), 직무수행(직무수행태도), 창의 · 인성(유머 · 위트, 사회문제인식, 창의적 성향)
김혜경(2012)	대인관계 능력, 영유아에 대한 수용성 · 민감성, 창의성 · 자기개발, 영유아에 대한 친화력, 영유아에 대한 안전관리 능력, 업무에 대한 소명감, 긍정적 정서
이정순(2013)	건전한 교육관 · 교직관, 자신감, 반성적 사고 능력 및 실천적 지식, 심리적 안정성, 성실성 · 봉사정신 실천, 적극적이며 열정적 성향, 인내심, 유아를 존중하고 사랑하는 마음, 도덕성
김경령, 서은희(2014)	보편적 인성: 자기조절, 사회성, 도덕성, 책임감 교직 인성: 소명의식, 학생에 대한 열정, 교육적 신념
김순환, 박선혜, 남옥선 (2014)	기본 인성: 존중, 책임감, 양심, 자존감, 겸손, 감정이입, 선에 대한 사랑, 자기통제 교직 인성: 유치원 교원 핵심역량, 유치원 교사의 윤리강령, 사회인지 영역이론

조운주(2014)	계획성, 소명감 · 교직관, 문제해결력 · 판단력, 봉사 · 희생 · 협동성, 독립성 · 자주성, 창의 · 응용력, 성실 · 책임감, 언어 · 의사소통력, 심리적 건강, 지식 · 정보력, 사려성 · 타인존중, 열정
김은설, 김길숙, 이민경 (2015)	보편적 인성: 사회성, 책임감 · 성실성, 타인존중 · 배려, 자기조절, 심리적 건강 교사로서의 인성: 공감 · 정의감, 교직관, 민감성 · 수용성
김성원, 신정애(2019)	자기조절(인내), 존중, 책임, 성실, 배려, 열정, 의사소통, 공감(이해심), 협력, 교육신념, 소명, 유머감각, 정의

출처: 김은설 외(2015). '영유아교사 인성 평가 도구 개발 및 교육 강화 방안'을 참고하여 재구성.

3) 보육교사 인성교육

인성교육진흥법에 의하면 인성교육은 자신의 내면을 바르고 건전하게 가꾸고 타인 · 공동체 · 자연과 더불어 살아가는 데 필요한 인간다운 성품과 역량을 기르는 것을 목적으로 하는 교육이다. 인성교육진흥법에 의해 교육부는 인성교육 종합계획을 5년마다 수립하여 공교육 전반을 통해 인성교육을 구현하고 있다. 2021년 1차 인성교육 종합계획(2016-2020)에 이어 2차 인성교육 종합계획(2021-2025)이 추진중인데, 2차 인성교육종합계획의 추진배경은 미래인재의 핵심역량인 인성 함양과 인성교육 강화에 대한 사회적 요구이다.

인성교육진흥법 이외에도 교육기본법, 교육과정, 누리과정 등에서 인성교육의 개념과 추구하는 인간상을 제시하고 있다(〈표 2-2〉 참조). 이 중 영유아 보육과 관련된 누리과정에서 추구하는 인간상은 "몸과 마음이 건강하고 자주적, 창의적이며 감성이 풍부하고 더불어 사는 사람"이다. 누리과정에서 추구하는 인간상으로 영유아를 보육하기 위해서는 보육교사가 먼저 몸과 마음이 건강해야 한다. 따라서 보육교사의 인성교육이 선행되어야 한다.

〈표 2-2〉 법령에 따른 인성교육의 개념

법령	인성교육의 개념, 추구하는 인간상
교육 기본법	(교육이념) 교육은 모든 국민이 인격을 도야하고 민주시민으로서 필요한 자질을 갖추게 하여, 인간다운 삶을 영위하고 민주 국가의 발전과 인류 공영의 이상을 실현하는 데 이바지하게 함을 목적으로 함 (학교교육) 학교교육은 학생의 창의력 계발 및 인성 함양을 포함한 전인적 교육을 중시하여 이루어져야 함

2015 개정 교육과정	(추구하는 인간상) 공동체 의식을 가지고 세계와 소통하는 민주시민으로서 배려 와 나눔을 실천하는 더불어 사는 사람
2019 개정 누리과정	(추구하는 인간상) 몸과 마음이 건강하고 자주적, 창의적이며 감성이 풍부하고 더불어 사는 사람
인성교육 진흥법	(인성교육의 정의) 자신의 내면을 바르고 건전하게 가꾸고 타인·공동체·자연 과 더불어 살아가는 데 필요한 인간다운 성품과 역량을 기르는 것을 목적으로 하는 교육 (핵심 가치·덕목) 예, 효, 정직, 책임, 존중, 배려, 소통, 협동 (핵심역량) 지식, 의사소통능력, 갈등 해결능력이 통합된 능력

출처: 교육부(www.moe.go.kr). 제2차 인성교육 종합계획.

    누리과정이 추구하는 교육목표를 실현하는 것 이외에 보육교사를 대상으로 인성교육이 필요한 이유는 다음과 같다. 첫째, 보육교사는 영유아에게 가장 강력한 영향을 미칠 수 있는 인적 환경이기 때문에 보육교사의 행동과 태도는 영유아의 발달과 행동에 많은 영향을 미치게 된다. 영유아는 보육교사의 행동과 외모, 태도 등을 동일시하며 모방하려는 경향이 강하기 때문에 보육교사에게 인성교육이 필요하다. 둘째, 보육교사의 전문성은 보육교사의 전문지식이나 교수법에 한정되는 것이 아니라 모든 일상과 교육과정에서 보육교사의 인성이 자연스럽게 나타나므로 보육교사는 바른 인성을 갖추고 있어야 한다.

    보육교사를 대상으로 진행되는 대표적인 인성교육 프로그램은 한국보육진흥원에서 운영하는 '보육교사 마음성장 프로젝트'이다. 현직 보육교사를 대상으로 진행하는 인성교육프로그램인 '보육교사 마음성장 프로젝트'는 자존감, 소명감, 정서능력, 대인관계 총 4개의 주제로 구성되어 있고, 진행 과정은 자기이해테스트를 온라인으로 진행하고 진단결과에 따라 맞춤형으로 추천된 프로그램에 참여하여 교육을 받는다(〈그림 2-1〉 참조).

    보육교사는 교육 이전에 온라인으로 자기이해테스트를 먼저 하는데, 자기이해테스트는 총 5개의 영역 40문항으로 구성되어 있으며, 보육교직원으로서 갖추어야 할 역량(자존감, 소명감, 정서능력, 대인관계) 및 스트레스를 자기진단을 통해 확인해 볼 수 있다(〈그림 2-2〉 참조).

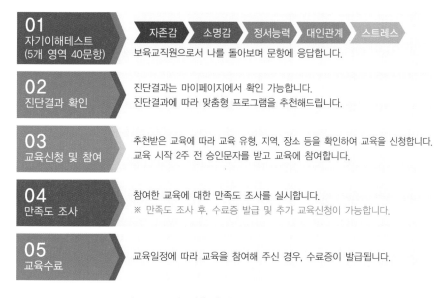

01 자기이해테스트 (5개 영역 40문항)
자존감 ▸ 소명감 ▸ 정서능력 ▸ 대인관계 ▸ 스트레스
보육교직원으로서 나를 돌아보며 문항에 응답합니다.

02 진단결과 확인
진단결과는 마이페이지에서 확인 가능합니다.
진단결과에 따라 맞춤형 프로그램을 추천해드립니다.

03 교육신청 및 참여
추천받은 교육에 따라 교육 유형, 지역, 장소 등을 확인하여 교육을 신청합니다.
교육 시작 2주 전 승인문자를 받고 교육에 참여합니다.

04 만족도 조사
참여한 교육에 대한 만족도 조사를 실시합니다.
※ 만족도 조사 후, 수료증 발급 및 추가 교육신청이 가능합니다.

05 교육수료
교육일정에 따라 교육을 참여해 주신 경우, 수료증이 발급됩니다.

〈그림 2-1〉 **마음성장 프로젝트 진행과정**

출처: https://mindup.kcpi.or.kr/biz_guide/biz_cover.

영역	내용
자존감	자존감은 스스로 자기 일을 얼마나 잘 할 수 있다고 보는지(유능성), 심리적으로 얼마나 건강한지(심리적 건강), 스스로를 소중히 여기고 가치 있다고 믿는지(자아존중) 등 3가지 측면을 11개 문항으로 측정합니다.
소명감	소명감은 보육교직원이라는 직업에 대한 소명의식, 전문성을 함양하려는 노력, 직무 만족감 등 3가지 측면을 7개 문항으로 측정합나디.
정서능력	정서능력은 정서에 대한 인식능력, 정서 및 행동을 조절하고 활용하는 능력 등 2가지 측면을 6개 문항으로 측정합니다.
대인관계	대인관계는 사회성(사교성), 의사소통, 타인존중 및 배려, 공감능력 등 4가지 측면을 6개 문항을 측정합니다.
스트레스	스트레스는 삶 속에서 스트레스를 느끼거나 다루었던 경험에 대한 긍정적 지각, 부정적 지각 등 2가지 측면을 10개 문항으로 측정합니다. ※ 한국판 지각된 스트레스 척도(Perceived Stress Scale: PSS) 인용

〈그림 2-2〉 **자기이해테스트**

출처: https://mindup.kcpi.or.kr/biz_guide/test_cover.

자기이해테스트의 진단결과에 따라 맞춤형으로 교육이 진행되는데, 교육영역은 자신감 넘치는 선생님(자존감), 열정적인 선생님(소명감), 즐거운 선생님(정서능력), 따뜻한 선생님(대인관계)의 4개 요소로 구성되어 있고 교육영역을 자세히 살펴보면 다음과 같다.

자신감 넘치는 선생님(자존감)은 자기 자신에 대한 새로운 이해를 통해 자아존중감을 높이고, 디톡스와 힐링을 경험하면서 스트레스를 해소하는 방법을 체험해 볼 수 있는 수준 높은 내용으로 이루어져 있다. 또한, 소그룹 활동, 워크시트 활용 등의 활동을 통해 영유아와의 효과적인 상호작용 방법도 배울 수 있는 매우 유용한 기회가 된다.

열정적인 선생님(소명감)은 보육교사로서의 열정을 확인할 수 있는 다양한 활동이 포함되어 있다. 보육교사가 가져야 할 윤리의식과 도덕성을 실천하고 있는지 반성적 사고를 통해 성찰하고, 누군가의 삶에 큰 역할을 하게 되는 보육교사라는 직업의 소명감에 대해 다시 한번 생각해 볼 수 있다. 또한, 행복한 교사가 행복한 보육을 할 수 있고 궁극적으로 영유아의 삶이 행복해질 수 있으므로, 보육교사의 심리적 안녕감 회복을 위해 마음으로 감정을 바꿀 수 있다는 최근의 뇌 연구 결과를 활용한 힐링 활동들을 경험하게 된다.

즐거운 선생님(정서능력)은 자신의 감정을 돌아보는 시간을 통해 정서적 힐링을 경험하고, 소그룹 활동, 워크시트 활용 등의 활동을 통해 부정적 감정이 나타나는 여러 가지 상황에서 대처하는 방법을 다루고 있다. 또한, 영유아의 문제행동에 대한 이해를 바탕으로 문제해결 능력을 향상하는 기회를 가질 수 있다.

따뜻한 선생님(대인관계)은 자신에 대한 수용을 토대로 하여 다른 사람을 배려하고, 긍정적인 관계를 형성하며 갈등을 예방하고, 일에 대해 열정을 발휘할 수 있도록 자기동기화를 강화하는 과정으로 구성되어 있다. 또한 연극을 통하여 공감과 배려를 연습하고 실제 적용해 보는 흥미로운 기회를 가질 수 있다.

각 영역은 교사가 자신을 토닥이게 하고, 감정 소진을 치유하게 하여 튼튼해진 마음으로 힐링을 한 후, 직무능력을 향상하고 역량을 강화하는 것을 목표로 하고 있다(〈표 2-3〉 참조).

〈표 2-3〉 '보육교사 마음성장 프로젝트' 교육내용

영역(프로그램)	힐링	직무능력향상	역량강화
자존감 자신감 넘치는 선생님	감정코칭과 자긍심	영유아 상호작용	보육교사의 자아존중감
소명감 열정적인 선생님	브레인 힐링	갈등의 예방과 관리	보육교사의 윤리 및 책무성
정서능력 즐거운 선생님	감정관리 기술	문제행동 영유아에 대한 이해 및 대처	정서/행동 조절
대인관계 따뜻한 선생님	타인배려와 공감능력증진	학부모와 효과적인 대화법	소통능력 함양

출처: https://mindup.kcpi.or.kr/biz_guide.

　'보육교사 마음성장 프로젝트'의 교육시간은 1일(3시간, 5시간)프로그램 또는 1박 2일(8시간)이고 인성교육 프로그램 패키지는 직무역량강화, 힐링프로그램, 인문학 프로그램으로 구성되어 있다(〈그림 2-3〉 참조).

〈그림 2-3〉 **보육교사 마음성장프로젝트 교육시간 및 형태**

출처: https://mindup.kcpi.or.kr/biz_guide.

4) 보육교사 인성 평가도구

　인성교육진흥법 제정과 어린이집 아동학대 사건이 발생하면서 보육교사를 대상으로 한 인성검사의 필요성이 제기되고 있지만 아직 제도화되지 않고 있다. 보육교사 인성평가 도구에 관한 연구는 여러 학자에 의해 진행되었지만 김은설 등(2015)

이 개발한 도구와 김성원과 신정애(2019)가 개발한 도구를 자세히 살펴보고자 한다. 먼저 김은설 등(2015)이 개발한 영유아교사 인성 평가도구를 살펴보면, 이 도구는 2개의 영역(보편적 인성, 교사로서의 인성)과 8개의 하위요인 총 84문항으로 구성되어 있다. 보편적 인성은 사회성(6문항), 책임감 · 성실성(12문항), 타인존중 · 배려심(8문항), 자기조절(6문항), 심리적 건강(14문항) 총 5요인 46문항으로 구성되어 있다. 교사로서의 인성은 공감 · 정의감(8문항), 교직관 · 소명의식(9문항), 민감성 · 수용성(21문항) 총 3요인 38문항으로 구성된 Likert 5점 척도이다.

김성원과 신정애(2019)가 연구한 영유아교사 인성 평가도구는 존중(12문항), 인간관계(8문항), 배려와 협력(6문항), 자기조절(3문항), 성실(3문항) 총 5요인 32문항으로 구성된 Likert 5점 척도로 좀 더 간편하게 검사를 진행해 볼 수 있다. 〈표 2-4〉에 제시된 측정도구의 문항을 살펴보고 스스로 평가해 보면 자신의 보육교사 인성 수준을 평가할 수 있다.

〈표 2-4〉 **보육교사 인성 평가도구**

요인	문항	1	2	3	4	5
존중	영유아에게 친절한 태도로 일관성 있게 대한다.					
	영유아를 동등하게 대하고 편애하지 않는다.					
	영유아의 의견을 경청한다.					
	영유아의 부정적인 정서를 공감, 위로 한다.					
	영유아의 요구와 감정에 민감하게 반응한다.					
	영유아와 부모에게 따뜻한 미소, 표정을 보인다.					
	영유아가 스스로 할 수 있도록 기다려주는 편이다.					
	영유아 간의 갈등을 합리적으로 판단, 중재한다.					
	영유아의 더딘 행동을 침착하게 기다려준다.					
	의견의 차이가 있을 경우 타인의 의견과 조율하면서 결정한다.					
	교사로서의 사명감이 투철하다.					
	영유아 교사로서 전문성을 높이기 위해 자기개발을 한다.					
인간관계	때와 장소에 맞는 의사소통을 한다.					
	상대방을 존중하는 태도로 상호작용한다.					
	타인의 조언, 비판을 긍정적으로 수용한다.					

		1	2	3	4	5
	바르고 고운 말을 사용한다.					
	영유아의 문제 상황에 대해 진실한 태도로 가정과 소통한다.					
	손해를 보더라도 정직, 신의를 버리지 않는다.					
	교육현장에서 만나는 사람들과 원만한 인간관계를 유지한다.					
	양심에 가책을 느낄 언행을 하지 않는다.					
배려와 협력	상급자와 동료 교사들의 결정을 수용하고 협력한다.					
	타인의 생각을 존중한다.					
	어려움에 처한 주변인에게 도움을 제공한다.					
	일하는 속도와 방식이 다른 교사와도 협력한다.					
	진정성 있고 친절한 언행을 사용한다.					
	동료 교사와 협력하고 필요시에는 희생도 감수한다.					
자기 조절	어려운 일이 생길 때 쉽게 포기하지 않는다.					
	어려움을 주는 동료, 부모들에게 불이익을 주지 않는다.					
	영유아의 반복적인 행동문제를 다룰 시 감정조절을 할 수 있다.					
성실	성실하게 직무에 임한다.					
	내가 할 일을 남에게 미루지 않는다.					
	나에게 주어진 일을 책임감 있게 수행한다.					

* 1: 매우 낮은 편이다, 2: 대체로 낮은 편이다, 3: 낮은 편이다, 4: 보통이다, 5: 높은 편이다.
출처: 김성원, 신정애(2019). 영유아교사 인성 측정도구 개발과 타당화. 육아정책연구, 13(1), 3-27.

2. 보육교사의 자질

자질(資質)이란 타고난 성품이나 소질 또는 어떤 분야의 일에 대한 능력이나 실력의 정도(국립국어원, 2020)를 의미하며 어떤 직업이든 그 업무를 효율적으로 수행하기 위해 요구되는 소질이나 능력이 있다. 보육은 사회적 상황에 의해 영향을 많이 받기 때문에 보육교사의 자질 또한 사회문화적 맥락과 패러다임에 따라 변화할수 있다.

교육학 용어사전에 의하면 교사의 자질은 교사라는 직업이 일반적으로 요구하는특성으로 전통적으로는 인격적 조건이 강조되었으나 오늘날에는 인격적인 부분과함께 교사의 지식과 기술 또한 높게 기대된다(서울대학교 교육연구원, 2011). 보육교사가 자신의 역할을 성공적으로 수행하려면 적절한 자질을 가지고 있어야 하는데, 보육교사의 좋은 자질은 아동의 민감성을 촉진시키고 긍정적인 발달을 도모할 수 있다(Harms, Clifford, & Cryer, 1998).

선행연구들을 바탕으로 보육교사가 양육과 교육자로서 바람직한 역할을 수행하기 위해서 갖추어야 할 기본적인 자질은 크게 인성적 특성인 인간적 자질과 보육교사로서 역할을 수행하기 위해 갖추어야 할 전문적인 능력인 전문적 자질로 구분될 수 있다.

1) 인간적 자질

보육교사의 인간적 자질로는 온화, 다정, 보살핌, 친근함, 이해심, 감정이입, 민감성, 경청자와 효과적인 의사소통자, 생기 있고 열광적임, 유머감각, 아이들과 함께 하는 것을 즐김, 신뢰감, 수용성, 창의성, 호기심, 배우고자 하는 열의, 긍정적으로 사고함, 건강함, 영유아에 대한 애정, 공평함, 원만한 인간관계, 인내심, 융통성, 책임감, 대인관계 능력 등이 있다(김은설 외, 2009; 이지은, 2017; 이혜진, 2016; Estes, 2004; Saracho & Spodek, 1993). 보육교사의 인간적 자질 중 몇 가지 자질을 자세히 살펴보면 다음과 같다.

첫째, 보육교사는 긍정적으로 사고해야 한다. 보육교사는 하루 종일 영유아와 생활을 함께 하므로 보육교사의 사고 방법은 영유아에게 직접 영향을 미칠 수 있다. 영유아기에 긍정적으로 사고하는 것은 영유아의 인성발달에 직접적인 영향을 미치므로 보육교사가 긍정적으로 사고하고 영유아를 지도하는 것은 가장 중요한 자질 중 하나라고 볼 수 있다. 보육교사가 긍정적인 사고를 가지고 자신의 일을 즐기고 만족한다면 영유아에게 정서적으로 안정된 보육이 제공될 것이다.

둘째, 보육교사는 신체적, 정신적으로 건강해야 한다. 영유아는 보육교사가 신체적 돌봄을 제공해야 하는 대상으로 보육교사는 상황에 따라 영유아를 안아주고, 씻기는 등 몸을 움직이는 상호작용을 해야 한다. 그뿐만 아니라 보육교사가 매일 매일 베이비 마사지를 하는 것은 영유아에게 정서적 안정감을 줄 수 있고, 영유아와 간단한 신체활동을 함께 하는 것은 영유아의 두뇌발달에 도움이 된다(Honig, 2002). 즉, 활동량이 풍부한 영유아를 제대로 보육하고 영유아기에 적절한 보육을 제공해 주기 위해서는 무엇보다 보육교사의 신체적 건강이 요구된다.

셋째, 보육교사는 영유아를 사랑하는 따뜻한 마음을 지녀야 한다. 보육교사와 함께하는 영유아는 항상 미소 짓고 있는 모습이 아니라 상황에 따라 보육교사를 지치게 하는 영유아가 있기도 하고 보육교사와 상호작용이 쉽게 되지 않아 보육교사의 인내심을 필요로 하는 영유아가 있기도 하다. 그럼에도 불구하고 교사는 모든 상황에서 영유아를 이해하고 사랑하는 따뜻한 마음을 가지고 있어야 한다.

넷째, 보육교사는 공평함을 가지고 있어야 한다. 어린이집에서 영유아와 상호작용하는 보육교사가 자신의 선호와 감정에 따라 영유아를 대한다면 이러한 분위기 때문에 영유아가 상처받을 수도 있다. 보육교사는 모든 영유아에게 평등하게 기회를 제공해 주고, 자신의 선호와 무관하게 모든 영유아에게 전문적인 서비스를 제공해야 한다.

다섯째, 보육교사는 원만한 인간관계를 형성해야 한다. 2018년 보건복지부·육아정책연구소에서 실시한 전국보육실태조사에 의하면 우리나라 어린이집의 교사는 평균 5~6명 정도이다. 소규모의 집단 구성원이 온종일 일상생활을 함께 공유해야 하는 어린이집의 특성상 구성원 간의 인간관계는 다른 어떤 조직보다 중요하다고 볼 수 있다. 보육교사는 동료 교사와 원장 그리고 다른 보육교직원과 상호작용하는 데 어려움이 없어야 하며 동시에 학부모와도 서로 신뢰하며 존중하는 관계를 유지할 수 있어야 한다. 이를 위해 타인의 입장에서 생각하고 효율적으로 의사소통하는 능력을 키우는 등 여러 가지 노력을 해야 한다.

여섯째, 영유아기는 발달적 요구와 능력에서 개인차가 비교적 큰 시기로 교사가 이러한 발달적 특성과 요구를 이해하고, 여기에 효과적으로 대응하기 위해서 보육교사는 이해심과 인내심 그리고 융통성이 필요하다.

일곱째, 보육교사는 영유아를 대상으로 교육적 기능과 보호적 기능을 동시에 수행해야 한다. 따라서 교사는 영유아의 교육과 보호에 있어 최선의 방법이라고 선택한 것에 대한 확신감, 추진력 그리고 책임감을 보여 주어야 한다.

여덟째, 보육교사는 원장, 동료교사, 기타 보육교직원 그리고 부모와 원만한 관계를 유지하기 위해 노력해야 한다. 어떤 조직이든 조직 내의 구성원들 간의 인간관계에 따라 조직의 효율적 운영이 좌우된다. 따라서 보육교사에게는 타인을 항상 따뜻하게 보호하고 신뢰하며 존중할 수 있는 대인관계 능력이 요구된다.

이 외에도 보육교사는 온화하고 명랑하며 영유아의 마음을 수용할 줄 아는 성품, 친근감, 생기 있음, 성실함, 관용, 낙천주의, 융통성, 창의성, 추진력 그리고 독창성 등의 개인적 자질이 필요하다.

보육전문가가 알려주는 보육교사에 적합한 특성

여러분 중 대다수는 단지 영유아가 귀여워서 또는 어려움에 처해 있는 가정의 영유아가 보다 나은 삶을 살 수 있도록 돕기 위해서 보육교사라는 직업을 희망했을 것이다. 우리 사회가 더 나은 사회가 되기 위해서, 보육교사라는 직업은 반드시 필요하고, 그 어떤 직업보다 보람 있는 직업이기 때문에, 여러분이 어떤 이유에서 보육교사라는 직업을 선택했든, 정말 훌륭한 선택이라고 칭찬해 주고 싶다. 여러분이 보육교사가 되기 전에, 보육전문가가 알려주는 보육교사라는 직업에 적합한 특성을 살펴보는 것은 직업 선택에 도움이 될 수 있을 것이다.

1. 영유아가 매력적이라고 생각한다.

보육교사가 되고자 하는 사람은 영유아를 매력적이라고 생각하고 영유아와 함께 있는 것에서 즐거움을 찾는다. 영유아와 시간을 조금만이라도 보내보면, 영유아와 함께 하는 시간이 재미있고 행복한 시간이라는 것을 금방 알 수 있을 것이다. 영유아와 이야기를 하는 것에 관심이 많은가? 영유아의 천진난만한 상상력을 보는 것이 행복한가? 영유아의 대화를 이해하기 위해 공부를 하고 싶다는 호기심이 생기는가?

2. 인내심이 많다.

영유아와 함께 일하는 모든 사람은 다른 어떤 특성보다 인내심이 필요하다. 어린이집에는 호기심이 너무 많아 항상 무엇인가 탐구하고 보육교사에게 끊임없이 질문을 하는 영유아가 한두 명 있기 마련이다. 여러분의 눈높이를 영유아의 눈높이에 맞추고 인내심을 가지고 호기심 많은 영유아를 마주하는 것은 필수적인 보육교사의 덕목이다.

3. 낙관적이다.

유리잔에 물이 반 정도 차있을 때 여러분은 "반이나 남았네!"라고 생각하는 사람인가 아니면 "반뿐이네!"라고 생각하는 사람인가? 여러분의 친구가 여러분이 낙관적이고 심지어 지나치게 활기가 넘치는 사람이라고 말하는가? 활발함은 보육교사라는 직업에 매우 도움이 되는 특성이다. 보육교사는 반드시 낙관적인 성격이어야 한다. 보육교사와 영유아의 상호작용은 영유아의 자신감과 긍정적인 자아상을 형성하게 하는 데 중요한 요인이 될 수 있는데, 보육교사의 부정적인 관점은 교실 분위기를 우울하게 하고 영유아에게 부정적인 영향을 미친다. 만약 보육교사가 낙관적이고 활기차게 매일매일의 일과를 운영한다면 보육교사는 영유아의 일상뿐 아니라 영유아의 발달도 더 좋은 방향으로 이끌 수 있다.

4. 적절한 개입의 시점을 잘 안다.

어린이집에서 영유아가 잘못된 행동을 하거나 영유아에게 훈육이 필요할 경우 보육교사는 적절한 시점에 개입하고 훈육할 수 있어야 한다. 영유아를 훈육해야 할 때, 보육교사는 자신이 영유아를 사랑하는지 영유아의 발달을 고려해서 적절한 개입이 필요한 시점인지 반드시 다시 한번 생각해봐야 한다. 보육교사는 영유아를 사랑하기 때문에 영유아가 바르게 행동하도록 지도해야 하는 책임이 있다. 보육교사는 영유아의 잘못된 행동을 바로 잡는 훈육자의 역할도 하지만 영유아발달의 모든 영역을 고려해야 하므로, 잘못된 행동을 훈육하다가 정서적으로 상처를 주어서는 안 된다.

5. 창의적이다.

인간은 모두 위대한 상상력을 가지고 있다. 어린이집의 일과 중 영유아 개개인의 욕구를 충족시키기 위해서 보육교사는 반드시 창의적이어야 한다. 창의적이라는 것은 미술이나 음악 같은 예술적인 창의성을 의미하기도 하지만 문제해결을 하기 위해 브레인스토밍을 하거나 새로운 접근을 시도하는 것들을 모두 포함한다. 보육교사가 도전을 즐기거나 영유아의 질문에 다양한 답을 해 줄 수 있다면 영유아 개개인을 모두 어린이집의 일과 활동의 주인공으로 참여시킬 수 있다.

6. 열정적이다.

보육교사는 일, 가정, 친구관계에서 열정적이기 때문에 언제나 일이 많고 분주하다. 보육교사는 영유아에 대해 열정적이고, 배움과 교육에 대해 열정적이며, 학습에 대해 열정적인 환경을 유지해야 한다. 보육교사는 매일매일 영유아를 열정과 에너지로 맞이할 준비가 되어 있어야 한다.

7. 지속해서 자기개발을 한다.

보육교사는 어린이집의 가장 큰 자산이다. 어린이집의 성공은 보육교사의 발전이라고 해도 과언이 아닐 만큼 보육교사가 중요하기 때문에, 보육교사는 지식전수자로서 자신의 교육적 신념을 펼칠 수 있는 능력이 있어야 하고, 지속해서 자기개발을 해야 한다. 보육교사의 사고와 행동은 보육교사의 경험과 그들이 일하는 어린이집의 사회적, 정서적 맥락을 반영하는 것이다. 교사는 수동적이지 않고 능동적으로 자신을 개발해야 한다.

출처: https://www.indeed.com/hire/job-description/child-care-worker.

2) 전문적 자질

보육교사는 통찰력과 지식을 가지고 영유아를 교육하는 역할을 수행하는 사람이다. 교육적인 환경을 계획하고 학습자료를 준비하고, 교육목표를 달성하기 위해 적절한 교육활동을 선택하여 실시하며, 적합한 교수방법을 선택하고, 영유아를 관찰하고 평가하고 부모를 면담하고 상담하는 등 보육교사는 여러 가지 역할을 수행한다. 보육교사가 이런 역할을 수행하기 위해서 필요한 자질이 전문적 자질이다. 전문적 자질은 인성과는 다른 개념인 기술로 설명되는데 기술은 훈련, 교육, 연습으로부터의 결과라고 정의될 수 있다. 기술은 인간이 환경의 요구를 효과적으로 처리하기 위해 연마한 능숙함이다. 기술은 사람들이 의식적으로 그 기술을 습득하려고 결심하고 목적을 가지고 훈련과 연습을 거쳐 배우는 것이다. 보육교사의 자질은 보육교사로서 인격이 잘 형성되어 있는 동시에 교육에 대한 전문적 지식과 기술이 요구된다. 전문적 자질은 교육 및 훈련을 통하여 형성되며, 전문적 지식과 기술을 바탕으로 현장에 적용하는 능력이다. 따라서 교사가 전문직이 되기 위해서는 교사의 자율성과 책임감이 보장되어야 하며 교사는 자기 발전을 위해 끊임없이 노력하는 공통된 특성을 가져야 한다(Saracho & Spodek, 1993).

Balaban(1992)은 보육교사의 자질이란 역할수행을 잘하는 것이며, 보육교사의 역할로 경험, 영유아들에 관한 지식, 그리고 영유아 교사로서 특별한 개인적 자질이라고 하였다. Saracho와 Spodek(1993)은 영유아에게 양질의 서비스를 제공하기 위해 갖추어야 할 지식이나 기술은 보육교사의 유능성이며, 교사의 역할 수행능력뿐만 아니라 신념과 책임감 역시 영유아교사의 유능성에 관련된 중요한 요소라고 하였다. 김희진, 김언아와 홍희란(2005)은 보육교사의 전문성은 보육교사가 갖추어야 할 전문적인 지식이나 기술을 의미하는 것이라고 보았다. 심성경 등(2017)은 보육교사의 전문성이란 영아에 관한 전문적인 지식, 교육과정 및 교수에 대한 전문적인 지식과 운영기술, 교직에 대한 건전한 태도 및 윤리의식과 관련된 자질을 뜻한다고 하였으며, 보육교사가 영유아들과 직접 상호작용하는 업무를 살펴보면 보육교사에게 필요한 전문적 자질을 파악할 수 있다. 보육교사의 업무는 첫째, 교수·학습과 관련된 업무로는 보육계획과 일일 보육계획안 작성하기, 교수·학습 자료구입 및 제작하기, 교실의 실내외 환경 꾸미기, 영유아의 안전과 기본생활습관 지도하기 등이 있다. 둘째, 영유아 관리로는 약 먹이기, 양치질 및 씻기기, 기저귀 갈

기, 낮잠 재우기, 간식 및 점심 세팅하기, 생활기록부 작성하기, 관찰일지 쓰기 등
이 있다. 셋째, 운영과 관련된 업무로는 오전·야간 당직, 교실 내외 청소하기, 각
종 문서관리, 식자재 구입, 회계업무 등이 있으며 그 밖에도 행사 계획 및 준비와
차량지도 등 어린이집의 모든 업무를 수행하고 있다. 보육교사의 자질이 중요한 이
유는 이처럼 어린이집에서 유아들과 대부분의 시간을 함께 보내기 때문이다.

　Katz(1985)는 교사의 전문직 기준으로 전문화된 지식이 필요함을 제시하였으며
유아교사에게 요구되는 역할을 성공적으로 수행하려면 적절한 지식에 근거하여 교
육할 수 있어야 한다고 하였고, Saracho와 Spodek(1993)는 유아교사의 전문적 자
질을 진단자, 교육과정 설계자, 교수구성자, 학습 운영자, 상담자 및 조언자, 결정
자의 6가지로 분류했다.

　보육교사가 이런 역할을 수행하기 위해서 필요한 자질인 전문적 자질은 크게 보
육활동에 필요한 전문적 지식, 교육과정 및 교수에 대한 지식, 보육교사로서의 소
명의식과 직업에 대한 바른 태도로 나누어 자세히 살펴보고자 한다.

　첫째, 보육교사는 보육활동에 필요한 전문적 지식을 가지고 있어야 한다. 영유
아 보육에 종사하고 있는 보육교사를 대상으로 보육교사가 지각한 전문적인 자질
을 조사한 연구(안선희, 김지은, 2010)에 의하면 보육교사는 영아발달과 건강, 영양,
안전에 대한 지식을 갖추어야 하고 영유아와 상호작용하는 능력과 영유아의 반응
에 대한 민감성이 필요하다고 한다. 보육교사는 자신이 보호하고 교육하는 대상
인 영유아의 성장과 발달에 대한 체계적인 지식을 가지고 있어야 하고, 발달영역별
로 영유아를 이해할 수 있는 지식을 가지고 다양하게 영유아에게 접근할 수 있어야
한다. 영유아에 대한 이해를 집단 간 차이와 개인의 발달영역별 차이를 함께 고려
해서 볼 수 있다면 더욱 완벽한 교육활동을 계획하고 수행하는 데 도움이 될 수 있
다. 즉, 보육교사는 영유아의 신체발달, 감각운동능력, 언어발달, 문제해결능력, 인
지발달, 정서발달, 사회성발달, 긍정적인 자아개념 등의 발달을 도와줄 수 있는 능
력, 개인차에 따라 적절한 교육을 할 수 있는 능력, 유아를 정확하게 관찰, 평가하
고 이를 교육 계획에 적용하는 능력을 갖추고 있어야 한다. 영아가 전적으로 의존
하는 성인, 즉 부모 또는 교사의 역할은 영아교육에 결정적인 영향을 미치는 요인
이 된다. 교사가 어떠한 감각적 자극을 제공하고 어느 환경에서 무엇을 말해 주는
가에 따라 영아의 경험 내용은 크게 달라질 수 있다. 이러한 점에서 영아교사는 양
육자의 역할과 교육자의 역할을 동시에 수행할 수 있어야 한다. 즉, 따뜻한 온정적

태도와 교사로서의 전문가적 행동이 함께 어우러져 통합될 수 있을 때 가장 바람직한 역할을 수행하게 될 것이다. 이를 위해 보육과정 운영을 위한 영아의 발달에 대한 이해가 선행되어야 한다.

둘째, 보육교사는 교육과정 및 교수에 대한 전문적 지식을 가지고 있어야 한다. 보육교사의 중요한 역할 중 하나는 영유아들을 대상으로 가르치는 일이며 보육교사의 전문성 확보를 위해 교수에 대한 지식은 필수적이다. Saracho(1988)에 따르면 보육교사에게는 교육프로그램을 계획하고 수행하는 능력, 교육활동을 선택하고 적절한 교수법과 매체를 이용하여 수행하는 능력 등이 요구된다고 하였다. 보육교사는 균형 있는 활동 계획 및 제공, 영유아의 건강, 영양, 안전고려, 적절한 상호작용, 개방적인 상호작용, 효과적인 교육실의 환경구성, 상황에 따른 수업내용 및 방법의 조절, 영유아의 체계적인 관찰, 기록, 특별한 요구를 가진 영유아 이해, 행사 기획 및 실행 등의 구체적인 보육 프로그램에 대한 지식과 효율적인 교수 방법에 대한 지식을 가지고 있어야 한다. 보육학은 조작적 실험적 학문체계와는 달리 활용의욕을 중시하는 대인 서비스 과학이기 때문에 현장에서 직접 아동들과 함께 일하는 보육교사들의 체험과 교육경험을 바탕으로 한 연구와 이에 대한 체계화가 요구된다. 이를 위해서는 졸업 전 학부 교육은 물론 졸업 후 끊임없는 연수와 세미나를 통한 자기연마와 전문성의 고양이 필요하다.

셋째, 보육교사로서의 소명의식과 직업에 대한 바른 태도를 가지고 있어야 한다. 보육교사는 그 역할의 중요성이나 업무의 양에 비해 보수나 사회적 지위가 매우 낮은 편이다. 따라서 보육교사가 보육교사로서의 소명의식과 직업에 대한 바른 태도가 없다면 영유아를 보육하는 일에 오랫동안 종사하기 어려울 것이다. 그러나 영유아를 보육하는 일은 미래의 인적 자원을 양성하는 매우 의미 있는 일이고, 공공성을 띠고 있고, 인간과 관련된 업무이며, 고도의 지식과 기술을 필요로 하는 업무이므로 보육교사 스스로 보수보다는 직업에 대한 사명감과 바른 태도를 가지는 것이 필요하다. 동시에 보육교사는 지속해서 교사의 전문성을 강화하기 위해서 꾸준히 자기개발을 해야 한다. 지속해서 보육교사 연수나 세미나에 참여하고 새로운 지식 및 기술을 수업에 적용하고, 자기장학을 통해 자신의 교육상황을 점검하는 등 자기계발에 최선을 다해야 한다.

어린이집에 근무하는 보육교사가 정기적으로 자신의 자질에 대해 평가하고 탐구하는 과정은 보육교사직을 수행하는 데 많은 도움을 준다(〈표 2-5〉 참조).

〈표 2-5〉 보육교사의 기본 자질 평가도구

구분	하위 자질	구체적인 내용	1	2	3	4	5
개인적 자질	인성적 특성	나는 영유아를 자주 안아주고 따뜻하게 대한다.					
		나는 주어진 일을 성실히 수행한다.					
		나는 정서적으로 안정되어 마음이 편안하다.					
		나는 영유아와 함께 좋은 놀이 친구가 되어준다.					
		나는 학부모와 원만한 관계를 유지한다.					
전문적 자질	교사의 전문성	나는 모든 영유아를 공정하게 대한다.					
		나는 교사 자신의 신체적 불편함을 참고 영유아에게 친절하게 대한다.					
	교수 기술	나는 영유아의 언행, 생각, 실수를 편견 없이 수용한다.					
		나는 영유아를 위해 헌신적으로 봉사한다.					
		나는 교육프로그램의 계획과 실천에 있어 부모, 전문 기관을 참여시킨다.					
		나는 영유아의 신체운동, 건강을 신장시킨다.					
		나는 영유아의 의사소통을 향상시킨다.					
	교직 태도	나는 영유아의 사회관계를 촉진한다.					
		나는 영유아의 예술경험을 확장한다.					
		나는 영유아의 자연탐구를 돕는다.					
		나는 영유아의 문제해결력을 향상시킨다.					
		나는 유아의 자존감, 자신감을 기른다.					
		나는 영유아의 행동을 관찰, 기록하고 계획한다.					
		나는 교과과정을 영유아의 발달수준에 맞게 재구성한다.					
		나는 계획한 프로그램을 현장에 잘 적용한다.					
		나는 영유아에 대한 올바른 평가를 실시하고 효율적 으로 활용한다.					
		나는 영유아의 동기유발을 위해 다양한 방법을 사용 한다.					
		나는 지역사회의 자원과 인사를 적절히 활용한다.					
		나는 각종 자료 및 교수매체를 선정, 제작하여 활용한다.					

		나는 영유아의 놀이 활동 시 적절한 개입을 통하여 놀이로 이끈다.					
		나는 예기치 못한 사태나 영유아의 요구에 따라 활동의 방향을 변화시킬 수 있는 융통성이 있다.					
		나는 영유아가 이해하기 쉽고, 영유아의 사고를 촉진할 수 있는 언어를 사용한다.					
		나는 영유아 개인의 발달을 위해 열과 성의를 다한다.					
		나는 가르치는 일에 긍지와 자부심을 갖고 보람된 일로 생각한다.					
		나는 영유아의 능력을 인정하고, 독립된 개인으로 대한다.					
		전문성 신장을 위해 꾸준히 노력한다.					

* 1: 매우 낮은 편이다, 2: 대체로 낮은 편이다, 3: 낮은 편이다, 4: 보통이다, 5: 높은 편이다.
출처: 이선미(2017). 어린이집 교사의 자질과 영유아권리존중 보육 실행과의 관계. 중앙대학교 사회복지대학원 석사학위논문.

생각해 보기

1 보육교사가 갖추어야 할 인성에는 어떤 것이 있고, 가장 중요한 인성은 무엇이라고 생각하는지 의견을 나누어 봅시다.

2 보육교사의 업무를 잘 수행하기 위한 전문적 기술은 어떤 것이 있고, 가장 중요한 것은 어떤 기술이라고 생각하는지 의견을 말해 봅시다.

제3장

보육철학과 윤리

보육의 개념은 시대에 따라 변하고 있다. 초기 보육이 영유아를 보호하는 것에 초점을 두었다면, 현대 사회의 보육은 단순히 보호 및 양육을 넘어서 교육의 개념을 포함하고 있다. 시대의 변화에 따라, 영유아 보육에 대한 관점은 달라질 수 있지만, 영유아에게 질 높은 보육을 제공해야 한다는 기본 원칙에는 변함이 없다.

최근 급격한 사회변화에 따라 교육의 내용과 방법 또한 급격히 변화하고 있다. 이러한 변화의 시점에서 보육교사는 '영유아에게 질 높은 보육은 무엇인지, 질 높은 보육을 실현하기 위해서는 어떻게 해야 할지'에 대한 고민이 필요하다. 보육철학은 교사들의 이러한 질문에 대한 답을 찾기 위한 과정이다. 보육철학은 현재의 보육에 대한 자각과 반성에 기반하는 것으로, 보육철학을 통해 보육의 지향점이 무엇인지, 보육은 진정으로 영유아를 위한 보육인지, 현재의 보육은 사회의 발전에 기여하는가 등에 대해 고찰해 볼 수 있다.

이 장에서는 보육교사의 보육철학 형성에 근간이 되는 영유아교육 사상에 대해 살펴보고자 한다. 영유아보육은 각 시대의 주요한 교육사상에 의해 영향을 받으며 발달해왔다. 영유아교육 사상은 보육의 지향점 설정에 기초가 되기 때문에, 고대부터 현대까지의 영유아 교육사상의 흐름을 살펴볼 필요가 있다. 과거의 영유아보육에 관한 다양한 접근을 통해 현대와 미래의 영유아보육에 대한 관점 및 방향을 설정하는 데 도움을 얻을 수 있을 것이다. 이와 더불어 영유아 전문가로서 보육을 실행함에 있어 지켜야 할 윤리에 대해 살펴보고자 한다.

1. 보육교사의 보육철학

나는 보육교사로서 어떤 신념을 가지고 있는가? 보육교사들은 교사로서 다양한 교육적 신념을 가지고 있다. 어떤 교사는 시간의 변화와 상관없이 자신의 교육적 신념을 변함없이 고수하기도 하지만, 어떤 교사는 지속적인 자기반성을 통해 신념을 수정해 나가기도 한다. Doyle(1990)은 이상적 교사상으로 5가지 모델(훌륭한 고용인, 준교수 모델, 자기실현인 모델, 개혁가 모델, 반성적 전문가모델)을 제시하였는데, 새로운 시대의 이상적 교사상은 스스로 변하고 발전해가는 것을 강조하는 자기실현인 모델, 개혁가 모델, 반성적 전문가모델이 적합하다고 하였다(김병찬, 2000). 교육적 환경이 빠른 속도로 변화함에 따라 교사는 기존의 교육방식을 답습하기보다 교육의 본질과 자신의 가르치는 활동에 대해 생각하고 분석하며 실천하는 전문가가 되어야 한다는 것을 강조한다. 그러나 우리나라의 경우 교육 개혁을 주로 교수 및 교육의 성과에 기초한 경쟁력 강화에 초점을 두다보니, 교수가 갖는 포괄적인 의미 대신 교수에 대한 기술적·도구적 관점만을 강조하고 상대적으로 교육과 교수의 중요한 측면인 도덕적 측면이 간과되고 있다(유현옥, 2010).

1) 보육철학의 기초

보육철학이라는 용어는 교육철학에서 비롯된다. 교육철학은 교육 과학과 경험에서 비롯된 지식과 정보를 토대로 바람직한 교육행위가 어떤 것인지 탐구하려는 활동이다(신득렬, 2003). 교육철학이 바람직한 교육행위에 대한 탐구활동이라면, 보육철학은 바람직한 보육행위에 대한 탐구활동으로 볼 수 있다. 교육철학의 개념을 기초로 보육철학의 개념에 대해 알아보고, 보육교사의 보육철학이 왜 중요한지에 대해 살펴보고자 한다.

(1) 보육철학의 개념

철학이라는 용어는 광범위하고 다양하게 사용되고 있어 한마디로 정의하기 어렵지만, 인간과 세계에 대한 근본 원리와 삶의 본질 따위를 연구하는 학문(한국민족대백과사전, 2020)으로 정의된다. 철학의 어원은 필로소피아(Philosophia)로, philos(사랑함)와 Sophia(지혜)를 합성한 것으로, 초기 소피스트의 철학은 지식이나 지혜에 대한 사랑을 의미하였다. 이후 소크라테스는 지식이 단순히 이론적 지식이 아니라 실천적 지식이어야 함을 강조하며 철학이 참다운 지식 추구를 통한 실천적 행위임을 주장하였다.

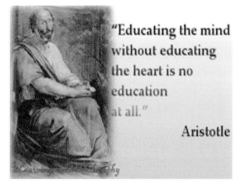

사진 설명   교육에 대한 관점
출처: https://www.quotemaster.org/philosophy+of+education#&gid=1&pid=1.

교육철학에 대한 정의 또한 연구자들마다 조금씩 차이는 있지만, 역사, 사상, 개념, 인간, 윤리 문제를 다루는 이론학인 동시에 교육 현상과 실천을 관찰, 분석, 해석, 비판하는 실천학으로 정의할 수 있다(김창환, 2005). 교육철학은 교육에 관한 '철학'적 탐구인 점에서는 이론학이고, 학문 자체의 성격상 '교육'이라는 활동을 대상으로 철학하는 점에서는 실천학이다. 이런 점에서, 교육철학은 교육의 이론과 실제가 만나는 지점에 있다(Wortham, 2011). 교육철학은 교사로 하여금 교육에 관한 이론적 관점을 바탕으로 교육에 관한 모든 문제들을 철학적으로 검토하게끔 한다. 교사는 교육을 행하는 사람으로, '학생들을 왜 가르쳐야 하는가?' '학생들에게 무엇을 가르쳐야 하는가?' '교사의 역할은 무엇인가?' '좋은 교육이란 무엇인가?' 등에 대해 질문을 하게 된다. 교육철학에서는 이러한 교육과 관련된 다양한 문제, 특히 교육의 본질, 교육의 목적, 교육의 가치, 교육의 방법을 다룬다(신창호, 2020). 이처럼 교육철학은 교사들로 하여금 자신의 교육에 대한 이론적 입지를 생각해 보게 하고, 교육 현상과 실천을 분석하고 비판할 수 있는 능력을 갖게 한다.

이와 유사한 관점에서 보육철학은 보육교사의 보육에 대한 철학으로, 보육과 관련된 문제들을 철학적으로 검토하는 작업이라고 볼 수 있다. 보육교사는 '영유아는 어떠한 존재인가?' '질 높은 보육이란 무엇인가?' '보육교사의 역할은 무엇인가?' '보육은 무엇을 성취하기 위한 것인가?' '보육의 목적을 성취하기 위해 무엇을 어떻게 해야 하는가' 등에 대한 문제를 다룬다. 2008년 개정된 「영유아보육법」에 따르면,

보육은 '영유아를 건강하고 안전하게 보호, 양육하고 영유아의 발달특성에 적합한 교육을 제공하는 사회복지서비스'이다(국가법령정보센터, 2020). 보육의 개념은 시대에 따라 변화되고 있고, 보육 개념의 변화는 보육의 목적 설정, 교수학습방법에서 변화를 이끌게 된다. 초기 보육의 개념은 영유아를 보호하는 탁아에 초점을 두고 있었다면, 「영유아보육법」 제정 이후 영유아 보호 및 양육뿐 아니라 교육을 강조하게 되었다. 또한 '제4차 보육과정'과 '2019 개정 누리과정'에서는 미래 사회 적응에 필요한 역량을 강화하기 위한 교육으로 자리매김 하기 위해 영유아가 주도하는 놀이를 통해 배움이 구현될 수 있도록 영유아 놀이 중심 교육과정에 초점을 두고 있다. 이는 학습자의 경험을 강조하며 학습경험의 질 개선을 위하여 '배움을 즐기는 행복 교육'을 추구하는 '2015 개정 초·중등학교 교육과정'과 연계성을 갖는다. 이처럼 시대의 변화와 함께 보육의 개념이 변화하고 이에 따라 보육의 목적 및 목표, 교수학습방법이 변화한다고 할 때, 보육교사는 질 높은 보육의 의미에 대해 생각해 보고 영유아에게 필요한 최적의 서비스를 제공하기 위해 '교사는 무엇을, 어떻게 해야 하는지'에 대해 탐구해야 할 필요가 있다. 이러한 보육의 본질에 대한 탐구를 가능하게 하는 것이 보육철학이다.

(2) 보육교사 보육철학의 중요성

보육철학은 보육교사의 보육에 대한 철학이다. 그렇다면, 보육교사에게 보육철학이 중요한 이유는 무엇일까? 첫째, 보육철학은 교사로서의 교육관 형성에 도움이 된다. 실제 연구에서 교육철학의 역할에 대해 교육대학 구성원, 현장의 교사, 교육대학 학생을 대상으로 설문조사를 실시한 결과, 교육철학은 교육 전반에 대한 본질적 이해와 교사로서 교육관 형성에 기여한다고 응답하였다(양은주, 엄태동, 2006). 교사는 보육 및 교육의 본질에 대한 탐구를 통해 일관된 보육 및 교육관을 형성할 수 있게 된다. 보육철학은 보육교사들에게 교사로서의 직무가 생계를 위한 수단이 아니라 영유아의 건강한 발달 및 사회 발전에 기여한다는 것을 인식하게 하고, 현대 사회에서 보육의 의미와 중요성을 인지하게 하며, 다양한 영유아발달 이론에 대한 비판적 사고를 통해 보육 신념을 형성하게 하는 데 기여한다.

둘째, 보육활동에 대한 지향점을 제시한다. 보육교사가 교육에 대해 어떠한 철학을 갖고 있느냐에 따라 보육의 개념, 보육의 목적, 교육내용, 교육방법 및 평가, 교사관 등에 대해 차이가 있다. 보육철학은 교사로 하여금 어린이집에서 발생하는 여러 교육 현상에 대해 본질적인 것이 무엇인지 파악하게끔 함으로써, 보육교사에게 새로운 교육의 전개, 연구 및 실천에 대한 교육적 지향점을 제공해 준다. 즉, 보육철학은 다양한 영유아발달 및 교육이론에 대한 교사 자신의 관점을 형성하게 함으로써 보육교사가 보육 및 교육의 방향을 설정하는 데 도움을 준다.

셋째, 보육 상황에서 발생되는 문제에 대한 반성적 사고능력을 키워준다. 보육철학은 교사가 갖고 있는 기존의 사고에 대해 근본적인 문제를 제기하는 힘을 갖게 한다. 보육철학을 통해 보육교사들은 실제 어린이집에서 발생하는 여러 문제들 (예: 영유아의 삶에서 보육의 역할은 무엇인가? 영유아는 어떻게 배워 가는가? 영유아의 발달에서 놀이의 가치는 무엇인가? 영유아를 어떻게 평가할 것인가? 등)에 대해 고민해 보고, 스스로를 성찰할 수 있게 된다. 즉, 보육철학은 보육교사가 자기 자신의 교육 상황에 대해 스스로 사고할 수 있게끔 도와준다.

반성적 사고 사례

항상 4줄씩 앉다가 ㅁ자 대형으로 앉혀서 수업을 전개해 보니 나는 종이에 적는 시간에 어수선함을 줄이려고 생각한 의도였지만 수업을 하고 보니 아이들끼리도 서로 부딪히는 공간이 없어서 그런지 이야기나누기 시간이 길다면 길었는데 집중도 잘하고 수업에 잘 참여했었던 것 같다. (…중략…) 유아들의 다양한 생각을 알아보기 위해서는 개수를 정해주지 않았더라면 하는 아쉬움이 남았다. 오히려 다양한 의견이 나왔으면 다른 친구들도 미처 생각지 못한 약속들이 나와서 한 번 더 생각해 보았을 텐데!라는 생각이 들었다. 또 항상 교사가 이끌어 주어야 하는 부분인데 우리 아이들이 자신의 생각을 좀 더 정확하고 자신감 있게 발표하는 친구들이 별로 없다는 생각이 들었다. 계속 발표하는 친구만 손을 들고 발표를 하는 것 같아서 수업시간에는 여러 친구들이 발표할 수 있는 기회를 제공해 주어야겠다는 생각도 들었다.

(2005. 3. 25. B교사 동료장학 후 반성적 저널)

〈그림 3-1〉 교사의 반성적 저널 예시

출처: 한수란, 황해익(2006). 유아교사의 반성적 사고 경험을 통한 반성적 사고 수준의 변화. 생태유아교육연구, 5(1), 83-101.

2) 영유아 교육사상

수많은 철학자들이 인간의 삶에 대해 탐구하는 과정에서 인간과 긴밀한 관련을 갖는 교육에 대해 중요하게 다루어왔다. 보육교사의 보육철학에는 영유아를 어떻게 바라보고 있는지, 영유아에게 바람직한 교육방식은 무엇인지 등과 같은 영유아관, 영유아교육에 대한 관점 등이 포함된다. 예를 들어, 최근 보육에서 강조되고 있는 영유아 존중과 관련하여 왜 아동을 존중해야 하는가, 어떻게 하는 것이 아동을 존중하는 것인가, 아동을 존중하는 교육을 어떻게 실행할 것인가 하는 것은 아동에 대한 이해와 관점에 기초한다. 이러한 보육교사의 보육철학에 영향을 미치는 영유아 교육사상과 관련하여 아동중심사상의 흐름을 서양과 우리나라를 중심으로 살펴보고자 한다.

아동중심교육의 근거가 되는 아동중심사상은 고대 플라톤에서 그 기원을 찾을 수 있다. 이후 근대 루소, 페스탈로치, 프뢰벨로 이어져, 듀이의 사상에 영향을 미쳤다. 아동중심사상은 아동존중사상에 기초를 두고 있고, 아동중심교육을 강조한다. 아동중심교육은 아동이 주도하고, 아동의 흥미와 요구, 개인차를 존중하며 개방적이고 통합적인 환경 내에서 이루어지는 교육을 의미하는 것으로 아동의 진정한 성장과 발달에 초점을 둔다(문혜옥, 강명혜, 1995). '제4차 표준보육과정'과 '2019 개정 누리과정' 또한 아동중심교육을 표방하고 있다. 이에 아동중심사상의 개념에 대해 알아보고, 아동중심사상이 서양과 우리나라에서 어떻게 발전되어 왔는지를 살펴보고자 한다.

(1) 아동중심사상의 개념

아동중심접근에서는 아동이 성인과 양적으로만 다른 것이 아니라 질적으로 다르다는 전제에서 출발하며, 아동 본성에 대한 이해와 아동의 자발적 활동을 중요하게 여긴다(Morrison, 2001). 진정한 아동중심교육은 아동존중과 아동의 발달 특성을 고려하는 것이어야 하며, 교육의 가능성과 효율성을 함께 고려해야 한다(Weber, 1984). 아동중심교육의 기반은 아동존중으로, 아동을 존중한다는 것은 아동의 개성을 존중하며 아동에게 자유를 허용하는 것을 의미한다. 아동의 개성을 존중한다는 것은 아동의 개인차를 인정하며 아동을 독특한 존재로 보는 것이다. 그리고 아동에게 자유를 허용한다는 것은 아동의 능력과 발달적 힘을 신뢰하며 아동의 요구를 수용하면서 발달에 장애가 되는 외적 통제를 제거함으로써 아동이 자연스럽고 적극적인 태도로 활동할 수 있도록 배려하는 것을 의미한다(문혜옥, 강명혜, 1995).

여러 연구에서 아동중심교육이라는 용어는 비형식적 교육, 개방교육, 영국의 유아학교, 개별화 교수, 유아중심적, 상황중심적, 통합적 일과, 뱅크스트리트 프로그램, 섬머힐, 열린교육, 통합교육과정, 무학년제, 진보주의교육, 인본주의 교육, 흥미영역, 코너학습, 활동중심교육, 상호작용주의, 비구조화 등과 같은 용어들과 혼용되어 사용되고 있다(Lay-Dopyera & Dopyera, 1993). 이러한 용어들은 공통적으로 아동존중사상에 기반을 두고 유아의 흥미, 욕구 등에 적합한 교육을 해야함을 강조한다(Lay-Dopyera & Dopyera, 1990). 역사적으로 낭만주의적 전통을 지닌 아동중심교육은 '자발성' '경험' '발견' '흥미' '방법상 원리' 등을 존중하는 방향으로 정립되었다(Evetts, 1973). 아동중심교육은 전통적인 교육방식과 대비되는 것으로, 제도의 합리성보다는 아동의 경험을, 교과의 구조보다는 개인의 스타일과 경험 양식을, 경쟁보다는 협동을, 사회가 요구하는 기본능력보다는 개인의 창의성을, 교사 주도의 수업과 정보전달보다는 아동의 발견과 잠재적 교육과정이나 놀이 등을 강조한다. 이와 함께 순응성보다는 독창성을 존중한다(Evetts, 1973). 즉, 아동중심교육은 전통적 접근법과는 달리 교사에 의해 전달되는 지식보다는 아동의 자율성과 아동 스스로 지식을 구성하는 능력을 강조한다(Morrison, 2001).

Entwistle(2012)은 아동의 발달적 상호작용 및 통합의 원리에 맞는 아동중심교육의 특성에 대해 설명하였다. 첫째, 아동이 주도하는 교육이다. 아동의 계획에 따라 선택하고 판단하는 과정을 통해 문제해결능력과 자율성 및 책임감을 키울 수 있다. 아동이 학습의 주체임을 인정하는 것이지, 교사의 교수활동을 부정하는 것은 아님을 명심해야 한다. 둘째, 아동중심교육은 아동의 현재 흥미와 요구를 존중하는 교육으로, 아동의 흥미와 요구가 올바른 방향으로 나아가기 위해 성인의 지도와 지침이 필요하다. 셋째, 개방적이며 통합적인 교육환경 속에서 이루어지는 교육이다. 개방적 환경에서 아동은 아동을 둘러싼 환경 및 교사와 적극적인 상호작용이 이루어지고, 아동의 능동적인 학습이 촉진될 수 있다. 넷째, 개인차가 존중되는 교육이다. 개인차를 인정하고 아동의 흥미와 요구에 맞는 교육을 하기 위해서는 다양성과 융통성이 보장되어야 한다. 다섯째, 교사의 중재활동을 중요시하는 교육이다. 아동중심교육이 아동이 주도하는 교육이라고 해서, 교사의 역할이 필요 없는 것이 아니라 교수활동에서 교사의 적절한 개입이 필요하다. 교사가 개입함으로써 아동의 경험이 확장될 수 있고, 중재활동을 통해 아동의 상호작용을 촉진하고 경험의 통합을 도울 수 있기 때문이다.

이러한 측면에서, Lay-Dopyera와 동료(1993)는 『아동중심교육과정』이라는 저서에서 아동중심교육이 무엇인지에 대해 정의하였다. 아동중심교육과정을 유형 A와 유형 B로 구분하였다. 유형 A는 낭만주의 이데올로기에 기초한 아동중심교육과정으로 전적으로 유아 개인이나 집단의 흥미, 성향에 따라 유아에 의해 주도되는 것을 의미한다. 유아는 프로그램 중 자신이 원하는 것을 결정하고, 하루일과를 결정한다. 교사는 유아의 도움 요청에 반응해 주는 것 이상은 개입하지 않는다.

유형 B는 유아가 의사결정과 문제해결에 적극적으로 참여하고 활동을 결정하지만, 교사는 어떤 상황에서는 유아의 활동을 지시하기도 한다. 이때 교사는 자신이 가르치는 유아의 의도를 정확히 파악해야 한다. 교사는 활동 전 상당한 사전 준비가 필요하며 대상연령, 활동의 종류, 유아의 흥미, 상호작용 수준을 고려하여 일과를 정하게 된다. 대다수의 사람들이 유형 A를 아동중심교육으로 보고 있으나, Lay-Dopyera와 동료(1993)는 교사와 아동 모두가 결정권을 갖는 유형 B가 진정한 의미의 아동중심교육으로 본다.

(2) 서양의 아동중심 교육사상

아동기라는 개념은 17세기 이후 정립되었지만, 고대 그리스 철학자인 플라톤과 아리스토텔레스는 인간의 발달에 있어 아동기의 중요성을 강조하였다. 이후 중세 시대에는 그리스와 로마 문화를 철저히 소멸시킴으로써 인간의 본질에 대한 관심은 줄어들었다. 이후 '자연과 인간을 발견한 시대'라 할 수 있는 르네상스 시대를 지나 근대에 접어들면서 코메니우스, 페스탈로치, 프뢰벨 등과 같은 교육자들이 등장하며 아동에 대한 관심이 급증하였다. 20세기 이후에는 아동에 대한 과학적 연구가 이루어지기 시작하였고, 아동을 위한 다양한 프로그램도 개발되었다.

① 고대의 영유아관과 교육사상

역사적으로 아동중심교육사상의 근원은 그리스의 철학자 플라톤으로 거슬러 올라간다. 플라톤은 인간발달의 단계에 따른 교육 내용을 제시함으로써, 영유아기에 대한 관심을 보여 주었다. 특히 유아기에는 건강한 신체와 올바른 습관의 기초가 형성되기 때문에 성격형성에 있어 유아기의 중요성을 강조하였다(Weber, 1984). 또한 유아기에는 또래와의 사회적 접촉이 필요하여 유아원과 같은 곳에서 보모의 관리하에 놀이를 통해 또래와 어울리는 법을 배워야 함을 강조하였다(정옥분, 2018). 특히, 놀이에서 유아의 개성이 나타나므로 부모나 교사는 이를 잘 관찰하여 각 유아의 개성에 맞게 지도해야 한다고 주장하였다.

아리스토텔레스는 인간발달의 단계를 제시하며, 생후 7세까지를 유년기로 지칭하였다. 아리스토텔레스 또한 유아기 놀이의 중요성을 강조하였고, 이러한 놀이를 통해 신체적 단련이 필요함을 주장하였다. 유아가 강제적인 학습이 아닌 자연스러운 놀이를 통해 유아의 본성에 따라 성장할 수 있는 환경을 제공해야 한다고 하였다(송준식, 사재명, 2006).

그럼에도 불구하고, 고대 사회의 아동에 대한 관점은 긍정적이지 않았다. 종족의 생존을 위해 아이를 죽이는 풍습이 만연했고, 항상 전쟁을 준비해야 했던 상황이었던 스파르타에서는 허약한 아이로 판정될 경우 일정한 장소에 버리고 건강한 아동에게만 철저한 신체 훈련을 시켰다(안인희, 정희숙, 임현식, 1996).

② 중세 및 르네상스 시대의 영유아관과 교육사상

중세시대에는 영유아에 대한 인식이 부족했다. 중세시대 기독교 관점에서의 아동관은 원죄설에 기반을 둔다. 악을 가지고 태어난 아동이 타고난 죄를 속죄하는 방법은 매를 통한 교육에 의해 가능하다는 것이다. 중세의 아동관을 중세 미술을 통해 살펴보면(Aries, 1965), 12세기까지는 아동에 대한 관심이 없어 아동의 그림은 어른을 축소한 그림이 대다수였다. 실제 아동에게 성인이 하는 일이나 행동을 그대로 하게끔 요구하였고, 그에 따르지 못할 경우 매질이나 감금 같은 처벌이 뒤따랐다. 아동을 위한 학교나 공식적 교육은 거의 찾아볼 수 없었다.

르네상스는 중세 기독교문화에서 벗어나 인간 존재를 재인식하는 것에 초점을 두었다. 르네상스의 본질적 특성은 인간중심주의, 개성존중, 개인주의의 발현이라고 볼 수 있다(주영흠, 2001). 이는 아동에 대한 관점에도 그대로 적용되어, 아동을 인격적이고 자유로운 존재로 여기고, 아동의 본성에 맞는 교육을 실시하는 것을 중요하게 여겼다. 교사중심의 일방적이고, 권위적인 교육에서 벗어나 아동이 자발적으로 참여하는 교육으로 나아가고자 하였다.

에라스무스는 그리스 로마시대의 아동중심사상을 이어받아 아동중심 교육사상을 체계적으로 전개하였다. 에라스무스는 아동을 선한 본성을 지닌 이성적 존재이

자, 자유의지를 가진 고귀한 존재임을 주장하며, 아동들에게는 자유로운 교육이 필요함을 역설하였다. 아동의 선한 본성이 잘 발현되기 위해서는 교육의 세 가지 요소인 자연(인간의 내적 성향 및 노력), 훈련(지도), 연습(자연의 선한 영향이 훈련에 의해 성숙된 습관을 갖는 것)이 조화롭게 결합되어야 함을 강조하였다(이승원, 1995).

'아동'이라는 말은 라틴어로 '자유로운 자'를 의미한다. 따라서 아동에게는 자유로운 교육이 적합하다. 행복으로 향하는 수단은 올바른 훈련이며, 올바른 교육이다. 올바른 교육이란 진정한 지혜를 얻는 조건이다.

출처: 정찬주, 팽영일, 한상규(1995). 교육철학 및 교육사, p. 182.

또한 아동교육과 관련하여 중세부터 이어진 체벌위주, 강압위주의 교육을 반대하였고 교사와 아동 간의 상호인격존중을 통한 교육으로 전환시키고자 하였다. 또한 교육은 아동의 출생 전과 출생 후에 바로 실시되어야 함을 주장하며 조기교육의 필요성, 특히 가정을 통한 조기교육을 주장하였다. 또한 아동의 신체적, 정신적 발달수준에 맞는 교육이 제공되어야 하며, 아동 개개인의 독특한 개성을 존중하는 교육이 이루어져야 함을 강조하였다. 아동의 호기심과 흥미를 유발할 수 있는 시각적 교구와 감각적 교구 등을 활용하는 것과 같은 다양한 교수학습방법을 도입하였다(Stollar, 2015). 이러한 에라스무스의 아동중심사상은 근대 아동중심사상으로 이어지게 하는 가교적 역할을 담당하였다(이승원, 1995).

③ 근대의 영유아관과 교육사상

Aries(1973/2003)가 『아동의 탄생』에서 지적한 바와 같이 아동의 발견은 근대적 시각의 발견을 의미한다. 산업혁명과 함께 근대사회로 접어들며 새로운 세력으로 등장한 부르주아는 자신의 세대를 이을 아동에 대해 관심을 갖기 시작했고, 어른과는 다른 별도의 환경에서 의도적이고 계획적인 교육을 제공하고자 하였다. 아동을 단순히 어른의 축소물로 보지 않고 독자적인 위치에서 보고자 하는 새로운 관점이 형성되었고 그들을 의도적인 교육의 대상으로 여기게 되면서, 많은 학자들이 아동에 관심을 갖게 되었다. 이 시기 코메니우스, 로크, 페스탈로치 등은 아동에 대한 새로운 관점을 제시하였다.

⚉ 코메니우스

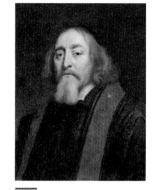

코메니우스(Comenius)

코메니우스는 그의 저서『대교수학(Didactica Magna)』에서 인간을 피조물 중 최고의, 가장 완벽한, 가장 탁월한 존재로 표현하였으며, 인간이 되기 위해서는 자연에 따라야 함을 강조하였다(Norlin, 2020). 즉, 인간이 선천적으로 지니고 있는 여러 능력이 내적으로 성숙할 때까지 기다린다는 것이다. 특히 아동에 대해서는 신의 자녀이자 천국의 후계자로 표현하며, 성선설에 기반하여 아동의 가치와 존엄성을 높이 평가하였다.

또한 교육에 있어 유아교육의 중요성을 강조하였다.『범교육론(Pansophism)』에서 인생의 전 과정에서 봄에 속하는 유아기에 올바른 교육을 하면 가을에 풍성한 열매를 맺게 되는 것처럼, 유아교육이 제대로 이루어져야 이후 삶에 긍정적인 영향을 미친다고 하였다(김창환, 1997). 특히 유아기를 교육의 결정적 시기로 보고, 조기교육을 중요하게 생각하였다. 유아는 감각기관을 통해 세상을 이해하게 된다고 보아, 교육에서 감각교육을 강조했다. 특히 유아의 흥미를 이끌어낼 수 있는 시각자료의 중요성을 강조하였는데, 그의 저서인『세계도해(Orbis sensualium pictus)』는 주제에 따른 삽화를 통해 정확하고 실제적인 지식을 습득할 수 있는 자료로 유아교육에서 교재로 활용되었다(사진 참조). 또한, 유아는 자연적 존재로서 정신적 능력(지혜), 의지(도덕성), 행위능력(경건성)을 갖고 태어난다고 보았다(Norlin, 2020). 특히 유아의 생활 및 도덕교육이 제대로 이루어지기 위

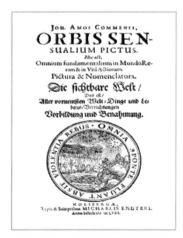
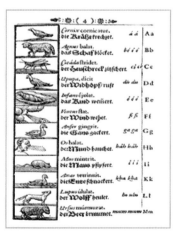

사진 설명   코메니우스의『세계도해』
출처: https://commons.wikimedia.org/wiki/File:Orbis-pictus-001.jpg.

해서는 부모가 도덕적인 모범을 보여야 하고, 적절한 시기에 이성적으로 훈육하는 것이 이루어져야 함을 강조하였다.

✿ 루소

루소(Rousseau)

루소는 '서구 근대교육사상의 시조', 혹은 '아동의 발견자'로 불린다(신창호, 2020). 아동이 성인과는 다른 그들만의 세계가 있다는 점(아동은 성인의 축소판이 아니다)과 아동의 발달특성에 맞게 교육해야 한다는 점을 강조함으로써, 아동기에 대한 새로운 인식을 갖게 하였다. 루소는 아동이 선하게 태어나므로 사회의 악으로부터 보호를 받는다면 타고난 선을 펼쳐 도덕적 인간으로 성장할 수 있다고 보았다.

루소는 『에밀(Emile)』에서 아동의 성장을 돕기 위해 알아야 할 것 중 가장 중요한 것은 아동기의 고유한 특성을 아는 것이라고 하였다. 루소는 인간의 발달단계를 구별하여, 생후 4~5년에 해당되는 유아기에는 쾌락과 고통의 감정에 의해 지배되기 때문에 '동물의 단계'로 표현하였다. 따라서 이 시기에는 운동협응 훈련, 감각지각 등과 같은 육체적인 것에 초점을 둔 교육을 제공해야 한다고 하였다. 또한 생후 5~12세에는 '야만인의 단계'로, 이성적 사고 능력이 없고 감각 능력이 두드러지게 발달하기 때문에 놀이와 운동, 게임을 통해 감각을 훈련하게끔 하는 것이 중요하다. 이러한 발달특성을 고려해 볼 때, 아동이 생후 12세까지는 거의 규제가 없는 건전하고 건강한 환경 속에서 자연스럽게 발달하게끔 해야 한다고 주장하였다(정옥분, 2015b). 이처럼 루소는 아동의 발달단계적 특성을 고려한 교육을 강조하였는데, 이는 진정한 의미에서 아동중심적 접근을 실현한 것이라 볼 수 있다(Morrison, 2001; Roopnarine & Johnson, 2009). 현대 영유아교육에서 아동 스스로 자신의 관심사를 선택하는 교육환경, 구체적이고 실질적 자료를 사용하는 학습, 무엇을 할지 스스로 선택하는 자유놀이 시간, 발달단계와 관련된 특징에 대한 관심, 아동 스스로 행동을 조절하게끔 하는 갈등해결 접근방식 등은 루소의 영향을 받은 것으로 볼 수 있다(Maxim, 1997).

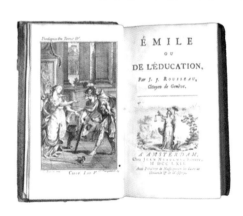

사진 설명   루소의 『에밀』
출처: https://j-jacquesrousseau.weebly.com/accomplishments.html.

⊗ 페스탈로치

페스탈로치는 루소의 자연주의 사상에 영향을 받아 인간을 선한 존재로 보았다. 페스탈로치는 그의 저서『인류발전에 있어 자연의 과정 탐구(Meine Nachforschungen uber den Gang der Natur in der Entwicklung des Mensche ngeschlechts)』에서 인간의 본성을 자연적 상태(동물적 힘이 지배하는 상태), 사회적 상태(자연적 욕구에서 비롯되는 무질서를 막기 위해 법으로 규제하는 상태), 도덕적 상태(인간 스스로 자유롭고 도덕적인 자아를 발견하고 추구해 나가는 상태)로 구성된 복합체로 보았다. 인간은 자연적 상태에서 사회적 상태로, 사회적 상태에서 도덕적이고 종교적 상태로 나아가면서 질적으로 변화

페스탈로치(Pestalozzi)

한다. 이런 측면에서 페스탈로치는 개인의 욕구를 충족하기 위한 교육도 필요하고, 원만한 사회생활에 도움을 주는 사회성 교육도 필요할 뿐만 아니라 한 인간으로서의 인격, 양심 등을 키울 수 있는 도덕적, 종교적 교육이 반드시 필요하다고 보았다 (최재정, 2017).

페스탈로치는 아동을 독립된 개체로 보지 않고 부모와 교사 등의 타인과의 관계 속에서 이해하고자 하였고, 사회적 관계의 중요성을 강조하였다. 또한 교육에 있어 사랑의 중요성을 강조하여, 아동이 사랑으로 보호될 때 잠재력이 발달된다고 보았다. 특히 어머니와의 관계를 중요하게 생각하였고, 어머니와 자녀와의 관계에서 교육이 시작된다고 생각하여, 어머니들을 위한 자녀교육 지침서인『게르트루트는 자녀를 어떻게 가르쳤는가(How Gertrude Teaches Her Children)』를 집필하기도 하였다. 학교와 사회교육의 중요성을 강조하였으며 학교교육이 일정 연령대 아동들을 유사한 발달단계에 따라 일정 장소에서 정해진 교과내용을 조직적이고 계획적으로 전수하는 과정이라면, 사회에서의 교육은 다양한 발달단계에 속한 사회구성원들이 자신의 요구에 맞는 내용을 필요한 시간에 편리한 장소에서 자기주도적으로 계발해 나가는 과정이라고 하였다. 페스탈로치에게 있어서 교육은 지, 덕, 체의 삼위일체를 추구하는 것으로, 교육은 가정

사진 설명 페스탈로치의 교육
출처: http://www.en.heinrich-pestalozzi.de/biography/
    stans/.

과 학교, 사회의 모든 영역에서 다루어져야 함을 주장하였다(김성길, 2011).

페스탈로치는 교육 방법의 원리를 제시하였는데(Horlacher, 2019) 자기 활동의 원리, 직관의 원리, 조화의 원리, 친근성의 원리, 그리고 생활과 노작교육의 원리 등이 포함된다. 자기 활동의 원리는 아동이 지닌 내적인 힘에 의해 자발적으로 발전하게 하는 것으로 이를 위해서는 아동 개인마다의 자유, 자발성, 흥미, 욕구를 충족시키는 것이 중요하다. 직관의 원리는 아동은 직접적이고 구체적이며 본질적인 것부터 시작해서 발달 수준에 맞게 추상적인 것으로 학습하는 방향으로 진행되어야 함을 의미한다. 조화의 원리는 머리로 상징되는 지적 능력, 기능으로 상징되는 도덕적 능력, 손으로 상징되는 신체적 능력이 연습과 훈련을 통해 균형을 이루는 것이 중요함을 의미한다. 친근성의 원리는 생활과 경험의 원리로 볼 수 있는데, 자기 자신과 주변생활에 근접해 있는 것부터 개선한 후 점차 확대되어야 함을 의미한다. 이런 점에서 가정생활을 통한 조기교육을 강조하였다. 생활과 노작교육의 원리는 아동교육에 있어 생활과 노동의 가치를 제시한 것으로, 특히 빈민 아동들이 노동과정 속에서 자연스럽게 읽기, 쓰기, 셈하기 등을 익히도록 학습과 노동을 결합하고자 노력하였다.

> 어린이는 사물들을 관찰하고, 분석하고, 이름을 말하고, 비교하는 훈련을 받아야 하며, 보고 만져보는 것을 통해서 사물들을 판별할 때 계산하는 것을 알게 되며, 수의 개념을 발전시켜 나가게 된다. 측정의 개념은 어린이가 사물들을 손으로 만져보고 비교해 볼 때 일어나며 그림을 통하여 쓰기와 연결 지을 수 있고 환경 안에서 소리를 주의 깊게 듣게 되면 소리의 식별력이 형성되어 음악과 언어의 기초를 확립하게 된다.
>
> 출처: Frost, S. E. (1966). *Historical and Philosophical Foundations of Western Education*, p. 355.

페스탈로치는 아동의 개인차를 인정하고, 아동의 내적인 힘에 따라 자발적으로 학습한다는 것을 강조하며, 학습방법에 있어 아동의 발달적 특징을 고려해야 함을 강조하였다. 이와 더불어 교육은 실천적이고 일상생활에 적용할 수 있는 교육이 이루어져야 함을 강조하였는데, 이는 현대 영유아교육에도 지속적으로 영향을 미치고 있다.

◈ 프뢰벨

유아교육의 아버지로 불리는 프뢰벨은 자신의 교육원리가 페스탈로치 교육방법에서 비롯되었으며 그와의 교류 속에서 얻어진 산물임을 강조하였다(Adelman, 2000). 아동은 신의 성품을 품은 존재로, 인간으로서의 완전함을 이미 품고 있는 씨앗(Keim)에 비유하였다(박신경, 2001). 프뢰벨은 아동이 발달적 힘을 스스로 가지고 있는 하나의 유기적 통일체로 보아, 자신이 가진 '내적 싹(inner germ)' 혹은 '내적 힘(inner power)'에 따라 발달한다고 보았다(김규수, 1997).

프뢰벨(Froebel)

이런 측면에서, 교육은 인간의 절대적인 신성, 즉 아동이 타고난 본성을 펼쳐내는 것으로 생각하였다. 아동은 성장의 내적 원리에 따라 성장해 나가기 때문에, 아동이 교육받을 준비가 되어 있을 때 제공되어야 한다고 보았다. 교육은 아동에 내재한 자기 표현적이고 활동적이며 창조적인 본능을 일깨워 자신의 삶을 어떻게 이끌어 나가야 하는지를 습득하도록 도와주는 것이어야 한다. 아동은 자신의 내면을 밖으로 표현하려는 자기 활동(self activity)적인 힘을 가지고 있는데, 이는 아동의 놀이와 작업을 통해 계발된다고 보았다(최정웅, 정인숙, 2002). 즉, 아동의 자발적이고 창조적인 활동이 놀이 속에서 자연스럽게 나타난다고 하였다.

> 놀이는 아동의 내적 세계를 스스로 표현한 것이며, 자신의 내적 필요성과 요구에 의해 외적으로 표현한 것이다. 놀이는 아동기의 가장 순수한 정신적 산물이며 인간생활 전체의 모범이라고 할 수 있다. …… 모든 선의 원천은 놀이에 있고, 또한 놀이로부터 나온다. 신체가 피로할 때까지 게으르지 않고 침착하게 노는 아이들은 반드시 인내심 있고 타인의 행복과 자신의 행복을 위해 헌신적으로 노력하는 인간이 될 것이다.
>
> 출처: 안인희(1983). 교육고전의 이해, p. 358.

프뢰벨은 은물(Gift)을 통해 놀이와 작업의 교육적 가치를 실현하고자 하였다(Morrison, 2001). 은물은 신으로부터 받은 선물로, 아동의 창조력을 키우고 완전한 발달을 위해 고안한 것이다. 은물에는 하나와 많은 것, 부분과 전체, 잡다한 것과 통일된 것 등의 원리가 포함되어 있어 아동들은 은물을 이용해 색깔, 모양, 수개념,

측정, 비교, 대조 등을 배우게 된다. 작업(Occupations)은 점토, 나무, 종이 등을 이용하여 무엇을 만드는 것으로, 이 과정에서 선, 각, 평면 등을 경험할 수 있게 된다. 또한 어머니와 교사가 어린 아동과 함께 하는 단순한 노래, 시, 게임을 의미하는 '어머니 놀이(Mother Plays)'를 통해 어린 아동들이 자신의 감정과 사고를 자연스럽게 표현하게 하였다.

프뢰벨의 교육과정은 아동의 발달을 고려한 교육으로, 감각적으로 세상을 이해하는 유아의 발달특성에 맞게 정신을 계발해갈 수 있는 교육과정을 제공해야 한다는 점에서 '아동중심'이라는 용어를 사용하였다. 교육은 항상 유아를 존중하고, 유아로부터 시작되어야 하고, 유아 자신이 행하게 하며, 유아 자신이 발견하게 하고, 유아 자신에게 돌아가도록 노력하는 일이라고 주장하였다(Adelman, 2000). 프뢰벨의 아동중심교육과정은 아동에 의해 주도되거나 아동의 흥미에 따른다는 의미보다는 아동의 발달특성을 고려하여 이를 지원하기 위한 교육과정이 마련되어야 한다는 의미를 갖고 있다(Chung & Walsh, 2000).

프뢰벨은 아동의 발달특성을 고려한 교육, 놀이의 교육적 가치를 강조하였고, 환경과 놀이감과의 상호작용을 통한 아동의 자발적 힘을 교육에 적용하였는데, 이는 현대 영유아교육에서 강조하고 있는 아동중심적 교육의 전형적인 형태라 볼 수 있다. 프뢰벨의 교육적 사고 및 실천은 학습, 교과과정, 방법론, 교수자 훈련 분야에 큰 공헌을 하였다.

 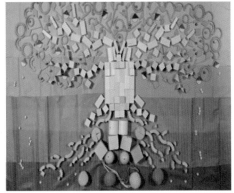

사진 설명 킨더가르텐의 모습(왼쪽), 은물을 이용한 표현(오른쪽)
출처: http://historyofkindergarten.com/.

④ 현대의 영유아관과 교육사상

20세기 초 아동연구운동 덕분에 아동의 학습과 발달에 대한 지식이 증가하게 되었다. 영유아기가 인간의 발달에 중요한 영향을 미치는 시기로 인식되기 시작됨에 따라 영유아교육에 대한 관심이 높아졌으며, 사회적 필요에 따라 영유아교육시설도 급증하게 되었다. 이 시기 교육자들은 아동교육에서 지역사회의 사회생활을 중요하게 여겨, 유치원에서는 아동에게 지역사회 경험을 제공하였다. 그리고 아동이 의미를 창조할 수 있는 놀이나 표현 방법을 통해 그들의 경험을 재구성하는 활동을 제공하기 위해 노력하였다(Spodek, 1991). 또한 아동의 학습에 있어 놀이의 중요성을 강조하였다.

1960년대를 기점으로 유아교육에서의 근본적인 변화가 나타나는데, 헤드스타트 프로그램(사진 참조)을 기점으로 유아교육과정 모델에 대한 연구가 촉발되었다. 미국 전역의 대학 연구소, 발달센터에서 진행된 Head Start Planned Variation Project를 통해 다양한 유아교육 프로그램이 개발되기 시작하였다. 1980년대에는 새로운 접근방법이 개발되기보다, 기존의 이론이 지속적으로 유아교육 과정에 영향을 주었다(Roopnarine & Johnson, 2009). 1986년 NAECY(National Association for the Education of Young Children)에서 출생에서부터 8세까지의 아동을 위한 유아교육 프로그램과 관련하여 『발달에 적절한 개입(Developmentally Appropriate Practice)』을 발행하였다. 이 책은 각 연령에 해당하는 아동들에게 발달적으로 적합한 실제에 대한 여러 의견뿐 아니라 자료를 제시하였

사진 설명　아동들이 헤드 스타트 프로그램에 참여하고 있다.

고, 프로그램 지침을 제공하였다. 아동의 발달적 특성에 따른 개별화된 프로그램이 강조됨에 따라 아동의 능력, 특징, 생활이 다른 아동들에게 무엇을 어떻게 가르쳐야 하는지에 대해 다시 관심을 갖게 되었다. 이로 인해 아동중심교육의 근거가 되는 아동중심사상을 다시 강조하게 되었다.

최근 유아교육에서는 어느 한 가지 이론적 입장을 취하기보다 여러 가지 교육과정이 갖는 장점들을 분석하여 적용하고 있으며, 특히 '아동중심 교육과정'이라는 용어가 가장 많이 사용되고 있다. 여기에서는 아동중심교육에 영향을 미친 듀이와 몬테소리에 대해 살펴보고자 한다.

◈ 듀이

듀이(Dewey)

듀이는 아동에 대한 관점을 비과학적이고 형이상학적인 관점에서부터 객관적이고 합리적인 관점으로 변화하게 했다. 듀이 이전의 아동의 근원은 자연 혹은 신이었다. 아동기의 특성을 자연 혹은 신과 관련하여 해석해 아동은 신성과 자연성을 가지고 있다는 점에서 존중되어야 한다고 보았다. 그러나 듀이는 아동의 발달적인 힘은 아동이 가지고 있는 생리적, 심리적인 내적 특성(의존성과 가소성)에서 비롯되며, 이러한 힘과 능력이 아동의 성장 및 발달의 도구로 작용한다고 주장하였다.

듀이는 아동을 미성숙자로 규정하였으나, 아동의 '미성숙(immaturity)'을 부정적 의미에서의 미성숙이 아니라 성장 가능성이라는 적극적 의미로 해석하였다. 미성숙은 의존성(dependence)과 가소성(plasticity)을 포함하는데, 의존성이란 아동이 주위 사람들이나 사물에 민감하게 공감하며 반응하는 사회적 상호작용의 과정이라고 하였다. 가소성은 아동의 성장과정에서 나타나는 특수한 적응능력으로, 아동이 이전 경험에서 얻은 것을 나중에 활용하는 힘, 자신을 수정하는 힘, 또는 성향을 발달시키는 힘을 의미한다(Weber, 1984). 이런 측면에서 아동의 미성숙을 성장의 조건으로 재개념화하였다. 그러나 미성숙이 성숙으로 가기 위해서는 아동의 내적인 힘만으로는 부족하며, 교사와 아동 간의 적극적 상호 의사소통이 필요하다고 강조함으로써 교사는 섬세한 관찰과 판단, 지혜가 필요함을 제시하였다(Dewey, 1916).

듀이는 교육에서 경험을 강조하였고, 특히 직접적인 경험을 중시하였다. 듀이는 개인이든 사회든 교육적 목적을 달성하기 위해서는, 교육은 반드시 경험에 기초를 두어야 함(Dewey, 1938, p. 61)을 강조하였다. 듀이가 생각하는 교육은 아동이 자기 활동을 통해 스스로 만들어 가는 교육이다. 아동은 활동을 하는 동안 감각과 근육을 사용하고 마음을 집중하게 되는데, 그 과정에 사용된 다양한 도구와 행동들 간의 연관성을 깨닫게 되고, 과정과 결과 간의 관계를 이해함으로써, 자연과 세상에 대한 이해력을 높일 수 있다고 보았다. 이처럼 듀이는 일상적 경험의 중요성을 인지하였으나, 일상적 활동이나 경험이 의미 있는 경험이 되기 위해서는 체계적인 안내와 지도가 필요하다고 생각하여 실험학교에서 일상 생활상을 재현하고자 노력하였다(한경희, 송도선, 2019).

학교에 작업실이나 부엌과 같은 곳이 필요한 궁극적인 이유는 이들이 단지 활동의 기회를 제공해 준다는 데에 있는 것이 아니라, 학생들에게 그런 종류의 활동이나 조작하는 기술을 발휘해 볼 기회를 제공함으로써 그들이 수단과 목적의 관계를 이해하고, 나아가서 특정한 결과가 산출되기까지 사물들이 상호 간에 어떤 작용을 하는지를 이해하도록 한다는 데 있다.

출처: Dewey, J. (1938). Experience and education. In *John Dewey: The later works*, Vol. 13, p. 57.

듀이는 교육과정의 심리화를 주장하며, 아동의 흥미나 관심에 따라 교육내용을 선정해야 한다고 보았다. 아동의 흥미는 아동의 생활을 통해 지속적으로 나타나는 힘으로, 아동이 중요하게 여기는 프로젝트나 일상적 활동에서 이루어지는 개인적인 선택을 의미한다. 이러한 선택이 교육적 의미를 갖기 위해서는 지속적인 경험이 중요하다. 아동이 일상적인 생활에서 경험하는 것만으로는 충분한 교육이 이루어질 수 없으므로, 교사는 교육과정 상에서 이전 경험과 관련된 의미 있는 새로운 경험을 제공해야 한다고 보았다(Tanner & Tanner, 1990).

듀이는 실험학교 내 유아학급(Sub-primary)에서 유아 교육의 이론과 실제를 실험하고 비판하며 새로운 교육원리를 도출하고자 노력하였다. 듀이는 아동이 행동을 통해 배우는 능동적 학습자로 보았고, 경험주의 교육과 생활중심 교육, 아동의 흥미에 기반한 교육, 활동중심 교육 등을 제시하였다(Durst, 2010)는 점에서 현대의 아동중심교육의 기초를 이루었다고 볼 수 있다.

사진 설명　실험학교의 모습(왼쪽), 손유희 놀이를 하는 교사(오른쪽)
출처: https://www.wikiwand.com/en/The_School_and_Society.

⬢ 몬테소리

몬테소리(Montessori)

몬테소리는 자연주의자인 루소의 영향을 받아, 아동은 자신의 성숙적 자극을 통해 발달한다고 보았다. 몬테소리는 유아가 작업을 좋아하고, 질서를 좋아하며, 호기심이 아닌 진정한 선택을 통해 활동하며, 독립심으로 가득 차 있고, 자발적으로 자기 규율을 지키는 존재로 보았다. 유아는 자신이 원하는 활동을 선택했을 때, 그 활동에 보다 관심을 갖고 집중하는 현상을 갖게 되는데, 이때 내면적으로 안정되고 온유하고 순종하는 모습을 가지며 인내심을 갖게 된다(Cascella, 2015).

몬테소리는 아동이 성인과는 다른 학습방식을 갖는다고 보았다. 특히 어린 아동은 생후 몇 년 동안 아주 빠른 속도로 학습이 이루어지는데, 이러한 능력을 스펀지가 물을 흡수하는 것에 비유하며 '흡수정신(absorbent mind)'이라고 하였다. 이처럼 아동이 특정 학습을 잘 흡수하는 시기를 '민감기(sensitive periods)'라고 하였는데, 민감기(예: 질서에 대한 민감기, 세부에 대한 민감기, 양손 사용에 대한 민감기, 걷기에 대한 민감기, 언어에 대한 민감기 등)는 유전적으로 프로그램된 기간으로 각 시기에 특정 기술이나 행동을 보다 쉽게 배울 수 있다고 보았다. 이처럼 유아들은 내적인 힘에 의해 발달하지만 환경의 경험에 따라 발달에 차이가 있다고 보아, 준비된 환경의 중요성을 제시하였다(Vardin, 2003).

몬테소리는 특수아동의 요구를 반영한 아동중심 프로그램을 개발한 후, 이를 기초로 일반아동을 대상으로 한 교육프로그램을 만들었고, 이후 3~7세 아동을 위한 '어린이의 집(Casa dei Bambini)'을 열어 자신이 개발한 교육 프로그램을 실시하였다. 몬테소리의 어린이집에서는 유아가 자신의 생각을 자유롭게 표현할 수 있으며 자발적으로 활동할 수 있는 환경, 유아가 자신의 내적 생명력을 전개시켜가며 인격적 완성과 심신의 발달을 도와줄 수 있도록 질서정연하게 정비된 환경을 조성하는 것을 원칙으로 하였다(이선옥, 2006). 이를 반영하여, 영유아들이 감각운동능력을 높일 수 있도록 교구를 활용한 교육을 제공하였다. 이와 같은

사진 설명   몬테소리 어린이집 아동들의 작업놀이
출처: http://lab.cccb.org/en/the-contribution-of-the-montessori-method-to-an-uncertain-world/.

몬테소리의 교수방법 및 아동존중철학은 오늘날까지도 영유아교육에 큰 영향을 미치고 있다.

(3) 우리나라의 아동중심 교육사상

서양의 영유아발달 및 교육에 대한 연구가 국내에 도입된 것은 역사가 그리 길지 않다. 그렇다고 해서 전통사회에서 영유아에 대한 인식이 전혀 없었다거나 영유아에 대한 교육이 제대로 이루어지지 않았던 것은 아니다. 우리나라에 도입되어 정착된 불교와 유교는 종교로서 도입되기는 하였으나, 전통사회의 가치관과 생활방식 등에 상당한 영향을 미쳤다. 아동의 발달은 아동이 속한 사회문화적 배경에 의해 영향을 받기 때문에, 전통사회의 불교와 도교는 전통사회의 영유아에 대한 인식, 영유아 교육방식에도 영향을 미쳤다고 볼 수 있다. 우리나라의 전통 사상은 공통적으로 아동을 독립된 인격체로 보았지만, 이들이 잘 성장하기 위해서는 부모의 돌봄이나 교육이 필요하다고 보았다. 이에 전통사회의 불교와 유교의 아동관과 교육사상을 살펴본 후, 아동중심사상을 실천한 방정환의 교육사상에 대해 살펴보고자 한다.

① 전통사회 영유아관과 교육사상

우리나라 전통사회의 아동교육사상은 아동을 완성된 하나의 인간으로 인정하고, 조기교육을 매우 중요하게 생각하며, 영유아교육에 있어 부모의 역할, 특히 어머니의 역할을 강조하고 가정을 중요한 교육적 공간으로 보았다는 공통점을 갖는다(안경식, 2005). 우선 삼국시대에 도입되어 우리나라의 문화에 영향을 미친 불교에서의 아동관과 교육사상에 대해 살펴본 다음, 조선시대 문화의 기반이 된 유교에서의 아동관과 교육사상에 대해 간략히 살펴보고자 한다.

≋ 불교

불교에서는 모든 인간이 불성을 갖고 있다는 평등사상에 기초하여, 아동 또한 성인과 마찬가지로 수행을 통해 성불(이상적 인격체)할 수 있는 독립된 인격체로 보았다(최효순, 2002). 불교에서는 아동을 잡념이나 편견 없이 순수하고 높은 수준의 마음상태를 가진 자로 여겼고 성인도 아동의 마음상태를 가져야 해탈할 수 있다고 보아 신앙의 대상으로 삼기도 하였다.

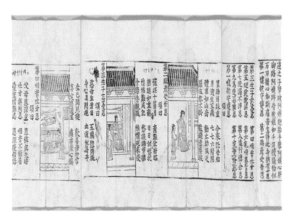

사진 설명   불설대보부모은중경
출처: https://www.museum.go.kr/site/main/relic/treasure/
        view?relicId=3160.

불교경전에서는 아동을 영아(嬰兒), 영동(嬰童), 동자(童子), 동녀(童女) 등으로 표현하고 있다. 영아와 영동은 1~6세까지의 신생아와 유아기를 의미한다. 동자와 동녀는 8~15세까지의 미혼 남녀를 의미하는데, 출가 수행을 원하지만 아직 준비 과정에 있는 남녀를 지칭하는 말이다(박정호, 2019).

불교에서는 아동을 독립된 인격체로 보기는 하였으나, 아동은 일차적으로 성인의 보호와 교육이 필요하다고 여겼다. 「부모은중경(父母恩重經)」에 제시된 열 가지의 은혜는 전통사회 부모의 역할과 자녀의 부모에 대한 보은 방법이 담겨 있는데, 이를 통해 불교에서 강조하고 있는 부모자녀관계를 유추해 볼 수 있다(정옥분, 2015b). 또한 부모가 자녀에게 주어야 할 가르침과 관련하여, 「근본설일체유부비나야잡사(根本說一切有部毗奈耶雜事)」에서 5가지 잘못으로 '믿지 않음, 게으름 피움, 욕설함, 부끄러움을 모름, 나쁜 벗을 가까이 함'을 제시하며, 자녀가 이런 잘못을 했을 때 부모는 자녀를 꾸짖기보다 자녀에게 올바른 태도와 행위를 알려주고 제대로 돌보는 것이 더 중요하다고 하였다. 즉, 부모는 자녀가 올바로 성장하여 사회 구성원으로 역할을 담당할 수 있도록 교육시켜야 함을 강조하였고, 이와 더불어 자녀도 부모에 대한 자녀의 도리를 다해야 함을 강조하였다(박정호, 2019).

❧ 유교

유교에서는 하늘이 인간에게 인의예지(仁義禮智)의 본성을 부여하여 인간은 태어날 때부터 선한 본성을 가지고 있다고 본다. 따라서 타고난 본성을 그대로 따르게 되면 도(道)를 행하게 되지만, 타고난 기질과 후천적 영향에 의해 욕심을 갖게 되면 도(道)에서 벗어나게 된다. 이에 교육이란 인간의 본성대로 살도록 자신을 연마 하는 것으로, 교육의 목적은 인간의 본성을 회복하여 성인(聖人)이 되는 것이다(정옥분, 2015b). 성인(군자)이 되기 위해서는 인지적인 측면과 인성적인 측면을 함께 배워야 가능하다.

　유교에서는 자녀교육의 시작을 태교로 보았으며, 태교와 아동기의 교육은 이후의 발달에 상당한 영향을 미치는 것으로 보았다. 어릴 때부터 올바른 지식과 습관을 충분히 익혀 성숙한 인간이 되게끔 하는 것이 중요하다고 보았다.

　무릇 가르쳐 키우는 법에 있어서 태교와 아동기 교육보다 우선하는 것이 없건마는 끝내 이를 실행하는 사람이 드무니 안타깝다. 한 사람의 부모로서 태교도 놓쳐버리고 아동기 교육도 놓쳐버리니 이 어찌 큰 과실이 아니겠는가? 옛 사람들은 밥 먹기 시작하고 말할 수 있을 무렵부터 한 해 한 해 가르쳐서 스무 살이 되도록 가르쳤으니 성인의 자질이 이때 이미 십분의 삼이 갖추어지게 되는 것이다. 일반적으로 보면 어릴 때는 뜻과 생각이 아직 확실히 굳지 않았기 때문에 늘 좋은 말과 타당한 생각들이 귀와 가슴 속에 가득 차도록 늘 베풀어주어야 한다. 이리하여 오랫동안 스스로 충분히 익히게 되면 습속과 지력이 함께 성장하게 되고, 가르침의 내용이 아동의 생각과 함께 조화되어 스승의 가르침을 소화해내지 못하는 문제가 생기지 않을 것이다.

출처: 『사몽집요(四蒙輯要)』 서문(선우미정, 2017 재인용).

　조선시대 교훈서인 『내훈(內訓)』 『사소절(士小節)』 『규범선영(閨範選英)』에 나타난 아동을 위한 교육내용을 살펴보면, 3세가 되면 올바른 식사 습관 및 행동 예절을 가르쳤다. 6세부터는 수와 방위 개념, 8세부터는 날짜와 육갑 헤아리는 법 등을 가르쳤다. 7세부터는 남녀의 행동에 차이가 있음을 가르쳤고, 여아에게 『효경(孝經)』과 『논어(論語)』를 읽도록 하였다. 8세가 되면 어른과 아이 간에 구분이 있음을 가르쳤다. 이러한 학습은 행동으로 습관화시키는 교육이었다. 8세와 9세에는 겸손한 자세, 양보하는 미덕, 탐욕 부리지 않는 자세를 가르쳤으며, 10세가 되면 여아에게는 순종하는 태도, 제사일, 옷감 짜기, 의복 만들기 등을 익히게 하였다. 남아의 경우, 이때부터 가정 밖에서 교육을 받도록 하였다(신양재, 1995).

　이처럼 전통 유교사회에서는 아동의 발달단계에 따라 아동에 대한 교육방법이 다르게 제시되었다. 8~15세 아동이 배우는 소학(小學)과 이후 16세 이상이 배우는 대학(大學)의 경우, 마음을 바르게 하여 자신을 수양하고 사람을 다스리는 방법과 원리를 배운다는 점에서 교육의 목적은 동일하였다. 그러나 소학은 일상생활에 필요한 구체적이고 직접적이며 실용적인 기초적인 지식 및 예의와 도덕성을 배워 실천하게끔 하는 데 초점을 둔 반면, 대학은 좀 더 추상적인 범주로 나아가 고차적인 지식, 예술, 철학, 종교 등과 같이 세상의 이치를 배워나가는 데 초점을 둔다. 즉, 소학이 인간의 본성을 실현하기 위한 근본을 확립하는 과정이라면 대학은 소학을 바탕으로 자기의 본성을 찾고 나아가 타인과 만물의 본성까지도 완성시켜 선한 사회로의 구현을 이루도록 하는 것이다. 교육방법에 있어, 인간의 발달과정에 맞게 이해하기 쉽고 구체적인 데에서 어렵고 추상적인 것으로 나아가야 함을 강조하였다(선우미정, 2017).

② 근대 소파 방정환의 영유아관과 교육사상

소파 방정환은 인간존중과 만민평등사상에 기반을 둔 동학사상과 일본 유학을 통해 접한 아동중심교육의 영향을 받았다. 동학의 '인내천(人乃天)' 사상을 이어받아, 아동을 선한 존재로 보았다. 조선시대 유교 사회의 잘못된 전통인 아동을 억압하는 풍토와 일본 제국주의교육의 특징인 주입식 교육, 암기식 교육, 경쟁체제, 소수 엘리트교육 등에 대한 반성적 성찰을 강조하며, 아동존중사상을 기초로 새로운 아동운동을 전개하였다. 아동교육은 아동이 자신이 가지고 있는 성장 가능성을 펼쳐 자율적으로 살아갈 수 있도록 도와주는 과정으로 보았다(이윤미, 1999).

> 지금의 학교는 기성된 사회와의 일정한 약속하에서 그의 필요한 인물을 조출(造出)하는 밖에 더 이상(理想)도 계획도 없습니다. 그때 그 사회 어느 구석에 필요한 어떤 인물(소위 입신 출세자겠지요)의 주문을 받고 그대로 자꾸 판에 찍어 내놓는 교육이 아니고 무엇이겠습니까.
> 그러나 어린이는 결코 부모의 물건이 되려고 생겨 나오는 것도 아니고 어느 기성사회의 주문품이 되려고 나오는 것도 아닙니다. 그네는 훌륭한 한 사람으로 태어나오는 것이고, 저는 저대로 독특한 한 사람이 되어 갈 것입니다.
>
> 출처: 방정환(1923). 소년의 지도에 관하여-잡지 '어린이' 창간에 제하여 경성 조정호 형께. 천도교회 일보. 통권 150, pp. 52-53.

방정환은 아동의 인격과 존엄성을 인정하여, '어린이'라는 용어를 만들고, 어린이날을 제정하였으며 『어린이』 잡지 등을 포함한 아동출판운동을 확장하였다. 또한 동요보급 및 동화구연 등의 예술문화운동, 색동회와 소년운동협회 등의 소년단체를 조직하였다. 그리고 아동의 지적 발달, 사회적 발달, 정서적 발달, 신체적 발달,

도덕적 발달 등 총체적인(holistic) 인간성 교육을 위해 전인교육을 강조하였다. 또한 아동의 진취성과 용기를 키우는 교육이 중요하며, 아동의 인권을 존중하기 위해 생활환경이 개선되어야 함을 강조하였다. 특히, 방정환은 아동을 양육하고 가르치는 부모와 교사 그리고 그들을 둘러싼 이웃들에게 아동 인권의 중요성을 인식시키는 교육운동을 전개하였다(송준석, 2007).

방정환이 아동교육에서 중요하게 생각하는 교육방법을 정리해 보면 다음과 같다(명지원, 2010). 첫째, 일상생활과 관련된 질문과 토론을 통한 사고 촉진 교육이다. 아동이 흥미를 느낄 수 있는 '옷을 입으면 어째서 더운가?' '바람은 소리가 있을까 없을까?'와 같은 일상생활과 관련된 주제를 선정하는 것이 중요함을 강조하였다(방정환, 1930). 둘째, 흥미를 통한 자발성을 높이는 놀이 교육이 중요하다. 셋째, 실물과 감각을 통한 시청각교육을 강조하였다. 방정환은 실물과 감각교육을 위하여 '어린이'지의 지면을 구성할 때 '그림과 사진을 많이 넣기'를 강조하였다. 넷째, 당시 교육의 문제점은 학교에서 배우는 것과 실생활이 관계가 없다고 지적하며, 신문을 통한 실생활과 연계된 교육을 주장하였다. 다섯째, 눈높이에 맞는 대화와 칭찬을 통해 다양한 표현을 높이는 교육을 강조하였다. 여섯째, 유머를 통해 마음을 열게 하고 친밀감을 높이는 교육을 강조하였다.

| 『어린이』 표지 (세계아동예술전람회 기념호) | 어린이를 위한 동화집 『사랑의 선물』 | '어린이'란 용어를 최초로 보급한 고 소파 선생(위) | 어린이날 노래의 가사와 악보 |

출처: http://www.seohaenews.net/news/article.html?no=82571.

2. 보육교사의 윤리

앞서 살펴본 교육사상은 인간에 대한 관점, 교육의 목적 및 목표 등을 제시함으로써 교사의 교육철학을 설정하는 데 도움이 된다. 즉, 교육철학은 교사가 교사로서의 인성, 교직 사명감, 윤리의식을 형성하는 데 도움이 된다는 것이다. 그러나 최근 들어 교사의 인성, 교직 사명감과 헌신, 교원의 윤리의식 등은 이전보다 간과되고 있다. 교사교육에 있어 전문가로서의 교사 양성에 초점을 두면서 교육방법이나 기술은 강조되는 반면 성직자관에서 강조되던 교사의 도덕적 자질과 사명감은 상대적으로 덜 중시되고 있다(정윤경, 2013; Weber, 1984).

교사의 전문성은 가르치는 기술이나 방법론에 한정되기보다 교직에 대한 사명감과 헌신, 윤리의식에 기반을 두어야 하며 나아가 교사의 사람됨(인성)이 필수적이다. 교사의 전문성은 교육에 대한 포괄적인 관점과 안목을 지닌 인간됨 안에서 발휘되어야 함을 명심해야 한다.

현대 사회에 접어들어 취업모의 증가와 가족구조의 변화로 인해 영유아들이 유아교육기관에서 지내는 시간이 늘어남에 따라 보육교사의 역할과 사회적 책임 또한 증가하였다. 보육교사는 보육 서비스를 제공함에 있어 전문 지식 및 기술 이외에도 전문직에서 요구되는 가치와 윤리를 실천할 수 있어야 한다. 전통 사회에서는 교사가 가르치는 일에 대한 소명의식이 높았고 학생과 부모의 교사에 대한 신뢰 및 존경과 권위가 높았다. 반면, 현대사회로 접어들면서 교육자로서 가져야 할 소명감이나 윤리의식이 부족한 교사의 사례들이 미디어를 통해 전달되면서 교사에 대한 존경과 권위가 약화되고 있다. 대중매체에서 보육교사들의 아동학대 사례들이 종종 공개되는 것 또한 윤리의식이 부족한 몇몇 보육교사들의 모습이라 할 수 있다. 이러한 문제들은 교사의 교과내용지식이나 교수기술이 부족해서가 아니라 교사가 갖추어야 하는 윤리의식이 부족하기 때문에 발생된다(Steinbrunner, 2001). 아직 언어적, 인지적 능력이 부족한 영유아들의 경우 스스로 자신의 생각을 분명히 표현하거나 결정하는 데 어려움을 갖고 있다. 보육교사는 영유아의 인권을 보호하고 이들의 전인적 발달을 위한 교육을 제공하는 데 최선을 다해야 하기 때문에 보육교사는 영유아보육에 대한 윤리를 정립할 필요가 있다(Clark, 1995).

1) 보육교사 윤리의 개념

윤리란 옳고 그른 것에 대한 비공식적인 규칙이다. 인간이 다른 사람들과의 관계에서 삶을 영위해 나가는 데 있어 지켜나가야 할 것으로 기대되는 규범(임승렬, 2002)으로, 의사결정을 할 때 옳고 그름을 판단할 수 있는 도덕적 지침이며 실제 행위와 직접적으로 관련된 행동규범이다. 교직윤리는 교직을 수행함에 있어서 스스로 또는 관련된 다른 사람들에 대해 지켜야 할 것으로 기대되는 행동 규범으로, 교사로서의 직무를 수행함에 있어 마땅히 지켜야 할 자율적 행위와 규범을 의미한다(임승렬, 2002; 진병춘, 2000). 이런 측면에서, 보육교사의 윤리는 보육교사가 보육활동을 수행함에 있어서 스스로 지켜야 할 것으로 기대되는 행동규범으로 정의할 수 있다(〈표 3-1〉 참조). 보육교사는 영유아 및 그 가족에게 보육서비스를 제공함에 있어, 영유아, 영유아의 가족, 동료교사, 사회 및 국가에 대한 사회적 책임을 다해야 한다. 특히 보육교사의 행동은 영유아의 태도나 행동에 직접적인 영향을 미치는 것으로 보고된 만큼, 보육교사의 윤리와 도덕 수준에 대한 기대가 높은 편이다.

실제 보육현장에서 교사들은 다양한 윤리적 딜레마를 경험하는 것으로 나타났다. Feeney와 Sysko(1986)는 교사들이 겪는 윤리적 문제를 수집한 결과, 부모와의 상호작용의 어려움, 동료교사와의 상호작용, 원장과의 관계, 기관(외부기관포함)과의 문제, 교육과정, 유아관련 보호법 등과 관련하여 어려움을 호소하고 있었고, 이러한 문제를 해결하기 위한 교직윤리가 필요하다고 하였다. 국내에서도 유치원 및 보육교사가 경험하는 교직 윤리 관련 딜레마를 심층면담을 통해 살펴보았다(조형숙, 2009). 유아교사가 교육 및 보육현장에서 겪은 윤리적 딜레마는 크게 '영유아와의 관계, 영유아의 가정과의 관계, 동료 및 기관과의 관계, 지역사회/사회와의 관계'로 범주화되었고, 영유아와의 관계에 있어 갈등의 주요인은 바람직한 교육과 현실 교육 간의 차이로 인한 교사정체성의 혼돈과 보육현장에서의 정서노동으로 인한 정서조절의 문제로 나타났다. 가정과의 관계에서의 윤리적 딜레마의 주요 원인은 교사로서 진실성을 어디까지 지켜야 하고, 영유아에 대한 정보는 어느 정도까지 제공해야 하는가와 관련된 이슈였다. 동료와 기관과의 관계에 관련된 윤리적 딜레마의 주요 원인은 상생의 협력자로서 동료에 대해 어떤 마인드를 가져야 하는가에 관한 문제였다. 지역사회 및 사회관계와 관련된 윤리적 딜레마의 원인은 지역사회와의 협업을 위해 업무 부담이 증가함에도 불구하고 행사 등을 시행할 것인가에 대한 문제들로 주로 배려와 적극성에 관련된 문제였다. 유아교사들은 현장의 예측 불가능한 여러 상황 속에서 어떤 결정이 바람직한 것인지에 대한 내적 어려움을 경험하고 있음을 알 수 있다.

〈표 3-1〉 **영유아교사 교직윤리의식 구성 내용**

영역	내용
영유아에 대한 윤리	다문화 가정 영유아의 융화를 위한 통합된 프로그램 구성 및 편견 없애기, 개인차 인정 및 배려, 영유아의 정서적 상태 파악을 위한 교사의 민감성, 문제행동 영유아의 원인 파악 및 지속적인 노력, 전인발달을 지원하기 위한 교육과 환경 제공, 영유아와 관련 있는 윤리적 사태를 지각하고 해석할 수 있는 교사의 도덕적 민감성, 학급의 모든 영유아와 골고루 상호작용하기, 영유아의 평가정보 올바르게 사용하기, 영유아의 안녕을 위한 노력, 영유아에 대한 관찰 및 안전과 보호, 영양과 휴식, 정서적·언어적·신체적 학대 금지 등
가정에 대한 윤리	가정과 영유아의 교육 및 발달에 관한 현행 지식과 적합한 프로그램 공유하기, 상담이나 부모교육 실시를 통해 부모역할 돕기, 교육기관의 운영에 관한 의사결정에 부모 참여시키기, 교육기관 개방하기, 상호신뢰를 바탕으로 동반자적 관계 유지하기, 가정의 강점과 역량을 인정하고 배울 수 있는 태도 지니기, 가정에 필요한 지역사회 자원 제공하기, 자녀에 대한 가정의 의사결정권 존중하기, 가족 구성원의 교실환경 접근 및 활동 참여를 격려하고 허락하기 등
동료에 대한 윤리	주로 원장에 대한 윤리적 책임 관련 내용이 선정됨. 즉, 원장의 관리자로서의 사명감 및 역할, 보육·교육·행정의 업무 분화를 통한 질 높은 보육 및 교육이 이루어질 수 있도록 노력하기, 교사들에게 적정 수준의 보상을 안정적으로 제공하기, 교사들의 의견 개진 기회 보장하기, 재난에 대한 인식과 훈련의 필요성 인지하기, 교사를 신뢰하고 존중하며 전문성과 자율성 인정하기, 교사에게 지속적 재교육 및 전문적 역량 제고의 기회 부여하기를 비롯한 교사에 대한 원장의 윤리 등이 포함됨. 그 외에도 학부모와의 관계와 교사 동료들 간의 윤리적 책임 등
사회에 대한 윤리	교사의 안전과 인권, 권리에 대한 부분, 영유아와 관련된 법률 이해 및 개선 활동에 참여하기, 지역사회의 생활과 문화 향상에 기여하기, 영유아의 복지에 대한 사회적 책임 및 관련 정책과 법규를 지지하고 발전을 위한 협력하기, 영유아 및 가정의 요구를 사회에 알리기, 영유아의 권익보호를 위한 정책 결정 및 법률 제정에 참여하기, 다문화 가정 및 문제행동을 위한 인적·물적 자원 제공을 위한 요구하기, 교사의 교권 확립을 위한 활동 참여하기 등
교사 개인에 대한 윤리	준법정신 갖기, 법 준수하고 모범보이기, 자신을 사랑하고 자존감 및 긍정적인 마음 갖기, 생명존중의식 갖기, 안전사고 시 대피경로 및 방법 숙지하기, 언어적 표현과 행동에 대한 반성적 사고하기, 자신의 감정과 분노 조절하기, 교육전문가로서의 직업의식과 자부심 갖기, 최적의 교육을 제공하기 위한 열과 성을 다하고, 배움에 대한 의지 갖기 등

출처: 박찬옥, 김지현(2015). 영유아교사의 교직윤리의식 측정도구 개발 및 타당화. 유아교육연구, 35(5), 229-253.

2) 보육교사 윤리의 중요성

앞서 살펴본 바와 같이 교사는 교육현장에서 다양한 상황에 부딪히게 되고, 이러한 상황에서 영유아의 건강과 복지를 증진하는 방향으로 문제를 해결하기 위해서는 윤리를 정립하는 것이 필수적이다. 여러 연구에서 교사 윤리의 중요성에 대해 언급하고 있는데 그 이유를 살펴보면, 첫째, 교사의 윤리는 사회나 집단의 행동의 비공식적인 규범이다. 교사 윤리는 의무나 강제성이 아닌 능동적이고 자율적인 비공식적인 행동규범이지만 사회에 미치는 영향이 상당히 크기 때문이다. 둘째, 교사 윤리는 교사의 모든 행위, 인간관계, 학생지도, 공직 생활뿐 아니라 교육의 목적, 내용, 교수과정, 학생, 학부모와의 관계, 자기 관리 노력 등 교사의 모든 행동과 관련되어 있기 때문이다. 셋째, 교사윤리는 교육의 질에 직접적인 영향을 미치기 때문이다. 넷째, 교사윤리는 교사가 근로자성과 전문성을 기반으로 의무와 책임을 다해야 하는 실천적 행동강령으로, 학생의 인권 향상과 사회와 국가 발전에 영향을 미치기 때문이다(윤종건, 1996).

특히 보육교사의 경우 어린 영유아의 발달적 특징을 고려해야 하고 보육과 관련하여 영유아의 부모와 가족, 지역사회 간 요구와 책임 등의 이슈가 발생할 수 있어, 보육교사의 윤리가 더욱 중요하다(Katz, 1984). 영유아는 발달적으로 상처받기 쉬운 특성을 갖고 있으며, 교사보다 약한 권력을 갖고 있기 때문에 교사는 자칫 영유아에게 필요한 자원이나 특권을 통제할 수 있다. 윤리의식이 높은 교사는 영유아를 안전하게 보호하고 존중해 주어야 할 의무를 더 잘 인식함에 따라 영유아의 일상생활에서 영유아의 권리를 존중하는 보육을 실행할 가능성이 더 크다.

그리고 보육교사는 유아의 요구, 부모와 가족 및 지역사회의 요구가 상충될 때 어떤 것을 우선시해야 할지에 관한 판단을 내려야 한다(Freeman, 1999). 보육교사들은 교사, 부모, 사회 사이에 존재하는 교육관, 가치관, 태도나 인식의 차이로 인해 특정 문제에 대한 의사결정에 있어 딜레마를 경험하게 된다. 이러한 딜레마에 처했을 때, 교사로서의 가치관과 교육신념이 의사결정의 중요한 역할을 담당한다. 또한 보육교사는 질 높은 보육서비스를 제공하기 위해 영유아 외에 가족, 동료, 지역사회와도 상호작용해야 하는데, 보육교사의 수행은 영유아의 인권 존중과 건강한 발달, 가정, 공동체 및 사회의 복지에도 큰 영향을 미친다는 점에서 교직에 임하는 보육교사의 윤리의식과 행동은 매우 중요하다(조은진, 김미애, 2017).

출처: https://shop.earlychildhoodaustralia.
org.au/wp-content/uploads/2019/12/
Ethics-in-action-cover-web.jpg.

또한, 보육교사는 보육교사 역할의 다양성과 모호성으로 인해 가치 판단을 해야 하는 상황에 놓이게 된다 (Freeman, 1999). 보육교사는 다른 학교 조직보다는 작은 규모로 인해 업무분장이 명확하지 않고 특정 상황에 대한 여러 사람들의 상충되는 기대 때문에 의사결정에 있어 더 많은 윤리적 딜레마를 경험하게 된다(허미경, 임승렬, 2014). 유아교사는 보호자, 양육자 역할뿐 아니라 지식 제공자, 아동발달 전문가, 연구자, 관찰자 등의 역할을 요구받고 있다(Duckworth, 1986). 이뿐 아니라 반성적 사고를 하는 실천인, 영유아들의 권리옹호자, 아동발달 전문가, 역할모델, 부모교육자 및 정보 관리자, 성장하는 전문인으로의 역할이 강조됨에 따라(Jalongo & Isesnberg, 2000), 자신의 전문적 자질 개발을 위해 끊임없이 노력해야 한다는 중압감을 느끼고 있다. 보육교사들은 자신에게 주어지는 역할에 대한 부담과 요구가 많고, 수업준비, 동료 및 부모와의 관계, 잡무, 해결하기 힘든 문제 상황 속에서 교직 초기에 가진 열정을 상실하게 되는 경우가 많다(Day, 2007).

아주 자주 내가 지금 잘하고 있는지, 이 일이 내 적성에 맞는 일인지, 나의 행동이 아이들에게 어떤 영향을 주게 될지에 대한 확신이 없고 가끔은 내가 교사인데 이런 일까지 해야 하는가에 대한 의문이나 불만이 생길 때가 있다(T 교사의 사전보고서).

사고는 어떤 활동을 해도 일어날 수 있다. 언제 어디서나 방심할 수 없다고 생각한다. 신체활동을 통해 아이들의 스트레스를 해소시켜 주는 것이 중요하다고 생각한다. 하지만 아이의 잘못으로 인해 다쳤을 때도 교사가 죄인이 되고 활동성이 큰 활동을 할 때 아이가 다칠까봐 너무 민감하게 반응하는 내 자신을 볼 때 많은 스트레스를 받는다(M 교사의 사전보고서).

출처: 허미경, 임승렬(2014). 윤리적 딜레마 해결력 증진 프로그램이 유아교사의 의사결정에 대한 실천적 지식에 미치는 영향. 유아교육연구, 34(4), 455-483.

교육현장에서 여러 문제 상황을 적절하게 처리하지 못할 경우 사건의 복잡성, 심각성, 파급성에 따라 교사에게는 상당한 충격이 될 수 있으며, 특히 우발적이고 독특한 상황을 예측하기도 힘들기 때문에 그 후유증은 교사의 자질에 대한 의심과 전문성 결여를 초래하기도 한다(Rots, Aelterman, Vlerick, & Vermeulen, 2007). 이때 보육교사의 윤리는 자신에게 주어진 다양한 역할을 어떻게 효율적으로 수행해 나갈 것인가에 대한 가치 판단의 준거로 작용한다.

3) 보육교사 윤리강령

윤리강령은 특정 직업에서 필요한 구체적이고 특수화된 윤리적 규범을 제시하고, 고객, 동료, 사회에 대한 윤리적 행위의 원칙을 진술해 놓은 것이다(김은설, 박수연, 2010). 윤리강령은 특정 집단의 사람들이 고객이나 동료와 상호작용할 때 취해야 할 행동 방식과 관련하여 무엇이 중요한 것인지에 대한 가치를 명료화하는 데 도움이 된다(Torda, 2006). 또한 윤리강령은 해당 직종 종사자에게 높은 직무 기준을 부과하여 구성원들 간의 관계를 돈독히 하고 그 직종 종사자들이 종사하는 공동체의 복지수준을 높여주는 효과가 있다. 보육교사 윤리강령은 보육교사가 직무 특성상 직면하게 되는 다양한 가치 속에서 자신의 역할을 정확히 인식하고 올바른 의사결정을 할 수 있도록 안내해 주는 것이다(Early Childhood Australia, 2019; National Association for the Education of Young Children, 2011). 보육교사 윤리강령은 보육교사가 보육활동을 수행하는 도중에 상충된 의무나 책임에 직면하게 될 때 무엇을 해야만 하는지에 대한 지침을 의미한다. 실제로 보육 상황에서는 중요한 가치 간에 충돌이 발생하기도 한다. 한 영유아의 권리를 보호하기 위해 다른 영유아들의 권리를 침해할 수도 있고, 학부모나 가족의 요구를 채워주기 위해 영유아의 권리를 침해할 수도 있다. 이러한 유아교육·보육 현장의 복합적인 문제들(예: 영유아 대 가정의 요구, 집단 영유아 대 개인 영유아의 요구, 기관 대 부모의 요구 등)에서 윤리강령은 교사가 딜레마를 정확히 인식하고 가장 윤리적이며 전문적인 행동을 결정할 수 있도록 지원해 준다(조은진, 한세영, 신혜은, 2016). 여기에서는 미국, 캐나다, 호주의 윤리강령에 대해 간략히 살펴본 후, 우리나라의 윤리강령에 대해 살펴보고자 한다.

(1) 외국의 보육교사 윤리강령
미국 NAEYC(National Association for the Education of Young Children)에서는 1984년 보육현장에서 일상적으로 경험하는 딜레마 상황을 추출한 후, 윤리강령위

원회를 구성하였고 윤리 워크숍을 지속적으로 진행한 노력의 결실로 1989년에 영유아교사의 교직윤리강령을 제정하였다. 이후 사회적 변화를 수용하여 윤리강령을 개정한 후 현재는 2011년에 개정한 윤리강령을 채택하고 있다(NAEYC, 2011). 미국의 보육종사자 윤리강령은 영유아보육에 있어 핵심가치를 기반으로(⟨표 3-2⟩ 참조), 영유아에 대한 윤리, 가족에 대한 윤리, 동료에 대한 윤리, 지역공동체 및 사회에 대한 윤리 등의 4가지 영역으로 구성되어 있다. 각 영역은 이상(ideal)과 원칙(principle)으로 구성되어 있는데, 이상이 전문적이고 이상적인 것으로 보육종사자에게 영감을 주기 위한 것(예: 영유아보호와 교육에 관한 교육을 철저히 받을 것, 개별 영유아의 독특성과 잠재성을 존중할 것, 영유아의 제반 영역 발달을 위해 환경을 세심하게 구성할 것 등)이라면, 원칙은 금지하거나 허용되는 기준(예: 영유아에게 해가 되지 않도록 할 것, 신체적, 정서적으로 해를 끼치거나 무시하거나 위협하거나 화를 내지 말아야 하는데 이는 윤리강령의 모든 원칙 중 가장 중요함. 영유아를 어떤 원칙에 의해서는 차별하지 말 것, 적절한 평가체계를 마련하여 영유아의 학습과 발달 상황을 점검할 것 등)으로 보육종사자가 윤리적 딜레마를 해결할 수 있도록 도와주는 역할을 한다.

캐나다에서는 보육종사자들을 대상으로 윤리강령의 주요가치를 어린이집이나 유아에게 적용하는 것이 적절한지를 조사한 연구자료를 바탕으로 2000년에 캐나다 보육연방(The Canadian Child Care Federation: CCCF)에서 영유아교사를 위한 윤리강령을 개발하였다. 보육종사자 윤리강령은 8가지 원칙으로 제시되어 있는데(⟨표 3-3⟩ 참조), 아동의 권리를 보호하기 위한 핵심가치를 주로 다루고 있다. 현장

⟨표 3-2⟩ **영유아교사 윤리의 핵심가치**

- 영유아기를 인간의 생애주기의 독특하고 가치 있는 단계로 평가한다.
- 영유아들이 어떻게 발달하고 배우는지에 대한 지식을 기반으로 작업한다.
- 영유아와 가족 간의 유대관계를 이해하고 지지한다.
- 영유아가 가족, 문화, 커뮤니티 및 사회의 맥락에서 가장 잘 이해되고 지원된다는 것을 인식한다.
- 각 개인(자녀, 가족, 동료)의 존엄성, 가치 및 고유성을 존중한다.
- 아동, 가족 및 동료의 다양성을 존중한다.
- 신뢰와 존중을 바탕으로 한 관계의 맥락에서 아동과 성인의 잠재력이 최대한 발휘된다는 점을 인식한다.

출처: NAEYC (2011). Code of Ethical Conduct and Statement of Commitment. https://www.naeyc.org/sites/default/files/globally-shared/downloads/PDFs.

〈표 3-3〉 캐나다 보육종사자 윤리강령 8개 원칙

원칙 1. 모든 영유아의 건강과 복지를 증진시킨다.

원칙 2. 사려 깊게 계획된 환경 속에서 영유아의 개인적 요구를 충족시켜주고, 영유아의 신체적, 인지적, 정서적, 사회적 발달을 증진시킨다.

원칙 3. 보육과정의 모든 측면에서 모든 영유아를 고려하고 있음을 증명한다.

원칙 4. 부모는 아동 양육에 일차적인 책임이 있다는 점을 인정하고, 부모가 이러한 책임을 다하기 위해 노력하는 모든 행위를 존중하는 방식으로 부모와 긴밀하게 협력한다.

원칙 5. 영유아와 가족의 복지를 지원하기 위해 동료 보육종사자들 및 지역사회 내 다른 복지전문가들과 긴밀하게 협력한다.

원칙 6. 서로 신뢰하고, 보호하며 협력하는 관계를 수립하여 개인의 존엄과 고유한 가치를 존중하는 방식으로 일한다.

원칙 7. 지속적으로 보육관련 지식을 쌓고 역량을 키워나간다.

원칙 8. 다른 사람들과 전문적인 관계를 통해 통합적으로 협력한다.

출처: 이완정(2005). 보육시설 영유아의 권리보호를 위한 각국의 보육종사자 윤리강령 연구. 아동과 권리, 9(4), 789-816.

에서 윤리적인 문제에 부딪혔을 때 이를 해결하는 데 도움이 되는 근거를 제시해 준다.

호주에서도 영유아교육협회(The National Working party of Early Childhood Australia)에서 보육종사자 윤리강령을 2003년에 개발하였다. 문헌 연구를 통해 전국 전문가회의에서 윤리강령의 초안을 작성한 후 전국의 보육종사자들로 구성된 전문 회의에서 내용을 검토한 후 최종 윤리강령을 결정하였다. 호주의 윤리강령은 영유아에 대한 윤리, 가족에 대한 윤리, 동료에 대한 윤리, 공동체 및 사회에 대한 윤리, 전문가로서 내 자신에 대한 윤리 등의 영역으로 구성되어 있다. 호주의 윤리강령에서는 보육종사자에게 전문가로서의 자질을 갖추기 위해 어떻게 해야 하는지를 구체적으로 제시하고 있다는 점에서 차별성이 있다.

미국, 캐나다, 호주의 보육교사 윤리강령 개발과정에서 공통적으로 드러나는 것은 윤리강령을 이해하고 이를 준수하게 될 보육종사자들로부터 윤리강령의 조항에 대한 합의와 동의를 구하는 과정을 거침으로써, 보육교사 스스로 자신의 직무특성에 대해 고민해 보게 한다는 것이다. 또한 윤리강령을 제정한 후에도 주기적으로 개정함으로써 변화하는 보육환경에 적극적으로 대처하고 있음을 알 수 있다(이완정, 2005).

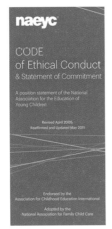

출처: https://members.
naeyc.org/eweb/
upload/531-
9dceb352.jpg.

출처: http://www.earlychildhoodaustralia.org.au/wp-
content/uploads/2019/08/ECA-COE-Brochure-
web-2019.pdf.

출처: https://cccf-fcsge.ca/about-
canadian-child-care-
federation/values/code-ethics/.

(2) 우리나라의 보육교사 윤리강령

우리나라에서도 원장을 비롯해 보육교사의 직업 위상을 높이고, 업무를 수행함에 있어 윤리적 원칙의 실천을 도모하기 위한 내부적인 노력이 기초가 되어 2010년 유치원 교사 헌장·강령과 어린이집 원장 및 보육교사 윤리강령이 만들어졌다. 우리나라에서는 2010년 한국보육시설연합회와 육아정책연구소가 공동으로 보육교사를 대상으로 설문조사를 통해 전문가의 자문을 거쳐 윤리강령을 개발하였다. 미국의 윤리강령과 우리나라의 윤리강령에 포함된 교직윤리 영역은 다소 차이가 있지만, 어린이집원장·교사 윤리강령은 영유아에 대한 윤리적 책임(예: 양육적이고 반응적인 환경 제공), 영유아 가족에 대한 윤리적 책임(예: 가족에 대한 존중, 협력 및 지원), 동료에 대한 윤리적 책임(예: 동료교사의 교직업무와 전문성 지지), 그리고 사회에 대한 윤리적 책임(예: 영유아에 대한 사회적 책임을 위해 전문 기관과 협조)을 제시하고 있다(조은진 외, 2016).

영유아에 대한 윤리는 11개 항목으로 구성되어 있고, 이 항목들은 '유엔아동권리협약'의 영유아의 기본권인 아동 생존권, 보호권, 발달권, 참여권에 기반을 둔다. 가정에 대한 윤리는 보육에 있어 각 가정의 양육 가치와 의사를 존중할 것을 우선으로 제시하고 있고 가정에 대한 정보제공과 참여 유도를 강조한다. 동료에 대한 윤리는 어린이집 원장의 보육교사에 대한 윤리와 보육교사의 원장 및 동료 교사에 대한 윤리적 측면을 강조하고 있다. 사회에 대한 윤리에서는 보육은 무엇보다 질 높은 서비스를 제공하는 것이 가장 중요한 책임임을 명시하고 있다(김은설, 박수연, 2010). 〈표 3-4〉에는 우리나라의 보육교사 윤리강령 전문이 제시되어 있다.

〈표 3-4〉 **어린이집 원장 · 교사 윤리강령**

〈보육인 윤리 선언〉

나는 영유아의 건강한 성장과 발달을 지원하는 보육교사(어린이집 원장)로서, 직무상의 윤리적 책임을 다하여 다음 사항들을 지킬 것을 다짐합니다.
  1. 나는 내가 영유아에게 지대한 영향을 미치는 존재임을 잊지 않으며, 항상 스스로의 말과 행동에 신중을 기한다.
  1. 나는 영유아의 인격과 권리를 존중하며, 어떠한 경우에도 영유아에게 해가 되는 일을 하지 않는다.
  1. 나는 영유아 가정의 다양성을 이해하고 존중하며, 상호 신뢰하는 동반자적 관계를 유지한다.
  1. 나는 동료를 존중하고 지지하며, 서로 협력하여 최상의 보육서비스를 제공하기 위해 노력한다.
  1. 나는 보육의 사회적 책임과 역할을 인식하고, 영유아의 권익과 복지를 위한 활동에 앞장선다.
  1. 나는 「어린이집 원장 · 교사 윤리강령」을 직무수행의 도덕적 규준으로 삼아 진심을 다하여 충실히 이행한다.

〈어린이집 원장 및 보육교사 윤리강령〉

보육은 영유아를 건강하게 양육하고, 안전하게 보호하며, 발달특성에 적합한 교육을 제공하는 복지서비스이며, 보육인은 사랑과 존중과 전문지식을 바탕으로 영유아의 전인적 성장에 영향을 미치는 전문직업인이다. 그러므로 보육인은 윤리적 의식과 태도를 가지고 사회적 본분에 임해야 한다. 이에 어린이집 원장과 보육교사는 스스로 책무성을 발현하여 윤리강령을 제정함을 밝힌다. 본 강령을 직무수행의 규준으로 삼아, 보육현장에서 발생하는 윤리적 갈등을 해결하고, 생존권, 보호권, 발달권, 참여권 등 영유아의 권리를 보장함으로써, 직무상의 윤리적 책임을 다하여 전문직업인으로서의 위상을 공고히 하고자 한다. 더불어 영유아와 그 가정, 동료와 사회의 존엄성을 존중하는 보육의 실천으로 다각적인 신뢰를 구축하고, 영유아의 잠재력을 최대한 발휘시킴으로써 영유아가 긍정적인 자아개념을 형성하고 유능한 사회인으로 성장할 수 있도록 도와, 궁극적으로는 영유아와 그 가정, 동료와 사회의 통합적 · 이상적 복지 실현에 기여하고자 한다.

제1장. 영유아에 대한 윤리
1. 영유아에게 고른 영양과 충분한 휴식을 제공하여, 몸과 마음이 건강한 사람으로 자라도록 돕는다.

2. 성별, 지역, 종교, 인종, 장애 등 어떤 이유에서도 영유아를 차별하지 않고, 공평한 기회를 제공한다.
3. 영유아는 다치기 쉬운 존재임을 인식하여 항상 안전하게 보호한다.
4. 영유아에 대한 정서적, 언어적, 신체적 학대를 행하지 않는다.
5. 어린이집 내외에서의 영유아 학대나 방임을 민감하게 관찰하며, 필요한 경우 관련 기관("아동보호전문기관" 등)에 보고하고 조치를 취한다.
6. 영유아의 인격을 존중하고, 개인의 잠재력과 개성을 인정한다.
7. 개별적 상호작용 속에서 영유아의 요구를 수용하기 위해 노력한다.
8. 영유아의 사회 · 정서 · 인지 · 신체 발달을 통합적으로 지원하는 보육프로그램을 실시한다.
9. 특별한 도움을 필요로 하는 경우, 전문가와 협력하여 영유아의 입장에서 최선의 대안을 찾는다.
10. 보육활동을 계획, 실행, 평가하는 모든 과정에 영유아의 흥미와 의사를 반영한다.
11. 영유아의 개인적 기록과 정보에 대해 비밀을 보장한다.

제II장. 가정에 대한 윤리

1. 상호 신뢰를 바탕으로 영유아의 가정과 동반자적인 관계를 유지한다.
2. 각 가정의 양육가치와 의사결정을 존중한다.
3. 경제적 수준, 가족형태, 지역, 문화, 관습, 종교, 언어 등 어떤 것에 의해서도 영유아의 가정을 차별 대우하지 않는다.
4. 보육활동 및 발달 상황에 관한 정보를 정확하게 제공하여 영유아에 대한 가정의 이해를 돕는다. 다문화, 심신장애 등으로 의사소통에 도움이 필요한 경우 문제를 해결할 최선의 방법을 도모한다.
5. 어린이집 운영 전반에 관한 정보를 공개하여 영유아 가정의 알 권리에 응한다.
6. 보육프로그램과 주요 의사결정에 영유아의 가정이 참여하도록 안내한다.
7. 필요한 사회적 지원, 전문서비스 등 관련 정보를 제공하여 영유아 가정의 복리 증진을 돕는다.
8. 영유아 가정의 사생활을 보호하고 익명성을 보장한다.

제III장. 동료에 대한 윤리

[어린이집 원장]
1. 최상의 보육서비스 제공에 필요한 인적, 물적 환경의 조성 및 유지를 위해 노력한다.
2. 보육교사를 신뢰하고 존중하며 전문성과 자율성을 인정한다.
3. 성별, 학연, 지연, 인종, 종교 등에 따라 보육교사를 차별하지 않는다.
4. 업무 관련 의사결정이 필요한 경우, 보육교사의 의견 개진 기회를 보장한다.
5. 보육교사에게 지속적 재교육 등 전문적 역량 제고의 기회를 부여한다.
6. 보육교사에게 적정 수준의 보상(보험, 급여 등)을 안정적으로 제공하며, 복지증진에 힘쓴다.
7. 보육교사 개인의 기록과 정보에 대한 비밀을 보장한다.

[보육교사]
1. 존중과 신뢰를 바탕으로 협력하며, 서로의 전문성과 자율성을 인정한다.
2. 상호간 역량계발과 복지증진에 부합하는 근무환경이 되도록 힘쓴다.

3. 어린이집 원장 및 동료와 영유아 보육에 대한 신념을 공유한다.
4. 보육교사로서의 전문성 향상을 위해 스스로 노력한다.
5. 어린이집 내에서 영유아 및 보육교사의 인권과 복지를 위협하는 비윤리적 사태가 발생한 경우, 법률규정이나 윤리기준("한국보육시설연합회 윤리강령위원회" 참조)에 따라 조치를 취한다.

제IV장. 사회에 대한 윤리
1. 공보육에 대한 책임을 인식하고, 항상 질 좋은 보육서비스를 제공한다.
2. 영유아의 안전을 위협하는 환경이나 정책이 발견될 시, 관계기관과 협의하여 개선한다.
3. 공적 책임이 있는 어린이집으로서 재정의 투명성을 유지하고, 부정한 방법으로 사적 이익을 취하지 않는다.
4. 영유아의 권익보호를 위해 관련 정책 결정 및 법률 제정에 적극 참여하며, 사회적으로 이를 널리 알리는 데 앞장선다.
5. 지역사회 실정에 맞는 어린이집의 책임과 역할을 인지하고, 실천하고자 노력한다.

보육교사 윤리강령 제정의 목적은 보육현장에서 접하는 윤리적 갈등을 해결하는 데 있어 '영유아의 권익 보장'이라는 가치가 가장 중요한 기준이 된다는 것을 명시하기 위함이다. 윤리강령은 영유아보육 현장에서 딜레마 상황에 놓인 종사자들이 핵심가치를 토대로 영유아의 권리를 보호하기 위해 바람직한 방향이 무엇인지에 대해 반성적으로 생각해 보게 한다(Freeman & Feeney, 2004). 즉, 윤리강령은 교사로서 자신의 전문적 직무를 점검하고 의사결정을 도와주기 위한 것이고, 이를 통해 영유아와 그 가족의 권리를 보호하기 위한 것이다(Canadian Child Care Federation, 2020).

윤리강령은 보육교사로서 보육시설 내에서 해야 할 것과 하지 말아야 할 것에 대해 가려서 행동하게 하는 지침이기 때문에, 무엇보다 보육교사가 윤리강령을 준수하고자 하는 의지와 태도가 필요하다. 실제 윤리강령은 보육인들의 자율적인 의지로 제정되었기 때문에 법적인 강제성은 없다. 이런 측면에서 윤리강령이 제정된 그 자체도 중요하지만, 그보다는 교사의 실천이 더 중요하다(조형숙, 2012). 즉, 보육교사들에게 윤리강령이 잘 전달되어 교사들의 의식 속에 행동의 규준으로 자리 잡아야 질 높은 보육을 제공하기 위한 교사의 책무를 다할 수 있다.

특히 발달적으로 영유아들은 가장 취약한 상황에 놓여 있기 때문에 보육교사는 전문적 기준에 따라 영유아에게 해가 되지 않는 선택을 해야 하고 영유아에게 최상이라고 판단되는 것을 실행해야 한다. 보육교사는 영유아의 기질, 흥미, 욕구, 적성, 능력, 환경 등을 고려하여 최적의 전문적 지원을 제공함으로써 영유아가 전인적으로 건강하게 성장하도록 도와주어야 하며, 영유아에게 어떤 방식으로도 해를 끼쳐서는 안 된다. 이를 위해 보육교사는 자신의 전문 분야에서 최신의 과학적·학문적 지식과 정보를 유지하고 전문적인 판단 및 실행능력을 기르기 위해서 지속적으로 전문적인 교육을 받아야 한다. 보육교사의 윤리의식 향상과 전문성 제고는 영유아교육·보육의 질적 발전을 이루는 중요한 기본 요건이 되므로, 윤리강령을 직무수행의 규준으로 삼아, 보육현장에서 발생하는 윤리적 갈등을 해결하고, 영유아의 기본권인 생존권, 보호권, 발달권, 참여권을 보장함으로써, 윤리적 책임을 다하는 전문 직업인으로서 위상을 높여야 할 것이다.

생각해 보기

1 나는 보육교사로서 어떤 보육철학을 갖고 있는가? 앞서 살펴본 이론가들의 사상에 근거하여 여러분들의 보육철학을 설명해 봅시다.

2 다음의 사례에서 교사가 경험하는 딜레마는 무엇인지 생각해 봅시다. 그리고 보육교사의 윤리강령을 고려해 볼 때 교사는 어떤 결정을 내려야 할까요?

> 어느 날은 화장실에서 소변을 볼 때인가 저희가 발견했는데 무슨 멍인지 자국인지 좀 있었어요. 그래서 선생님을 불러 누군가에게 맞은 것 같지 않냐고 얘길 했거든요. 그런 일이 있다 말씀을 드렸더니 아버님은 어디에서 놀다가 부딪혔다고 말씀하시더라고요. 물론 의심을 하는 것은 조금 안 좋긴 하지만 그런 것을 조금 경험해 봤어요. 그 아이가 또 저희반이 되었거든요. 약간 지저분한 것은 있어요. 옷을 세탁하는데도 불구하고 냄새가 나고 피부는 여전히 더럽긴 한데 조금 깨끗해지긴 했거든요. 그런데 멍 자국이 많이 발견되지는 않더라고요. 그때 이 아이에게 필요한 거라면 제가 좀 더 아버지에게 여쭤봐서 알아보거나 아니면 아동학대 자료는 많이 읽어봤는데 적극적으로 나서지 않았던 것. 교사들에게만 알리고 아버지의 말씀을 듣고 그냥 넘어갔던 것. 그리고 '씻겨 주세요' 이런 이야기를 아버지가 자존심 상할까 봐 얘길 못하고 …… 친구들이 얘기하거든요. '냄새나서 너랑 짝 안 해'라고. 자연스럽게 아이들한테 왕따이 되는 것 같아요. 그게 너무 걱정스러워서 얘기를 해야 될 것 같은데 아버님이 상처를 받으

실까봐 얘기를 못하고 있고 또 저희들이 그 애를 씻길 수 있는 상황, 시설도 아니고 그게 좀 갈등이 돼요. 얘기를 할까 말까. (…중략…) 아버님이 좀 바쁘셔도 지금은 또래관계가 중요한 시기인데 청결을 우선적으로 해 주신다면 아이들과 가까워질 수 있는 환경이므로 요청을 하고 싶은 마음, 그래야 된다고 생각하는데 아버님께 선뜻 말씀을 못 드렸지요. 그 얘기를 해야지 아이들하고 관계가 멀어지지 않을 텐데 하는 마음을 항상 갖고 있어요.

〈심층면담 2회: 교사4〉

출처: 조형숙(2009). 유아교사의 교직윤리관련 딜레마에 나타난 갈등요인. 유아교육학논집, 13(2), 243-276.

제4장

영유아발달과 보육교사의 역할

영아기는 발달의 여러 영역에서 급속한 성장이 이루어지는 시기이다. 영아기 동안 신체적 성장은 놀라운 속도로 진행된다. 두뇌발달 또한 생후 어느 시기보다도 급격하게 이루어진다. 뇌와 신경계 그리고 근육의 발달과 병행하여 새로운 운동기능도 발달한다. 영아기 동안 인지적 성장도 급속도로 이루어지는데, 몇 가지 반사능력만을 가지고 태어난 신생아는 점점 목적의식을 가지고 행동하는 존재로 변화한다. 영아기의 인지발달에는 시각적·청각적 자극 등이 필요하며, 특히 언어적 상호작용이 매우 중요한 역할을 한다. 영아기에 이루어지는 가장 중요한 형태의 사회적 발달이 애착이다. 영아가 건강하게 성장하기 위해서는 성인의 관심과 보호가 절대적으로 필요하며, 영아와 양육자 간에 형성되는 애착관계는 영아의 안전기지로서 이후의 사회정서발달에 지대한 영향을 미치게 된다.

한편, 유아기에는 신체의 크기나 모습에서 현저한 변화가 나타난다. 이에 따라 눈과 손의 협응능력뿐 아니라 대근육 운동과 소근육 운동능력이 급속도로 발달하면서 식사와 옷 입기, 배변훈련 등의 신변처리 활동을 스스로 수행할 수 있게 된다. 유아기는 눈앞에 존재하지 않는 대상을 기억할 수 있는 표상능력이 발달하고 상상과 환상이 풍부해지는 시기이다. 그리고 주변 환경에 대한 탐색이 활발하게 이루어지며 많은 어휘와 문법을 습득함으로써 다른 사람과의 의사소통도 보다 활발해진다. 이러한 능력을 기초로 발달하는 놀이는 유아기의 중요한 과업이 된다. 유아는 놀이를 통해 자신이 습득한 지식을 실제로 적용해보고 발전시켜 나가며, 일상생활에서의 긴장감을 해소시켜 나간다. 또한 유아기는 영아기에 비해 대인관계의 폭이 넓어지고 다양해지는 시기이다. 활동반경이 넓어짐에 따라 유아기에는 인간 상호관계에 따른 정서적 긴장이 심하게 나타난다.

이 장에서는 영아기와 유아기의 신체발달, 인지발달, 사회정서발달의 전반적인 특성들을 살펴보고, 이에 기초하여 각각의 발달에 따른 보육교사의 역할을 살펴보고자 한다.

1. 영아발달과 보육교사의 역할

영아기는 제1 성장급등기로 발달의 여러 영역에서 급속도로 변화가 일어난다. 신체발달을 통해 영아는 목을 가누고, 기고, 앉고, 서고, 걸을 수 있게 되고, 인지발달을 통해 울음으로 의사표현 하던 것에서 한 두 단어로 의사소통을 할 수 있게 되며, 사회정서발달을 통해 주양육자와 애착을 형성하고 자율성을 획득하게 된다. 이처럼 짧은 시간 동안 많은 변화를 경험하게 되는 영아기는 세상 밖의 생활에 적응하기 위해 성인 보호자의 도움이 많이 필요한 시기이다. 따라서 하루가 다르게 커가는 영아의 빠른 변화 속도에 보육교사는 민감하게 대처하고 반응해주어야 한다.

1) 영아기의 신체발달과 보육교사의 역할

영아기는 인간의 일생에서 신체적 성장이 가장 빠른 속도로 이루어지는 시기이다. 특히 출생 후 첫 1년간은 신체와 뇌의 성장이 급속도로 이루어진다. 이처럼 성장이 급속도로 이루어지는 시기를 성장급등기라고 하는데, 영아기 이후 사춘기에도 똑같은 현상이 한 번 더 일어난다. 그래서 영아기를 제1 성장급등기라 부르고, 사춘기를 제2 성장급등기라고 한다.

영아기의 두뇌발달은 생후 어느 시기보다도 급격하게 이루어진다. 태내기와 영아기는 두뇌발달의 결정적 시기이며, 이 시기 동안의 영양결핍은 두뇌의 성장발달을 저해하는 요인이 된다. 영아기에서 뇌의 발달은 생물학적 요인뿐만 아니라 환경적 요인에 의해서도 영향을 받는다(Nelson, Zeanah, & Fox, 2007; Reeb, Fox, Nelson, & Zeanah, 2008).

Natnan A. Fox

고개조차 가누지 못하던 신생아가 기동성 있는 인물로 변하는 시기도 영아기이다. 기기, 서기, 걷기, 달리기 등 새로운 운동기능의 발달은 영유아로 하여금 자신감을 갖게 해준다. 이러한 운동능력은 뇌와 신경계 그리고 근육의 발달과 병행한다.

신생아는 시각, 청각, 후각, 미각, 촉각 등의 감각능력을 어느 정도 가지고 태어나지만, 영아기 동안 이러한 감각능력은 급속도로 발달한다. 감각과 지각의 발달은 아동의 운동기능이나 인지발달에 영향을 미치게 된다.

가정 내 영아의 보호자가 부모라면 보육교사는 기관 내 영아의 보호자 역할, 즉 제2의 부모로서의 역할을 수행한다. 보육교사는 영아의 건강한 신체발달을 촉진시키기 위해 다양한 활동을 계획하고, 안전한 환경을 조성하며, 영아의 요구에 민감하게 반응하고, 영아의 행동반경을 살피는 전문가로서의 역할을 수행해야 한다.

(1) 적절한 영양공급

생후 첫 1, 2년간 급속도로 이루어지는 영아의 신체적 성장과 운동기능의 발달은 적절한 영양과 휴식 그리고 자극이 주어질 때 효과적으로 이루어진다. 특히 영아의 빠른 신체성장은 단위 체중당 소요되는 영양소의 필요량과 열량을 증가시키므로 영아에게는 많은 영양소와 열량이 필요하다.

영양공급이 적절한 영아는 잘 자라고, 질병에 잘 걸리지 않으며, 질병에 걸렸어도 회복 속도가 빠르다. 그리고 주변 환경에 대한 활발한 탐색활동을 나타낸다. 이와 달리 영양이 결핍된 영아는 성장이 지체되고, 질병에 대한 면역력이 떨어져 자주 아프며, 놀이나 탐색활동을 하기보다는 교사에게 칭얼거리며 보채는 일이 많다. 특히 영양소 중 단백질 결핍과 열량 부족은 신체성장과 신경체계의 발달에 영향을 미친다. 따라서 영아기 영양결핍은 신체적 발달과 지적 발달을 지체시키고, 이는 이후의

사진 설명　발달에서 영양의 중요성을 강조한 Pipes와 Trahms의 저서 『영유아기와 아동기의 영양』

발달에도 지속적인 영향을 미친다.

어린이집에 다니는 영아는 가정에서뿐만 아니라 어린이집에서 많은 영양을 섭취한다. 영아는 어린이집에서 적어도 하루 1회의 식사와 2회의 간식을 먹기 때문에, 어린이집에서의 영양섭취는 매우 중요하다. 따라서 어린이집에서는 영양이 풍부하고 영양소가 균형 있게 제시된 식사와 간식을 제공하고, 보육교사와 원장은 영양소에 대한 기본 지식을 지니고 있어야 한다.

(2) 풍부한 감각자극의 제공

사진 설명   영아가 화려한 색깔이 있는 감각책을 보고 있다.

사진 설명   영아에게 책을 읽어주는 것은 청각발달에 도움을 준다.

영아기는 감각운동발달의 기초가 되는 시기이므로, 보육교사는 영아가 여러 가지 감각적 경험을 할 수 있도록 감각자극을 제공하는 것이 필요하다. 즉, 일상생활 속에서 접할 수 있는 감각경험을 통해 오감을 발달시킬 수 있도록 환경을 구성해주어야 한다. 예를 들어, 시각발달과 관련해서는 색에 대한 지각이 다소 늦게 발달하므로 처음에는 흑백 모빌부터 제공하고 추후 컬러 모빌로 교체해주는 것이 필요하며, 시각이 발달된 이후에는 컬러로 된 감각책을 제공하여 다양한 자극에 노출시켜 주는 것이 도움이 된다(사진 참조). 청각과 관련해서는 높낮이를 조절하여 많은 이야기를 들려주는 것이 이후 언어발달을 촉진하는 데 도움이 된다(사진 참조).

또한 다양한 맛보기와 냄새 맡기를 통해 미각 및 후각발달을 촉진할 수 있고, 신체접촉을 통해 촉각발달을 도울 수 있다. 안아주기, 쓰다듬어주기, 뽀뽀하기 등과 같은 신체접촉은 영아기 안정애착 형성에도 긍정적인 영향을 미치므로 가능한 한 영아와 보육교사 간에 많은 신체접촉이 요구된다. 동시에 보육교사는 영아가 놀이를 통해 감각이 발달될 수 있도록 다양한 기회를 제공해 줄 수 있어야 한다. 실내놀이터에서 공을 만지고, 공들 사이에서 몸을 움직이며 놀이를 하는 활동은 영아에게 촉각뿐 아니라 다양한 감각능력을 향상시키는 데 도움을 줄 수 있을 것이다(사진 참조).

(3) 운동기능 향상을 위한 환경 제공

영아는 신체를 이용한 놀이에 참여함으로써 운동 능력을 향상시켜 나간다. 보육교사는 영아의 운동능력을 촉진하기 위해 다양한 활동을 계획하고, 여러종류의 놀잇감을 제공하는 것이 필요하다. 예를 들어, 잡기, 넣기, 밀고 당기기와 같은 놀잇감과 매트, 스펀지 블록, 오르내리는 기구 등의 신체활동 교구를 제공함으로써 영아의 대소근육 활동을 촉진할 수

사진 설명   영아가 볼풀장에서 공을 만지며 몸으로 공을 느끼고 있다.

있다(사진 참조). 또한 보육교사는 영아가 몸을 움직일 때 신체 부분을 언어로 표현해주고, 영아가 흥미를 갖고 활동에 참여할 수 있도록 다양한 활동을 제공하는 것이 필요하다(사진 참조).

한편, 실내외 넓은 공간을 활용하여 영아가 자유롭게 움직일 수 있도록 하고, 성별 및 월령에 따라 운동능력에는 개인차가 존재하므로 단순히 잘하고 못하는 것으로 양분하여 영아를 구분 짓기보다는 영아 개개인별 운동기능 향상 정도를 체크하고, 부족한 부분을 보완할 수 있는 방안을 모색하는 것이 필요하다.

사진 설명   영아가 유니바를 이용하여 걷기 활동을 하고 있다.

사진 설명   영아가 터널 통과하기 활동을 하고 있다.

(4) 안전하고 위생적인 환경 제공

사진 설명   기저귀갈이대는 사용 후 소독하여 항상 청결 상태를 유지해야 한다.

영아기는 면역력이 약한 시기이므로 질병에 걸리지 않도록 세심한 주의가 필요하다. 영아의 건강한 생활을 위해서 보육교사는 위생적이고 안전한 환경을 제공해 주어야 한다. 특히 여러 아이들이 함께 사용하는 기저귀갈이대는 항상 청결한 상태를 유지해야 한다(사진 참조).

갓 태어난 영아는 먹고, 자고, 배변활동을 하면서 대부분의 시간을 보내는데, 이런 영아에게 있어 수유 및 기저귀갈이 시간은 상당히 중요하다. 보육교사는 수유 및 기저귀갈이 시간을 통해 그 자체의 활동에 민감하게 반응하는 것뿐만 아니라 영아에게 따뜻한 말을 건넴으로써 편안함을 제공할 수 있다. 보육교사는 즐거운 분위기에서 기저귀를 갈아 주어야 하고, 기저귀갈이 후 자신의 개인위생에도 신경 쓰며 손씻기를 철저히 하여야 한다.

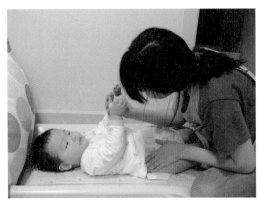

사진 설명   교사가 즐거운 분위기로 기저귀를 갈아 주어야 한다.

사진 설명   교사는 수유 시 이야기를 나누고 편안하게 대해 주어야 한다.

한편, 보육교사는 영아가 자는 동안에도 수
시로 영아의 상태를 살피는 것이 필요하다(사
진 참조). 영아기의 수면은 REM 수면이 많아
지속적인 관찰이 필요하고, 영아돌연사 증후
군과 관련하여 엎드려 재우는 것을 피해야 하
며, 푹신푹신한 요에 눕히는 것도 주의가 요구
된다. 영아가 잠을 못자고 보챌 때에는 신체
적으로 불편한 경우가 많으므로 보육교사가
원인이 무엇인지 민감하게 대처해야 한다.

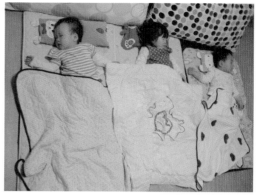

사진 설명　보육교사는 낮잠시간에도 수시로 영아를 살펴
야 한다.

안전한 보육실 환경과 관련하여 문에 손끼임
방지 장치를 마련하고, 모서리 보호대 및 코너 보호대를 설치하고, 날카로운 놀잇감,
집어삼킬 수 있는 놀잇감 등은 배치하지 않아야 한다. 또한 욕실에는 미끄럼 방지 장
치를 해두고, 온수의 최대 온도를 미리 설정해두는 것이 필요하다. 한편 보육교사는
안전점검표를 정기적으로 체크하며 안전사고 예방을 위한 주의를 기울여야 한다.

2) 영아기의 인지발달과 보육교사의 역할

인지는 인간의 정신적 사고과정을 의미하는 광범위한 개념으
로 생물학적 성숙뿐만 아니라 경험의 영향도 받게 되는 것이다.
인지적 성장은 영아기에 급속도로 이루어지는데, 몇 가지 반사
능력만을 가지고 태어난 신생아는 점점 목적의식을 가지고 행
동하는 존재로 바뀐다. Piaget(1952)의 표현을 빌리면, 영아는
자극에 자동적으로 반응하는 '반사적 유기체(reflexive organism)'
에서 점차 자신의 행동을 통제할 수 있고 사고할 수 있는 '생각
하는 유기체(reflective organism)'로 변한다.

가만히 누워만 있던 영아는 손과 발을 움직이다가 기고 걸을
수 있다. 영아기의 인지발달은 감각운동적 자극과 활동을 통해
이루어지기 때문에, 출생 후 1년 동안의 영아 놀이는 대부분 자
신의 신체와 관련되어 나타난다. 자기 손가락과 발가락을 탐색
하고(사진 참조), 물건을 손으로 잡고, 잡은 물체를 입에 넣어보

사진 설명　영아는 자신의 신체
의 일부, 즉 손가락, 발가락 등을 가
지고 노는 것을 좋아하지만, 이것이
자신의 신체의 일부라고 깨닫지 못
하는 것으로 보인다.

고, 한 손에 있는 놀잇감을 다른 손으로 옮기고, 기고, 서고, 걷는 등의 모든 신체활동을 통해 영아는 자신의 인지를 발달시킨다. 따라서 다양한 감각운동자극을 제공할 수 있는 놀잇감은 영아기에 매우 중요하다.

영아기 인지발달에서 나타나는 주요한 발달 중 하나는 대상영속성 개념의 획득이다(Piaget, 1952). 대상영속성은 물체가 보이지 않아도 그 물체가 계속 존재하는 것을 아는 능력으로, 대상영속성 개념이 발달하기 위해서는 자신이 주변과 독립된 존재라는 사고를 할 수 있어야 한다. 이러한 영아기의 감각운동능력과 대상영속성 개념은 모두 영아의 주도적인 탐색활동을 통해 이루어지기 때문에, 영아의 발달적 특징을 고려한 놀잇감은 매우 중요하다.

영아기의 인지발달에는 시각적, 청각적, 후각적, 촉각적 자극이 필요하며, 특히 언어적 상호작용이 매우 중요한 역할을 한다. 언어는 지적 활동의 중요한 매개체이며, 타인과의 관계형성에 기본이 된다. 언어는 자신의 생각을 표현하거나 주위 환경을 이해하는 데 필수적이므로, 아동의 인지발달 및 사회정서발달과 밀접한 연관이 있다.

(1) 풍부한 언어적 자극 제공

영아는 인지발달을 통해 대상영속성의 개념을 획득하고 기억능력을 향상시켜나가며 언어발달을 촉진해나간다. 특히 언어발달은 유전적으로 프로그램된 기제에 따라 발달하며 모방과 강화를 통해 언어발달이 확장되는 것을 고려해볼 때, 보육교사는 영아의 언어발달 촉진자로서의 역할이 크다고 할 수 있다. 보육교사는 영아의 개인별 발달상태를 이해하고, 그에 맞춰 발달적 자극을 제시하며, 적절한 본보기를 보여주어야 한다.

영아는 출생 직후 울음을 통해 의사표현을 하고, 2~3개월경에는 옹알이를 하기 시작하며, 생후 1년이 되면 단어를 사용할 수 있게 된다. 보육교사는 영아의 울음소리에 민감하게 반응하며, 그 울음이 배가 고파서 그런 것인지, 기저귀를 갈아달라는 요구인지, 아파서 그런 것인지 명확히 파악하고 영아의 욕구에 적절히 반응해 주어야 한다. 한편 옹알이를 하는 시점에서는 보육교사의 반응이 중요한데, 영아의 옹알이에 대해 보육교사의 반응이 없으면 점차 옹알이는 줄어든다. 따라서 보육교사는 자신의 반응에 따라 영아의 옹알이의 양과 질이 달라질 수 있음에 주의하고 영아가 옹알이를 하면 눈을 맞추고, 따뜻한 목소리로 민감하게 반응하며, 보다 확장된 어휘를 사용하여 언어발달을 촉진시켜 주어야 한다. 또한 영아가 단어로 의사표현을 해오면 이는 전체 문장을 대신하는 것이기 때문에 보육교사는 영아가 표현하고자 하는 것의 의미를 정확히 파악하여 적절히 반응해주어야 한다.

　이처럼 보육교사는 영아가 말을 못 알아듣더라도 가능한 한 언어로 반응하며 풍부한 언어적 자극을 제공해주어야 한다. 영아는 소리

사진 설명　보육교사가 영아들에게 책을 읽어주고 있다.

자극에 관심을 보이므로 보육교사는 말하는 것 이외에도 노래를 불러주거나 소리 나는 놀잇감을 영아에게 제공해주는 것이 필요하다. 또한 보육교사는 영아의 언어발달을 자극하기 위해 다양한 종류의 책을 제공하고, 일과 중 일정 시간을 계획하여 영아들에게 책을 읽어주어야 한다(사진 참조). 책의 종류는 매우 다양한데, 여러 가지 촉감을 느낄 수 있는 헝겊책, 그림이 입체적으로 나와 있는 팝업북, 한 방향으로 펼쳐 볼 수 있는 병풍책 등이 있다. 보육교사는 이러한 다양한 종류의 책을 영아에게 제공하는 것뿐만 아니라, 끼적거리기 활동을 할 수 있는 화이트보드, 종이, 보드, 색연필, 크레파스 등을 제공하여 영아의 흥미를 유발하고 책과 쓰기도구에 대한 관심이 언어발달로까지 이어질 수 있도록 하는 것이 필요하다.

(2) 다양한 탐색활동 제공

　영아기는 자신의 신체로부터 외부 세계로 관심을 확대해가며 탐색활동을 시도한다. 영아는 일상생활 속에서 감각적 자극을 활용하여 탐색을 하고, 정보를 수집하며 인지발달을 이루어 나간다. 특히 영아의 기질에 따라 탐색활동 반경이 다르므로 보육교사는 개인별 특성을 고려하여 탐색활동을 확장해 주도록 노력해야 한다.

　생애 첫 1년은 구강기적 욕구가 강한 시기이므로 영아는 입을 통한 탐색을 시도하며 대부분의 시간을 보낸다. 따라서 보육교사는 안전상의 주의가 요구되는 놀잇감은 보육실에 배치하지 않도록 한다. 즉, 영아의 기도를 통과할 정도 크기의 물건은 보육실에 놓지 않아야 한다. 또한 여러 아이들이 사용하는 놀잇감은 정기적으로 세척하는 것이 필요하며, 가능한 한 개인별로 놀잇감을 제공하는 것이 위생적으로 바람직하다. 예를 들어, 영아들이 즐겨 사용하는 소꿉놀이 놀잇감이나 입을 사용해

사진 설명   영아들이 소꿉놀이 놀잇감을 이용해서 놀이를 하고 있다.

서 소리를 내는 악기류는 영아의 발달특성뿐만 아니라 놀잇감의 특성상 입으로 가져가게 되는 경우가 많으므로 위생관리를 철저히 하는 것이 필요하다(사진 참조).

또한 보육교사는 영아가 자연환경을 탐색할 기회를 충분히 제공해 주어야 한다. 산책활동 및 견학활동이나 실내활동을 통해 동식물의 성장과정을 관찰하고 자연의 변화과정을 체험하며 자연과 생명의 소중함을 느끼도록 해주어야 한다. 예를 들어, 보육교사는 일과 중 산책활동을 계획하여 영아가 새싹이 돋고 잎이 무성해지는 과정을 거쳐 잎이 떨어지고 나뭇가지만 남는 과정을 보며 나무의 성장과 계절의 변화도 인식할 수 있도록 한다(사진 참조). 또한 보육교사는 영아가 동물원 견학, 실내에서 곤충, 물고기, 거북이 등을 키우는 과정, 토마토, 고추 등을 기르는 과정을 통해서도 자연의 섭리를 익힐 수 있는 기회를 갖도록 한다(사진 참조). 이러한 과정에서 영아는 "있고, 없고, 많고, 적고" "하나, 둘" 등의 수학적 용어를 사용함으로써 수학적 경험의 폭도 확장시킬 수 있다.

사진 설명   영아들이 낙엽을 뿌려보며 가을을 느끼고 있다.

사진 설명   영아들이 식물의 성장과정을 관찰하고 있다.

(3) 놀이활동 및 놀잇감 제공

인지발달이론의 관점에서 보면, 놀이는 새롭고 복잡한 사건이나 사물을 배우는 방법이다. 즉, 영아는 놀이활동을 통해 인지발달을 촉진해나갈 수 있다.

감각운동기인 영아기에는 주로 기능놀이를 하는데, 딸랑이를 흔들거나 자동차를 앞뒤로 굴리는 것과 같이 단순히 반복적으로 근육을 움직이는 놀이를 주로 한다. 또한 영아는 혼자놀이를 즐기며 또래 간 상호작용은 드문 편이다(사진 참조). 보육교사는 영아에게 감각적 자극을 제공함으로써 인지

사진 설명　영아가 혼자 기차놀이를 하고 있다.

발달을 촉진할 수 있고, 혼자놀이 중 교사개입을 통해 놀이패턴을 확장할 수 있다.

한편, 보육교사는 영아에게 여러 가지 색, 모양, 질감을 탐색할 수 있는 놀잇감을 제공하고, 소리를 탐색할 수 있는 악기류의 놀잇감을 제공하여 충분한 시간 동안 영아가 놀잇감을 가지고 놀 수 있도록 해주어야 한다. 영아용 놀잇감으로는 시중에 판매되는 교구 이외에도 가정용 생활용품을 활용할 수 있다. 특히 주방용품은 영아에게 유용한 놀잇감이 될 수 있는데, 이를 이용하여 쌓기 활동을 할 수도 있고, 소리내기 활동을 해볼 수도 있으며, 실질적인 소꿉놀이 활동도 해볼 수 있다.

또한 모양 맞추기, 컵 쌓기, 퍼즐, 블록 등의 놀잇감은 영아의 인지발달 촉진을 위한 대표적인 교구이다. 특히 블록은 영아용과 유아용이 구분되어 있으며, 유아용으로 갈수록 크기가 작아지는 경향이 있다. 블록 종류에는 블록의 소재 및 모양에 따라 종이벽돌블록, 자석블록, 사각블록, 꽃블록 등이 있으며, 영아는 블록을 이용하여 영역을 설정하기도 하고, 조형물을 만들어내기도 한다. 보다 어린 영아는 블록을 이용하여 쌓는 활동을 주로 하고, 월령이 증가할수록 원하는 구성물을 만드는 활동을 한다. 퍼즐 또한 유아용으로 갈수록 더 많이 분할되어 있는 것을 볼 수 있으며, 나무를 소재로 한 나무퍼즐, 종이를 소재로 한 종이퍼즐 등이 있고, 하나의 모양을 본뜬 꼭지 달린 퍼즐도 있다. 동일 연령의 영아라도 월령, 개인별 관심도와 수준에 따라 즐겨 사용하는 놀잇감이 다를 수 있으므로 보육교사는 개별 영아의 요구를 잘 파악하여 놀잇감을 제공하는 것이 필요하다. 영아의 관심과 수준을 파악하기 위해서 보육교사는 일상생활 속에서 영아를 수시로 관찰하고, 관찰한 내용을 메모

사진 설명   영아는 놀이활동 시 스스로 다양한 방법을 시도해본다.

로 남겨두는 것도 필요하다.

영아기에는 자율성의 욕구가 커지면서 영아가 스스로 해보려는 모습을 많이 보인다. 영아는 놀이활동 시 스스로 다양한 방법을 시도해보며 문제해결을 하고, 인지적으로 성장해간다(사진 참조). 스스로 해보려는 욕구가 강한 시기인 만큼 보육교사는 영아를 격려하며 영아 자신이 해볼 수 있는 기회를 충분히 제공하는 것이 필요하다. 한편 영아기 후반에는 인지적 성장 및 언어발달로 인해 보다 체계적인 놀이활동이 가능해진다. 따라서 영아기 후반에는 초기보다 고차원적인 놀이활동을 할 수 있게 된다. 혼자놀이를 주로 하던 영아는 친구와의 놀이를 즐기기 시작하며, 또래와의 상호작용을 통해 더욱 성장해 나간다. 따라서 보육교사는 영아의 놀이패턴을 관찰하고 친구들과의 놀이에 어울리지 못하는 영아가 있으면 놀이 시 적절한 개입을 통해 함께 놀이하는 즐거움을 알려주는 것도 필요하다.

3) 영아기의 사회정서발달과 보육교사의 역할

신생아는 기쁨이나 슬픔 같은 기본 정서를 가지고 태어나지만 그것은 덜 분화된 상태에 있다(사진 참조). 그러나 연령이 증가함에 따라 영아는 점차 분화된 정서를 나타내고, 다른 사람의 정서를 이해할 수 있는 능력도 갖게 된다. 정서를 표현함에 있어서도 자신의 정서를 규제할 수 있게 된다.

영아는 출생 직후부터 각기 다른 기질적 특성을 보인다. 즉, 어떤 영아는 조용하고 행동이 느린 반면, 어떤 영아는 활기차고 행동이 민첩하다. 기질연구자들은 영아기의 기질을 형성하는 심리적 특성이 성인기 성격의 토대가 된다고 믿는다. 따라서 영아의 이상적 발달을 위해서는 영아의 기질과 조화를 이루는 부모의 양육행동이 중요한 것으로 보인다(Thomas & Chess, 1977).

사진 설명　까다로운 영아의 부모가 인내심을 가지고 영아의 요구에 민감하게 대처하면 그 결과는 보다 조화로운 관계가 될 것이다.

사진 설명　영아의 기질과 부모의 양육행동이 조화를 이루지 못하면, 부모나 영아 모두 갈등을 경험하게 될 것이다.

영아기에 형성하는 가장 중요한 형태의 사회적 발달이 애착이다. 애착이란 영아와 양육자 간에 형성되는 친밀한 정서적 유대감을 의미한다. 영아의 기질, 영아와 부모의 특성, 양육의 질 등이 애착형성에 영향을 미치는 요인으로 보인다(Isabella, 1993; Seifer & Schiller, 1995; Sroufe, 1985; Stevenson-Hinde & Shouldice, 1995).

영아기는 애착형성에서 매우 중요한 시기이다. 영아는 양육자로부터의 분리와 낯선 보육기관 환경으로 인해 불안감을 경험할 수 있다. 그러므로 보육교사는 영아의 욕구에 민감하게 반응함으로써 안정애착을 형성하도록 도와주어야 한다. 또한 영아가 자신의 감정을 제대로 표현하고, 인식하며, 조절해 나갈 수 있도록 지도가 필요하다.

(1) 영아의 기질에 대한 이해

영아는 태어나면서 각기 다른 기질적 특성을 보인다(사진 참조). 배가 고프거나 기저귀가 젖었을 경우, 엄마와 분리되었을 경우 등 영아의 기질에 따라 보이는 반응이 다르다. 어떤 영아는 달래주어도 울음을 그치지 않고 계속해서 우는 경우도 있고, 어떤 영

아는 바로 울음을 그치는 경우도 있다. 기질은 타고난 것으로 유전의 영향을 받지만 환경도 중요한 역할을 한다.

따라서 교사는 영아의 기질에 대한 기본적인 지식을 습득하고 영아의 기질을 제대로 파악해야 한다. 까다로운 기질의 영아에 대해서는 교사가 인내심을 갖고 보살펴야 한다. 반응이 느린 영아에 대해서는 다른 영아와 비교하기보다는 기다려 줄수 있어야 한다. 또한 순한 기질의 영아는 요구가 많고 까다로운 다른 영아에 비해상대적으로 소외될 가능성이 오히려 더 높을 수 있다. 그러므로 교사는 순한 영아에게 지속적인 관심을 가져야 한다.

'조화의 적합성(goodness-of-fit)' 모델에 따르면 영아의 기질과 부모의 양육행동이 얼마나 조화를 이루는가에 따라 영아의 이상적 발달이 이루어진다고 한다. 오랜시간 어린이집에서 생활하는 영아에게 있어서는 부모를 대신하여 보육교사의 양육행동이 영아발달에 영향을 미친다고 볼 수 있다. 다시 말해서, 영아의 기질과 보육교사의 양육행동이 조화를 이룬다면 영아는 이상적으로 발달할 수 있으나 그렇지 않은 경우 갈등을 경험할 수 있다. 따라서 보육교사는 영아 개개인의 기질을 정확히 파악하고 이와 조화를 이룰 수 있는 양육방식으로 영아를 돌보는 것이 필요하다.

(2) 안정된 애착형성

일반적으로 영아는 자신을 돌보아주는 주양육자인 어머니와 애착을 형성한다. 그러나 출생 후 얼마 지나지 않아 어린이집에 다니게 된 영아는 하루 중 많은 시간을 같이 보내는 보육교사와도 애착을 형성하게 된다(사진 참조). 애착형성에 있어서 중요한 것은 보육교사가 영아의 요구에 얼마나 민감하고 일관적인 반응을 보이는가 하는 것이다. 그리고 영아와 신체적 접촉을 많이 하면 할수록 영아와 안정애착을 형성할 가능성이 높다. 그러나 보육교사가 영아의 요구에 무관심하고 반응을 보이지 않거나 자신의 기분에 따라 일관적이지 않은 반응을 보인다면 영아는 불안정애착을 형성

사진 설명   교사가 영아와 즐겁게 놀이하면서 안정애착을 형성해 나갈 수 있다.

할 것이다. 따라서 교사는 영아와 안정애착을 형성하도록 노력해야 한다.

영아기의 애착형성에서 신체접촉은 중요한 요소로 작용하므로, 보육교사는 안아주기, 쓰다듬어주기 등의 접촉을 통해 영아가 안정감을 갖도록 하는 것이 필요하다. 장시간 부모와 떨어져 기관에서 생활한다는 것이 영아에게는 큰 어려움으로 느껴질 수 있으므로 보다 안정되고 편안한 분위기에서 생활할 수 있도록 보육교사는 가정과 같은 안락한 환경, 부모와 같은 따뜻한 마음을 영아에게 표현해주는 것이 필요하다.

(3) 유연한 성역할 인식

영아의 성역할발달에 영향을 미치는 요인은 생물학적 요인, 사회문화적 요인, 부모, 형제, 또래, 교사, 대중매체 등 매우 다양하다. 특히 하루의 대부분의 시간을 어린이집에서 보내는 영아의 경우 교사의 중요성이 강조된다. 또한 영아들이 즐겨 읽는 그림책도 성역할 고정관념을 드러내는 경우가 많다(사진 참조). 어린이 도서에 등장하는 주요 주인공 가

사진 설명 영유아들이 읽는 어린이 도서 대부분에서 성역할 고정관념적인 내용이 많다.

운데 남성이 여성보다 훨씬 많고 비중도 커서 영아들이 어릴 때부터 남녀의 중요성에 대해 잘못된 인식을 가질 수 있다. 성별 차이는 동물이 주인공으로 등장하는 어린이 도서에서도 심하게 나타난다. 수컷동물이 주인공인 사례는 23%인 데 반해 암컷동물이 주인공인 사례는 7.5%에 불과하였다(동아일보, 2011년 5월 16일자). 성차별 문제를 피하기 위한 동물주인공이 사실은 더 큰 차별을 보이고 있음을 알 수 있다.

따라서 교사는 교육활동에서 많은 비중을 차지하는 그림책의 선정에 보다 신중해야 한다(사진 참조). 그리고 영아와 상호작용할 때 성역할 고정관념을 가지고 대하지 않도록 신경을 써야 한다.

사진 설명 성역할 고정관념에 빠지지 않고 보다 평등한 성역할을 제시한 어린이 도서

(4) 영아의 정서에 대한 공감

영아는 타인의 정서를 인식하고 해석할 수 있으며 나아가 이를 자신의 행동을 결정하는 데 필요한 사회적 참조의 틀로 삼는다. 영아의 정서표현은 주양육자와의 사회적 접촉을 늘리는 데 중요한 매개체가 되며 영아기의 주요 발달과업인 애착형성에도 직접적인 영향을 미친다. 유아기에 접어들면 자신뿐만 아니라 다른 사람도 여러 정서를 지니고 있음을 인식하고 다른 사람의 정서에 공감할 수 있다. 이 시기에는 정서조절과 인지가 발달하여 자신의 정서를 더 정확하게 표현할 수 있고, 자신의 정서가 다른 사람에게 미치는 영향에 대해서도 알 수 있다.

따라서 교사는 영유아의 정서적 표현에 민감하고 적절하게 반응하면서 공감해주는 것이 필요하다. 예를 들어, 엄마와 떨어져 어린이집에 오게 된 영아가 계속해서 엄마를 찾으며 우는 경우가 있다. 이때 교사가 "엄마가 보고 싶은데 안 계셔서 슬프구나. 울고 싶을 땐 울어도 괜찮아. 엄마 대신에 선생님이 안아 줄게" 하면서 영아의 속상한 마음을 공감해 준다면 영아는 자신의 감정상태가 어떤지 알게 되고, 적절하게 표현할 수 있으며, 교사와의 애착도 잘 형성할 수 있다. 또한 같은 보육기관에 형제자매가 있다면 적응기간 동안에 같이 지내게 하는 것도 영유아의 정서적 안정에 도움이 될 수 있다(사진 참조).

사진 설명   보육기관에 처음 온 영아가 오빠와 같이 지냄으로써 정서적 안정을 찾아가고 있는 모습

(5) 정서교육의 필요성 인식

정서교육이 영아의 발달과 적응에 많은 영향을 미침에도 불구하고 교육현장에서 활발하게 이루어지지는 못하였다. 그 이유는 사회적 분위기가 지나치게 학습적인 측면을 중요시하였고, 정서 자체도 뚜렷하게 눈에 보이는 객관적인 특성을 지니고 있지 않았기 때문이다. 그러나 인간이 성장하면서 다른 사람과의 다양한 갈등상황에 능숙하게 대처하고 사회생활에서의 적응을 결정하는 중요한 요인으로서 정서에 대한 중요성이 점차 증가하고 있다.

이와 같은 영아의 정서발달의 중요성은 표준보육과정의 6개 하위영역 중 사회관계영역에 잘 나타나 있다. 표준보육과정에서 사회관계영역은 영아가 다른 사람의 행동이나 표정을 보고 자신과 다른 사람의 감정을 인식함으로써 사회적 상호작용의 기초를 형성하는 것을 목표로 한다. 이러한 목표를 달성하기 위해 사회관계영역은 '나를 알고 존중하기' '더불어 생활하기'의 2가지 하위영역으로 구성되어 있다(보건복지부, 2020).

영아의 경우, 자신의 정서를 인식하고 적절하게 표현하며 다른 사람의 정서를 인식하고 관심을 보이며 더불어 생활할 수 있다. 유아의 경우 보다 더 발달하여 자신과 다른 사람이 다양한 정서를 가질 수 있음을 인식하고 이해하며(사진 참조), 다른 사람과 상황을 고려하여 자신의 정서를 긍정적인 방법으로 조절하여 자신의 정서가 다른 사람에게 미치는 영향을 이해하는 것을 의미한다.

사진 설명　유아들이 거울 앞에서 자신의 정서를 표현하고 다른 유아들의 표정도 살펴보고 있다.

영아기의 정서발달에 있어서 부모와의 상호작용이 중요하다 (Goleman, 1995; Salovey & Mayer, 1990). 그러나 최근 맞벌이 가족이 증가하면서 영아가 부모와 상호작용할 수 있는 시간이 많이 줄고 장시간 보육기관을 이용하는 경우가 증가하고 있다. 종일제 타인양육을 받은 영아의 경우 불안정-회피 애착의 발달과 공격성, 비동조성, 반사회적 행동의 증가를 가져오는 위험요인이 될 수 있다(박경자, 1995; Belsky, 1988). 따라서 부모와 떨어져 장시간 보육기관에서 보육되는 영아의 정서발달을 위한 정서교육 프로그램 개발이 절실한 상황이다.

Belsky

2. 유아발달과 보육교사의 역할

유아기는 영아기에 비해 신체발달이 빠른 속도로 진행되지는 않지만 꾸준한 성장을 보이는 시기로 운동기술이 보다 섬세해진다. 인지발달과 관련하여서는 구체적 사고가 가능해지고 언어능력의 발달로 자신의 의사를 표현하는 데 자유로워진다. 또한 사회정서발달로 인해 또래관계가 확장되고 또래관계 내에서 사회적 기술을 습득하게 된다. 한편, 유아기는 이동운동이 보다 용이해지고 호기심이 풍부해지면서 유아의 활동반경이 넓어져 안전에 대한 주의를 요하는 일이 종종 발생한다. 따라서 유아기의 발달특성에 대한 이해를 바탕으로 한 보육교사의 세심한 관심이 요구된다.

1) 유아의 신체발달과 보육교사의 역할

유아기의 신체발달은 영아기처럼 급속도로 이루어지지는 않으나 꾸준한 성장을 보인다. 유아기의 신장은 성인이 되었을 때에 얼마만큼 자랄 것인가를 어느 정도 정확하게 예측할 수 있는 지표가 된다. 신체의 비율에서도 신장에 대한 머리 크기의 비율이 급격히 감소하며, 초등학교 입학 시기가 되면 머리가 크고 무거워 보이는 모습에서 벗어나게 된다.

유아의 신체발달이 원만하게 이루어지기 위해서는 충분한 영양공급, 규칙적인 생활습관, 사고와 질병으로부터의 보호가 필수적이다. 유아의 위는 크기가 성인의 절반 정도밖에 되지 않아 한꺼번에 많은 양을 먹을 수 없으므로, 세 끼 식사 이외에 간식 등을 통해 자주 음식을 섭취하도록 하는 것이 바람직하다. 또한 규칙적인 수면도 신체발달과 밀접한 관련이 있다. 성장하면서 수면량은 줄어들지만 점심식사 후에 일정 시간 수면이나 휴식을 취하도록 해야 한다. 유아가 성장함에 따라 활동량이나 활동반경이 확대되므로 사고의 위험도 증대된다(사진 참조). 그러나 유아의 신체적 성장을 위해서는 이러한 활동이 필수적이므로, 물품보관이나 가구배치에 신경을 써야 한다. 유아가 만져서 안 되는 물건이나 활동에 방해가 되는 물건들은 손이 닿지 않는 곳에 두어, 유아에게 마음껏 뛰놀 수 있는 공간을 제공해 주는 것이 필요하다.

사진 설명 유아기에는 신체적 활동량이 많고 호기심이 증대되어 사고의 위험이 높다.

유아기에는 신체성장과 함께 운동기능이 발달한다. 대근육과 소근육 운동능력이 급속도로 발달하고 눈과 손의 협응능력이 빠르게 발달하는 유아기의 신체발달 특성을 고려하여 보육교사는 유아의 신체활동 촉진 및 기본적인 습관형성과 신변처리능력 향상을 위해 다양한 지원을 해야 한다.

(1) 대근육 · 소근육 활동 촉진

유아기가 되면서 여러 가지 대근육 운동기술이 발달하며, 대근육을 사용하는 다양한 신체활동을 통해 유아는 자신의 신체에 대해 긍정적인 인식을 가질 수 있다. 유아는 다양한 종류의 기구를 이용한 활동을 경험하면서 유연성과 신체조절력, 균형감각을 발달시켜 나가며, 자신의 신체적 능력에 자신감을 갖게 된다. 그리고 이러한 활동을 통해 스

사진 설명　풍선놀이는 유아의 신체조절능력을 향상시킬 수 있다.

트레스를 해소하기도 한다. 따라서 교사는 일상생활에서 유아가 신체 및 운동능력을 발달시킬 수 있는 기회와 시간을 충분히 제공해야 한다(사진 참조). 그리고 유아의 스트레스의 원인을 파악하여 이를 발산할 수 있도록 도와주어야 한다. 유아의 경우 영아에 비해 신체조절능력과 기본운동능력이 보다 세분화된다. 걷기, 달리기의 속도를 조절하고 안정된 자세로 움직일 수 있으므로 실내뿐 아니라 실외활동을 통해 유아의 놀이욕구 및 수준을 향상시켜 줄 필요가 있다.

또한 유아가 자기 스스로 소근육 운동기술을 습득할 수 있도록 기회를 자주 제공해 주어야 한다. 산책을 나가거나 바깥놀이를 할 경우, 스스로 겉옷을 입고 단추와 지퍼를 올릴 수 있도록 격려한다. 운동화 끈도 혼자서 맬 수 있도록 한다. 또한 그리기나 만들기 도구를 활용하여 조작도 가능하므로 다양한 미술

사진 설명　가위로 오리기 활동을 통해 유아의 소근육 운동기술을 발달시킬 수 있다.

재료를 사용하여 여러 가지 조작운동을 할 수 있도록 지원해 준다(사진 참조).

(2) 식습관 지도

사진 설명   유아가 균형 잡힌 식단에 맞춰 식사를 하고 있다.

유아기는 일생동안 지속될 수 있는 식습관이 형성되는 중요한 시기이다. 따라서 교사는 이 시기에 유아가 균형잡힌 영양섭취와 올바른 식습관을 형성하도록 지도하는 것이 필요하다(사진 참조). 특히 유아기는 자율성의 발달로 스스로 식품을 선택하고자 하는 욕구가 강하므로 음식에 대한 선호도가 분명해진다. 이로 인해 편식의 문제가 발생하기도 하는데 유아 중에는 조개나 버섯 같은 물컹한 느낌의 음식물을 거부하는 경우가 있다. 이럴 때 교사는 배식 시 더 잘게 잘라 제공하거나 "우리 밥 속에 숨겨서 안 보이게 먹어볼까?"라는 제안을 해봄으로써 유아가 새로운 음식을 시도하는 데 도움을 줄 수 있다.

또한 교사는 간식이나 식사의 양을 유아에게 물어보고 그 선택을 존중해 줌으로써 유아의 자율성 향상에 도움을 줄 수 있다. 그러나 간식만 너무 많이 먹고 식사를 적게 하는 유아도 있을 수 있으므로 개별 유아의 특성과 식사량을 파악하여 조절해 주어야 한다.

한편, 유아마다 식사속도가 조금씩 다르다. 어떤 유아는 매우 빨리 먹는 반면에 다른 유아는 너무 천천히 먹는 경우도 있다. 교사는 적정한 시간을 정하여 급하게 먹는 유아는 조금 천천히 먹을 수 있도록 하고, 느리게 먹는 유아는 다른 유아와 속도를 맞추어 먹을 수 있도록 지도한다. 교사는 식사속도에 개인차가 있을 수 있다는 사실을 이해하고 시간적 여유를 줄 수 있도록 해야 한다.

(3) 위생관리

보육 및 유아교육기관은 여러 명의 유아들이 함께 생활하는 곳이므로 전염성 질병에 쉽게 노출될 가능성이 많다. 그러므로 유아들이 등원 시, 간식 및 식사 전, 실외활동 후 손을 깨끗이 씻도록 지도한다면 전염성 질병의 발생 위험을 줄일 수 있다(사진 참조). 물론 교사도 출근과 동시에 자신의 손을 씻어 청결함을 유지하는 것은 기본이다. 그리고 유아가 전염성 질병에 걸렸다고 의심될 때에는 적절하게 격리 조치하고 원장에게 보고하여야 한다.

교실에서 여러 유아들이 사용하는 수건은 자주 세탁하고, 정기적으로 삶아서 사용해야 전염성 질병을 예방할 수 있다. 유아들이 가지고 노는 교구나 장난감 등도 정기적으로 소독하여 사용해야 한다. 전문기관에 의뢰하여 소독하는 것이 어려울 때에는 재질에 따라 자주 세탁하거나 세척기를 이용하여 소독해서 사용할 수 있다.

유아는 매년 정기적인 건강검진을 받을 필요가 있다. 종전에는 보육기관 차원에서 유아의 건강검진을 실시하고 자료를 보관하였으나, 최근에는 가정에서 국민건강보험공단으로부터 안내받은 연령별 건강검진 일정에 맞춰 유아의 검진을 실시하고 그 결과를 보육기관에 보고하도록 되어 있다. 그러므로 교사는 가정

사진 설명 유아가 간식을 먹기 전에 손을 씻고 있다.

통신문을 통해 부모에게 이러한 내용을 안내하고 제때에 유아의 건강검진이 이루어질 수 있도록 해야 한다. 또한 교사는 유아의 예방접종과 관련한 사항을 안내하고 그 결과를 생활기록부에 기재해 두어야 한다.

(4) 안전교육 강화

유아기는 활동반경이 넓어지고 스스로 환경을 탐색하고 활동에 참여하고자 하는 주도성이 발달하는 시기이다. 이로 인해 유아의 안전이 큰 문제가 될 수 있다. 따라서 교사는 유아의 주변환경에서 위험요소를 제거하여 안전한 보육환경을 갖추도록 힘써야 한다. 전기콘센트에는 반드시 안전덮개를 씌우고 바닥에 늘어져 있는 전선은 유아가 걸려 넘어질 위험이 있으니 잘 정리해야 한다.

교사는 교육계획안 구성 시 유아를 대상으로 정기적인 안전교육을 실시하여야 한다. 안전교육의 종류에는 화재관련 소방안전교육, 교통안전교육(사진 참조), 약물오남용교

사진 설명 교사가 교통안전교육을 실시하고 있다.

사진 설명   교사가 소방안전교육을 실시하고 있다.

육, 재난대비교육, 실종·유괴예방방지교육, 동식물안전교육, 아동학대예방을 포함하는 성폭력예방교육 등이 있다. 교사는 일정 시간 유아에게 안전교육을 실시하고, 그 자료를 보관하도록 되어 있다. 안전교육의 내용은 유아가 안전관련 지식, 기술, 태도를 기를 수 있도록 하는 데 초점을 둔다.

특히 소방안전교육(사진 참조)을 계획할 때에는 식사시간, 낮잠시간, 자유선택활동시간, 대집단활동시간 등 다양한 상황을 연출하여 실제로 대피해보는 훈련을 실시하는 것이 필요하다. 또한 교사는 유아가 다양한 경로를 통해 대피하는 연습을 해봄으로써 실제상황 발생 시 보다 안전한 경로로 대피할 수 있도록 교육하여야 한다.

2) 유아기의 인지발달과 보육교사의 역할

유아기에는 인지적 성장과 언어발달이 빠른 속도로 이루어진다. 언어는 인간 고유의 특성으로, 유아는 언어를 통해서 다른 사람들에게 자신의 생각과 감정을 표현하고, 외부에서 들어온 정보를 보다 잘 기억할 수 있게 된다. 유아기 동안 뇌의 성장은 유아로 하여금 정보를 보다 효율적으로 처리하게 해준다. 유아는 이제 눈앞에 존재하지 않는 대상이나 사람에 대해 정신적 표상에 의한 사고를 할 수 있으며, 상징을 사용할 수 있는 능력을 갖게 된다(Piaget, 1962). 이 시기에 습득하게 되는 언어의 발달은 매우 중요한 역할을 한다. 즉, 언어가 상징적 표현의 중요한 수단이 된다. 유아기에는 또한 단어의 습득이나 문법의 숙달로 인해 영아기에 비하면 의사소통이 보다 효율적으로 이루어질 수 있다. 그러나 유아기에는 아직 실제와 실제가 아닌 것을 완전히 구분할 수 없으며, 자기중심적인 사고를 하는 특성을 지닌다. 또한 어떤 사물이나 사건을 대할 때, 사물의 두드러진 속성에 압도되어 두 개 이상의 차원을 동시에 고려하지 못한다. 이러한 사고의 특성을 Piaget(1954)는 전조작기로 설명하고 있다.

유아기는 인지능력 및 언어의 발달로 인해 호기심이 왕성하여 질문을 많이 하는 시기로 유아기의 인지발달 특성을 고려하여 보육교사는 유아에게 직접 경험을 통한 학습기회를 제공하고 일상생활을 통해 학습지도를 하는 등 다양한 역할을 수행해야 한다.

(1) 직접경험의 기회 제공

유아는 경험을 통한 학습(learning-through-experience)을 함으로써 현상을 더 잘 이해할 수 있다(Bardapurkar, 2006). 따라서 교사는 유아가 직접경험을 할 수 있는 기회를 많이 제공해야 한다. 어린이집에서 쉽게 할 수 있는 직접경험으로는 요리활동을 들 수 있다. 유아는 요리를 함으로써 자신의 신체 및 감각을 이용하여 다양한 지식을 습득할 수 있

사진 설명   유아들이 과일을 탐색하고 있다.

다. 즉, 다섯 가지 감각을 사용하여 재료의 크기, 모양, 색깔, 맛, 촉감, 냄새 등 여러 가지 지식을 얻을 수 있다. 또한 재료를 반죽하거나 혼합하고 가열하는 과정을 통해 다양한 지식을 터득하기도 한다. 그러므로 교사는 주제와 관련된 요리활동을 교육계획안에 반영하여 실시하도록 한다. 예를 들어, '여름'이라는 주제로 활동을 진행할 경우 여름과일을 탐색해보고, 여름철 더위를 식히기 위한 요리에는 무엇이 있는지 생각해보고 실제 만들어보는 활동을 진행할 수 있다(사진 참조). 그리고 직접 만든 음식을 먹어봄으로써 성취감도 느낄 수 있다.

사진 설명   유아가 자신이 만든 과일꼬치를 들고 있다.

또한 주제와 관련된 견학을 통해 유아는 실제 사물을 직접 접할 수 있는 기회를 갖는다. 예를 들어, 우리나라에 대한 주제로 활동을 할 때 한옥마을을 직접 방문하여 전통 집의 모양과 구조를 살펴볼 수 있다

사진 설명 남산 한옥마을 견학 중 유아들이   사진 설명 소방서 견학 중 유아들이 소방관 아저씨의 이
모형집을 관찰하고 있다.   야기를 경청하고 있다.

(사진 참조). 또한 전통차를 직접 마셔 보면서 차 예절을 배울 수도 있다.

지역사회의 자원을 적극적으로 활용하는 것도 좋은 기회가 된다. 어린이집 주변
에 위치한 경찰서, 소방서, 우체국, 도서관, 은행, 서점, 꽃집, 빵집, 사진관 등을 방
문하여 그곳에서 하는 일을 유아가 직접 보고 체험할 수 있도록 한다(사진 참조). 전
문가의 설명을 들을 수 있다면 더욱 좋은 경험이 될 수 있다. 예를 들어, 경찰서 견
학을 통해 경찰관이 하는 일에 대해 알아봄으로써 직업에 대한 이해를 높일 수 있
다. 관공서 마크 및 직업관련 제복을 사진자료를 통해 익히는 것보다 실제 체험하
는 것은 유아들에게 더 유익할 것이다. 견학 전에는 질문할 내용을 미리 브레인스
토밍을 통해 유아들의 생각을 알아보며 정리하도록 한다. 질문 내용을 유사한 것끼
리 모으는 과정에서 유아는 분류와 조직의 개념을 습득하게 된다. 유아가 아직 한
글을 모른다면 교사가 받아쓰는 형식을 취하거나 그림으로 대치할 수도 있다.

또한 견학을 통해 보고 듣고 느낀 것을 다양한 방법으로 표현할 수 있는 후속활
동을 같이 연계하는 것이 필요하다. 유아가 글이나 그림, 만들기, 사진 등을 통해
나온 여러 가지 결과물을 전시하고 다른 반 유아들과 부모를 초대하는 기회를 갖는
다. 유아에게 초대장을 만들고 교실을 꾸미는 적극적인 역할을 부여함으로써 유아
스스로 자신의 중요성을 인식하고 자아존중감을 향상시키게 된다.

(2) 놀이를 통한 학습기회 제공

유아기는 수 세기, 분류하기, 모양 만들기, 패턴 찾기, 측정하기, 추측하기 등의 활동에 관심을 갖도록 하기에 좋은 시기이다. 그러나 단순히 수학적 지식을 주입시키기보다는 일상생활에서 놀이를 통해 자연스럽게 경험할 수 있도록 하는 것이 더욱 좋다. 예를 들어, 유아들이 각자의 키만큼 블록을 쌓아본 후 블록의 높이를 비교해보며 내 키와 친구 키 중 누구 키가 더 큰지 확인해 볼 수 있고, 가족구성원을 알아보며 누구 가족수가 가장 많은지 알아볼 수 있으며, 놀이짝꿍을 통해 대응개념을 익힐 수 있는 것과 같이 다양한 놀이를 통해 유아가 수학적 지식을 이해할 수 있도록 교사가 활동을 계획하는 것이 필요하다. 또한 주사위를 이용한 게임 등을 고안하여 유아에게 제공해 준다면 수 세기를

사진 설명 유아들이 나뭇잎을 모양에 따라 분류하고 있다.

경험하는 데 도움이 된다. 그리고 산책 나가서 가져온 나뭇잎을 같은 모양끼리 구분하는 과정을 통해 유아는 분류와 유목화의 개념을 이해할 수도 있다(사진 참조).

(3) 언어발달 촉진

영유아의 언어발달에 있어서 듣기는 가장 먼저 나타나는 언어기술로 이후 말하기, 읽기, 쓰기의 기초가 된다(Jalongo, 2006). 교사의 말을 잘 듣고 있는 유아는 교사의 말을 이해하고자 노력하며 자신이 이해한 바를 표현할 수 있게 된다. 하지만 교사의 말에 주의를 기울이지 않는 유아는 교사의 질문과는 전혀 상관없는 답을 하거나 그에 대해 전혀 생각하지 못하게 된다. 이에 따라 유아가 다른 사람이 하는 말을 주의 깊게 들을 수 있도록 지도하는 것이 필요하다.

우선, 교사는 유아가 하는 말에 관심을 가져야 하고, 유아가 이해하기 쉽도록 간단하고 명료하게 말해야 한다. 그리고 유아가 하는 말에 교사가 유아의 눈높이에 맞추어 적극적으로 귀를 기울이는 모습을 보임으로써 다른 사람이 하는 말을 경청하는 태도를 길러줄 수 있다(사진 참조).

사진 설명 교사가 유아의 눈높이에 맞춰 이야기를 경청하고 있다.

또한 보육실의 환경을 구성할 때 언어 영역을 마련하여 여러 가지 동요, 동화를 수록한 카세트테이프 및 CD 플레이어, 종합장 및 필기도구 등을 갖춤으로써 유아의 흥미를 이끌 수 있다. 동화를 들려줄 때도 부모의 목소리로 직접 녹음한 동화를 들려주면 유아들이 더 관심을 집중하므로 부모의 협조를 구하는 것도 하나의 방안이 될 수 있다.

사진 설명   대집단활동시간에 유아가 적극적으로 자신의 생각을 말하는 기회를 가질 수 있다.

3세 정도의 유아는 아직 정확하게 발음하기를 어려워하고 다른 낱말로 잘못 발음하기도 하지만, 5세 정도가 되면 성인과 거의 대등한 수준으로 정확하게 발음할 수 있다. 그러나 유아마다 개인차가 존재한다. 이때 교사는 여러 가지 사물의 이름을 정확하게 발음해 주며, 일상생활 속의 용어를 올바른 발음으로 들려주는 것이 중요하다. 또한 유아가 정확한 발음을 기억할 수 있도록 도와주고 어눌한 발음을 정확한 발음과 구별시켜 주어 정확한 의미를 파악할 수 있도록 도와주는 것이 필요하다. 이처럼 일상생활에서 자연스러운 대화를 통해 유아의 언어능력이 향상될 수 있도록 교사는 유아가 자신의 생각, 느낌 등을 자유롭게 말할 수 있는 기회와 개방적인 분위기를 제공해 주어야 한다(사진 참조). 예를 들어, 주말을 지내고 온 유아가 자신의 주말 경험을 여러 친구들 앞에서 짧게라도 말할 수 있는 기회를 제공하는 것도 좋다. 또한 주말에 부모와 함께 할 수 있는 간단한 과제를 가정으로 보내 월요일 대집단활동 시에 발표해 보는 시간을 갖는 것도 유아가 자신의 일상생활의 경험을 다른 사람에게 표현할 수 있는 좋은 기회가 된다. 아침마다 출석을 부르고 대답할 때 '예'라는 대답 대신에 당시 다루고 있는 주제와 관련하여 자신이 좋아하는 것(과일 주제 시 '사과')을 말하도록 하는 것도 하나의 방법이다. 가장 중요한 사실은 교사가 유아의 언어발달에서 중요한 역할모델이 된다는 것이다. 그러므로 유아와 대화를 나누거나 다른 교사와 대화를 나눌 때 경어를 사용한다면 유아가 상대방에 따라 필요한 대화예절을 배울 수 있다.

(4) 일상생활을 통한 학습지도

유아기가 되면 일상생활에서 자주 접하는 글자에 흥미를 가지기 시작하며, 자신의 이름을 알아본다. 이러한 유아의 흥미를 자칫 성급하게 학습과 연결 짓는다면 오히려 역효과가 날 수도 있다. 따라서 주변에서 자주 볼 수 있고 친근한 매체를 활용하여 유아의 흥미를 증대시키는 것이 필요하다. 예를 들어, 유아가 좋아하는 과자 봉지에 적힌 이름을 가지고 아는 글자와 연결시켜 읽어 보는 것도 하나의 방안이다.

유아기가 되면 쓰기에 관심을 보이기 시작한다. 쓰기능력은 인지능력뿐 아니라 소근육 운동, 눈과 손의 협응능력 등 신체능력의 발달과도 밀접히 관련된다. 쓰기에 대한 관심은 유아마다 차이가 있을 수 있다. 따라서 교사는 이러한 유아의 개별성을 인정하고 유아 개인마다 충분한 시간을 두고 쓰기를 연습할 수 있도록 격려한다(사진 참조). 친구의 생일을 축하하기 위해 카드를 만들 때 자신의 마음을 글자와 비슷

사진 설명　유아들이 글자쓰기 연습을 하고 있다.

한 형태로 쓸 수 있도록 교사가 도와준다면 유아는 계속 쓰고자 하는 욕구가 생길 것이다.

3) 유아기의 사회정서발달과 보육교사의 역할

유아기는 영아기에 비해 대인관계의 폭이 넓어지고 다양해지는 시기이다. 유아기에는 활동반경이 넓어짐에 따라 인간상호관계에 따른 정서적 긴장이 심하게 나타나며, 유아기에 와서 활짝 꽃피우는 언어능력의 발달로 인해 자신의 주장을 관철하기 위해 언어적 표현을 많이 하게 된다.

놀이는 유아의 사회성발달에 매우 중요한 역할을 한다. 놀이를 통해 유아는 사회적 관계를 형성하고, 사회적 기술과 역할을 습득하게 된다. 또래와의 놀이상황을 보면, 남아와 여아는 성을 분리해서 따로따로 노는 경향이 있다. 즉, 여아는 여아끼리 놀고, 남아는 남아끼리 논다. 이러한 경향은 2~3세에 이미 시작된다. 이 무렵의 유아는 남녀 간 성차이를 어렴풋이 이해하기 시작하는데, 이것은 나중에 자신이 속한 사회에서 규정하는 남녀의 성역할에 대한 이해의 기초가 된다. 성역할이라는 개념은 한마디로 정의하기가 어려우나, 일반적으로 한 개인이 그가 속해 있는 사회에

서 남자 또는 여자로 특징지어질 수 있는 여러 특성, 이를테면 행동양식, 태도, 가치관 및 성격특성을 의미한다.

유아기에 접어들면 자신뿐 아니라 다른 사람도 여러 가지 정서를 지니고 있음을 인식하고 다른 사람의 정서에 공감할 수도 있다. 이러한 능력은 친사회적 행동의 기초가 된다. 친사회적 행동은 다른 사람을 이롭게 하는 행동으로서 예를 들면, 친구에게 자기 소유물을 나누어준다거나, 곤경에 처한 사람을 돕는다거나, 자기 자랑보다는 남을 칭찬하고, 다른 사람의 복지증진에 관심을 갖는 것 등을 포함한다.

유아가 어린이집에서 하루 대부분의 시간을 보내게 됨에 따라 정서발달과 친사회적 행동을 확장시키는 데 있어서 보육교사의 역할은 점차 중요해지고 있다.

(1) 정서인식과 표현의 기회 제공

유아는 인지 및 언어발달로 자신의 생각과 감정을 언어로 표현하는 데 능숙해진다. 따라서 교사가 유아와 눈높이를 맞추어 이야기를 나누고, 유아의 말을 주의 깊게 들어주며, 유아의 호기심에 민감하게 반응하고, 유아의 감정을 수용해 주는 경우, 유아는 교사에게 신뢰감을 쌓고 정서적 안정감을 느낄 수 있다.

유아기에는 자신의 정서를 조금 더 세련되게 표현할 수 있고, 자신의 정서가 다른 사람에게 영향을 미칠 수 있음을 인식할 수 있다. 그러므로 이 시기의 유아에게 감정표현의 기회를 많이 제공해 줄 수 있도록 다양한 매체를 활용하는 것이 바람직하다.

보육교사는 다양한 신체활동을 통해 유아가 자신의 감정을 몸의 움직임을 통해 표현할 수 있도록 도와줄 수 있다. 유아는 자신의 감정을 신체활동을 통해 표현함으로써 자신의 신체에 대해 긍정적으로 인식하게 된다(Essa, 1996). 또한 음악활동을 통하여 유아는 자신의 감정과 생각을 표현함으로써 정서적 안정과 풍부한 심미적 감각을 소유하게 된다(사진 참조). 이러한 음악활동은 유아의 생각과 느낌을 표현하는 도구적 역할을 한다(김미정, 이숙희, 2008; 서동명, 김숙령, 2006). 예를 들어, 표정사진을 보고 정서 변화를 이해하면서 그것을 악기로 표현할 수 있

사진 설명   유아들이 음률활동에 참여하고 있다.

다. 또 오선칠판에 높은 음과 낮은 음을 구분하여 여러 가지 표정 사진을 붙여 볼 수도 있다.

　한편, 유아는 언어와 문자를 통한 의사소통이 원활하지 못하기 때문에 미술활동을 통하여 주변 사물을 관찰하고 자신의 생각이나 느낌을 표현함으로써 감정 표현의 기회를 가질 수 있다(이미혜, 최미숙, 2010; 한윤경, 2007; 사진 참조). 예를 들어, 자신의 기분을 지점토 반죽을 통해 다양하게 표현하기도 하고, 말린 지점토에 색칠을 하면서 자신의 기분을 나타낼 수도 있다. 또한 유아는 책을 읽고 주인공의 정서 변화를 여러 가지 재료를 사용하여 다양하게 표현할 수 있다. 그리고 다양한 표정사진을 보면서 비슷한 정서끼리 분류해 보기도 하고, 신문지공을 만들어서 마음에 드는 표정사진

사진 설명　유아는 자신의 마음을 미술활동을 통해 표현할 수 있다.

을 붙인 후 기쁨 혹은 슬픔 바구니에 구분하여 던져 보는 활동을 할 수도 있다.

　교사는 유아가 가진 부정적인 정서가 나쁜 것이 아니라 정서의 한 부분이라는 것을 이해시킬 필요가 있다. 부정적인 정서를 긍정적인 방식으로 해소할 수 있는 방법을 가르치고 연습할 수 있는 활동을 계획한다. 이를 통해 유아가 자신의 감정이 주변에 영향을 미칠 수 있음을 깨닫게 해주며, 스스로 자제할 수 있는 자기조절 능력을 키워 준다.

(2) 친사회적 행동의 확장

　유아기에 접어들면 자신뿐 아니라 다른 사람도 여러 가지 정서를 지니고 있음을 인식하고 다른 사람의 정서에 공감할 수도 있다. 이러한 능력은 친사회적 행동의 기초가 된다.

　교사는 유아의 친사회적 행동을 확장시키는 데 필요한 활동을 교육계획안에 반영할 수 있다. 주제가 '나'인 경우, 자신의 몸을 탐색해 볼 수도 있겠지만 사회정서 영역으로 초점을 맞추어 자신이 사랑받는 존재라는 것을 인식하고, 다른 사람을 도와줌으로써 즐거움을 느끼는 것에 목표를 세우고 활동안을 계획할 수 있다. 예를 들어, 보육 및 유아교육기관에서 형님반으로서 동생들과 즐겁게 생활하려면 어떻게 해야 되는지를 생각해 보고 실천할 수 있도록 격려해 준다. 영아반에 가서 동생

사진 설명   오빠와 동생이 손을 잡고 산책하고 있다.

들에게 책 읽어 주기, 옷 갈아입는 것 도와주기, 간식배식 시 포크나 숟가락 놓아 주기, 산책 나갈 때 동생의 손을 잡고 나가기 등 유아 자신이 할 수 있는 방안을 생각해 보고 직접 경험해본다면 유아가 뿌듯함을 느끼고 자신에 대해 긍정적으로 생각하게 된다(사진 참조).

'친구'라는 주제에 대해서도 친구들의 느낌을 알고 이해할 수 있으며 적절하게 반응할 수 있고, 친구의 소중함을 알고 그 마음을 다양한 방법으로 표현할 수 있도록 활동안을 계획할 수 있다.

예를 들어, 일주일에 하루 요일을 선정하여 가정에서 장난감을 가져와서 친구와 같이 놀 수 있도록 한다면 자신의 소유물을 남과 나눌 수 있을 뿐 아니라 다른 사람의 소유물을 존중하면서 놀이를 하는 능력을 함양할 수 있다.

(3) 생태교육

유아는 다양한 애완동물이나 식물을 키워 보면서 그 성장과정에 대해 많은 관심을 가지게 된다(사진 참조). 즉, 단순히 동식물을 길러 보는 것에 머무는 것이 아니라 생명체의 소중함을 인식하게 된다. 유아들은 방울토마토와 상추 같은 채소를 키우면서 어린이집 등 · 하원 시 그냥 지나치는 것이 아니라 '우리 토마토'라고 생각하기 때문에 각별한 관심을 갖는다. 지나가면서 한 번 만져 주기도 하고 잡초도 뽑아 주며 부모에게 자랑하기도 한다. 누군가가 토마토를 따기라도 하면 아직 익지 않았다면서 조금만 기다려 달라고 부탁까지 한다. 다 익은 방울토마토를 수확하여 먹으면서도 "방울토마토야, 잘 익어 줘서 고마워"라며 고마운 마음을 표현하기도 한다. 또한 익은 방울토마토를 유아가 집으로 가져가서 자신이 기른 방울토마토임을 자랑하고 온 가족이 함께 먹어 봄으로써 수확의 뿌듯함을 느끼기도 한다. 따라서 교사는 주제에 따라 여러 가지 식물과 동

사진 설명   유아들이 어린이집 주변 텃밭을 살펴보고 있다.

물을 키워 보는 기회를 제공함으로써 유아의 정서적 안정을 도모함과 동시에 생명
의 소중함에 대한 인식을 고취시킬 수 있다.

(4) 놀이의 확장

　유아기가 되면 스스로 활동을 주도함으로
써 성취감을 느끼며, 자신의 행동과 능력에 자
신감을 갖게 된다. 유아는 놀이를 통해 주도성
을 실제로 시험해 볼 수 있다. 교사는 유아들의
놀이공간 및 시간을 충분히 보장해 주면서 그
안에서 유아가 자유롭게 놀이할 수 있도록 격
려해 주어야 한다(사진 참조). 유아가 자유롭게
놀이를 선택할 수 있도록 영역별로 다양한 놀
잇감을 제공해 주는 것이 필요하다.

　교사는 필요에 따라 유아들의 놀이에 개입
할 수도 있다. 그러나 아무 때나 개입한다면 오
히려 유아의 놀이를 방해하거나 유아가 짜증
을 낼 수 있다. 교사는 유아가 하는 놀이를 통
제하려고 하지 말고 보다 확장시켜 줄 수 있도

사진 설명　유아가 역할놀이 영역에서 자신이 만든
청진기를 착용하고 있다.

록 해야 한다. 즉, 비계설정자(scaffolder)로서의 역할을 수행하는 것이다. 유아의 놀
이가 단순하고 반복적인 수준에 머무를 때 교사가 자연스럽게 놀이에 참여하면서
놀이를 확장시키고 새로운 것을 시도해 볼 수 있도록 한다. 예를 들어, "이 양파를
가지고 우리가 만들 수 있는 요리는 뭐가 있을까요?"라고 물어보고 같이 만드는 놀
이과정을 통해 유아의 생각수준을 향상시킬 수 있다. 이때 주의할 점은 교사가 의
욕이 앞선 나머지 지나치게 놀이에 개입하여 주도적인 역할을 해서는 안 된다는 것
이다. 또한 질문할 때에도 '예' 혹은 '아니요'와 같은 폐쇄적인 대답보다는 확산적인
사고를 촉진할 수 있는 개방적인 답이 나올 수 있도록 언어로 표현하는 것을 격려
한다.

　유아는 다른 유아들과 함께하는 활동을 통해 협동심과 친사회적 행동을 발달시
킬 수 있다. 따라서 교사는 게임이나 협동놀이를 계획하고, 유아가 공동체의 구성
원으로서 소속감을 가지며 다른 유아와 협력하여 문제를 해결할 수 있도록 다양한

사진 설명   유아들이 함께 공동작업을 수행하고 있다.

공동작업의 기회를 제공해야 한다(사진 참조).

(5) 성역할발달과 양성성

많은 사회에서 남녀에 대한 성고정관념과 성유형화행동은 뚜렷하다. 남성은 강하고 공격적이며 책임감이 강하지만, 여성은 부드럽고 따뜻하며 의존적 존재로 인식한다(Martin & Halverson, 1987). 여러 연구결과 이러한 성역할 고정관념은 여아보다 남아에게 더 일찍 그리고 더 강하게 나타났다(김은정, 1996; Bussey & Bandura, 1992; Eisenberg, Murray, & Hite, 1982). 심지어 2세부터 남아들의 경우 여아들보다 성에 적합하다고 생각되는 장난감을 선호하였다는 연구결과(Blakemore, LaRue, & Olejnik, 1979)는 성고정관념에 있어서도 성차가 있음을 나타낸다.

이에 대해 Turner와 Gervai(1995)는 대부분의 사회가 남성 중심적인 문화이고 여성보다 남성에게 더 높은 지위가 주어졌기 때문에, 여아보다 남아가 더 성에 적합한 행동을 하도록 강요받고 있다고 주장하였다. 실제로 과거에는 남성성과 여성성의 발달이 정신건강의 척도로 작용하여, 남자는 남성적인 것이, 여자는 여성적인 것이 정신적으로 건강하다고 여겼다. 그러나 오늘날에 와서는 이러한 전통적인 견해가 여성의 열등성을 조장하고, 나아가 인간의 잠재력을 위축시키고 있다는 비판을 받고 있다.

Sandra Bem

또한 과거에는 남성성과 여성성이 단일 차원의 양극으로 인식되어 남성성이 높으면 여성성이 낮다고 여겼었지만, Bem(1974)은 여성성과 남성성을 2개의 분리된 차원으로 제시하였다. 그녀는 양성성(androgyny)의 개념을 제시하면서 양성적인 사람은 여성성과 남성성이 모두 높지만, 미분화된 사람은 여성성과 남성성이 모두 낮다고 주장하였다.

양성성이란 하나의 유기체 안에 여성적 특성과 남성적 특성이 공존하는 것을 의미한다. 즉, 인간은 남성성과 여성성이 모두 내포되어 있기 때문에, 상황에 따라 적절한 역할을 수행할 수 있다는 것이다.

이러한 Bem의 주장은 사회적으로 큰 반향을 일으켰으며, 특별히 성역할발달이 이루어지는 유아기의 사회정서교육에 많은 영향을 미쳤다. 비록 일부에서는 양성성이 아닌 남성성이 개인의 적응력과 자아존중감에 더 많은 영향을 미친다는 연구결과(Jones, Chernovetz, & Hansson, 1978; Spence & Hall, 1994; Yager & Baker, 1979)도 있지만, 이제는 사회적으로도 아이들 교육에 있어 여성과 남성의 성고정관념에 얽매이지 않고자 노력하고 있다. 유아와 함께 어머니와 아버지의 역할에 대해 이야기 나눌 때, 이전에는 아버지는 회사에 나가고 어머니는 집안일을 하는 사람으로 규정하였다면 이제는 부모 모두 집안일과 회사일을 다 할 수 있는 것으로 이야기한다. 이제 앞치마는 어머니만의 물건이 아니라 아버지를 포함해 가족 모두의 물건이 되었다.

영유아의 성역할발달에 영향을 미치는 요인은 부모와 가족, 또래, 사회 문화적 가치관과 같이 다양하며 이 중에서도 부모의 양육태도가 가장 직접적인 영향을 미치고 있다. 그러나 최근 부모와 함께 보육교사의 중요성이 강조되고 있다. 보육교사 역시 부모와 함께 영유아의 주양육자 중의 한 사람이며, 종일제 어린이집에 다니는 영유아의 경우 오히려 낮 시간에는 부모보다 보육교사와 더 많은 시간을 보내고 있기 때문이다.

따라서 영유아에게 있어 교사는 좋은 성역할 모델이다. 또한 교사는 동화책과 TV, 놀잇감 등을 통해 영유아의 성역할발달에 영향을 미친다. 실제로 유아가 즐겨 보는 동화책 중의 상당수가 전통적인 성고정관념을 나타내고 있다(이순형, 임송미, 성미영, 2006; 조정란, 2000). 특히 성고정관념을 변화시키기 위해서는 아동기나 청소년기보다 유아기가 더 적절하다는 연구결과(Guttentag & Bray, 1976; Katz & Walsh, 1991)는 특별히 영유아를 보육하고 있는 보육교사의 역할을 더욱 강조하고 있다.

생각해 보기

1 영아발달과 보육교사의 역할 중 가장 중요한 역할은 무엇이며, 그 이유는 무엇인지 생각해 봅시다.

2 유아발달과 보육교사의 역할 중 가장 중요한 역할은 무엇이며, 그 이유는 무엇인지 생각해 봅시다.

제5장

영유아의 문제행동과 보육교사의 역할

영유아기는 가장 급격한 발달적 변화를 보이는 시기이면서 동시에 발달에서의 개인차도 가장 많이 나타나는 시기이다. 유아의 문제행동은 일부 일시적일 수도 있으며, 혹은 보다 장기적인 문제로 발달할 가능성이 높은 경우도 있다.

발달상의 문제행동에 영향을 미치는 요인들을 살펴보면, 영유아의 특성, 부모의 양육행동, 부모-자녀의 애착관계, 교사 특성 및 관계, 또래 관계 요인 등을 들 수 있다. 특히 영유아가 가정 밖에서 경험하게 되는 새로운 사회관계에서 교사-영유아 관계는 매우 중요하다. 영유아의 내재화 및 외현화 문제행동은 교사-영유아 관계와 밀접히 관련되므로 긍정적인 관계형성을 위해 적절한 교사의 역할이 요구된다. 교사와 영유아 간에 친밀도가 높으면 영유아의 문제행동의 빈도가 낮아지는 경향을 보이므로, 긍정적인 관계형성을 위해 교사민감성과 정서적 지지를 향상시켜 나가는 노력이 필요하다.

영유아의 내재화 및 외현화 문제행동에 대한 개입이나 중재는 초기에 이루어지는 것이 효과적이다. 이를 위해 교사는 영유아를 대상으로 다양하고 객관적인 방법을 사용하여 관찰하는 것이 바람직하며, 이를 바탕으로 부모와의 면담을 통해 영유아의 긍정적인 발달을 이끌어 갈 수 있다.

이 장에서는 영유아의 문제행동을 이해하고 긍정적인 교사-영유아 관계 발달에 필요한 교사의 특성을 살펴보고, 실제 보육현장에서 영유아의 내재화 또는 외현화 문제행동이 있을 때 적합한 교사의 역할에 대해서 살펴보고자 한다.

1. 영유아 문제행동의 이해

발달상 문제행동이 영아기에 시작되고 개인의 일생동안 영향을 미치며, 더 나아가 가정과 사회에 영향을 미친다는 점을 고려해 보면 무엇보다 영유아기의 문제행동을 이해하는 것이 중요하다. 문제행동에 영향을 미치는 요인을 살펴보면, 영유아 개인의 특성뿐 아니라 부모, 교사, 또래 등 영유아를 둘러싼 환경 간의 복잡한 상호작용의 결과임을 알 수 있다.

1) 문제행동의 개념과 분류

Rita Wicks-Nelson

일반적으로 어떤 기준에서 벗어난다고 생각되는 행동들을 발달상 문제행동이라고 한다. 여기서 기준이라는 것은 평균에서 벗어나는 정도, 연령에 따른 발달규준, 사회문화적 기준 등에 따라 달라진다(Wicks-Nelson & Israel, 2000). 영유아의 문제행동에 대한 개념은 보는 관점이나 증상의 심각성에 따라 어려움(difficulties)이나 장애(disorders)와 혼합되어 사용되기도 한다. 예를 들어, Cooper (2011)는 유아의 사회적·정서적·행동적 어려움이라는 용어를 사용하여 규범에서 너무 많이 벗어난 행동이나 감정은 아동 자신의 성장발달 및 다른 사람의 삶을 방해하는 것으로 정의하였다. 정서·행동 장애라는 용어를 사용한 Fantuzzo와 동료들(2001)은 아동의 행동 또는 정서적 반응이 동일한 민족 또는 문화적 배경을 가진 아동에게 일반적으로 허용되는 연령에 적합한 규범과 너무 달라서 사회적 관계나 자기관리, 교육의 진행 혹은 교실에서 하는 행동에 심각한 손상을 초래하는 상태라고 정의하였다. 그러나 사용된 용어와 관계없이 이러한 개념정의는 장애를 연령에 적합한 행동이나 일시적인 갈등 및 증상과 구별할 필요가 있음을 보여 준다. 이에 대해 Campbell(1995)은 어린 아동의 장애에 대한 정의에는 다음과 같은 사항들이 포함되어야 한다고 보았다. 첫째, 증상의 패턴이 존재하거나 여러 개의 증상이 존재해야만 한다. 둘째, 스트레스나 변화에 대한 일시적인 조정을 넘어서는 최소한의 단기적으로 안정성을 가진 증상의 패턴이어야 한다. 셋째, 서로 다른 상황에서, 즉 부모뿐 아니라 다른 사람과의 관계에서도 명백히 나타나는 일련의 증상이어야 한다. 넷째, 비교적 심각한 증상들이어야 한다. 다섯째, 그 문제행동이 유아가 가족과 또래집단에 적응하는 데 필요한 능력에 방해가 된다는 것이 분명해야 한다. 즉, '정상'과 '비정상'을 구별하는 특정 문제행동이 존재하느냐 안 하느냐가 중요하기보다는 그 빈도(frequency), 강도(intensity), 만성성(chronicity), 연

Susan B. Campbell

합성(constellation), 그리고 사회적 맥락(social context)을 고려하는 것이 중요하다(Campbell, 2007)고 보았다.

　한편 발달문제와 함께 사용되는 용어 중 하나로 발달지체(developmental delay)가 있다. 발달지체는 말 그대로 발달이 정상 범위에서 벗어나 많이 늦어진 것을 의미한다(정옥분, 2015a). 영유아는 성장하면서 연속적 순서에 따라 발달하고, 연령에 따라 여러 가지 발달과제를 숙달하게 된다. 그러나 어떤 영유아는 발달이 연령 규준 이하로 크게 떨어져 있다. 이와 같은 경우에 발달지체라는 용어를 사용한다. 발달지체는 영아기의 신체운동 기능에서 먼저 발견되고 점차 언어와 사회적 기능에서도 나타난다.

　영유아기에 나타나는 발달상의 문제행동들, 예를 들어 불복종, 공격성, 과잉활동성, 충동조절의 어려움 등은 영유아기의 전형적인 행동으로 인식되어 왔다(Campbell, 1990). 이러한 행동들에 대해 대부분의 부모는 영유아기로부터 아동기로 성장하는 과정에서 나타나는 일반적인 발달현상으로 보고 심각하게 생각하지 않는 편이다. 그러나 매우 공격적이고 반항적이며 과잉행동을 보이는 영유아들 중 일부는 학령기에 이르러서도 심각한 문제행동을 보이기도 한다(Gardner & Shaw, 2008; Njoroge & Bernhart, 2011; Shaw, Winslow, & Flanagan, 1999). 그리고 이러한 문제행동 중 일부는 성인기까지 지

Daniel S. Shaw

속되어 적응상의 문제를 나타내기도 한다(Kerr et al., 2007).

　영유아기의 발달문제에 대한 관심이 증가하였음에도 불구하고 발달정신병리학(developmental psychopathology) 분야의 연구들은 주로 학령기 아동에만 초점이 맞

추어져 왔다(Campbell, Shaw, & Gilliom, 2000). 그러나 영유아기에 나타난 문제 중 일부가 아동기와 성인기까지 이어짐을 볼 때, 영유아기 발달문제의 선행조건에 대한 관심과 적절한 개입이 필요함을 알 수 있다. 특히 영유아기는 문제행동이 영구적인 패턴으로 발전하기 전에 문제의 조기 징후를 식별하고 줄일 수 있는 최적의 기간이기 때문에(Poulou, 2015) 더 중요하다.

영유아가 보이는 문제행동은 다양하지만, 크게 내재화 문제행동(internalizing behaviors)과 외현화 문제행동(externalizing behaviors)으로 분류된다. 내재화 문제행동은 자신의 행동을 지나치게 억제하거나 자신의 감정을 적절히 표현하지 못하는 것에서 비롯된 것으로 불안, 공포, 우울, 위축 등의 문제행동을 포함한다. 외현화 문제행동은 자신의 행동을 적절히 통제하지 못하고 다른 사람을 향하여 표현되는 것으로 공격성, 반항, 불복종, 과잉행동 등의 문제행동을 포함한다. 일반적으로 정서적 문제행동은 내재화 문제행동과 같은 의미로 사용되며, 행동적 문제행동은 외현화 문제행동과 같은 의미로 사용되고 있다(Poulou, 2015).

영유아기에 나타나는 행동적인 문제행동에 대해서는 어느 정도 발견이 용이하지만, 정서적인 문제행동은 쉽게 발견하고 구분하기가 어렵다(Wakschlag et al., 2010). 그 이유는 영유아가 자신의 정서에 대해 표현하는 의사소통 능력이 부족할 뿐 아니라, 부모나 교사와 같은 성인도 유아의 정서적 어려움을 인식하지 못하거나 발달상 정상적인 감정을 정서적인 문제와 구별하는 데 어려움을 겪기 때문이다. 또한 유아기에 존재하는 정서적인 문제는 이 연령대에서 인식할 수 있는 패턴으로 명확하게 정리되지 않아서 모호한 반면에, 행동적 증상은 이미 인식할 수 있는 패턴으로 조직화되었기 때문이다(Lavigne et al., 1996). 내재화 문제행동과 외현화 문제행동은 매우 어린 나이부터 상당한 안정성을 보였으며, 내재화 문제행동에 비해 외현화 문제행동의 안정성이 더 강한 것으로 나타났다(Poulou, 2015).

2) 영유아의 문제행동과 영향요인

영유아가 문제를 가지고 있거나 문제의 가능성을 보일 수 있는 영향요인에는 유아의 유전적인 특성뿐 아니라 환경적인 요인들도 다양하다. 그러나 이러한 요인들이 존재한다고 해서 반드시 영유아의 문제행동이 발생하거나 지속된다고 단정하여 말하기는 어렵다. 중요한 것은 영유아기에 어떤 요인들이 발생하였는지 그리고 이 요인들이 어떻게 서로 상호작용하여 문제를 증폭시켰는지를 이해할 필요가 있으며, 문제행동을 보다 포괄적이고 종단적으로 살펴보는 것이 필요하다.

(1) 영유아의 특성

발달상의 문제행동에 영향을 미치는 영유아 특성 중 가장 중요한 요인은 기질이다. Thomas와 동료들(1968)은 종단연구를 통해 기질을 구성하는 9가지 요인을 발견하였다. 이들은 활동성, 규칙성, 접근/회피, 적응성, 반응강도, 반응역치, 기분, 주의산만성, 지구력 등 9가지 특성을 기준으로 하여 영아의 기질을 순한 영아, 까다로운 영아, 반응이 느린 영아의 세 가지 유형으로 구분하였다. 따라서 유아들의 사회적 행동 특성 및 발달을 이해하기 위해서는 기질에 기초한 개인차를 보아야 한다고 주장하였다. 예를 들어, 어떤 영유아는 친숙하지 않은 대상에 쉽게 다가가는 반면, 어떤 영유아는 지나치게 수줍어해서 주변에 있는 새롭거나 친숙하지 않은 사람, 물건, 사건에 불안해하고 두려워한다. 이런 기질적 성향을 가진 영유아는 새

로운 것에 쉽게 접근하는 영유아에 비해 더 주의 깊은 행동을 보인다. 영유아는 또래를 포함하여 낯선 사람과 만나게 되면 종종 움츠러드는 경향을 보인다. 이를 행동억제(behavioral inhibition)라고 하며, 이는 기질적 성향을 나타낸다(Asendorpf & Meier, 1993). 생후 4개월에 이러한 기질을 나타내는 영아는 낯선 자극을 대하면 움직임이 빨라지고 울음을 터뜨리는 등 격렬한 반응을 보이기도 한다(Kagan, 1999).

사진 설명 Jerome Kagan이 행동억제(기질) 연구에 관해 설명하고 있다.

영아가 걸음마를 시작하면서부터 장소를 마음대로 이동할 수 있고, 위험한 것을 만지기도 한다. 부모가 이러한 행동에 제재를 가하기 시작하면서 영아와의 관계에서 균형이 깨지기 시작한다. 영아는 이 시기에 새롭게 자율성을 경험하고 표현하지만, 이것이 부모에게는 거부나 떼쓰기 등으로 보일 수 있다. 대부분의 영아들이 연령이 증가하면서 이러한 문제행동에서 벗어나는 듯이 보인다. 그러나 일부 영아는 유아기뿐 아니라 학령기에도 문제행동이 이어지는 것으로 나타났다. Keane과 Calkins(2004)의 연구에서 2세 때 문

Susan D. Calkins

제행동을 보인 남아는 3년 후에도 또래관계에서 문제행동을 보이는 것으로 나타났다. Pierce, Ewing과 Campbell(1999)도 영아기로부터 시작된 공격성이 5세 이후까지 비교적 안정적으로 나타난다고 보고하였다. 영유아의 심한 공격적인 행동은 이후 학령기에 학업 수행의 어려움, 학교에서의 방해 행동, 학교중퇴 위험의 증가, 범죄 행동의 참여 가능성과 관련된다(Koglin & Peterman, 2011). 그러나 외현화 문제행동의 지속성에 대해서는 비교적 일관된 결과를 보고한 반면에, 내재화 문제행동의 지속성에 대한 연구결과는 일관적이지 못하다. 예를 들어, Mesman과 Koot(2000)는 내재화 증상이 시간이 지남에 따라 불연속적이라고 보고하였으나, 불안하고 우울한 증상의 초기 발생은 이후의 불안 및 우울 증상과 관련이 있다고 보고한 연구(Karevold et al., 2009; Meagher et al., 2009)도 있다. 그러나 내재화 문제가 있는 유아는 나중에 유사한 문제에 대한 위험이 거의 3배 증가한 반면, 2~3세에 외현화 문제가 있는 유아는 나중에 유사한 문제에 대한 위험이 거의 5배나 더 높은 것으로 나타났다(Mesman & Koot, 2001).

행동문제의 빈도와 강도에 있어서 성별 차이도 연구되었다. 일반적으로 4세 이전의 성별 차이를 무시할 수 있다는 생각과는 달리, 남아가 여아보다 더 높은 수준의 공격성, 부주의/과잉행동, 우울증 및 수동성 문제를 보였으며, 외현화 문제행동에서도 성별 차이가 있는 것으로 나타났다(Bulotsky-Shearer et al., 2008; Fantuzzo et al., 2001; Rubin et al., 2003; Wichstrom et al., 2012). 또한 남아는 발달 전반에 걸쳐서 문제행동을 보이는 반면에, 여아는 비연속적인 패턴으로 문제행동을 보이는 것으로 나타났다(Keenan & Shaw, 1997). 이는 발달 초기에 공격적인 행동을 보인 남아는 이후에도 이러한 문제행동을 지속적으로 보이지만, 여아는 그렇지 않다는 것을 의미한다. 그러나 여아가 공격성과 같은 외현화 문제행동이 남아에 비해 상대적으로 낮고 비연속적인 발달경로를 보인다고 해석할 때 유의할 점이 있다. 그것은 여아는 공격성을 교사가 평가하는 공격성의 행동범주에 들어 있지 않은 방식으로 표출하는 경우가 많기 때문이다(Keane & Calkins, 2004). 교사가 영유아를 인식할 때도 성차가 나타난다. 교사는 일반적으로 남아가 지시를 따르는 것에 문제가 많고, 교사와 갈등관계에 놓일 가능성이 높다고 인식한다. 반면에 여아는 교사와 친밀한 관계를 형성한다고 인식하는 것으로 나타났다(Rudasill & Rimm-Kaufman, 2009). 그러나 성차가 연령에 따

Sara E. Rimm-Kaufman

라 일관성 있게 나타난 것도 아니고 성차가 보고되지 않은 연구결과들(Koot, 1993; Shaw et al., 1998)도 있기 때문에 해석에 주의할 필요가 있다.

(2) 부모의 양육행동

영유아의 문제행동 발달에 영향을 미치는 요인 중 하나는 영유아와 가족구성원의 상호작용 경험이다. 따라서 영유아의 문제행동 발생에 지속적이고 가장 큰 영향을 미치는 환경적 요인은 부모이며, 그중에서도 부모의 양육행동은 매우 중요하다.

Diana Baumrind

Baumrind(1991, 2012)는 애정과 통제라는 두 차원에 의해 부모의 양육유형을 네 가지로 구분하였다. 애정차원은 부모가 자녀에게 얼마나 애정적이고 지원적이며, 얼마나 민감한 반응을 보이고, 얼마나 관심을 갖는가 하는 것이다. 통제차원은 자녀에게 성숙한 행동을 요구하고, 자녀의 행동을 통제하는 것을 말한다. 두 차원에 따라 네 가지로 분류된 부모의 양육유형과 영유아의 특성은 어느 정도 관련이 있는 것으로 나타났다(Bates, Pettit, Dodge, & Ridge, 1998; Campbell et al., 2000; Chen & Rubin, 1995; Dishion, Duncan, Eddy, Fagot, & Fetrow, 1994; Dodge, Pettit, & Bates, 1994; Russell & Russell, 1996).

애정과 통제 차원이 둘 다 높은 권위 있는 (authoritative) 부모는 가장 바람직한 아동의 특성과 관련 있는 것으로 알려져 있다. 권위 있는 부모는 온화하고 수용적이고 자녀를 긍정적으로 통제하며, 훈육 시 합리적인 추론을 가지고 설명을 한다(사진 참조). 이러한 부모의 자녀는 사회적 유능성이 높고(Chen & Rubin, 1995), 내재화 혹은 외현화 문제행동의 수준이 낮으며(Russell & Russell, 1996), 인지발달 수준이 높고 또래수용이 높은 것으로 나타났다(Black &

사진 설명 부모가 유아의 행동에 긍정적으로 반응하고 있다.

Logan, 1995). 반면, 통제차원은 높지만 애정차원이 낮은 권위주의적(authoritarian) 부모는 엄격한 통제와 함께 설정해 놓은 규칙을 따르도록 강요한다. 또한 훈육 시 신체적·언어적 처벌을 사용하고 논리적인 설명을 하지 않는다. 애정차원은 높은 데 통제차원이 낮은 허용적(indulgent) 부모는 애정은 있으나 자녀에 대한 통제가 거의 없으며, 훈육에 있어서도 일관성이 없다. 마지막으로, 애정과 통제 차원이 모두 낮은 무관심한(neglectful) 부모는 애정이 없고 냉담하며, 엄격하지도 않고 무관심하다. 이러한 양육유형을 보이는 부모들의 자녀는 사회적·인지적으로 미성숙하고(Dodge et al., 1994), 의사소통 능력이 부족하며(Stafford & Bayer, 1993), 공격성과 적대감이 높은 것으로 나타났다(Dishion et al., 1994). 실제로 높은 수준의 과잉행동과 공격성을 보인 아동은 부모의 부정적인 양육행동과 관련이 있으며, 학교에서도 지속적인 문제행동을 보일 가능성이 높다고 보고된 바 있다(Campbell et al., 2000).

기질과 같은 영아 특성에서의 개인차가 유아에 대한 양육유형과 상호작용하여 발달적 결과를 좌우할 수 있게 되는데, 이를 영아와 보호자 간의 조화의 적합성(goodness-of-fit)으로 볼 수 있으며, 영아가 어머니로부터 특정 양육행동을 이끌어내는 데 적극적인 역할을 수행한다(Thomas, Chess, & Birch, 1968). 이처럼 영유아의 기질이 부모와의 관계에 영향을 미치지만 부모의 양육태도 또한 영유아의 기질을 변화시킨다. 예를 들어, 어머니가 조화의 적합성에 따라 영아의 기질에 맞추어 양육하는 경우 긍정적인 상호작용 유형을 가질 수 있다. 그러나 만약 까다로운 기질의 영아가 민감하지 않은 부모를 만나면 갈등적인 부모-자녀 관계로 이어져 지속적인 문제로 이어질 가능성이 높아진다. 영아의 까다로운 기질이 어머니의 긍정적인 상호작용과 결합되지 않으면 영아는 더 징징대게 되고 더 달래기 힘들어져 어머니가 더 강압적으로 대하게 되므로 점점 더 상호작용의 악순환을 가져올 수 있다(Bates & Bayles, 1988).

이와 같은 상호작용의 악순환은 걸음마기에 특히 문제를 발생할 수 있다. 걸음마기에 전형적으로 나타나는 행동들, 즉 부모의 요구에 불복종하기(싫어!), 장난감 독점하기(내꺼야!), 혹은 또래와 형제를 향한 공격성과 분노조절에서의 어려움 등은 대부분 영아가 자율성을 형성하기 위한 시도이다. 또한 이 시기에 영아는 관계를 시험하고 외부환경의 제약을 파악하며, 사회적 기술을 연습하는 것으로 보인다(Crockenberg & Litman, 1990). 그러나 이런 행동들이 시간이 흘러도 줄어들지 않거나 오히려 더 악화되고, 연령에 적합한 사회적 소통기술(예: 협상, 공유, 협동 등)의 발달을 방해한다면 문제가 된다. 이 시기에 대부분의 부모들은 공격적이고 충동적인 영유아에게 쉽게 화를 내고 신체적·언어적 처벌을 하게 되는데, 이것은 부모와 자녀 간에 조화롭지 못한 예이며, 이런 경우 영유아

Susan Crockenberg

는 아동기에 문제행동을 보이는 것으로 나타났다(Shaw et al., 1999). Rubin, Hastings, Chen, Stewart와 McNichol(1998)도 개인 변인(정서조절 문제가 있는 영유아)과 상호작용 변인(부모의 양육행동)이 영유아의 공격성과 관련되는 것으로 보았다. 따라서 보육기관에서 부모교육 프로그램을 정기적으로 실시하여 자녀의 발달수준에 맞는 양육지식을 공유할 수 있다면 부모의 부정적인 양육행동을 줄이는 데 도움이 되기 때문에, 유아의 문제행동에 대한 성공적인 개입방안으로 볼 수 있을 것이다.

가족환경의 질도 영유아의 수행 및 문제행동에 관련될 수 있으며, 부모의 양육행동에 영향을 주는 것으로 보고되었다. 사회경제적 수준이 낮은 가정환경에서 자란 영유아는 사회경제적 수준이 높은 가정에서 자란 영유아보다 외현화 문제행동이 더 많은 경향을 보였다(Dodge et al., 1994). 사회경제적 수준이 낮은 부모들 중 일부는 부부간의 갈등이 더 높고, 자녀에게 더 가혹하고 엄격한 규율을 사용하며, 덜 온화한 경향을 보였다(Conger et al., 1992). 이로 인해 부모-자녀 간 규제와 자율에 대한 갈등을 일으킬 가능성이 존재하고, 스트레스가 많은 부모는 거칠고 일관적이지 못한 양육행동을 할 가능성이 높은 것으로 나타났다(McLoyd, 1998).

(3) 부모-자녀 간 애착관계

영아기에 발생하는 가장 중요한 형태의 사회적 발달은 애착이다. 애착이란 영아와 양육자 간에 형성되는 친밀한 정서적 유대감을 말한다. 영아기에 형성된 애착은 이후 인지 · 정서 · 사회성발달에 중요한 영향을 미친다. 애착대상이 접근가능하고 반응적이면 영아는 자아감과 신뢰감을 발달시키고 자신이 보는 세상을 예측할 수 있기 때문에 자신이 보호되고 양육될 것임을 학습하여 안정 애착을 형성한다. 반면 애착대상이 거부적이고 반응을 보이지 않을 경우, 영아는 자신을 둘러싼 세계가 예측 불가능하고 위협적이라고 느끼며 자신의 기본적인 욕구가 충족되지 않고 거부될 것이라는 것을 학습하여 불안감을 느끼게 되면서 불안정 애착을 형성하게 된다. 즉, 자녀가 보내는 신호에 민감하고 즉각적이며 적절하게 반응해 주는 부모 밑에서 자란 안정 애착 영유아는 다른 사람과의 친밀한 관계를 즐기고 혼자 있을 때에도 편안하고 안정감을 느낀다. 반면, 그렇지 못한 부모 밑에서 자란 불안정 애착 영유아는 대인관계에 지나치게 의존적이거나 대인관계를 부담스러워하고 긴장과 불안감을 느끼기 쉽다. 또한 부모와 안정된 애착관계를 형성한 영유아는 자신감, 호기심, 타인과의 관계에서 긍정적인 성향을 보이고(사진 참조), 아동기에 들어서도 좌

사진 설명 부모와 안정적인 애착을 형성한 유아들은 타인과의 관계에서도 긍정적인 모습을 보일 수 있다.

Alan Sroufe

절을 잘 참아내고 문제행동을 덜 보이는 것으로 나타났다. 반면에 부모와 불안정 애착관계를 형성한 영유아는 부적응 행동을 보일 위험이 높다(Dunn & McGuire, 1992).

부모와의 관계에서 불안정 애착을 형성한 영유아는 안정 애착 영유아에 비해 보육기관에서도 또래와 어울리기보다는 교사에게 의존적이고 교사와 상호작용하면서 많은 시간을 보내는 것으로 나타났다(Sroufe, Fox, & Pancake, 1983). 그 결과, 또래와의 사회적 상호작용 기회가 적어 또래수용이 낮아지고, 사회적 고립과 외로움을 겪으며, 공격성을 보이는 것으로 보고되었다(Birch & Ladd, 1997). 교사에게 과도하게 의존적인 영유아는 보육환경을 탐색하는 것을 주저하고, 어린이집에 대해서도 부정적인 감정을 가지기 쉽다. 반면에, 안정 애착 영유아는 또래관계에서 우호적이며 유능감도 높은 것으로 나타났다(Kerns, Klepac, & Cole, 1996).

그러나 영아의 불안정 애착과 이후의 행동문제 간의 관계에 관한 연구는 일관성이 없다. 예를 들어, Lewis와 동료들(1984)은 저항과 회피 애착을 형성한 영아가 유아기와 아동기에 분노, 공격성, 불순종 등의 문제행동을 보이거나 사회적 위축 및 우울을 보인다고 하였으나, 불안정 애착과 이후의 문제행동 간의 관계를 발견하지 못한 연구(Bates & Bayles, 1988; Lewis et al., 2000)들도 있다. 이에 대한 가능한 설명은 초기의 애착 안정성과 이후의 문제행동 간의 관계가 부분적으로 영아의 특성뿐 아니라 어머니의 사회적 지지망이나 생활환경과 같은 사회적 맥락과 같이 바라볼 필요가 있음을 보여준다. 즉, 영아의 과민성과 어머니에 대한 낮은 사회적 지지가 불안정 애착 관계와 관련이 있는데, 이는 스트레스가 많은 어머니가 까다로운 영아를 양육할 수 있을 만큼의 자원이 풍부하지 않기 때문이다(Cronkenberg, 1981). 문제의 소지가 있는 영아와 보호자 간의 관계는 종종 불안정 애착이 반영되지만 이후 사회 정서적 발달 문제와 연결되는 많은 위험요인들 중의 단지 하나일 뿐이며, 영아기의 불안정 애착 그 자체는 이후의 적응에서의 문제를 예측하지 않을 수도 있다(Campbell, 2007). 그러나 불안정 애착은 대리 애착대상이 없거나, 만성적인 가족의 불안정과 붕괴가 연결되면 위험요인이 될 수 있다.

(4) 교사의 특성과 관계

기혼여성의 사회활동이 증가하면서 영유아를 보호자가 아닌 다른 성인이 양육하는 대리양육이 증가하게 되었다. 특히 종일반의 영유아는 보통 하루에 최소 8시간 이상을 어린이집에서 보내게 된다. 이렇게 하루의 대부분을 보육기관에서 보내는 영유아들에게 교사의 영향은 매우 클 수밖에 없다. 따라서 교사의 특성뿐 아니라 교사-유아 간의 관계는 유아의 발달에 강력하고 중요한 자원을 제공한다. 이러한 관계를 이해하기 위해서는 교사와 유아의 서로에 대한 인식과 함께 관계의 맥락에서 나타나는 서로에 대한 행동을 이해하는 것이 필요하다.

교사의 기질, 인종, 민족, 사회경제적 수준과 같은 특성도 교사가 영유아에 대해 기대하는 수준이나 문제행동을 판단하는 데 영향을 주는 것으로 나타났다(Alexander & Entwisle, 1988). 예를 들어, 사회경제적 수준이 높은 교사는 사회경제적 수준이 낮은 가정의 영유아에게 기대치가 낮은 경향을 보이고, 그 영유아를 성숙하지 못하며 교실에서의 행동도 좋지 못하다고 평가하기 쉽다. 실제로 미국의 경우, 교사의 인종이 아동의 문제행동을 판단하는 데 크게 영향을 주는 요인 중의 하나로 보고되었다(Rimm-Kaufman, Pianta, & Cox, 2000). 이처럼 교사의 특성이 영유아에 대한 기대와 관계형성에 영향을 줄 수 있다는 점, 그리고 영유아의 문제행동에 대한 판단에도 영향을 준다는 사실은 다문화사회로 변화하는 한국 사회에 주는 시사점이 될 수 있다. 다문화가정 영유아가 점점 늘어나고 있는 현시점에서 보육교사가 자칫 편견과 고정관념을 가지고 다문화가정 영유아의 행동을 문제행동으로 바라보게 된다면, 영유아의 이후 발달에 부정적인 영향을 줄 수 있기 때문이다.

보육환경에서 교사와 유아의 관계는 프로그램 정책 및 교실 환경의 질과 같은 거시적 요인보다 유아의 긍정적인 결과를 더 잘 예측하는 것으로 나타났다(Mashburn et al., 2008). 긍정적인 교사-영유아 관계는 영유아가 자신에게 주어진 도전을 잘 조절할 수 있도록 효과적인 사회적 기술을 사용할 수 있게 도와준다(Rudasill & Rimm-Kaufman, 2009). 또한 영유아에게 사회적 상황에서 안전하게 행동할 수 있는 지지체계를 제공하고, 영유아가 어린이집에 대해 보다 긍정적으로 생각할 수 있도록 한다. 반면에 부정적인 교사-영유아관계는 의존성과 갈등이 높고, 친밀감이 낮은 특성을 보이는데, 이 경우 영유아는 어린이집에 가기 싫어하고 외로움을 호소하거나, 수행능력과 사회적 능력도 낮은 것으로 나타

Kathleen Rudasill

났다(Rudasill & Rimm-Kaufman, 2009). 특히 남아의 경우 교사와의 관계가 갈등 상황에 있을 가능성이 높고, 여아의 경우 교사와 친밀한 관계일 가능성이 높은 것으로 나타나(Hamre & Pianta, 2001), 남아가 여아보다 적응에 있어서 더 많은 어려움을 보일 것으로 예상할 수 있다.

Carollee Howes

한편, 영유아가 가정에서 혼란스럽고 비일관적인 경험을 하여 이후의 발달상 문제가 될 수 있음에도 불구하고 교사와 안정 애착을 형성함으로써 문제가 완화되는 경우도 있다. 실제로 부모요인을 통제한 후에 교사-영유아 관계의 질이 영유아의 긍정적인 또래관계와 사회능력 발달에 있어서 중요한 영향을 미치는 것으로 나타났다(Howes & Ritchie, 2003). Werner(1996)도 가정환경이 좋지 못한 영유아들 중에 교사와 같은 외부 요인이 보호요인이 되어 영유아의 적응성을 높이는 경우가 있다고 보고하였다.

교사는 영유아가 또래에 대한 태도를 형성하는 데 있어서도 매우 중요하다. 예를 들어, 협동하기와 공유하기는 또래 선호와 관련된 중요한 사회적 기술이므로 교사가 이런 행동을 장려하는 분위기를 이끌어 감으로써 긍정적인 또래관계를 이끌어 낼 수 있다(Keane & Calkins, 2004). 반면에, 교사가 문제행동을 한 유아에게 자주 부정적인 주의를 준다면 다른 또래들이 그 유아를 좋아하지 않게 되어 더욱 고립감을 느끼게 될 것이다.

(5) 또래관계

사진 설명 어린이집에서는 자연스럽게 또래 간 상호작용이 발생한다.

영유아의 발달에 있어서 또래관계는 매우 중요하다(사진 참조). 또래관계는 다른 관계로부터 배울 수 없는 수평적인 사회적 기술을 배울 수 있는 기회를 제공해 준다는 점에서 이후의 발달과 적응에 영향을 미친다. 유아의 경우, 또래와 성공적으로 관계를 맺는 것은 중요한 발달과제이며 보육기관에서 잘 적응하고 있다는 것을 보여 준다. 이처럼 또래와의 놀이에서 친사회적인 상호작용을 유지하는 자율성과 능력은 유아의 심리적 적응을 나타내는 주요 지표가 된다(Fantuzzo et al., 2001). 유아를 대상으로 교실에서 또래 놀이와 학습행동 간의 관계를 살펴본 연구(Coolahan et al., 2000)

에 따르면, 긍정적인 상호작용 놀이 행동은 교실 학습 활동에 대한 적극적인 참여와 관련이 있는 반면, 놀이의 단절은 부주의, 수동성 및 동기 부족과 관련이 있는 것으로 나타났다. 또한 파괴적인 행동을 보인 유아는 교실에서 행동문제와 과잉행동을 보였다. 특히, 또래 상호작용에서 공격성은 외현화 문제행동과 관련이 있으며, 또래 상호작용에서 위축하는 것은 내재화 문제행동과 관련이 있는 것으로 나타났다.

영유아기에 일어나는 갈등은 두 유아가 동시에 같은 물건을 갖고자 하거나 활동을 하고자 할 때 발생한다. 즉, 갈등은 두 유아가 모두 받아들일 수 없는(서로 용납되지 않은) 문제상태로, 이는 항의, 저항, 복수 등의 행동으로 표현되면서 발생하는 것이다(Rubin, Burgess, Dwyer, & Hastings, 2003). 영유아들이 비교적 제한된 언어능력을 가졌다는 것을 고려해 본다면, 이들이 서로 간의 갈등을 협상이나 타협과 같은 대응전략을 사용해서 해결하기 어렵다는 것을 쉽게 이해할 수 있다. 실제로 때리기, 밀기, 움켜쥐기 등과 같은 공격성의 형태가 영유아의 연령이 증가하여 아동기를 거치면서 언어능력이 발달함에 따라 감소하는 것을 볼 수 있다(Cairns & Cairns, 1994).

사실 영유아기에 발생하는 또래 간의 갈등은 일반적인 현상이다(사진 참조). Holmberg(1980)는 12~18개월 영아를 대상으로 한 연구에서 50% 정도가 또래관계에서 갈등을 보인다고 하였다. Rubin과 동료들(1998)도 25개월 된 영아를 대상으로 한 연구에서 참여 영아의 70% 이상이 50분간의 실험실 상황에서 최소한 한 번 이상의 갈등 상황을 보인다고 보고하였다. 그러므로 대다수의 영유아들은 갈등 상황을 빈번하게 접한다고 볼 수 있다. 따라서 성인

사진 설명 놀이과정에서 또래 간의 다툼은 일반적인 현상이다.

들이 유아들의 문제행동으로 여기는 행동들이 사실은 특정 상황 혹은 특정 발달단계에서 나타나는 보편적인 것이고, 그중 몇몇 유아들의 문제행동만이 걱정스러운 정도이다. 그러나 일부 영아들은 또래에 비해 갈등을 더 야기하는 것으로 나타났다(Hay & Ross, 1982). 특히 공격성과 같은 외현화 문제행동은 영아기로부터 5세 이후까지 비교적 안정적으로 나타났다(Pierce et al., 1999). 어린 시절 또래관계에서의 거부는 이후의 공격성 및 비행 행동과 같은 외현화 문제행동을 예측할 뿐 아니라 학업

적인 어려움과도 관련된다. 또한 또래관계에서 위축되고 고립된 영유아는 이후 적응에 어려움을 갖게 될 가능성이 크며, 내재화 문제행동으로 발달할 위험요소가 높은 것으로 나타났다(Asendorpf, 1991). 이처럼 유아의 또래관계는 장기적인 결과를 예측할 수 있기 때문에 초기에 부정적인 발달의 궤적을 차단하는 것이 시급하다. 이를 위해 유아에게 또래관계에서 유용한 사회적 및 정서적 역량을 가르칠 수 있는 교육프로그램이 필요하다. 그렇게 함으로써 아동과 청소년의 건강한 심리적 적응뿐 아니라 삶의 전반에 걸친 건강한 대인관계의 형성과 유지에도 도움이 될 것이다.

2. 긍정적인 교사 – 영유아 관계의 발달

영유아가 가정을 벗어나 만나게 되는 사회관계 중 교사와의 관계는 초기 영유아의 적응에 중요하고 이후의 발달과도 관련되기 때문에 그 관계를 잘 이해하고 발달시켜 나가는 것이 중요하다. 교사와 영유아의 긍정적인 관계는 부분적으로 교사가 영유아의 기질적 특성을 인식함으로써 조화를 이룰 수 있다. 특히 영유아의 발달문제는 교사와 영유아 간에 형성된 관계의 질에 따라 향상될 수도 있고 악화될 수도 있으므로 교사는 민감성과 정서적 지지 능력을 향상시켜 나가도록 노력해야 한다.

1) 영유아의 기질과 교사의 조화

Mary Rothbart

매우 수줍어하고 조심성이 많은 영유아는 확실한 결과가 보이지 않는 사회적 상황에 참여하지 않고, 친숙하지 않은 사람을 회피하며, 그 주변을 맴돌거나 혼자 논다. 이에 반해 매우 외향적이고 접근지향적인 영유아는 그렇지 않은 영유아보다 잘 적응하는 것으로 보이기는 하지만, 한 활동에서 다른 활동으로 주의를 전환하는 데 어려움을 보이기도 한다(Rothbart & Jones, 1998). 또한 지나치게 외향적인 영유아는 상황에 맞지 않은 말을 많이 하는 편이고(Rimm-Kaufman, 1996), 즉각적으로 행동하는 경향이 있어서 (Kagan, Snidman, & Arcus, 1998) 교사가 보육현장에서 이런 기질의 영유아를 관리하는 데 어려움이 있다.

이러한 개인차는 기질에 기초하기 때문에 교사가 어린이집에서 나타나는 영유아의 행동을 이해하기 위해서는 영유아의 기질과 발달에 대한 이해가 선행되어야 한다. 예를 들어, 수줍어하고 소심한 기질을 가진 영유아라도 교사가 그 특성을 이해하고 외부 세계에 대한 적절한 대처방식을 가르쳐 준다면 대인관계에서 불안감을 감소시키는 데 도움이 된다. 또한 매우 외향적이고 충동적인 영유아라도 교사가 이들이 충동을 잘 조절하도록 도와준다면 주의를 집중시킬 수 있을 것이다. 따라서 영유아의 기질과 부모의 양육태도가 상호작용하여 바람직한 결과를 산출한다는 '조화의 적합성' 모델이 교실 상황에서 영유아와 교사 간에도 적용됨을 알 수 있다. 교사-영유아 관계에 있어서 조화의 적합성은 특정한 성향을 가진 영유아가 특정한 교육방법에 가장 잘 반응한다는 것을 보여 주며, 영유아의 과제수행과 교사의 기대 간의 좋은 결합이 영유아의 학습을 촉진한다는 것을 의미한다(Rimm-Kaufman et al., 2002). 그러므로 영유아의 이후 발달에 있어서 중요한 것은 영유아가 가진 기질적 성향뿐 아니라 오히려 교사가 영유아의 기질과 어떻게 조화를 이루면서 대처하는가에 달려 있다고 볼 수 있다.

2) 교사의 민감성과 정서적 지지

긍정적인 교사-영유아 관계의 발달은 다양한 요인의 영향을 받지만, 무엇보다 중요한 요인으로 교사 민감성과 정서적 지지를 들 수 있다. 먼저, 민감성(sensitivity)이란 주로 부모의 양육태도에서 언급되어왔던 개념이다. Dix, Gershoff, Meunier와 Miller(2004)는 양육 민감성을 자녀가 원하는 것과 그에 따른 신호를 읽을 수 있고, 자녀의 요구와 부모의 요구 사이의 균형을 이루며, 비계(scaffolding)를 제공하는 능력으로 정의하였다. 교사 민감성의 개념도 양육 민감성과 유사하다. 교사 민감성이란, 영유아의 개별적 요구를 인식하는 능력과 영유아의 발달과 학습을 긍정적으로 지원하는 비계설정 능력을 말한다(Dix et al., 2004). Rudasill과 Rimm-Kaufman(2009)도 교사 민감성을 일관성이 있고, 긍정적이며, 영유아에 대한 온화한 태도를 가지고 영유아의 신호(cues)에 적절하게 반응하는 것으로 보았다(사진 참조).

사진 설명　교사가 유아의 요구에 민감하고 긍정적으로 반응하고 있다.

긍정적인 교사-영유아 관계에서 교사 민감성은 영유아의 발달문제를 초기에 예방하고 중재하는 중요한 원천이 된다. 그리고 유아의 사회적 능력 및 과제수행 능력과도 관련이 있다(Pianta, La Paro, Payne, Cox, & Bradley, 2002). 예를 들어, 유아가 부주의하다면 민감한 교사는 그 유아가 선호하는 학습방식, 분위기, 활동을 인식하여 그에 알맞은 방식으로 유아의 주의를 이끌어 감으로써 발달을 도와줄 수 있다. 특히 매우 수줍어하는 성향의 유아보다는 외향적 성향의 유아가 민감한 교사와 만나면, 자기신뢰가 증가하고 부적응 행동이 감소하며 과제수행에서 벗어나는 시간도 적은 것으로 나타났다(Rudasill & Rimm-Kaufman, 2009). 이는 영유아의 기질에 따라 교사가 다르게 행동해야 함을 시사해 준다. 그러나 민감하지 않은 교사의 경우, 일관성이 없고, 참견을 많이 하며, 무관심하고, 영유아의 신호에 반응하는 데 시간이 오래 걸리는 경향이 있다(Pianta, 1999).

다음으로, 영유아가 어린이집에서 교사를 안전기지로 인식하고 정서적 지지(emotional support)의 원천으로 생각할 수 있다면, 긍정적인 교사-영유아 관계를 이끌어 갈 수 있다(Buyse, Verschueren, Doumen, Van Damme, & Maes, 2008). 정서적 지지는 문제행동이 없는 아동과의 접촉보다 행동상의 어려움이 있는 아동과 접촉할 때 특히 중요하다(Van Lier & Hoeben, 1991). 이를 위해 우선 교사와 영유아 간에 친밀한 관계를 형성해 나가는 것이 필요하다. 교사-영유아 관계에서 친밀함은 온화한 유대감과 개방적인 의사소통을 의미한다(Pianta, Steinberg, & Rollins, 1995). 교사가 영유아와 친밀하고 온화한 관계를 가짐으로써 어린이집에 대한 영유아의 긍정적인 태도를 이끌 수 있고, 개방적인 의사소통을 통해 영유아의 참여활동을 촉진할 수 있다. 따라서 영유아가 교사와 친밀한 관계를 형성하면서 정서적 지지를 받는 것은 어린이집에 대한 태도, 활동에의 참여, 또래와의 관계형성 등 초기적응에 있어서 매우 중요하다.

교사-영유아 관계에 있어서 갈등 관계는 교사와 영유아 간에 상호작용이 조화롭지 못하며, 라포(rapport)가 결여된 것을 의미한다(Pianta et al., 1995). 갈등이 많은 교사-영유아 관계는 그 관계가 영유아에게 지지의 원천이 되는 것을 제한하여 영유아가 어린이집에 적응하는 것을 방해한다. 그리고 이러한 관계는 영유아의 분노와

사진 설명 교사는 온화한 행동과 개방적 의사소통으로 영유아의 참여를 촉진할 수 있다.

불안감을 일으킬 수 있으며, 소외감과 외로움 등을 느끼게 함으로써 어린이집에 대해 부정적인 태도를 가지게 할 수 있다. 그러므로 교사는 영유아와 갈등관계에서 벗어나 친밀한 관계를 형성해야 한다. 영유아가 문제행동을 하면 교사와의 관계가 갈등을 일으키게 되고, 이 갈등으로 인해 교사가 영유아를 부정적으로 인식함에 따라 친밀한 관계의 형성을 방해하여 영유아가 지속적으로 문제행동을 하는 악순환이 계속된다. 그러나 교사의 정서적 지지가 이 연결고리를 끊음으로써 영유아의 이후 발달경로를 다양하게 이끌 수 있지만, 이 연결고리를 끊지 못한다면 영유아의 발달이 부정적인 결과로 이어지기 쉽다(Pianta & Walsh, 1996).

Robert C. Pianta

부적절한 대응전략을 가진 영유아가 도전적인 상황을 덜 적대적이고 덜 회피적인 방식으로 해결함으로써 다른 사람과 더 긍정적으로 관계하기 위해서는 정서적으로 지지적인 환경이 필수적이다(Burgess, Wojslawowicz, Rubin, Rose-Krasnor, & Both-LaForce, 2006). 이에 문제행동의 위험이 높은 영유아와 관계형성에 있어서 교사의 정서적 지지가 보호요인으로 작용할 수 있다(Hamre & Pianta, 2005).

Emily B. Gerber

영유아의 문제행동이 교사-영유아 관계에 영향을 주고 그 관계의 질에 따라 위험해질 가능성이 높다고 볼 때, 교사는 민감성과 정서적 지지 능력을 향상시켜 나가야 한다. 이는 양질의 훈련을 통해 향상시켜 나갈 수 있으며, 교사는 신념을 가지고 영유아의 행동을 이해해 나가야 한다. 선행연구(Gerber, Whitebook, & Weinstein, 2007)에 따르면, 교사 민감성과 정서적 지지에 영향을 미치는 잠재적 요인으로 수준 높은 교육 및 훈련, 기관에 대한 인식 및 태도, 작업환경 등을 보고하고 있다.

3. 영유아의 문제행동과 보육교사의 대처방안

교사는 영유아들이 보이는 문제행동을 명확하게 이해하기 위해서는 우선 일반적이고 정상적인 영유아 발달에 대해서 잘 알아야 한다. 이를 위해 자신이 맡은 영유아의 연령별 발달특성과 함께 개별적인 요구에 대해 자세히 숙지하는 것이 필요하다.

교사가 영유아의 문제행동을 접할 때 막연히 처벌이나 훈계를 한다고 문제행동이 없어지는 것은 아니다. 영유아의 문제행동은 그 자체만으로 나아지기 어려우며, 부모의 협조가 필수적이다. 교사가 부모면담을 통해 영유아의 문제행동을 해결하기 위해서는 사전에 영유아를 대상으로 객관적이고 체계적인 평가를 해야 한다. 다양한 관찰방법을 통해 영유아를 평가한 결과를 가지고 부모와 면담을 한다면 부모의 신뢰를 높일 수 있으며, 부모와의 협력을 통해 영유아의 문제행동에 도움이 되는 해결책을 모색할 수 있다. 여기서는 실제 보육현장에서 빈번하게 나타나는 주요 문제행동을 내재화 및 외현화 문제행동으로 구분하여 이에 따른 대처방안을 살펴보고자 한다.

1) 영유아 문제행동의 진단과 평가

유아 초기에 나타나는 문제행동을 진단함에 있어서 이러한 행동이 발달상의 장애인지 아니면 일반적인 발달규범에서 약간 벗어나는 행동인지 구별하는 것이 어렵다. 실제로 영유아의 발달장애에 대한 진단연구가 부족한 것은 유아에게 진단 기준을 적용하는 것이 적절한지에 대한 우려 때문이다(Wichstrom et al., 2012). 일부에서는 영유아기 발달장애를 분류함으로써 영유아에게 일찍부터 사회적 낙인을 찍고 편견을 초래할 수 있다는 점에서 영유아기 발달장애를 진단하는 것을 반대하기도 한다(정옥분, 2018).

발달장애의 분류기준은 학자들에 따라 다양하지만, 가장 보편적으로 사용되는 것이 DSM(Diagnosis and Statistical Manual of Mental Disorders) 분류기준이다. 현재 개발되어 사용되고 있는 DSM-5에서는 신경발달장애라는 명칭하에 여러 가지 아동기의 발달장애를 분류하고 있고, 그 외에도 불안장애, 외상 및 스트레스 관련장애, 급식 및 섭식장애, 배설장애, 파괴적, 충동조절 및 품행장애 등 다른 진단군에 몇 개의 장애를 포함시켜 분류하고 있다(정옥분, 2018).

교사가 유아의 발달장애를 진단하는 것이 쉽지 않으며, 특히 내재화 문제행동에 대해서 진단하기가 더 어렵다. 그 이유는 유아가 정서적 문제에 대해 교사보다 부모에게 더 많이 털어놓을 가능성이 높기 때문이다. 또한 내재화 문제행동에 대한 교사의 낮은 평가는 교사 스스로 내재화 증상의 초기 징후에 익숙하지 않다는 것을 반영하기도 한다(Meagher et al., 2009). 그러므로 유아의 문제가 심각할수록 부모와 교사 간의 관점에서 차이가 더 벌어질 수 있다. 그러나 아동의 문제행동의 증상이 더 심해지는 것을 막고 이후 발달단계까지 미치는 영향을 줄이기 위해서 유아기에 적절한 조기개입과 예방이 필요하다는 점을 고려해 본다면, 교사의 지속적인 관찰을 통해 실제로 조기개입이 필요한 유아를 올바르게 식별하는 것이 중요하다. 유아가 많은 시간을 보내고 있는 보육기관은 유아의 문제행동을 조기에 선별할 수 있는 장소이기 때문에 교사는 정서적, 행동적 문제행동에 대한 인식에 더 많은 관심을 기울일 필요가 있다.

관찰이란 연구자가 관심을 가지고 있는 대상이나 현상에 대한 정보를 입수하기 위해 특정 상황에서 나타나는 인간의 행동양상을 살펴보는 것을 말한다(Johnson & Christensen, 2004). 관찰은 영유아를 대상으로 실험 상황을 일부러 통제하거나 조작할 필요가 없고 언어적으로 의사소통이 힘든 영유아를 대상으로 하여 많이 사용되고 있기 때문에 어느 방법보다 바람직한 평가방법으로 볼 수 있다. 보육현장에서는 일반적으로 교사가 관찰자가 되어 영유아의 행동을 관찰하는 참여관찰을 많이 하게 된다. 영유아는 관찰자인 교사의 존재를 크게 의식하지 않으므로 교사는 영유아의 자연스러운 행동을 관찰하는 것이 가능하다. 교사는 관찰을 통해 영유아가 각 발달영역에서 어느 정도 발달하고 있는지 알 수 있으며, 영유아가 가지고 있는 문제점이 무엇인지 분석하고 진단해 볼 수 있다. 그리고 영유아의 관찰에서 얻어진 자료들은 부모와의 면담에서 중요하고 객관적인 평가 자료로 활용할 수 있다.

유아의 행동을 평가하는 방식은 복잡하지만 확실한 방법은 유아의 행동에 대해 객관적, 맥락적, 주관적 요소로 구성하여 평가하는 것이다(Mangelsdorf, Schoppe, & Burr, 2000). 평가의 객관적 요소는 유아 행동의 전반적인 특성을 반영한다. 평가의 맥락적인 요소는 유아가 다른 환경(가정 혹은 기관)에서 다르게 행동하는 정도를 반영한다. 마지막으로 평가의 주관적인 요소는 평가자의 특성을 반영하는데, 이는 아동 행동의 각 평가작업에 평가자 자신의 편견과 해석이 더해지기 때문이다. 이렇게 세 가지 구성요소로 아동의 행동을 평가함으로써 아동의 행동을 설명할 때 구성요소 간의 일치되는 부분과 불일치되는 부분을 이해할 수 있다. 유아의 행동에 대한 모든 평가는 어느 정도 겹치게 되는데 이 겹치는 부분은 평가의 객관적인 구성요소, 즉 유아의 실제 행동 때문이다. 동시에 모든 평가는 어느 정도 불일치하게 되는데, 이것은 평가의 주관적인 구성요소, 즉 평가자의 개인적 특성과 관점 때문이다. 이렇게 같은 유아의 행동에 대해서 서로 다르게 평가되는 경우, 맥락적 요소의 영향을 확인할 수 있다.

교사가 영유아의 행동을 관찰하고 평정하는 데 다양한 요인들이 영향을 미칠 수 있다. 관찰이 객관적이고 체계적으로 이루어질 때 보다 정확하고 유용한 정보의 제공이 가능하므로, 교사가 영유아를 관찰하는 과정에서 다음과 같은 점을 고려해야 한다(전남련, 권경미, 김덕일, 2005; 정옥분, 2008; 조수철, 신민섭, 2006). 첫째, 관대성의 오류(error of leniency)는 교사가 영유아의 행동을 실제의 심각성에 비해 너무 좋은 쪽으로만 보려는 경향이다. 이에 반해 엄격성의 오류(error of severity)는 교사가 영유아의 행동을 너무 나쁜 쪽으로만 보려는 경향을 말한다. 둘째, 후광효과(halo effect)는 관찰대상 영유아의 사전 정보나 초기 인상이 교사의 평정에 영향을 미치는 것을 말한다. 후광효과에 따라 교사는 하나 혹은 몇 개의 특정 행동에 대한 판단에 근거하여 전반적으로 점수를 높게 혹은 낮게 평가한다. 예를 들어, 한 유아가 교실에서 반항적인 행동을 하여 교사의 눈에 띄게 되면, 공격적이지 않은 단순한 다른 행동들도 공격적인 행동으로 평가하는 오류를 범할 수 있다. 셋째, 집중경향의 오류(error of central tendency)는 주로 평정척도법에서 나타나는 오류로, 교사가 관찰대상 영유아에게 평정척도의 중간점수를 주는 경향을 말한다. 관찰자들은 때때로 판단하기 어려운 항목에서 이러한 오류를 범하기 쉽다. 넷째, 대비오류(contrast error)는 교사가 영유아를 평정할 때 그 영유아를 어떤 상대와 비교하여 평정하느냐에 따라 평정치가 달라질 수 있다는 것이다. 예를 들어, 공격적인 유아를 얌전한 유아와 비교하여 평정한다면 유아의 문제행동 점수가 더 높게 나오게 된다. 다섯째, 시간적 오류(recency error)는 교사는 영유아가 가장 최근에 보인 행동에 기준하여 평정하게 되는 것을 말한다. 예를 들어, 교사가 평가하기 며칠 전 유아가 보인 문제행동 때문에 속이 상했다면 평정척도에서 대부분의 항목에 대해 나쁜 쪽으로 평가할 가능성이 생기게 된다. 따라서 이러한 사항들을 극복하기 위해서는 교사의 편견이나 기대에 따라 주관적으로 평가하는 것이 아니라 관찰의 객관성을 유지하면서 영유아를 평가하도록 노력해야 한다.

2) 영유아의 문제행동과 교사의 대처

유아를 대상으로 문제행동을 조사한 한 연구(유일영, 유현정, 2010)에서 유아는 내재화 문제행동 중에서 위축행동을 가장 많이 보였고, 그다음으로 불안·우울, 정서적 반응성 문제를 보였다. 외현화 문제행동 중에서는 주의집중 문제가 가장 많이 나타나고, 그다음이 공격성으로 보고되었다. 이와 같은 영유아들이 보이는 일반적인 문제행동에 대한 교사의 대처방법을 살펴보면 다음과 같다.

(1) 영유아의 내재화 문제행동과 보육교사의 대처

낯선 사람이나 상황과 만나게 되면 어떤 영유아는 쉽게 다가 가지만, 어떤 영유아는 종종 행동을 억제함으로써 움츠러드는 경향을 보인다. 이러한 행동억제는 접근-회피 갈등에서 비롯된다. 즉, 다른 사람에게 다가가고자 하지만 동시에 회피하고자 하는 성향으로 접근이 억제되는 것이다(Asendorpf, 1991). 예를 들어, 어린이집에서 친숙하지 않은 또래가 등장했을 때, 행동을 억제하는 영유아는 상당 기간 동안 접근-회피 갈등을 경험할 수 있다. 이런

Jens B. Asendorpf

영유아들은 보통 보육실 구석에 숨어 있거나, 전혀 움직이지 않는 것처럼 보이기도 한다. Asendorpf(1991)의 연구에서 심지어 10분간 얼음 상태로 정지해 있는 유아가 관찰되기도 하였다. 그럼에도 불구하고 이 유아들은 지속적으로 친숙하지 않은 또래를 관찰하고 있는 것으로 나타났다. 같은 상황에서 외향적인 유아는 낯선 또래가 등장하면 처음 몇 초간은 주저하다가 곧 또래에게 다가가 같이 놀게 된다. 그러나 행동억제 성향이 높은 유아는 초기 행동억제 상태에서 사회적 상호작용을 시작하는 데 더 많은 시간이 필요하다는 것을 교사는 이해하고 있어야 한다.

영유아가 친숙한 또래나 친숙하지 않은 또래에게 다가가는 방법은 처음엔 평행놀이(또래 근처에서 비슷한 장난감을 가지고 상호작용 없이 노는 것; 사진 참조)를 하다가 그다음에 또래와 같이 활동을 하는 것이다. 이에 비해, 행동을 과도하게 억제하는 유아는 또래와 사회적 상호작용을 포기하고 그 대신에 사물에 집중하면서 조용히 혼자 노는 방식으로 접근-회피 갈등을 해결한다. 또한 행동을 억제하는 유아는 익숙하지 않은 또래와의 자유놀이 시간에 혼자놀이에서 사회적 상호작용으로 전환하지 않는다. 게다가 이들은 연령이 증가함에 따라 더 많은 시간을 혼자 수동적인 활동을 하는 데 보내는 반면에, 일반 유아들은 사회적 상호작용에 더 많은 시간

Kenneth H. Rubin

을 보내는 것으로 나타났다(Asendorpf, 1991).

　행동억제 성향이 높은 기질의 영유아는 외향적이거나 까다로운 영유아에 비해 상대적으로 소외될 가능성이 높아 투명인간 취급을 당할 위험이 크다. 교사가 이런 영유아의 지능을 과소평가하거나 다른 영유아보다 주의를 기울이지 않아서 이런 기질적 성향을 가진 영유아가 또래거부나 고립을 더 많이 경험하는 경향이 있다(Rubin & Mills, 1988). 또한 소심하거나 수줍어하는 영유아는 활동성이 높은 다른 영유아에 압도당하여 인지발달 과정에 어려움을 경험할 수도 있다(Rothbart & Jones, 1998). 지나치게 높은 수줍음 성향은 교사-영유아 관계에도 위험요소가 될 수 있다. 수줍어하는 영유아는 그렇지 않은 영유아보다 교사와의 관계에서도 친밀감이 낮고 갈등도 낮은 경향을 보인다(Rydell, Bohlin, & Thorell, 2005). 이것은 교사와 영유아 간의 상호작용이 다른 영유아에 비해 적기 때문인 것으로 나타났다.

　매우 소심하거나 수줍은 영유아에게 학기 초와 같은 새로운 환경이나 대집단 앞에서 말해야 하는 상황은 매우 도전적인 경험이 된다. 이들은 새롭거나 친숙하지 않은 자극에 심지어 공포반응을 보이기까지 한다(Kagan, 1997). 이러한 성향의 영유아를 대할 때 교사는 이들이 불안을 극복하고 교실활동에 자유롭게 참가할 수 있도록 도와주어야 한다. 예를 들어, 집단활동을 할 때 매우 수줍어하는 영유아는 친

숙하지 않은 또래보다 친숙한 또래와 짝을 지어 주어 활동을 이끌어 나갈 수 있도록 한다(사진 참조). 소심한 영유아에게 처음부터 활동을 주도하게끔 하는 것은 불안을 초래하므로 영유아에게 선택권을 주어 어느 친구와 활동하고 싶은지에 대한 의사표현을 정확히 하도록 자율성을 부여해 주는 편이 낫다. 이를 위해 교사는 평상시 영유아가 노는 것을 관찰하여 누구와 친하게 지내는지 알아야 한다. 또한 교사는 이런 성향의 영유아에게 지속적인 관심을 가져야 한다. 매우 수줍어하는 영유아에게는 교사가 먼저 상호작용을 유도하는 것이 좋고, 대집단 활동보다는 소집단 혹은 일대일 상호작용을 시도하는 것이 좋다.

사진 설명　수줍어하는 유아를 친숙한 또래와 짝을 지어 준다.

교사에게 과도하게 의존적인 영유아는 어린이집에 대해서도 부
정적인 태도를 갖게 되어 등원거부와 같은 행동을 초래할 수 있다.
의존성이 높은 영유아는 미성숙하거나 어린이집의 생활에 적응할
준비가 되어 있지 않아서 교사를 안전의 원천으로 과도하게 의지
하는 것이다. 따라서 교사는 이처럼 독립적이지 못한 영유아에게
일시적으로 부모를 대체하는 인물의 역할을 수행할 필요가 있으며
(Birch & Ladd, 1997), 이러한 성향의 영유아가 교사로부터 신뢰감,
안내, 도움을 받기 위해 과도하게 의존한다는 것을 이해해야 한다.

Gary W. Ladd

이러한 경우에 교사는 우선 영유아를 밀어내지 말고 안아 주는 것
이 좋으며, 수업을 진행할 때도 영유아를 교사 옆에 앉혀 놓고 한다면 영유아가 안
심할 수 있다. 그러나 보육실에서 교사에게 지나치게 매달리는 영유아의 요구를 다
들어주게 되면 영유아가 또래와 관계를 맺을 수 있는 기회를 막을 수 있다. 그렇게
되면 영유아의 사회적 상호작용은 제한되고 오히려 사회적 고립과 외로움을 느낄
수 있으므로 주의해야 한다.

　지나치게 수줍어하고 위축된 영유아를 만나게 되면 교사는 우선 이것이 영유아
의 기질적 성향인지 아니면 부모의 양육태도에 따른 결과인지를 살펴보아야 한다.
기질상 수줍어하고 자신감이 없거나 불안한 행동을 보인다면, 이를 이해하고 영유
아의 정서를 공감해 주어야 한다. 두려움과 수줍음이 창피한 것이 아니라는 것을
이해시킨다면 영유아가 교사와 긍정적인 관계를 맺을 수 있을 것이다. 또래 앞에
서는 것을 불안해한다고 해서 이를 고쳐 주기 위해 처음부터 앞에서 발표하는 것을
시키면 영유아는 더욱 불안해하고 두려워할 것
이다(사진 참조). 처음에는 또래 앞에서 영유아
에게 간단한 심부름을 시키는 등으로 작은 경험
들을 서서히 늘려 나가야 한다. 가정에서 부모
의 기대치가 지나치게 높거나 엄격해서 작은 실
수에도 호되게 꾸중을 듣게 되면 유아는 점점
위축된다. 만약 부모의 양육태도로 인해 나타
나는 위축된 행동이라면 유아를 잘 관찰하고 기
록해 두었다가 부모면담 때 이에 대해 상담하는
것도 하나의 해결방법이 될 수 있다.

사진 설명　수줍어하는 성향의 유아는 다른 사람들 앞
에서 발표하는 것이 두려울 수 있다.

(2) 영유아의 외현화 문제행동과 보육교사의 대처

지나치게 수줍어하는 영유아보다는 외향적인 성향을 가진 영유아가 교사와 성공적인 관계를 형성하기 쉽다. 하지만 경우에 따라 이러한 성향이 오히려 교사-영유아 간 갈등을 만드는 경우도 있다(Rothbart & Jones, 1998; Rudasill & Rimm-Kaufman, 2009). 예를 들어, 집단활동 시 소리를 지르거나 친구와 떠드는 등의 행동은 수업시간에 방해가 된다. 또한 영유아가 규칙을 어기고 교실질서를 엉망으로 만드는 것도 원만한 교사-영유아 관계를 위협하는 행동이 된다. 교사가 이러한 행동을 부정적으로 인식하게 되면, 외향적인 성향의 영유아를 교실에서 관리하는 데 어려움을 겪을 수 있다. 따라서 교사는 자신과 영유아를 위한 일과(routines)를 정하고 영유아가 교사가 기대하는 행동과 작업 수행의 정도를 잘 알 수 있도록 해야 한다. 교사가 교실 내 일과를 잘 관리하면 영유아는 교실에서 어떻게 행동해야 하는지를 이해하고 교실활동의 대부분을 구조화된 활동으로 보내게 된다(La Paro, Pianta, & Stuhlman, 2004).

교사는 집단활동 시 외현화 문제행동을 일으킬 가능성이 있는 영유아가 주어진 과제에 집중할 수 있도록 도와주어야 한다. 교사와 영유아의 관계가 긍정적으로 성립되면 교사는 영유아에게 안전기지(secure base)가 될 수 있고, 이러한 지지는 영유아가 교실에서 적절한 행동을 하도록 돕는다. 외현화 문제행동을 보이는 영유아라도 영유아의 신호에 민감한 교사를 만나면 자기신뢰가 증가하고, 부정적 행동을 적게 하며, 과제에서 이탈하는 시간도 줄어드는 것으로 나타났다(Rimm-Kaufman et al., 2002). 따라서 교사는 영유아의 문제행동에만 집중하기보다는 교사 자신이 영유아의 신호에 먼저 민감했는지를 살펴봐야 한다. 그리고 교사가 영유아에 대한 기대를 너무 높게 설정한 것은 아닌지 고민해 볼 필요가 있다. 아직 어린 영유아에게 과제수행, 생활습관 등 모든 영역에서 잘할 것으로 기대하고 이에 미치지 못하는 영유아를 부정적인 시각으로 보아서는 안 될 것이다.

영유아가 공격적인 행동을 보일 때 교사가 초기 반응을 적절하게 하지 않으면 영유아의 공격성은 더욱 거칠어진다. 우선 교사는 갈등을 일으킨 선행사건이 무엇인지, 영유아의 욕구가 무엇인지에 대한 전체적인 상황을 파악해야 한다. 그리고 영유아가 왜 그런 행동을 하게 되었는지 이해하고 공감해 주어야 한다. 영유아가 화가 났을 때 소리를 지르거나 공격적인 행동을 하는 것은 정상적이다. 유아의 사회적 상호작용 특성에는 소유욕, 공유감 부족, 갈등 등이 나타나기 때문에 공간, 장난

감, 놀이에 대한 싸움은 보육현장에서 자주 일
어나는 일이다(Campbell, 2007). 그러므로 영
유아에게 친구와 사이좋게 하나의 장난감을
가지고 노는 것을 기대하는 것은 무리다. 차라
리 같은 장난감을 여러 개 준비해서 일어날 수
있는 갈등을 사전에 미리 예방하는 것도 방법
이다(사진 참조). 만약 교사가 물리적인 처벌을

하게 되면 그 순간에는 제압이 가능하지만 교사가 안 보는 곳에서 영유아는 공격적
인 행동을 반복하게 된다. 따라서 교사는 영유아에게 공격적인 행동을 적절하게 통
제하는 법을 보여 줘야 한다. 그러나 Dobbs와 Arnold의 연구(2009)에 따르면, 교사
들은 잘못 행동하는 유아나 외현화 문제가 더 많다고 보고한 유아의 행동을 통제하
기 위해 선제적으로 빈번한 명령의 형태로 외부 통제하는 모습을 보이는 것으로 나
타났다. 마찬가지로 국내 연구(김미해, 옥경희, 2012)에서도 교사들은 유아의 공격
성에 대한 반응으로 세력행사 전략이나 심리적 통제를 비롯한 강압적인 전략을 자
주 사용하는 경향을 보였다. 그러나 영유아의 공격성에 교사도 똑같은 폭력적인 방
법으로 접근하는 것은 위험하다. 공격성을 영유아가 하면 안 되는 행동으로 인식할
수 있도록 접근해야 한다. 이를 위해 교사는 다양한 사회적 전략을 활용할 수 있도
록 관련 교육이나 훈련을 통해 지속적으로 배워 나가야 한다. 무엇보다 교사의 설
명에 영유아가 따르기 위해서는 교사-영유아 관계가 친밀해야 한다. 영유아가 교
사를 좋아하게 되면 교사의 말을 잘 듣게 된다. 실제로 교사와 영유아 간의 친밀도
가 높으면 외현화 문제행동이 적은 것으로 나타났다(Baker, 2006).

　영유아가 공격적인 행동을 했다면, 그 결과
상대방이 느끼게 되는 정서를 공감할 수 있는
능력을 키워 줘야 할 필요가 있다. 예를 들어,
교사는 영유아가 친구의 장난감을 빼앗을 때 친
구의 기분이 어떤지 설명해 주어 장난감을 뺏긴
친구의 정서를 공감할 수 있도록 도와준다. 일
반적으로 또래다툼은 또래 선호도에 나쁜 영향
을 미치고, 협동적인 행동이나 나누기 같은 행
동은 영유아들의 사회적 선호도와 밀접히 관련

사진 설명　협동적인 행동을 통하여 긍정적인 관계를
유지할 수 있다.

되므로(Keane & Calkins, 2004), 교사는 친사회적 행동을 장려하는 분위기를 이끌어 나가야 한다.

부주의한 영유아의 경우, 교사는 영유아가 장시간 활동에 집중하지 못하므로 긴 과제를 할 때에는 짧은 단위로 끊어서 제시하도록 한다. 그리고 한 번에 하나의 과제만 영유아에게 제시하고 주어진 과제를 수행할 수 있는 여분의 시간을 허용하는 것이 좋다. 또한 좋은 역할모델을 보여 줄 수 있는 또래 근처에 영유아를 앉혀서 학습과 모방이 이루어지도록 도와준다.

충동적인 영유아일 경우, 교사가 영유아의 부적절한 모든 행동에 관여할 수는 없기 때문에 사소한 부적절한 행동은 적절히 무시하도록 한다. 교사가 영유아의 잘못된 행동을 지적할 때는 신중해야 하며 이를 비난하는 것은 삼가도록 한다. 그리고 영유아가 잘한 행동에 대해서는 즉각적으로 보상을 주는 것이 좋다.

교사는 문제행동이 일어난 이후 반응하는 소극적인 자세보다는 사전에 미리 예방하는 적극적인 자세가 필요하다. 영유아가 문제행동을 해서 교사로부터 부정적인 주의를 받게 되면 다른 또래들이 그 영유아를 덜 좋아하게 된다. 그 결과 또래관계에서 어려움을 겪을 수 있다. 따라서 교사는 영유아가 아닌 문제행동 자체에 주의를 집중해야 한다.

3) 영유아 문제행동과 부모면담

교사가 영유아의 문제행동에 대해 직접 관찰을 함으로써 영유아의 행동을 평가할 수 있다. 그러나 영유아의 문제행동은 영유아 자체에만 원인이 있는 것이 아니므로 외부 요인의 영향을 고려해야 한다. 즉, 영유아를 포함하고 있는 환경 전체를 하나의 단위로 인식해야 한다. 영유아의 문제행동과 관련된 잠재요인 중의 하나는 영유아가 가족구성원과의 관계에서 겪은 경험이다. 특히 부모의 부정적인 양육행동은 영유아의 공격성과 같은 외현화 문제행동과 관련이 높은 것으로 나타났다(Rubin et al., 2003). 국내 연구(유일영, 유현정, 2010)에서도 어머니가 부정적인 양육태도를 보일수록 영유아가 문제행동을 많이 보이는 것으로 나타났다.

정서적 혹은 행동적인 문제행동을 보이는 유아에 대해 교사가 정확하게 식별하여 이후 발달에 미치는 영향을 줄이기 위해 조기에 개입하여 위험도를 낮추는 것이 중요함에도 불구하고 교사들 중에는 유아의 문제행동에 개입하는 것을 주저하는 경우도 많다. 문제행동을 보인 유아를 식별하는 것이 보육기관에서 제공하는 서비스와 관련이 없다고 생각하거나, 혹은 유아를 낙인찍는 것과 같은 느낌이 들어 피하고 싶어한다. 그리고 유아의 문제를 부모에게 알리는 과정에서도 큰 부담감을 느끼게 된다(사진 참조). 교사 입장에서는 영유아의 문제행동에 대해서 부모와 면담한다는 것이 상당히 두려울 수 있다. 하지만 교사는 부모와의 면담

을 통하여 영유아의 행동이나 성장과정에 대한 정보를 수집하고, 영유아의 문제행동을 부모와 의논하고 공유해야 한다. 면담은 학기 초나 학기 말에 하는 정기면담과 필요에 의해 하는 수시면담으로 나눌 수 있다. 정기면담은 보통 전체 부모를 대상으로 이루어지고, 교사와 부모가 영유아의 발달 전반에 관한 정보를 주고받는다. 만약 영유아의 문제행동과 같은 특별한 목적이 있는 경우에는 정기면담 이외에 개별적으로 수시면담을 할 수 있다. 이때 교사는 영유아가 문제행동을 보이는 상황에서만 부모와 면담하는 것이 아니라 적당한 간격으로 규칙적인 만남을 갖는 것이 부모의 참여를 용이하게 이끌 수 있다. 정기면담이든 수시면담이든 교사가 부모와 면담을 할 때에는 사전에 준비한 객관적인 자료를 가지고 면담을 해야 한다. 즉, 교사가 영유아를 관찰하면서 꾸준히 평가해 온 자료를 바탕으로 영유아의 문제행동에 대해 설명한다면 부모 입장에서는 더 객관적으로 받아들이게 되고, 교사를 신뢰할 수 있다.

　부모라면 누구나 자녀의 문제행동에 대해서 순순히 받아들이지 않을 것이다. 부모에 따라 교사의 의견을 이해하고 이행하는 능력도 차이가 있을 수 있다. 어떤 부모는 자녀의 문제 자체를 아예 부정하기도 하고, 어떤 부모는 자녀의 문제가 자신의 탓으로 보일까 봐 두려워 방어적으로 행동하기도 한다(Wicks-Nelson & Israel, 2000). 때로는 교사와 어린이집의 탓으로 돌리는 부모도 있어서 교사를 힘들게 할 수 있다. 교사입장에서는 차라리 면담을 피하고 싶은 마음이 들 때도 있겠지만, 어떤 상황에서든지 부모는 영유아의 행동수정에 절대적인 역할을 하므로 교사는 부모의 참여를 이끌어 내도록 노력해야 한다.

Allen C. Israel

영유아의 문제행동을 지나치게 부각시켜 설명하면 부모의 반발이 커질 수밖에 없다. 교사는 부모에게 영유아의 문제행동을 단정적으로 말하기보다는 "~하는 면이 있어요"라는 식으로 설명하는 것이 부모입장에서 좀 더 수월하게 받아들이게 된다. 또한 지나치게 전문용어(예: ADHD, 내적 작동모델 등)를 사용하여 설명하기보다는 영유아의 행동을 예를 들어 설명하는 것이 더 좋다(예: "설명할 때 딴 곳을 쳐다봐요" "대집단 활동 시 돌아다니고 활동에 참여하지 않아요" 등).

교사는 문제행동의 원인을 부모와 영유아의 문제로만 접근하거나 전달하지 않도록 주의할 필요가 있다. 교사는 부모와 함께 원인을 모색해 보고, 가정과 어린이집이 연계하여 도움을 줄 수 있는 방법을 찾아보도록 한다. 그리고 부모의 직업과 배경을 고려하여 구체적인 도움을 줄 수 있도록 해야 한다. 예를 들어, 불안정한 모습을 보이는 유아를 위해 직업특성상 3교대 근무하는 간호사 어머니에게 무조건 자녀와 함께 시간을 보내라고 권할 수는 없다. 차라리 주변에 지원이 가능한 다른 양육자를 찾아보되, 영유아의 안정적인 애착을 고려하여 양육자가 자주 바뀌지 않는 것이 바람직하다는 충고를 해 주는 편이 더 낫다.

사진 설명 교사회의를 통하여 영유아의 문제행동에 보다 객관적으로 접근할 수 있다.

영유아의 문제행동에 대해서 교사 혼자 판단하기보다는 미리 교사회의를 통하여 다른 교사들과 충분히 의논한 후에 부모와 면담을 하는 것이 좋다(사진 참조). 교사회의를 통하여 영유아가 가지고 있는 문제가 무엇인지 분석하고 그 심각성을 고려하여 전문가의 치료적 개입이 필요한지 판단한 후에 부모면담 시 정확하게 알려 주어야 한다. 그리고 부모가 영유아의 행동에 문제가 있다는 것에 동의한다면 치료 전문기관 목록을 사전에 조사해 두었다가 부모에게 조심스럽게 권유해 볼 수도 있을 것이다. 그러나 부모가 동의하지 않는다면 영유아의 문제행동을 좀 더 지켜본 후에 다시 부모와 면담 기회를 갖도록 하거나, 치료기관의 명함 및 브로서 등을 전달한 후 나중에 다시 말할 기회를 모색해 보는 것이 좋다.

3. 영유아의 문제행동과 보육교사의 대처방안

생각해 보기

1 교사와 유아 간의 관계에서 안정적인 애착형성이 중요하다. 그러나 교사 자신의 애착 검사 결과, 불안정 애착유형일 경우 어떻게 유아와의 관계를 안정적으로 성립해 나갈 수 있는지 토론해 봅시다.

2 유아기의 발달과정에서 나타나는 문제행동을 보고 다른 행동들까지 편견을 가지고 단정하지 않았는지 생각해 보면서 교사 자신의 민감성과 정서적 지지를 어떻게 향상시킬 수 있는지에 대해 토론해 봅시다.

3 낯가림이 심한 유아가 연말 발표회 무대에 서지 않겠다고 한다. 이럴 때 교사가 어떻게 해야 하는지, 그리고 부모와 어떻게 상의해야 하는지 생각해 봅시다.

제6장

하루일과 운영과 보육교사의 역할

보육과정의 목표 및 내용, 영유아의 경험과 흥미를 기초로 보육계획이 수립되었다면 교사는 이를 학급에서 실행하게 된다. 영유아가 안전한 환경 속에서 개별화된 교육을 통해 건강한 성장과 발달을 이룰 수 있도록 하루일과는 이루어져야한다. 또한 그 안에서 영유아의 전인적 발달을 증진하기 위해 교사는 영유아의 개별적 발달특성과 흥미를 존중하고, 영유아와의 다양한 상호작용을 통해 긍정적인발달을 도모하는 것이 중요하다. 교사는 영유아의 등원 맞이하기로 시작하여 신발과 옷 벗기, 손 씻기와 양치하기 등의 자조활동, 간식과 식사하기, 기저귀 갈기와대소변 가리기, 낮잠과 휴식하기 등의 일상적 생활, 자유롭게 탐색하고 놀이하기,실외놀이하기, 산책하기 등의 교육활동, 영유아의 귀가 후 가정에서의 생활을 지원하는 부모와 협력에 이르기까지 다양한 활동 속에서 끊임없이 영유아와 상호작용해야 한다.

이 장에서는 영유아의 하루일과 운영을 연령별로 나누고 영아의 하루일과 운영은 만 1세반을 중심으로, 유아의 하루일과 운영은 만 4세반을 중심으로 살펴보며,하루일과 운영에 대한 설명과 함께 각 일과에서 보육교사의 역할에 대해 살펴보고자 한다.

1. 하루일과에 대한 이해

어린이집의 하루일과는 크게 실내 · 외 자유놀이, 대 · 소집단 활동 등의 교육활동과 식사 · 낮잠 · 화장실 가기 등의 일상생활로 구성된다. 영유아의 건강상태, 흥미, 원내 상황 등에 따라 융통성 있게 운영될 수 있지만, 기본적으로 하루일과는 규칙적으로 진행된다. 규칙적인 일과를 진행함으로써 영유아에게 균형 잡힌 다양한 경험을 제공하고, 일과에 대한 예측을 가능하게 하여 심리적 안정감을 갖도록 하는 것이 중요하다.

1) 하루일과 운영의 개념

하루일과는 날마다 하는 일정한 일로 영유아가 하루 중 언제, 어디서, 무엇을, 어떻게 경험하는 일상적인 일이라고 할 수 있다. 하루일과 운영은 영유아의 전인적인 발달을 위해 다양한 교육적 · 일상적 활동을 하루 단위로 적절한 시간과 순서를 정해 계획하고 실행하는 것을 의미한다. 대부분 하루일과는 시간대별 활동이 규칙적으로 제시되나, 영유아의 기분 · 건강상태 · 흥미에 따라 변경될 수 있다. 하루일과는 서로 다른 여러 가지의 활동들로 구성되며, 일일보육계획안을 기초로 하여 계획, 실행하고 이를 평가하는 순환적인 과정으로 진행된다.

2) 하루일과 운영의 원리

제4차 어린이집 표준보육과정과 누리과정은 0~1세, 2세, 3~5세 과정으로 나누어 운영되는데, 모든 과정에서는 기본적으로 영유아가 어린이집에서 편안하고 행복한 일상생활을 하는 것에 중점을 두고 일과를 구성한다. 즉, 하루일과는 반드시 영유아가 편안하게 일상생활을 유지하고 영유아의 놀이가 충분히 일어날 수 있도록 하며, 영유아의 흥미나 관심을 반영하여 융통성 있게 수정할 수 있어야 한다(〈표 6-1〉 참조).

〈표 6-1〉 **하루일과 운영에 따른 보육교사의 준비사항**

- 하루일과는 보육계획에 기초하여 영유아에 대한 개별적인 보호와 교육적 경험이 균형 있게 이루어지도록 한다.
- 하루일과를 규칙적으로 운영하되, 영유아의 개별적 요구, 활동 주제, 원내 행사 등을 고려하여 매일 일과를 점검하고 융통성 있게 진행한다.
- 개별 영유아의 흥미와 수준을 고려한 환경 구성과 다양한 놀이 및 활동을 통해 질 높은 교육적 경험이 이루어지도록 한다.
- 활동을 계획할 때 동적 활동과 정적 활동, 개별 활동과 집단 활동, 교사 주도 활동과 유아 주도 활동, 실내 활동과 실외 활동 등의 균형을 고려하여 활동을 비치한다.
- 실내 자유놀이 시간에는 다양한 흥미 영역의 활동을 준비하여 영유아가 자신의 흥미와 관심에 따라 놀이를 선택할 수 있도록 한다.
- 유아반은 연령증가에 따라 대·소집단 활동의 비중이 증가하고, 활동의 확장 및 심화를 고려하여 놀이시간의 연장 등 융통성 있는 운영이 필요하다.

3) 하루일과 운영 중 기본생활지도의 원리

교사는 영유아의 하루일과 운영에 있어 기본생활지도를 전제로 한다. 기본생활은 영유아가 건강을 유지하고 사회관계를 유지하기 위해 기본적으로 몸에 익히고 지켜야 할 생활 태도를 의미한다. 영유아기는 발달과 성숙이 급속하게 진행되며 일상생활의 기본습관과 태도가 형성되는 시기이므로 바람직한 기본생활습관을 형성하는 것이 중요하다(〈표 6-2〉 참조).

〈표 6-2〉 **기본생활지도에 따른 보육교사의 준비사항**

- 다양한 일상생활에 주도적으로 참여할 수 있는 영유아의 능력에 대한 신뢰를 갖는다.
- 영유아가 자율성 증진을 통해 문제를 스스로 해결할 수 있는 힘을 기르는 데 중점을 둔다.
- 영유아의 기본생활과 관련된 자조 능력은 신체, 인지, 언어, 사회, 정서발달과 밀접한 영향을 가지므로 전반적인 발달단계를 고려하여 지도한다.
- 영유아에게 기본생활과 관련된 자조 능력을 갖추도록 강요하지 않으며, 영유아의 개인차를 고려하여 단기적 관점이 아닌 중장기적 관점에서 지도한다.
- 영유아의 동기, 노력, 성취에 초점을 맞춰 인정과 격려 등의 긍정적 강화를 통해 영유아를 격려한다.
- 반복적으로 연습할 수 있도록 일관성 있고 체계적으로 지도한다.
- 언어를 통한 지시보다는 기본생활에 대한 교사의 모델링을 통해 영유아가 배울 수 있도록 한다.
- 어린이집에서의 지도가 가정과의 연계를 통해 지속적으로 유지될 수 있게 한다.

2. 영아반 하루일과 운영과 보육교사의 역할

영아들의 경험과 흥미를 중심으로 이루어지는 보육과정은 다양한 놀이와 일상생활 속에서 일어난다. 하루의 시간대 편성은 어린이집의 운영 상황, 계절, 일과 등에 따라 변화될 수 있으며, 학기 초에는 개인차가 큰 영아의 발달특성을 고려하여 융통성 있게 일과가 운영된다(〈표 6-3〉 참조).

교사는 하루일과를 통해 일상에서 안전하고 건강한 양육을 제공하고, 동시에 다양한 교육적 경험과 질 높은 상호작용을 제공하는 교수자로서의 역할을 담당한다. 이를 위해 계획된 교육활동에 대한 실행자, 상호작용자, 지원자, 관찰자, 민감한 반응자, 따뜻하고 안정적인 정서제공자 등 영아의 발달수준과 개별적 요구에 적합한 교사의 역할이 요구된다(푸르니보육지원재단, 2016).

〈표 6-3〉 **만 1세반 하루일과표 예시**

시간	주요 일과	주요 활동 내용
7:30~9:10	등원 및 오전 통합보육/ 오전 간식	• 영아의 건강상태에 대해 보호자와 간단한 대화, 전달사항 확인하기 • 보호자와 헤어지고 선생님과 인사하기 • 통합교실에서 개별적 놀이하기 • 선생님 도움 받아 손 씻고 오전 간식 먹기
9:10~10:20	오전 실내 자유놀이	• 신체, 언어, 감각·탐색, 표현 영역에서 이루어지는 자유로운 활동 및 놀이하기
10:20~10:30	정리 및 전이	• 놀이 끝내기 및 놀잇감 제자리에 놓기 • 간단한 활동하며(노래 부르기, 손유희 등), 다음 놀이 장소로 이동하기 • 기저귀 갈기 및 화장실 가기(배변훈련)
10:30~11:20	오전 실외 및 실내 놀이터 자유놀이	• 신발과 겉옷 착용 후, 실외 놀이터 나가기 • 실내 놀이터에서 계획된 대체활동을 하거나 영아용 복합시설물 오르내리기
11:20~12:30	정리 및 점심/ 이 닦기	• 선생님 도움 받아 손 씻고 앞가리개 하기 • 포크나 수저를 사용하여 스스로 먹기 • 선생님 도움 받아 양치하기 • 기저귀 갈기 및 화장실 가기(배변훈련)

12:30~15:00	낮잠 및 휴식	• 선생님의 자장가나 조용한 음악 들으며 낮잠 자기 • 기분 좋게 일어나기 • 개별적으로 기저귀 갈기 및 화장실 다녀오기 • 영아와 교사가 개별적 조용한 놀이하기
15:00~15:30	정리 및 오후 간식	• 선생님 도움 받아 손 씻고 오후 간식 먹기
15:30~17:00	오후 실내 자유놀이	• 신체, 언어, 탐색, 표현 영역에서 이루어지는 자유로운 활동 및 놀이하기 • 오전 실내 자유놀이와 연계, 반복, 확장하여 놀이하기
17:00~17:50	오후 실외 및 실내 놀이터 자유놀이	• 신발과 겉옷 착용 후, 실외 놀이터 나가기 • 실내 놀이터에서 계획된 대체활동을 하거나 영아용 복합시설물 오르내리기 • 교실 외 다른 공간으로 이동하여 놀이하여 변화 주기
17:50~18:30	저녁식사	• 선생님 도움 받아 손 씻고, 앞가리개 하기 • 즐겁게 식사하기
18:30~19:30	야간 통합보육 및 귀가	• 선생님과 함께 조용한 놀이하기 • 귀가 준비하기(씻기, 머리 빗기, 옷 입기 등) • 선생님과 인사하고 보호자와 귀가하기

1) 등원 및 오전 통합보육

　등원 시간은 교사가 영아를 개별적으로 만나는 첫 시간이다. 교사는 등원 시간 전에 미리 교실을 점검하고, 그날의 보육활동 자료(활동용 교재교구)를 준비한다. 교사는 영아를 따뜻하게 맞이하고, 보호자와 간단한 대화를 통해 영아의 건강상태를 확인해야 한다. 어린이집에서 건강하고, 안전한 하루를 보내기 위해서 등원 시간을 기분 좋게 맞이하는 것이 영아, 부모, 교사 모두에게 중요하다. 어린이집의 운영시간은 기관에 따라 차이가 있으나, 보통 9시 이전에는 통합교실에서 오전 통합보육으로 이루어진다. 담임교사가 영아의 등원 맞이를 하지 못한 경우에는 오전 통합보육을 진행한 당직교사로부터 보호자의 전달사항 및 등원 시 특이사항을 반드시 확인해야 한다(〈표 6-4〉 참조).

〈표 6-4〉 **등원 시간 보육교사의 역할**

- 교사는 영아가 등원하기 전, 충분한 교실 환기, 온도 및 습도 점검, 위험 요소 등 안전위생 요소를 점검하고, 보육계획에 따른 놀잇감과 환경 구성을 점검한다.
- 보호자와 영아를 따뜻하게 맞이하고, 영아의 전반적인 건강상태를 확인한 후, 전날 하원 후부터 당일 아침까지의 영아에 대한 정보를 간단하게 파악한다.
- 보호자와 헤어지기 힘들어하는 영아는 정서적으로 안정될 수 있도록 다독이고, 편안해질 때까지 기다려준다.
- 투약이 필요한 경우, 보호자가 투약의뢰서를 작성하도록 안내하고, 주요 전달사항을 꼼꼼하게 확인한다.
- 영아와 함께 개인 사물함에 신발, 옷, 개인용품을 넣도록 지도한다.
- 각반 교실 또는 통합교실에서 영아가 하고 싶은 놀이를 개별적으로 시작할 수 있도록 돕고, 수용적이고 편안한 분위기에서 천천히 하루일과를 시작할 수 있도록 배려한다.
- 아침잠이 부족한 영아를 위해 조용히 쉴 수 있는 공간을 마련한다.

사진 설명 교사가 영아 등원 전, 교실 환경 정비를 하고 있다.

사진 설명 영아가 보호자와 함께 등원하여 교사와 인사를 나누고 있다.

사진 설명 등원하기 힘들어했던 영아가 안정감을 느낄 수 있도록 교사가 안아주고 있다.

사진 설명 영아가 등원하여 스스로 양말을 벗을 수 있도록 교사가 도움을 주고 있다.

2) 실내 자유놀이

실내 자유놀이는 교실에 마련된 환경 안에서 영아의 관심과 흥미에 따라 놀이를 선택하고 활동할 수 있는 시간으로 하루일과 중 가장 중심적인 활동 시간이다. 영아반 교실 안에는 1세반 기준 일상생활, 신체, 언어, 감각·탐색, 표현 영역을 시작으로 연령이 증가할수록 영역의 수가 많아지고 세분화된다. 교사는 영아들의 놀이가 원활히 진행될 수 있도록 환경이나 자료를 지원해야 하며, 놀이에 직접 참여할 수 있고, 영아의 놀이를 관찰함으로써 발달상황을 평가할 수도 있다. 영아에 따라 놀이에 있어 개인차가 크기 때문에 교사는 영아의 개별적 특성이나 요구를 고려하여 활동을 제안하거나 반응해 주어야 한다. 영아는 새로운 사물이나 상황을 접하면 먼저 탐색 활동을 하고, 탐색을 통해 익숙하게 된 후 놀이를 하게 된다. 영아에게 새로운 사물이나 놀잇감, 교실 환경을 제공할 때는 먼저 영아 자신의 감각 능력 및 운동능력에 기초하여 사물을 탐색해 보는 시간을 충분히 제공하는 것이 중요하다 (〈표 6-5〉 참조).

〈표 6-5〉 **실내 자유놀이 시간 보육교사의 역할**

- 실내 자유놀이의 활동 주제는 영아의 흥미와 발달수준에 따라 선정한다.
- 각 영역의 활동을 균형 있게 계획하고, 계획한 활동 중에서 영아가 스스로 선택하고 자발적으로 놀이에 참여할 수 있도록 돕는다.
- 영아의 발달수준에 적합한 놀잇감을 제공하고, 교사, 또래, 놀잇감과의 적극적인 상호작용이 이루어지도록 돕는다.
- 영아의 놀이 행동을 주의 깊게 관찰하고 놀이에 참여하기, 지지하기, 놀이 확장하기, 제안하기, 모델링 제시하기 등의 역할을 수행하며 상호작용 한다.
- 영아의 요구나 흥미를 토대로 활동을 계획하고 실행하는 과정에서 피곤해하거나 기분이 좋지 않을 때, 흥미가 다른 곳으로 이동했을 때는 영아의 반응을 수용하고 적절히 반응해 주는 것이 바람직하다.
- 영아는 활동량이 많고 쉽게 지치므로, 움직임이 많은 대근육 활동 후에는 그림책 보기 등 정적인 활동으로 휴식을 취할 수 있게 돕는다.
- 영아들이 서로 방해받지 않도록 공간을 확보해 주고, 수시로 바닥에 있는 놀잇감을 확인 및 정리하여 영아가 안전하게 놀이할 수 있도록 한다.
- 오후 실내 자유놀이는 새로운 활동을 실시하기보다 영아의 개별적 흥미와 관심에 따라 오전에 실시되었던 놀이를 반복, 확장할 수 있게 한다.
- 오전 놀이 중 반복하여 진행하기 어려운 활동(물감놀이, 요리활동 등)은 다른 활동으로 대체하여 실시한다.

사진 설명   교사는 교실 전체가 보이는 위치에서 영아와 상호작용하고 있다.

사진 설명   영아가 교실 안 신체 영역에서 교사의 손을 잡고 큰 블록 위를 걷고 있다.

사진 설명   영아가 언어 영역에서 교사와 상호작용하며 책을 읽고 있다.

사진 설명   영아가 표현 영역에서 물감 놀이를 하고 있다.

3) 정리 및 전이

자유놀이 시간을 끝낼 때 교사는 다음 활동으로 자연스럽게 전이되도록 하며, 급하게 놀이를 중단하거나 다음 활동을 위해 영아가 오래 기다리지 않도록 주의한다. 정리할 때는 영아들이 흥미를 가질 수 있도록 끌차에 실어 운반하기, 바구니에 놀잇감 넣어 정리하기 등 즐거운 마음으로 정리할 수 있도록 놀이화한다. 정리를 한 후 다음 활동이 이루어지거나 다른 장소로 이동하기 위해 영아를 모이도록 할 때는 짧은 노래, 손유희, 율동 등 간단한 활동으로 영아의 흥미를 유도한다. 이러한 전이 활동은 다음 일과를 준비하고 기다리는 동안 실시하는 것이므로 대집단 활동이 되지 않도록 유념한다(〈표 6-6〉 참조).

〈표 6-6〉 **정리 및 전이 시간 보육교사의 역할**

- 자유놀이가 끝나기 5~10분 전 정리시간이 다가온다는 것과 다음 일과에 대해 미리 안내하여 변화를 준비할 수 있도록 한다.
- 놀이에 집중하고 있는 영아를 예고 없이 다른 일과로 전환 시키지 않는다.
- 놀이 전개가 매우 활발한 경우, 교사는 실내 자유놀이 시간을 연장시키는 등 하루일과를 융통성 있게 조절한다.
- 놀잇감 정리는 대부분 교사가 정리하고, 영아는 1~2개만 잘 정리할 수 있도록 하거나 놀잇감의 자리를 찾아보는 정도로 지도한다.
- 놀잇감을 제자리에 놓을 수 있도록 교구장에 놀잇감의 사진이나 그림을 붙여 놓는다.
- 정리시간에 교사가 정리하는 모습을 보여 모델링할 수 있도록 하고, 치우기 경쟁이 되지 않도록 주의한다.
- 영역별, 활동별로 정리에 소요되는 시간 차이를 고려하여 정리 시점을 다르게 할 수 있다. 예를 들어, 미술과 쌓기 영역은 미리 정리를 시작하고, 감각·탐색과 언어 영역은 나중에 시작하여 거의 비슷한 시각에 마무리되도록 한다.
- 개별적으로 기저귀를 확인하고 기저귀 갈기를 실시한다. 단, 기저귀 갈기는 전이 시간에만 실시하는 것이 아니라 개별 영아의 배변 리듬에 따라 수시로 확인하고 개별적으로 실시한다.
- 정리 후 전이 시간에는 잠시 모여 그림책을 읽거나 간단한 손유희와 노래, 반복되는 말놀이를 할 수 있고, 개별적으로 옷 갈아입기, 기저귀 갈기, 물 마시기 등을 실시할 수 있다.

사진 설명　교사가 우크렐레를 치며 정리 노래를 부르고 있다.

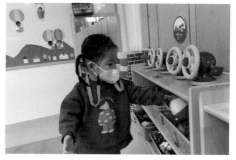

사진 설명　영아가 놀잇감을 정리하고 있다.

사진 설명　영아가 다음 장소로 이동하기 전 물을 마시고 있다.

사진 설명　영아들이 전이 시간 간단한 손유희를 하고 있다.

4) 기저귀 갈기 및 배변훈련

　　기저귀 갈기와 배변훈련은 하루일과 중 중요한 시간으로, 전이 시간이나 낮잠 시간 전뿐 아니라 영아의 배변 주기에 따라 수시로 확인하면서 개별적으로 실시해야 한다. 기저귀를 가는 시간에는 이 시간이 편안하고 즐겁게 느껴지도록 영아와 눈을 맞추며 이야기를 하거나 다리를 부드럽게 마사지해 주는 등 개별적인 상호작용을 한다. 배변훈련은 영아가 준비되었을 때 시작해야 하므로 가정과의 일관적인 연계가 중요하다. 교사는 가정에서 대소변 가리기를 강압적으로 시작하지 않도록 유의하고, 배변 실수로 인해 영아가 수치심 혹은 두려움을 갖지 않도록 주의를 기울이는 것이 필요하다(〈표 6-7〉 참조).

〈표 6-7〉 **기저귀 갈기 및 배변훈련 시간 보육교사의 역할**

- 기저귀를 가는 일정한 장소를 정해 놓고 위생적으로 관리한다.
- 기저귀를 가는 일정한 장소에 개별 기저귀, 물티슈, 발진 크림, 비닐장갑, 소독제 등 필요한 물품을 바구니에 준비해 둔다.
- 기저귀 갈기 전후에 교사는 반드시 손을 씻고, 영아의 배변 상태를 확인한 후 건강상태를 점검한다.
- 기저귀를 갈 때는 교사가 주도하지 않고, 상호작용을 통해 영아와 함께 한다는 느낌을 전달해야 한다.
- 화장실에서 스스로 옷을 내리고 올리도록 격려해 주고, 도움이 필요한 경우 적절한 도움을 제공한다.
- 영아가 배변 이후에는 반드시 손을 씻도록 지도한다.
- 화장실 바닥에는 물기가 없도록 하고, 영아가 미끄러지지 않도록 안전에 주의한다.

사진 설명　기저귀를 갈기 전, 교사가 손을 씻고 있다.

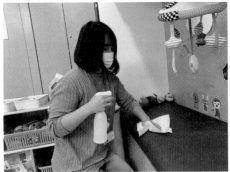

사진 설명　한 영아의 기저귀를 갈고 다른 영아의 기저귀를 갈기 전에 매트를 소독하고 있다.

사진 설명 기저귀를 갈면서 영아와 눈 맞춤하고, 이야기를 나누고 있다.

사진 설명 교사는 화장실에서 영아 스스로 옷을 벗고 입도록 격려하고 있다.

5) 실외 및 실내 놀이터 자유놀이

영아는 실내뿐 아니라 넓은 공간에서 마음껏 뛰어놀고 실외의 자연환경을 통해 자유로운 탐색이 이루어져야 한다. 실외 놀이터에서도 실내 자유놀이와 마찬가지로 영아의 흥미에 따라 놀이를 선택할 수 있도록 다양한 영역(신체 영역, 물·모래 영역, 탐색 영역, 미술 영역, 역할 영역, 음률 영역 등)이 균형 있게 마련되어야 한다. 영아에게 실외 놀이터 등에서의 야외활동은 신체적인 발달과 심리적 발산의 기회가 되며, 다양하게 느끼고 탐색할 수 있는 경험을 제공해 준다. 실외 놀이터가 없는 경우에는 어린이집 주변의 공원, 산책로 등 대체시설을 이용하여 안전하게 활동한다(〈표 6-8〉 참조).

〈표 6-8〉 실외 및 실내 놀이터 시간 보육교사의 역할

- 실외놀이를 나가기 전 영아의 기저귀 상태를 확인하고 대소변 가리기가 가능한 영아는 화장실에 미리 다녀오게 한다.
- 실외놀이를 하기 위해 옷을 입거나 신발을 신는 활동을 통해 기본생활습관을 자연스럽게 기를 수 있도록 한다.
- 놀이 장소를 이동할 때는 안전에 주의하며, 이동 전후 수시로 인원을 점검한다. 교사 한 명은 앞쪽, 다른 한 명은 뒤쪽에서 영아 모두를 챙기며, 항상 시야에 전체 영아를 파악할 수 있도록 한다.
- 되도록 대집단으로 이동하지 않고, 소집단으로 나누어 이동할 수 있도록 한다.
- 교사는 실외놀이 전 놀이기구 및 주변 환경에 위험 요소가 있는지 반드시 확인한다.
- 미끄럼틀, 그네, 기어오르기, 달리기 등 신체활동과 물·모래와 같은 감각적 경험, 자연환경을 탐색할 수 있는 다양한 기회를 제공한다. 즉, 동적인 활동뿐 아니라 정적인 활동도 이루어질 수 있도록 계획한다.

- 실내에서 활동하기 부담스러운 물, 모래, 물감을 이용한 활동을 제공하여 공간 제약 없이 놀이할 수 있도록 한다.
- 그늘진 곳에 돗자리를 깔아두거나 물을 준비하여 영아가 놀이하다가 힘들면 편안하게 쉴 수 있도록 휴식 공간을 마련한다.
- 실외놀이는 계절 및 날씨에 따라 시간대를 조절할 수 있고, 매일 황사, 미세먼지 등 대기오염도와 자외선 지수, 기온 등을 고려하여 실외 활동 가능 여부를 결정한다.
- 실외 놀이터가 없어 주변 대체시설을 이용할 경우, 해당 환경과 주제 활동에 적합한 바람개비, 비눗방울 등의 놀잇감을 준비하여 활용할 수 있도록 한다. 이 외에도 계절에 필요한 모자, 선크림, 돗자리, 비상약품 등을 구비하여 지참한다.
- 오후 실외 및 실내 놀이터 시간은 영아의 흥미에 따라 오전 놀이를 연속하여 반복, 확장한다.
- 연령이 높은 학급과 놀이터 이동, 이용시간 등이 겹치지 않도록 미리 조정한다.
- 실외 및 실내 놀이터 시간이 끝난 후에는 영아와 교사 모두 손을 깨끗하게 씻는다.

사진 설명 (실외 놀이터가 없는 경우) 어린이집 주변 공원에서 바람개비를 들고 달리며 놀이하고 있다. 사진 설명 실내 놀이터에서 신체활동을 하며 놀이하고 있다.

6) 간식 및 점심

영아는 어린이집에서 보내는 시간이 길고, 활동량이 많으므로 균형 잡힌 간식과 식사를 통해 적절한 영양을 보충해 주는 것이 중요하다. 간식과 점심시간은 영양학적 측면의 고려뿐 아니라 영아의 올바른 식습관과 위생개념을 형성할 수 있도록 지도해야 한다. 예를 들어 식사 전에는 반드시 손을 씻고, 식사 시간에는 골고루 먹기, 먹기 싫은 음식도 조금씩 시도해 보기, 식기와 식사 도구 바르게 사용하기, 음식을 입에 넣은 상태에서 말하지 않기, 떨어진 음식 주워서 쓰레기통에 버리기, 다 먹은 그릇 정리하기 등이 있다. 교사는 간식과 점심시간을 통해 음식을 먹는 것이 즐거운 경험이 되도록 편안하고 기분 좋은 분위기를 만들어 주어야 한다(〈표 6-9〉 참조).

〈표 6-9〉 **간식 및 점심시간 보육교사의 역할**

- 알림장으로 영아의 아침 식사 여부를 확인한 후, 영아의 오전 간식양을 조절하며 충분한 양이 제공되도록 한다.
- 투약의뢰서를 확인하고, 오전 간식 후 혹은 점심 식사 후 투약을 실시한다. 투약보고서에 시간 및 용량을 기록하여 보관 후 전달한다.
- 간식, 식사 시간 전후에는 반드시 손 씻기, 이 닦기를 하여 청결에 대한 습관을 형성하게 한다.
- 영아들이 다양한 음식의 종류와 이름에 관심 갖도록 제공된 음식의 맛, 형태, 색을 소개해 준다.
- 음식은 먹기 쉬운 형태와 크기로 준비하여 나누어 주고, 교사가 함께 먹으면서 바람직한 모델링을 보여 준다.
- 식판 앞에 앉아 스스로 먹어볼 수 있도록 격려하고, 개별 발달수준에 따라 성취감을 느낄 수 있도록 적절한 도움을 준다.
- 영아가 먹기 힘들어하는 음식이 있을 경우 아주 적은 양부터 권유하여 골고루 먹어보도록 격려한다. 단, 지나친 권유로 교사와 힘겨루기 상황이 되지 않도록 주의한다.
- 졸거나 잠을 청하는 영아가 있을 경우 우선 잠을 자도록 배려하고, 낮잠 직후 식사를 하거나 오후 간식을 충분히 먹을 수 있도록 한다. 단, 영아의 식사량은 부모에게 정확히 전달한다.
- 오후 간식은 충분히 먹을 수 있게 제공하되, 저녁 식사를 제공하는 어린이집의 경우 이를 고려하여 간식 양을 적절히 조절해 준다.
- 간식 및 점심의 섭취량이 적은 영아는 가정에서 보충할 수 있도록 안내한다.

사진 설명　점심을 먹기 전에 책상을 깨끗이 닦고 있다.

사진 설명　영아가 즐겁게 점심을 먹고 있다.

사진 설명　스스로 먹기 힘들어하는 영아의 경우 교사가 도움을 주고 있다.

사진 설명　영아가 다 먹은 그릇을 스스로 정리하고 있다.

7) 손 씻기 및 이 닦기

영아기는 급격한 발달이 이루어지는 시기로 균형 있는 영양이 필요할 뿐 아니라 면역력이 약해 질병에 취약한 시기이다. 따라서 어린이집의 실내공간을 청결하게 유지하는 것과 영아 개인의 위생관리가 중요하다. 영아의 건강한 생활을 유지하기 위하여 식사 전후나 용변 후 손 씻기, 실외놀이 후 손 씻기, 세수하기, 양치하기 등 몸에 대한 청결한 습관을 형성할 수 있도록 지도해야 한다(〈표 6-10〉 참조).

〈표 6-10〉 손 씻기 및 이 닦기 시간 보육교사의 역할

- 교사는 영아의 옷이 젖지 않도록 소매 걷기, 개별 수건 두르기 등을 사전에 준비한다.
- 손 씻기, 세수하기, 양치하기 등의 시간을 일정하게 관리하여 영아가 씻는 시간을 인식하도록 돕는다.
- 영아의 씻기 활동은 개별적으로 진행하며 충분한 시간을 배려하여 즐겁게 보낼 수 있도록 지도한다.
- 다수의 영아가 동시에 씻어야 하는 경우 물티슈 등을 이용하여 가볍게 얼굴과 손에 묻은 음식물을 닦아내고, 전이 활동을 통해 기다리는 시간을 최소화한다.
- 교사가 도움을 주어 손을 씻는 것에서 점진적으로 스스로 씻어 보는 기회를 제공한다.
- 손을 언제, 왜 씻어야 하는지 구체적인 언어로 설명한다.
- 이 닦기는 영아 스스로 놀이 삼아 닦아볼 수 있도록 지도하되 마무리는 교사가 해 준다.
- 교사는 영아의 아랫니가 닿은 상태에서 '이'를 하면 앞에서 어금니 쪽으로 둥글게 원을 그리면서 닦아준다. 그다음 입을 벌려 앞뒤로 칫솔을 문질러 닦고, 혀까지 닦아준다. 이를 닦아줄 때는 되도록 영아의 턱을 잡지 않고 부드럽게 뒷목을 받쳐주는 것이 좋다.
- 영아가 반복 경험을 통해 물을 삼키지 않고 뱉어낼 수 있으면 생수 대신 물을 제공하여 양치한다.
- 영아가 치약을 삼키지 않도록 확인하고 지도한다.

사진 설명   영아가 스스로 손을 씻고 있다.

사진 설명   영아가 스스로 이를 닦고 있다.

사진 설명　영아 스스로 이를 닦은 후 교사가 마무　사진 설명　교사가 영아의 세수를 도와주고 있다.
리를 해 주고 있다.

8) 낮잠 및 휴식

낮잠은 휴식을 위한 일상적인 활동으로 신체적인 피로를 회복하고 정서적으로 안정감을 준다. 낮잠 시간은 오전의 활동으로 인해 쌓인 피로를 풀어주고, 활기차게 오후 활동을 참여하기 위한 중요한 일과이다. 영아가 숙면을 취할 수 있도록 조용하고 안락한 분위기를 제공하고, 개개인의 특징과 상황을 존중하여 안정적으로 휴식을 취할 수 있도록 환경을 제공해야 한다(〈표 6-11〉 참조).

〈표 6-11〉 **낮잠 및 휴식 시간 보육교사의 역할**

- 낮잠을 자기 전 기저귀를 갈아주거나 화장실에 다녀오도록 지도한다. 불편한 옷은 갈아입히고 묶은 머리를 풀어주는 등 편안하게 잘 수 있도록 돕는다.
- 잠자기 전 버릇, 잠드는 시간, 수면시간, 잠버릇 등 영아의 수면습관을 미리 파악하여 영아가 편안하게 잠들 수 있도록 배려한다. 인형이나 집에서 가져온 놀잇감을 활용하여 영아가 안정감을 갖도록 한다.
- 낮잠을 자는 동안 교실의 온도, 습도, 채광 등을 확인하여 쾌적하게 수면을 유지할 수 있도록 점검한다. 자장가 등의 조용한 음악을 틀어줄 수 있다.
- 먼저 깬 영아가 놀라지 않도록 달래주고, 기저귀를 갈아주거나 화장실을 다녀오게 한다. 이후 잠자는 영아들에게 방해되지 않도록 낮잠 공간과 조금 떨어진 곳에서 조용한 놀이를 할 수 있도록 한다.
- 영아들이 낮잠을 자는 동안 적어도 한 명의 교사는 잠자는 영아들의 상태나 자세를 수시로 살펴봐야 한다.
- 일정한 시간이 되면 영아를 깨우고, 매트와 이불을 정리한 후 환기시킨다.

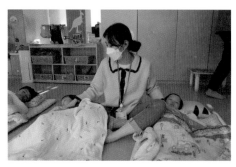

사진 설명   영아가 잠이 들 수 있도록 교사가 부드럽게 토닥여 주고 있다.

사진 설명   잠을 잘 못드는 영아의 경우 교사가 옆에 같이 누워서 재워줄 수 있다.

사진 설명   먼저 일어난 영아가 조용한 영역에서 그림책을 보고 있다.

사진 설명   잠에서 깬 영아가 교사와 기분 좋게 인사하고 있다.

9) 귀가

귀가 시간은 교사와 부모가 하루일과에 대한 정보를 나누며, 영아가 부모와 만나는 시간이다. 귀가 전 영아의 소지품(갈아입은 옷, 애착 인형 등)을 집에 가져갈 수 있도록 정리하고 귀가 준비를 한다. 교사는 알림장이나 간단한 대화를 통해 영아가 어린이집에서 지내는 동안의 건강 및 심리상태, 간식과 점심 섭취량, 낮잠 시간, 배변 여부, 영역별 활동에 대해 안내한다. 야간 통합보육 시간에 영아가 귀가하게 될 경우, 담임교사는 당직교사를 통해 보호자에게 전달해야 할 특별한 사항을 반드시 인수인계하여 보호자에게 전달할 수 있도록 한다(〈표 6-12〉 참조).

〈표 6-12〉 **귀가 시간 보육교사의 역할**

- 영아의 얼굴과 손을 깨끗이 씻어주고 옷도 갈아입혀 주어 부모와 정돈된 모습으로 만나도록 한다.
- 영아는 반드시 인계하기로 되어 있는 보호자에게 직접 인계하고, 그렇지 않은 경우에는 유선 연락 등을 통해 확인 후 인계한다.
- 영아와 헤어질 간단한 스킨십과 인사로 친밀감을 유지하고 다음 날 반가운 마음으로 만날 것을 약속한다.
- 영아가 모두 하원하고 나면 놀이실을 청소하고 영역마다 놀잇감의 위치, 청결, 파손상태, 부족한 개수 등 교실 환경을 점검한다.
- 영아가 야간 통합교실로 이동하여 귀가할 때는 다른 영아의 보호자가 오는 것을 보며 심리적으로 불안해하지 않도록 정서적으로 지지해 준다.
- 야간 통합보육 시간에는 조용하고 활동량이 적은 놀이를 계획하여 편안한 놀이가 이루어지도록 한다.

사 진 설 명   귀가 시 영아와 반갑게 인사하며, 내일 일과의 기대감을 전달한다.

사 진 설 명   귀가 시 보호자와 인사를 나누며, 영아의 일과 중 특이사항을 간단하게 전달하고 있다.

3. 유아반 하루일과 운영과 보육교사의 역할

유아들의 보육과정은 연간보육계획안과 주간보육계획안의 소주제를 중심으로 진행하되, 유아의 흥미와 하루일과 중 일어나는 다양한 상황을 반영하여 주제 활동이 융통성 있게 진행된다. 3~5세 유아는 다양한 욕구가 있으므로 이들의 욕구를 수용하여 대·소집단 활동과 개별 활동의 제시 비율, 교육내용의 수준과 제시방법, 정적 활동과 동적 활동의 균형 등을 다양하게 조절하며 하루일과를 구성해야 한다 (〈표 6-13〉 참조).

교사는 하루일과를 통해 따뜻한 보호와 교육적 경험이 동시에 이루어질 수 있도

록 하고, 풍부한 환경을 구성하여 교사와 유아, 유아와 유아, 유아와 교구 간의 상
호작용이 활발히 일어날 수 있도록 지원해야 한다. 특히, 다른 사람과 관계를 맺으
면서 사회적 상호작용이 이루어지도록 환경을 조성해야 한다(정옥분 외, 2019).

〈표 6-13〉 만 4세반 하루일과표 예시

시간	주요 일과	주요 활동 내용
7:30~9:10	등원 및 오전 통합보육/ 오전 간식	• 보호자에게 전달사항 받기, 유아 건강상태 확인하기 • 보호자와 헤어지고 선생님, 친구들과 인사하기 • 통합교실에서 유아가 개별적으로 활동을 선택하여 놀이하기 • 친구들과 즐겁게 오전 간식 먹기 • 간식 먹은 후 개별적으로 정리, 화장실 다녀오기
9:10~10:40	오전 실내 자유놀이	• 쌓기, 역할, 미술, 언어, 수·과학, 음률 등 여러 흥미 영역에서 이루어지는 자유로운 활동 및 놀이하기
10:40~10:50	정리 및 전이	• 놀잇감 정리정돈 및 화장실 다녀오기 • 다음 활동을 위한 전이 활동하기
10:50~11:10	대·소집단 활동	• 새로운 놀잇감이나 주제 활동 소개하기 • 대집단 혹은 소집단 활동하기(이야기 나누기, 노래 부르기, 게임 등)

11:10~12:00	오전 실외 및 실내
	놀이터 자유놀이
		• 실외 놀이터에서 신체, 물·모래, 탐색, 미술, 역할,
		  음률 등 다양한 영역에서 자유롭게 놀이하기(유동
		  교구나 시설물 이용)
		• 실내 놀이터에서 놀이하거나 어린이집 주변 환경 활
		  용하여 놀이하기

12:00~13:00	화장실 다녀오기/ 점심	• 실외놀이 후 손 씻기, 즐겁게 먹기, 골고루 먹기, 스 스로 먹기, 이 닦기

13:00~15:00	낮잠(휴식) 및
	조용한 놀이
		• 낮잠 전 동화 듣기
		• 조용한 음악 들으며 낮잠 자거나 휴식하기
		• 낮잠 자기 힘들어하는 유아와 잠에서 먼저 깬 유아
		  는 개별적으로 조용한 놀이하기(그림 그리기, 퍼즐
		  맞추기, 그림책 보기 등)

15:00~15:30	정리 및 오후 간식	• 낮잠 매트와 이불 스스로 정리하기 • 손 씻고, 즐겁게 오후 간식 먹기
15:30~17:00	오후 실내 자유놀이	• 오전 실내 자유놀이와 연계, 반복, 확장하여 놀이하기 • 분반하여 소집단으로 특별활동하기

17:00~17:50	오후 실외 및 실내 놀이터 자유놀이	• 실외 또는 실내 놀이터에서 자유롭게 놀이하기(날씨, 계절에 따라 실내 놀이로 대체 가능)
17:50~18:30	저녁식사	• 손 씻기, 즐겁게 저녁 식사하기, 식사 후 정리하기
18:30~19:30	야간 통합보육 및 귀가	• 개별 혹은 소집단으로 조용한 놀이하기 • 귀가 준비하기(자기 물건 챙기기, 머리 빗기, 양말 신기 등) • 선생님, 친구들과 인사하고 보호자와 귀가하기

1) 등원 및 통합보육

교사는 유아가 어린이집에서 건강하고 즐거운 하루를 시작할 수 있도록 부모와 유아를 따뜻하고 반갑게 맞이한다. 교사는 유아를 부드럽게 안아주거나 날씨나 옷차림 등의 특징적인 모습을 발견하여 유아와 가볍게 이야기를 나누고 하루일과를 안내함으로써 어린이집 생활에 대한 기대를 가질 수 있도록 돕는다. 또한 유아에게 기분이나 상태를 물어보고, 시진(콧물, 안색, 눈 상태, 발진, 상처 확인 등), 열 체크 등을 통해 유아의 건강상태를 주의 깊게 살피며 평소와 다를 경우 보호자와 소통한다. 오전 통합보육 시간에는 여러 연령의 영유아들이 함께 만나는 시간이므로 서로 어울릴 수 있는 분위기를 조성해 주고, 동생 반 챙겨주기 등 통합보육의 장점을 충분히 살릴 수 있도록 지도한다(〈표 6-14〉 참조).

〈표 6-14〉 **등원 시간 보육교사의 역할**

- 교사는 유아가 등원하기 전 교실의 온도와 습도를 점검하고 환기를 하며, 교육활동을 위한 교구(자료)의 준비 및 안전 여부를 꼼꼼하게 살핀다.
- 부모와 간단한 대화를 통해 유아에 관한 정보를 교환한다. 특별한 전달사항이 있는 경우 반드시 해당 반 담임교사 혹은 같은 반 동료 교사에게 전달하며 내용을 공유한다.
- 교실 출입구에서 등원 지도를 하는 동안 교실 내 나머지 유아들의 안전 보호에 소홀함이 없도록 동료 교사와 역할 분담을 정확히 한다.
- 이른 아침이므로 통합교실에서는 되도록 정적인 활동을 하며, 하루일과를 준비할 수 있도록 한다.

사진 설명   교사가 어린이집 현관에서 등원 맞이를
하며 유아의 건강상태를 확인하고 있다.

사진 설명   오전 통합보육 시간에 한 유아가 동생반
영아에게 책을 읽어주고 있다.

사진 설명   통합보육 당직교사가 담임교사에게 전
달사항을 공유하고 있다.

사진 설명   등원 후, 유아가 겉옷을 스스로 정리하
고 있다.

2) 실내 자유놀이

실내 자유놀이(자유선택활동) 시간은 하루일과 운영에 따라 다르지만 보통 오전,
오후 각각 한 번씩 계획한다. 반드시 하루일과 중 2시간 이상 실시되어야 하며, 이
중 1시간 이상 연속적으로 진행되어야 한다. 유아반 교실 안에는 4세반 기준으로 쌓
기, 역할, 미술, 언어, 수ㆍ과학(조작), 음률 영역이 구성되며, 활동에 따라 각 흥미 영
역이 통합되거나 확장 및 축소되어 융통성 있게 운영된다. 교사는 교육활동이 원활
히 이루어지도록 지원할 뿐 아니라 전체 유아의 행동을 관찰하며 필요할 때 놀이 개
입을 하여 적절한 도움을 주어야 한다. 이때 교사는 수시로 자신의 눈길이 미치지
않는 공간이 없는지, 적절한 개입의 시점을 놓치고 있지 않은지, 지나친 개입을 하고
있는 것은 아닌지 염두에 두면서 자유놀이 시간을 운영해야 한다(〈표 6-15〉 참조).

〈표 6-15〉 **실내 자유놀이 시간 보육교사의 역할**

- 오전 실내 자유놀이는 보육계획안에 따라 준비된 환경 속에서 유아가 하고 싶은 활동을 자율적으로 선택할 수 있도록 한다. 활동 중 교구, 유아, 교사와의 상호작용이 주도적이고 능동적으로 이루어질 수 있도록 격려한다.
- 계획한 활동뿐 아니라 유아의 흥미에 따라 다양한 놀이가 전개될 수 있으므로 교사는 유아의 놀이 행동을 주의 깊게 관찰한다. 유아들의 현재 관심사가 무엇인지, 자발적 흥미를 어떻게 수용하고 확장할 것인지, 필요한 추가 자료는 무엇인지 예측하며 반응한다.
- 자유놀이 중 놀이의 결과가 빨리 나타나지 않더라도 유아를 기다려주고, 유아의 실수도 교육적으로 연결될 수 있도록 교사의 순발력과 창의력을 발휘한다.
- 오후 실내 자유놀이는 유아의 흥미에 따라 오전의 놀이를 연속하거나 확장할 수 있도록 돕는다. 오전에 놀이 주제가 갑자기 바뀌어 진행되었다면, 오후에는 이에 적절한 추가 자료가 제공될 수 있도록 한다.
- 오후 실내 자유놀이 시간이 충분히 확보되도록 전이 시간이나 특별활동 시간을 조절한다.

사진 설명　유아가 블록으로 구성하고, 그 안에서 역할놀이를 하며 통합놀이를 하고 있다.

사진 설명　유아가 언어 영역에서 다양한 쓰기 도구로 종이에 기록하고 있다.

사진 설명　유아가 수 · 조작 영역에서 칠교놀이를 하고 있다.

사진 설명　유아가 과학 영역에서 식물을 관찰하고 있다.

사진 설명   유아가 미술 영역에서 재활용품으로 만들기를 하고 있다.

사진 설명   유아가 음률 영역에서 다양한 악기로 연주하고 있다.

3) 정리 및 전이

교사는 유아들이 가지고 놀던 장난감을 스스로 정리하고 보관하게 함으로써 자신의 주변을 정리하고, 놀잇감과 교실에 대한 책임감 있는 태도를 형성할 수 있도록 한다. 정리시간은 최소한으로 운영하는 것이 좋으며, 공간적 여유가 있다면 유아들이 보존하기를 원하는 구성물, 작품 등을 그대로 둘 수 있다. 반드시 치워야 하는 경우라면 유아들과 의논하여 사진을 찍어두고 출력해서 벽면에 게시할 수 있다(〈표 6-16〉 참조).

〈표 6-16〉 **정리 및 전이 시간 보육교사의 역할**

- 자유놀이가 끝나갈 무렵 정리시간이 다가온다는 것을 미리 알려서 유아들이 자신의 활동이나 놀이를 자연스럽게 마무리할 수 있게 한다.
- 놀잇감 정리가 즐겁게 느껴지도록 교사는 긍정적인 상호작용으로 격려한다. 누가 더 정리를 잘하는지, 더 빨리하는지 강조하기보다는 정리된 이후의 깨끗해진 교실, 쾌적함, 이에 대한 유아의 성취감을 언급하는 것이 좋다.
- 놀잇감 정리하는 방식을 단순화(영역별 바구니 색 구분, 정리할 자리 표시 등)하여 유아가 쉽게 정리하고 성취감을 느낄 수 있도록 한다. 이후에는 유아들과 함께 놀잇감을 정리하고 분류하는 기준을 정해 볼 수 있다.
- 전이 시간은 다음 일과를 준비하고 기다리는 동안 실시하는 것으로, 다른 친구가 준비될 때까지 실시한다. 이 시간이 너무 길거나 짧아지지 않게 주의한다.

사진 설명　유아들이 즐겁게 웃으며 놀잇감을 정리하고 있다.

사진 설명　전이 시간에 손으로 오른손, 왼손 들기 게임을 하고 있다.

사진 설명　정리하기를 원하지 않는 경우 유아들과 의논(보관위치, 기간 등)한 후 교실 일부 공간에 보관해 둘 수 있다.

4) 대 · 소집단 활동

　대 · 소집단 활동은 함께 모여 활동하는 것으로 한 반 전체를 모아 진행하거나 2~4개의 소집단으로 나누어 실시하는 활동을 말한다. 이 시간에는 이야기 나누기, 노래 부르기, 악기 연주하기, 음악 감상하기, 동작(신체) 활동, 문학(동화, 동시, 동극) 활동, 게임, 과학(실험, 요리 등) 활동 등 다양한 활동이 진행될 수 있다. 교사는 대 · 소집단 활동을 통해 전체 유아가 알아야 할 내용을 효과적으로 전달할 수 있고 지적인 호기심을 자극할 수 있으며 공동체 의식과 의사소통능력을 향상시킬 수 있다(〈표 6-17〉 참조).

〈표 6-17〉 대 · 소집단 활동 시간 보육교사의 역할

- 대집단으로 모일 때, 정리 및 화장실 다녀오기 등에서 유아 간 시간 차이가 있으므로, 손유희나 간단한 노래 등을 통해 먼저 모인 유아들이 지루하지 않도록 유의한다.
- 모이는 장소, 유아의 수, 운영시간 및 방식, 활동 내용에 따라 유아를 반원형, 원형, 두 줄 반원형, 자유로운 대형 등으로 앉도록 한다. 단, 모든 유아가 교사와 눈을 맞출 수 있도록 하고 교사가 제시하는 활동이 잘 보일 수 있어야 한다.
- 유아의 연령, 발달수준, 집중시간, 이해정도, 경험의 범위 등을 고려하여 활동을 선정한다. 유아의 흥미와 참여도를 높이기 위해 다양한 매체를 활용하고, 적절한 질문과 반응을 통해 유아의 사고를 확장할 수 있도록 한다.
- 집단 활동이지만 유아의 개별적인 반응이 충분히 수용되도록 한다. 단, 특정한 유아에게만 반응하지 않도록 하고, 개별 유아의 행동이 집단에 방해될 때는 일부러 무시하거나 적당한 주의를 통해 전체 흐름을 이끌어 나간다.

사진 설명 대집단 활동으로 활동 주제에 대한 이야기 나누기를 하고 있다.

사진 설명 3~4명의 소집단 활동으로 오미자 절편 만들기 활동을 하고 있다.

5) 실외 및 실내 놀이터 자유놀이

유아는 오르기, 던지기, 달리기 등을 통해 기본적인 운동기술을 익혀야 하고, 기구를 사용하여 대근육을 발달시켜야 한다. 실외놀이는 하루일과 중 1시간 이상을 반드시 계획해야 하고, 신체적 놀이 외에도 사회극 놀이, 게임, 동 · 식물 기르기, 물감 놀이 등의 활동을 준비하여 넓은 공간에서 다양한 경험을 충분히 할 수 있도록 한다(〈표 6-18〉 참조).

〈표 6-18〉 **실외 및 실내 놀이터 시간 보육교사의 역할**

- 실외 놀이터에서도 실내와 마찬가지로 전 영역에 걸쳐 놀이가 진행되도록 계획한다. 실외 공간이 없거나 기후 문제가 있을 경우에는 실내 놀이터 혹은 전이 공간을 이용하여 대체활동을 진행한다.
- 동적인 활동과 정적인 활동이 균형 있게 진행되도록 하고, 실내 자유놀이 중 공간의 제약으로 충분히 이루어지지 못한 활동을 실외에서 확장할 수 있도록 한다.
- 오르기 기구 등 사고의 위험이 있는 곳은 주의해서 지켜보고, 항상 전체를 시야에 두고 살펴서 유아들의 위험에 대비한다.
- 유아들이 실외에서 안전하게 놀이할 수 있도록 안전 규칙을 항상 숙지하도록 한다.

사진 설명   실내 놀이터에서 게임을 하고 있다.   사진 설명   어린이집 주변 공원에서 놀이를 하고 있다.

6) 화장실 다녀오기(배변훈련, 손 씻기, 이 닦기)

배변은 하루일과 중 수시로 일어나며 배변훈련 여부에 따라 개별적인 배려와 특별한 주의가 필요하다. 정리시간 후와 실외놀이 나가기 전, 식사 및 낮잠 전후에 또래와 함께 화장실을 가는 시간은 유아의 주의를 환기시켜 준다. 이 외에도 간식 및 점심 전후, 실외놀이 후 등에는 반드시 손 씻기를 통해 위생과 청결을 유지하고, 점심 후에는 올바른 이 닦기를 통해 건강한 기본생활습관을 형성하도록 도와야 한다. 유아의 이 닦기를 자세히 관찰하여 유아가 적당한 양의 치약 짜기, 위아래 구석구석 닦기, 충분한 시간 동안 닦기, 혀 닦기, 깨끗하게 헹구기 등 정확하고 구체적인 방법을 안내하여 실천하도록 격려한다(〈표 6-19〉 참조).

〈표 6-19〉 **화장실 다녀오기 시간 보육교사의 역할**

- 3세 유아들은 대부분 대소변 가리기가 가능하지만, 놀이에 열중하여 간혹 실수하는 경우가 있으므로 화장실 가는 시간임을 알려주는 것이 좋다.
- 배변 시 스스로 옷을 내리고 입기, 변기 물 내리기, 손 씻기 등을 스스로 할 수 있도록 격려하고 도움이 필요한 경우 개별적으로 도움을 준다.
- 화장실 사용, 손 씻기, 이 닦기 등 일상생활에서 반복적으로 이루어지는 기본 생활습관을 지도할 때는 시간의 여유를 가지고 꼼꼼하게 지도한다.
- 변기나 세면대에서 장난치는 일이 없도록 지도하고, 화장실 바닥과 세면대는 건조하게 유지하여 비누나 물기로 유아가 미끄러지지 않도록 주의한다.
- 유아의 양치질을 지켜본 후, 미흡한 부분에 대해 칫솔질을 보충해 주어 음식찌꺼기가 남아 있지 않고 유아의 치아가 청결히 관리될 수 있도록 한다.
- 교사는 유아의 치아 건강에 대한 기초 정보를 부모와 공유하고, 정기적으로 검진 받도록 안내한다.
- 교사는 칫솔, 치약, 양치 컵의 관리 상태를 수시로 점검하고 교체가 필요한 유아는 부모에게 알려주어 즉시 교체될 수 있도록 한다.

사진 설명   유아가 이 닦기 순서도를 보며 양치를 하고 있다.

사진 설명   화장실에서 친구와 깨끗하게 손 씻기를 하고 있다.

7) 간식 및 점심

유아는 신체활동이 많고, 급격한 성장이 이루어지는 시기인 만큼 충분한 식사를 통해 적절한 영양 섭취가 이루어질 수 있어야 한다. 간식이나 점심시간 전에는 꼭 손을 씻게 하고, 유아가 식사 자리에서 지켜야 하는 바른 식사예절과 태도를 실천할 수 있도록 한다. 유아는 점차 건강과 영양의 관계를 이해하면서 몸에 좋은 음식과 그렇지 않은 음식, 음식이 만들어지는 과정, 식품의 생산 과정 등 다양한 내용에 관심을 갖게 된다. 이를 통해 음식을 소중히 여기고 음식을 남기거나 낭비하지 않도록 지도한다(〈표 6-20〉 참조).

〈표 6-20〉 간식 및 점심시간 보육교사의 역할

- 유아가 먹는 양을 조절하지 못하는 경우에는 교사가 조금씩 그릇에 덜어주고 다 먹은 후에 더 먹을 수 있도록 한다.
- 유아의 발달수준에 맞게 역할을 부여하여 식사 준비를 도울 수 있도록 한다.
- 즐거운 식사 시간이 되도록 분위기를 조성하고, 긍정적인 상호작용으로 음식 골고루 먹기, 식기와 식사 도구 바르게 사용하기, 바른 자세로 식사하기 등의 예절을 기를 수 있도록 한다.
- 유아가 적당한 속도로 식사할 수 있도록 안내한다. 유아기에 올바른 식습관이 자리 잡을 수 있도록 교사의 지속적인 관심과 지도가 필요하다.

사진 설명　유아가 즐겁게 점심을 먹고 있다.

사진 설명　유아가 스스로 추가 배식을 하며 충분한 양의 식사를 하고 있다.

8) 낮잠(휴식) 및 조용한 놀이

유아는 개별 습관에 적합한 낮잠 시간을 통해 자신에게 필요한 휴식을 충분히 취하여 건강하고 원활한 어린이집 생활을 유지한다. 낮잠을 원하지 않는 유아에게는 낮잠의 필요성을 알려주어 일정 시간 누워서 휴식을 취할 수 있도록 배려한다(〈표 6-21〉 참조).

〈표 6-21〉 **낮잠 및 조용한 놀이 시간 보육교사의 역할**

- 유아가 낮잠에 필요한 준비, 낮잠 후 정리, 세수하기 등 낮잠 및 휴식의 전체 과정을 이해하고 주도적으로 참여할 수 있게 한다.
- 교사는 유아의 편안한 낮잠을 위하여 교실 환경을 정비하고, 좁은 공간에 눕지 않도록 개별 매트 간격을 조절하는 등 쾌적한 환경을 조성한다.
- 유아마다 다른 개별적인 수면습관을 충분히 고려하여 운영한다. 유아가 잠들기까지 충분한 시간을 제공하고, 잠자기 싫어하는 유아는 억지로 재우지 않는다. 낮잠 자기를 어려워할 경우 잠시 누워서 휴식을 취하도록 하고, 30분 넘게 누워있지 않도록 하여 조용한 놀이를 할 수 있게 한다.
- 5세 유아는 점차 낮잠 시간을 줄이고, 2학기에는 초등학교 진학을 고려하여 휴식을 취하는 정도로 일과를 조정한다.

사진 설명   일부 유아들은 낮잠을 자고 있고, 낮잠 자기를 어려워하는 유아는 휴식 후 미술 영역에서 조용한 놀이를 하고 있다.

사진 설명   잠에서 깬 유아가 스스로 이불 정리를 하고 있다.

9) 귀가

하루일과를 마무리하는 귀가 시간은 유아마다 일정하지 않고, 유아와 교사 모두 긴장이 풀어지는 시간이다. 따라서 교사는 유아를 보호자에게 인계하는 순간까지 안전에 유의하여 유아가 편안하고 안전하게 귀가할 수 있도록 돕는다. 귀가 시에는 출입구나 현관이 혼잡스러울 수 있으므로 안전에 유의하고, 교사와 부모가 대화할 때 유아 간 갈등상황이나 좋지 않았던 일은 유아에게 들리지 않도록 주의한다(〈표 6-22〉 참조).

〈표 6-22〉 **귀가 시간 보육교사의 역할**

- 유아가 단정한 모습으로 귀가할 수 있도록 돕고, 유아가 갈아입은 옷과 집으로 가져가야 하는 개인 물건 등은 스스로 챙길 수 있도록 미리 안내한다.
- 오늘 있었던 즐거운 일에 대해 이야기 나누며, 친구들과 기분 좋게 작별 인사를 한다.
- 유아가 집에 가지 않겠다고 하는 경우, 유아가 하던 놀이를 더 하고 싶어하는 상황이라면 보호자에게 이를 전달하고 조금 더 놀이할 수 있도록 기다려준다. 혹시 기다릴 수 없는 상황이라면 상황을 유아에게 설명하고 귀가하도록 한다.
- 하루일과 중 중요한 사항은 반드시 보호자에게 대면하여 구두로 전달한다.
- 평소 부모에게 사실 그대로를 전달하여 신뢰를 형성하는 것이 중요하고, 긍정적인 어린이집 생활도 가능한 한 구체적으로 전달하는 것이 좋다.

사진 설명　유아가 자신의 물건을 스스로 챙기고 있다.

사진 설명　교사가 유아의 머리를 빗겨주며 하원 준비를 하고 있다.

생각해 보기

1 1세 영아가 양치 시간에 칫솔을 물고 있고, 교사가 도와주려고 하면 오히려 입을 꽉 다문다면, 이를 어떻게 지도할 것인지 아동존중 입장에서 생각해 봅시다.

2 4세 유아가 늦게 등원하여 낮잠 시간에 잠을 자지 않고 심심해한다면, 이를 어떻게 접근할 것인지 유아의 입장과 부모와의 소통 방식을 중심으로 생각해 봅시다.

제7장

환경관리와 보육교사의 역할

영유아는 자신을 둘러싸고 있는 환경과 직접적으로 관계를 맺고 이에 반응하며 발달을 이룬다. 부모, 형제, 교사, 또래, 이웃 등 인적 환경뿐 아니라 집, 어린이집, 산책로, 놀이터 등과 같은 물리적 환경은 영유아발달에 중요한 영향을 미치게 된다. 특히, 어린이집은 영유아들이 머무는 시간이 길고, 교육적 경험과 함께 기본적인 일상생활이 이루어지는 장소이다. 따라서 어린이집은 가정과 같은 안정감과 편안함이 제공되어야 하고, 발달적 · 교육적 요구가 충족되도록 물리적 환경을 구성해야 한다. 보육교사는 영유아의 발달에 적합한 환경을 구성하기 위해 영유아의 연령에 따른 발달특성을 잘 이해할 필요가 있다. 교사가 영유아의 발달에 대해 잘 알고 있다는 것은 영유아의 전형적인 신체적 · 언어적 · 인지적 · 정서적 · 사회적 특성에 익숙하다는 것을 의미한다. 즉, 영유아의 발달적 요구를 이해하고 영유아의 호기심에 민감한 교사는 영유아가 자기 자신, 또래, 환경 등에 대해 알아갈 수 있도록 탐색의 기회를 풍부하게 제공한다.

이 장에서는 물리적 환경을 중심으로 어린이집의 환경관리에 대한 기본원리와 흥미 영역의 구성지침을 살펴본다. 먼저, 교실의 흥미 영역과 실내 · 외 놀이터 및 공용공간으로 구분하여 영아반, 유아반의 흥미 영역 구성을 알아보고, 실내 · 외 놀이터 및 공용공간을 세부적으로 나누어 보육교사의 역할에 대해 살펴보고자 한다.

1. 환경관리에 대한 이해

영유아의 일상생활 및 교육활동에 필요한 교재교구, 시설설비 등의 환경관리는 보육프로그램의 질적 수준에 중요한 영향을 미치는 요인이다. 따라서 어린이집의 모든 환경은 영유아의 발달에 적합하도록 보호되고, 교육 및 사회적 서비스의 기능이 제공될 수 있도록 안전하고 쾌적하게 유지·관리되어야 한다.

1) 환경관리의 기본원리

첫째, 영유아기는 발달의 모든 측면에서 급격한 성장이 이루어지는 시기이므로 발달에 적합하고, 학습을 촉진시킬 수 있는 환경을 제공하는 것이 중요하다. 개별 학습이 중요한 만큼 각 영유아의 흥미와 욕구, 개인차를 고려하여 다양하고 융통성 있는 환경이 필요하며 적절한 도전을 제공할 수 있어야 한다.

둘째, 다양한 공간구성과 활동, 놀잇감의 구비를 통해 영유아의 선택이 존중될 수 있는 환경을 제공해야 한다. 교실이나 실내·외 놀이터 등의 공간을 여러 영역으로 구분하고, 다양한 활동과 놀잇감을 배치하여 영유아가 자신의 흥미와 관심에 따라 놀이할 수 있도록 폭넓은 선택의 기회를 제공해야 한다. 또한 혼자 있을 수 있는 독립적이고 정적인 공간을 동시에 제공함으로써 개별 영유아의 상태나 욕구에 따라 활동과 공간을 선택할 수 있도록 한다.

셋째, 영유아가 하루 종일 생활하는 어린이집은 기본적으로 안전한 환경이 우선되어야 한다. 영유아는 신체적인 움직임이 많지만 이에 비해 신체조절능력과 위험한 상황에 대한 대처능력이 부족하기 때문에 안전한 환경에 대한 세심한 주의가 필요하다. 영유아가 안전한 환경 내에서 자유롭게 움직이고 적극적으로 탐색할 수 있는 환경을 마련하는 것이 중요하다.

넷째, 많은 영유아들이 오랜 시간 함께 생활하는 점을 고려할 때, 감염 및 질병을 예방하는 위생적이고 청결한 환경을 제공해야 한다. 적절한 실내온도와 습도, 채광을 유지하고, 공기청정기 및 환기를 통해 공기의 질을 지속적으로 관리하는 것이 중요하다. 또한 정기적으로 시설 전체를 소독하고, 매일 각 공간별 위생점검을 통해 점검·관리한다.

다섯째, 어린이집은 가정과 같은 편안하고 안락한 환경을 제공해야 한다. 긴 시간 놀이뿐 아니라 먹고 자는 등의 일상적인 생활이 이루어지므로 정서적인 안정감은 무엇보다 중요하다. 또한 쿠션과 매트를 활용하여 영유아가 원하면 언제든지 혼자서 쉴 수 있는 독립된 공간이 필요하다.

여섯째, 어린이집의 교육활동은 다양한 형태로 구성되며, 각 활동마다 필요한 공간이나 놀잇감이 달라지므로 융통성 있게 조절 가능해야 한다. 각 영역의 배치는 활동의 주제에 따라 수시로 재구성이 이루어질 수 있다.

2) 흥미 영역의 구성지침

교실은 영유아의 발달수준, 흥미와 욕구를 반영하기 위해 다양한 흥미 영역으로 구성되며, 흥미 영역으로 공간을 구분함으로써 영유아의 흥미를 자극하고, 개별 또는 소집단으로 활동할 수 있도록 구성한다. 각 흥미 영역은 낮은 교구장이나 칸막이 등을 이용하여 공간을 구분하고, 영역의 수와 종류는 해당 반의 발달수준과 흥미를 고려하여 결정한다(〈표 7-1〉 참조).

〈표 7-1〉 **흥미 영역 구성 시, 보육교사의 유의사항**

- 교실은 영유아가 활동할 수 있을 만큼 충분히 넓어야 하고, 한 흥미 영역당 동시에 3~4명의 영유아가 놀이할 수 있을 정도로 공간을 확보한다.
- 교실의 시설설비와 교구는 영유아의 연령 및 신체발달에 적합하여 성인의 도움 없이 영유아 스스로 사용하고 정리할 수 있어야 한다.
- 교실의 모든 흥미 영역이 한눈에 보일 수 있도록 개방적으로 구성한다.
- 흥미 영역의 종류는 영유아 연령, 발달수준에 따라 점차 증가하고 세분화된다.
- 흥미 영역의 활동 특성을 고려하여 공간을 배치한다. 교실은 건조한 공간과 물이 있는 공간, 조용한 공간과 활동적인 공간 등 4가지로 구분될 수 있다. 쌓기, 역할, 언어, 음률 영역은 건조한 곳에 속하고, 미술, 수 · 과학 영역은 물이 필요한 공간이다. 미술, 언어, 수 · 과학, 컴퓨터 영역이 비교적 조용한 영역이라면, 쌓기, 역할, 음률 영역은 활동적인 영역이다. 이러한 영역의 특성을 고려하여 각각의 활동이 방해되지 않도록 공간을 배치한다.
- 흥미 영역 간 경계는 구분될 수 있으나 활동에 따라 영역 간 통합이 이루어질 수 있도록 유동적으로 배치한다.
- 흥미 영역 간의 흐름을 고려하여 다른 영역으로 이동할 때는 다른 영유아의 놀이를 방해하지 않으면서 이동할 수 있도록 통로를 마련한다.
- 흥미 영역은 특정 기준에 배치되었더라도 고정된 것이 아니며, 영유아의 흥미나 반응에 따라 다양하게 변화될 수 있다.

- 각 흥미 영역별로 활동 주제와 관계없이 상시 구비되어야 할 기본자료는 충분한 양을 준비한다.
- 흥미 영역의 활동자료는 상시 제공되는 기본자료 외에 활동 주제, 계절, 영유아의 발달 및 흥미에 따라 융통성 있게 주기적으로 교체하여 제공한다.
- 활동 주제에 따라 흥미 영역의 공간구성 및 활용은 변화될 수 있고, 주제와 관련된 그림, 사진 등의 화보는 영유아의 발달수준에 적합하게 제시한다.

2. 교실(보육실)의 흥미 영역 구성

어린이집의 물리적 환경은 영유아가 자발적으로 선택한 활동을 충분히 즐길 수 있도록 자유롭고 개방적인 분위기를 조성하는 것이 중요하다. 활동 주제에 따라 흥미로운 교구나 자료를 적절히 제공하고, 공간을 효과적으로 이용할 수 있도록 배치한다.

1) 영아반 교실과 보육교사의 역할

영아는 급격한 운동의 발달과 주변에 대한 탐색 욕구가 높아지는 시기이므로 영아의 욕구를 충족할 수 있는 환경을 구성한다. 안전한 환경 속에서 활발하게 움직이고, 오감을 통해 주변을 탐색하는 활동을 충분히 즐기며, 발달에 맞는 풍부한 놀잇감을 제공한다. 대체적으로 0세반은 일상생활 영역, 신체 영역, 언어 영역, 탐색·표현 영역의 4개 흥미 영역으로 배치하고, 1세반은 일상생활 영역, 신체(쌓기) 영역, 언어 영역, 감각·탐색 영역, 표현 영역(미술, 음률, 역할)의 5개 흥미 영역으로 배치하며, 2세반은 신체 영역, 언어 영역, 감각·탐색 영역, 표현 영역(미술, 음률), 역할·쌓기 영역의 5개 흥미 영역으로 배치한다.

(1) 일상생활 영역

0세반과 1세반은 놀이 및 활동이 이루어지는 공간 외에 수유 및 식사, 기저귀 갈이, 낮잠 및 휴식 등 일상생활 영역이 별도로 구성된다(〈표 7-2〉 참조).

〈표 7-2〉 **일상생활 영역 구성과 보육교사의 역할**

수유 및 식사 공간	• 0세반은 매트와 쿠션, 안전한 교사용 의자 등으로 수유를 위한 환경을 구성한다. • 보온병, 따뜻한 물, 개인 분유 및 분유병을 준비한다. • 영아용 개인 식탁, 턱받이 등을 준비하여 영아의 개별적인 식사를 도와줄 수 있도록 한다. • 교실 내 물병과 충분한 수의 컵을 준비하여 영아가 원할 때 언제든지 물을 마실 수 있도록 한다. 영아에 따라 가정에서 개인용 빨대 컵을 가져와 사용할 수 있다.
기저귀 갈이 공간	• 고정식 기저귀 갈이대 설치 혹은 기저귀 갈이 매트를 일정한 자리에 비치하여 안전하고 위생적으로 기저귀를 갈 수 있도록 구성한다. 기저귀 갈이 공간에는 영아를 씻길 수 있는 수전과 싱크대가 있는 것이 좋다. • 영아가 기저귀 갈이 시간을 편안하고 즐겁게 느끼도록 영아의 흥미를 유도할 수 있는 모빌이나 그림 등을 적당한 위치에 게시한다. • 기저귀 갈이대 수납장에는 각 영아의 기저귀를 개별적으로 수납한다. 가까운 곳에 기저귀 갈이에 필요한 용품(소독액, 일회용 장갑, 물티슈, 로션 등)을 바구니에 넣어 구비하고, 뚜껑이 있는 기저귀용 휴지통을 비치한다.
낮잠 및 휴식 공간	• 영아가 원할 때 조용하고 편안한 공간에서 쉴 수 있도록 낮잠 및 휴식 공간을 확보하고 커튼, 블라인드를 활용하여 분위기를 조성한다. 쿠션, 부드러운 재질의 인형, 소파 등을 이용할 수 있으며 공간이 확보되지 못한 경우에는 언어 영역을 활용할 수 있다. • 0세반은 교실 한쪽에 영아용 침대를 비치하여 일과에 상관없이 개별적인 수면 욕구 및 습관이 배려될 수 있도록 한다. • 별도의 수면 공간이 제공되지 못한 경우 놀잇감과 교실 바닥을 정리한 후 개별 매트와 이불을 준비하여 위생적으로 쉴 수 있도록 한다.

사진 설명 고정식 기저귀 갈이대, 개별 기저귀 수납장, 기저귀 갈이용 바구니가 비치된 모습이다.

사진 설명 이동식 기저귀 매트를 일정한 위치에 보관하고 있다.

사진 설명 교실 언어 영역을 활용하여 영아가 쉴 수 있도록 구성한다.

사진 설명 교실 한쪽에 물통과 컵을 준비한다. 단, 사용한 컵과 사용하지 않은 컵을 구분해야 한다.

(2) 신체 영역

영아기는 대근육 발달과 운동기술 발달이 급격히 이루어지는 시기이다. 이 시기에는 자신의 신체를 통제하고 조절하는 능력을 기르기 위해 오랜 시간 반복, 연습하므로 영아가 자신의 몸을 다양하게 움직이고 즐겁게 신체활동 할 수 있도록 충분한 공간과 기회를 제공하는 것이 중요하다. 한정된 교실 공간에 다양한 영역이 구성되어야 하므로 고정식 신체 놀이기구보다는 활동에 따라 유동적으로 구성할 수 있는 신체 놀이기구를 활용한다. 신체 영역은 쌓기 영역에 인접하여 구성할 수 있고, 교실 공간이 작을 때는 음률 영역과도 통합하여 구성할 수 있다(〈표 7-3〉, 〈표 7-4〉 참조).

〈표 7-3〉 **신체 영역 구성 시 보육교사의 역할**

- 영아의 안전을 위해 바닥은 매트, 카펫, 고무, 스펀지 등의 충격을 흡수할 수 있는 소재로 깔아놓는다.
- 되도록 넓은 공간을 확보하고 오르고 내리는 기구나 박스 등 안전하게 활동할 수 있는 신체 기구를 비치한다.
- 자동차 등의 바퀴 달린 놀잇감, 끌차 등을 굴릴 수 있는 평평하고 넓은 공간을 확보한다.
- 벽면에 안전거울을 부착하여 영아가 자신의 움직임을 볼 수 있게 한다.
- 음악에 맞추어 신체활동을 할 수 있으며 신체활동 도구(리본 테이프, 스카프, 꽃술, 손목 방울 등)를 비치하여 사용한다.
- 신체 영역에서는 블록을 활용한 대근육 활동이 주로 이루어지므로, 신체 영역에 쌓기 활동을 위한 공간을 확보하고 다양한 교구를 제공한다.

〈표 7-4〉 **신체 영역의 기본자료**

0세반	기어오를 수 있는 경사로나 계단, 밀고 다닐 수 있는 놀잇감, 잡고 걸을 수 있는 안전바, 밀고 당기는 작은 놀잇감, 큰 블록류(종이벽돌 블록, 스펀지 블록 등), 다양한 촉감의 공, 안전거울 등
1세반	오르고 내리는 기구(스텝박스, 폼 블록 등), 손으로 끌고 다닐 수 있는 놀잇감(인형 유모차, 끌차 등), 큰 블록류(종이벽돌 블록, 스펀지 블록, 우레탄 블록 등), 다양한 촉감의 공, 안전거울 등
2세반	손으로 끌고 다닐 수 있는 놀잇감(인형 유모차, 끌차 등), 다양한 촉감의 공, 훌라후프 등

사 진 설 명　1세반 신체 영역으로 쌓기 영역, 음률 영역과 통합하여 구성한 모습이다.

사 진 설 명　1세반 신체 영역 일부를 스펀지 블록으로 구성해놓은 모습이다.

(3) 언어 영역

　영아들은 1세 말경 점차 자신이 들은 여러 가지 단어들을 이해할 수 있게 되고, 2세가 되면 자신의 생각과 감정을 표현하는 단어들을 배우게 되면서 언어발달이 활발해진다. 교사는 영아의 언어발달을 이해하기 위해 영아의 행동, 영아와 성인과의 상호작용, 영아와 영아 간의 상호작용을 주의 깊게 관찰하고, 영아의 언어와 행동에 민감하게 반응해 주는 것이 중요하다. 또한 언어적 상호작용을 촉진할 수 있는 자료를 충분히 구비하고, 지속적인 언어적 상호작용을 시도하여 영아의 언어기술 습득을 격려해야 한다. 언어 영역은 영아의 컨디션이 좋지 않거나 피곤을 느끼면 수시로 와서 쉴 수 있는 공간이 될 수 있도록 구성한다(〈표 7-5〉, 〈표 7-6〉 참조).

〈표 7-5〉 **언어 영역 구성 시 보육교사의 역할**

- 동적이고 소음이 큰 곳과 분리하여 햇빛이 잘 들고 조용한 공간으로 배치한다.
- 매트와 쿠션, 부분 카펫, 캐노피를 이용하여 아늑한 공간으로 구성한다.
- 도서는 영아 스스로 살펴보고 찾을 수 있도록 표지가 보이게 비치하고 크고 작은 보드북, 비닐책, 촉감책, 사운드북 등 다양한 형태로 제공한다.
- 까꿍판, 사진 자료를 벽면에 제시할 때는 교구장 등의 장애물이 없는 곳에 영아의 눈높이에 맞추어 부착한다.
- 손 인형, 봉제 인형 등 영아가 일상생활에서 익숙한 소재를 통해 이야기를 듣고 말해볼 수 있는 환경을 조성한다.
- 영아가 쉽게 꺼내 쓸 수 있는 곳에 커다란 종이와 다양한 쓰기 도구(크레파스, 사인펜 등)를 비치한다.

〈표 7-6〉 **언어 영역의 기본자료**

0세반	리듬 있는 단순한 그림책, 다양한 소재의 책(헝겊책, 촉감책, 소리책 등), 인형류(봉제 인형, 손 인형, 동물 인형 등), 그림 및 사진 자료(가족사진 등), 음악플레이어 등
1세반	여러 가지 그림책, 다양한 소재의 책(헝겊책, 촉감책, 소리책 등), 인형류(봉제 인형, 손 인형, 동물 인형 등), 모형 전화기, 일상 소재의 그림 및 사진 자료(가족사진 등), 음악플레이어 등
2세반	여러 가지 그림책, 일상생활에 관한 그림책, 인형류(봉제 인형, 손 인형, 동물 인형, 막대 인형 등), 융판 및 융판 자료, 자석 칠판 및 자석 자료, 모형 마이크, 끼적이기 자료, 일상 소재의 그림 및 사진 자료(가족사진, 영아사진 등), 음악플레이어 등

사진 설명 언어 영역에 매트, 소파, 인형, 캐노피를 비치한 모습이다.

사진 설명 언어 영역에 낮은 책꽂이, 손 인형, 전화기가 비치된 모습이다. 방해물이 없는 벽면, 빈 바닥 공간을 이용하여 끼적이기 종이를 부착할 수 있다.

(4) 감각 · 탐색 영역

영아기는 보고, 듣고, 만지고 냄새 맡고, 맛보는 등의 감각을 사용하여 주변에 대한 호기심을 탐색하는 시기이다. 영아는 준비된 놀잇감뿐 아니라 주위의 다양한 사물을 관찰하고 조작하는 것을 통해 소근육, 눈과 손의 협응력, 시각과 촉각 등이 발달한다. 교사는 영아의 관심과 흥미에 따라 주변 물체를 안전하게 관찰 · 탐색 · 조작할 수 있는 환경을 마련하여 다양한 감각적 경험과 탐색이 이루어지도록 한다 (〈표 7-7〉, 〈표 7-8〉 참조).

〈표 7-7〉 **감각 · 탐색 영역 구성 시 보육교사의 역할**

- 영아가 자신의 여러 가지 감각을 사용하여 직접 만지고 조작해 볼 수 있도록 다양한 종류의 색, 모양, 질감, 촉감 등의 교구를 준비한다.
- 실외 놀이터 및 산책에서 영아들과 수집한 자연물의 경우 안전한지 살펴보고, 위생적으로 깨끗하게 처리한 후 제시할 수 있다.
- 작은 조각 놀잇감에서 발생하는 소리를 줄여줄 수 있도록 카펫을 깔아주고 책상은 없어도 무방하다.
- 탐색 놀잇감은 안전에 유의하여 입에 넣어도 될 정도의 유해성분이 없는 것, 삼킬 수 없는 크기(직경 3.5cm 초과) 등을 고려하여 제공한다.
- 1세 영아의 경우 영아용 끼우기 블록은 구성물의 의미보다 소근육 발달과 탐색에 대한 의미가 크므로 탐색 영역에 제시한다.
- 2세반의 감각 · 탐색 영역은 통행이 적고 정적인 활동이 일어나는 영역과 가깝게 배치하고, 낮은 책상을 넣어 개별적이고 정적인 탐색이 가능하도록 배려한다.
- 상시적으로 비치되는 놀잇감도 주기적으로 교체하고, 가능한 한 영아들이 선호하는 놀잇감을 같은 것으로 여러 개 준비한다.
- 놀잇감 조각이 없어졌는지, 깨진 곳은 없는지 자주 점검하고 분실된 부분은 채워준다.

〈표 7-8〉 **감각 · 탐색 영역의 기본자료**

0세반	〈탐색 · 표현 영역으로 구성〉 놀이 매트, 안전거울, 소리 나는 놀잇감, 누르면 튀어 오르는 놀잇감, 복합 감각 놀이판, 소리 나는 놀잇감(딸랑이 등), 단순한 리듬악기, 안전거울 등
1세반	소리 나는 놀잇감, 누르면 튀어 오르는 놀잇감, 쌓을 수 있는 놀잇감, 모양 상자, 도형 모양 맞추기, 1~2조각 퍼즐, 롤러코스터, 망치놀이 등
2세반	큰 페그와 페그보드, 쌓기 그릇이나 컵, 큰 구슬 꿰기, 도형 끼우기, 모양 상자, 도형 모양 맞추기, 3~5조각 퍼즐, 롤러코스터, 망치놀이, 영아용 돋보기, 색깔판 등

사진 설명 1세반 감각 · 탐색 영역으로 모양 상자, 끼우기 블록, 주제에 따른 퍼즐(제작교구)이 비치된 모습이다.

사진 설명 2세반 감각 · 탐색 영역으로 달팽이(실물 관찰), 색깔판, 자석 블록이 비치된 모습이다.

(5) 표현 영역

영아기는 표현보다 탐색 활동에 집중되어 있으므로 다양한 감각 · 운동 기능과 근육 조절을 활용하여 탐색의 즐거움을 느낄 수 있게 해야 한다. 교사는 영아의 자유로운 표현활동을 위해 창의적 표현, 성취감, 색이나 형태에 대한 심미감, 소근육 및 협응력 발달을 촉진하는 환경 조성이 필요하다. 표현 영역에서는 영아가 다양하게 제시되는 미술 재료를 자유롭게 탐색하고 사용해 보는 미술 활동과 간단한 노래 듣고 부르기, 악기 다루기, 신체 표현 등의 음률 활동이 이루어지고 단순한 가작놀이가 이루어진다. 대개 0~1세반은 음률, 미술, 역할 활동을 표현 영역으로 묶어 제시하고 가작놀이가 활발해지는 2세반은 역할 활동을 별도의 흥미 영역으로 구성한다(〈표 7-9〉, 〈표 7-10〉 참조).

〈표 7-9〉 **표현 영역 구성 시 보육교사의 역할**

- 표현 영역 안에 미술과 음률 활동 포함되나, 실제 영역 구성에는 교구장 분리 등을 통해 공간상의 구분이 필요하다. 즉, 정적인 미술 활동을 하는 영역에는 책상을 배치하고, 동적인 음률 활동을 하는 영역에는 책상으로 인해 영아의 움직임이 방해받지 않도록 충분한 공간을 확보해야 한다.
- 미술 활동은 영아의 결과물이나 작품을 완성하는 데 초점을 맞추기보다 자료의 속성을 자유롭게 탐색할 기회를 제공하여 각각의 자료를 반복해서 사용해볼 수 있도록 한다.
- 음률 활동은 영아가 쉽게 두드리거나 흔들어 소리낼 수 있는 악기를 제공하고, 신체 영역과 인접하여 배치함으로써 몸을 충분히 움직일 수 있도록 공간을 확보한다.
- 영아가 자신의 작품을 전시할 수 있도록 영아의 눈높이에 게시 공간을 마련하고, 영아의 작품에 사진을 붙여줄 수 있도록 개별 영아의 얼굴 사진을 미리 준비해둔다.
- 일상생활에서 일어나는 상황을 모방할 수 있도록 실제 사물과 유사한 놀잇감을 제공한다.

〈표 7-10〉 **표현 영역의 기본자료**

1세반	〈미술 · 음률 활동을 위한 자료〉 영아용 크레파스, 다양한 크기의 모양 종이(도화지, 색지, 한지, 색종이 등), 두드리는 악기(북, 실로폰 등), 흔들어 소리 내는 악기(마라카스, 손목 방울 등), 리본막대, 색 스카프 등 〈역할 활동을 위한 자료〉 음식 모형(헝겊 또는 플라스틱 재질), 모형 케이크, 소꿉놀이 도구(접시, 그릇, 컵, 주전자, 스푼, 포크 등), 역할놀이 소품(바구니, 포대기, 전화기, 사진기, 아기인형 등), 탈것 놀잇감(자동차, 트럭, 비행기 등), 밀가루 반죽 등
2세반	〈미술 · 음률 활동을 위한 자료/ 역할 활동은 별개의 영역으로 구성〉 다양한 질감의 그리기 도구(영아용 크레파스, 색연필, 수성펜 등), 다양한 크기와 모양의 종이(도화지, 색지, 한지, 색종이 등), 스케치북, 다양한 스티커(시트지 모양 스티커 등), 간단한 만들기 재료(재활용품, 풀, 수수깡, 모루, 빨대 자른 것, 영아용 안전가위 등), 악기류(작은 북, 마라카스, 영아용 탬버린 등), 리본 막대, 색 스카프 등

사진 설명　환경 구성 시 표현 영역에 미술, 음률, 역할 활동을 교구장으로 구분하였다.

사진 설명　1세반은 교구장을 벽면에 붙여 영아의 동선을 방해하지 않도록 구성하였다.

사진 설명　2세반은 역할 영역을 별도의 공간에 마련하였다.

(6) 역할 · 쌓기 영역

영아는 연령이 증가함에 따라 단순한 상황이나 역할을 흉내 내는 단순한 모방놀이에서 점차 다양한 역할을 가작화하는 상상놀이로 발전하게 된다. 1세 영아는 친숙한 보호자와 적극적으로 상호작용하지만, 또래와는 적극적인 상호작용을 하지 않고 쳐다보거나 곁에서 놀잇감을 가지고 탐색한다. 어떤 일이 일어나는 것에 주의를 기울이며 다른 사람의 행동을 모방하는 것이 단순한 역할놀이의 형태로 점차 발달하게 된다(정옥분 외, 2019). 2세 영아에게는 상상놀이가 좀 더 풍부해질 수 있도록 역할 · 쌓기 영역을 별도로 구성하고, 블록 놀잇감을 활용하여 역할놀이와 연계한 다양한 쌓기 활동들이 진행되도록 한다(〈표 7-11〉, 〈표 7-12〉 참조).

〈표 7-11〉 **역할 · 쌓기 영역 구성 시 보육교사의 역할**

- 영아가 일상생활을 모방하고, 일상생활의 경험을 상상놀이로 표현할 수 있도록 주방놀이 놀잇감, 인형류, 역할놀이 소품 등을 풍부하게 제공하고 밀가루 반죽을 상시 제공하는 것이 좋다.
- 교사는 영아의 언어와 행동을 관찰하여 일상생활과 관련된 기본적 소품과 특별한 경험(병원, 가게 등)에 관련된 주제 자료를 제공한다.
- 영아의 쌓고 무너뜨리는 활동이 방해되지 않도록 충분한 공간을 확보하고, 영아의 움직임이 많은 영역이므로 소음이 많은 영역과 인접하여 배치한다.
- 쌓기 영역의 카펫은 블록 교구장에서 조금 떨어지게 깔아주어 놀이하는 영아와 블록을 꺼내는 영아가 서로 방해받지 않도록 통로를 확보한다.
- 또래 간 양보가 아직 어려운 연령임을 고려하여 놀잇감의 종류는 단순하게, 수량은 넉넉하게 준비한다.

〈표 7-12〉 **역할 · 쌓기 영역의 기본자료**

2세반	영아용 주방 세트(싱크대, 가스레인지, 냉장고 등), 소꿉놀이 도구(접시, 그릇, 컵, 주전자, 스푼, 포크 등), 역할놀이 소품(바구니, 가방, 음식 모형, 전화기, 카메라, 아기 인형, 포대기, 지갑, 모자, 신발, 유모차 등), 옷걸이, 다양한 역할 옷, 밀가루 반죽과 찍기틀, 다양한 블록(종이벽돌 블록, 우레탄 블록, 와플 블록, 자석 블록 등), 모형 운전대, 자동차, 사람 모형 소품 등

사진 설명　2세반 역할 영역으로 쌓기 영역과 인접하여 구성한 모습이다.

사진 설명　2세반 쌓기 영역으로 동적 활동이 많은 음률 영역과도 인접하여 구성할 수 있다.

사진 설명　2세반 역할ㆍ쌓기 영역에서 교통기관 주제로 통합놀이가 이루어지고 있다.

사진 설명　영아들 하원 후에 역할놀이 교구를 소독하여 말리고 있는 모습이다.

2) 유아반 교실과 보육교사의 역할

유아는 급속한 인지적 성장으로 상징적 사고, 초보적인 반성적 사고가 발달하고, 다양한 어휘와 문법을 습득하면서 표현 언어가 발달한다. 영아기에 비해 정서표현, 정서조절 능력이 점진적으로 증가하고 사회적 관계를 맺는 능력이 발달하면서 또래와의 놀이가 활발해진다. 따라서 다양해진 일상생활의 경험이 확장되고, 생활 주제를 통해 다양한 놀이와 교육 활동이 통합될 수 있도록 환경을 구성한다. 대체로 3~4세반은 쌓기 영역, 역할 영역, 미술 영역, 언어 영역, 수ㆍ과학 영역(조작), 음률 영역의 6개 흥미 영역으로 배치하고, 5세반은 쌓기 영역, 역할 영역, 미술 영역, 언어 영역, 수ㆍ과학(조작) 영역, 음률 영역, 컴퓨터 영역의 7개 영역으로 배치한다.

(1) 쌓기 영역

유아는 다양한 블록과 소품들을 이용하여 자신의 생각이나 경험을 표현한다. 이러한 쌓기 영역에서의 구성 활동을 통해 유아들은 대·소근육 발달뿐 아니라 공간 구성력, 사회적 기술 및 문제해결력을 증진하고 색, 모양, 크기, 부피, 분류, 서열화, 공간 관계, 균형 등의 개념을 경험하게 된다. 교사는 유아들의 다양한 구성물 표현을 위해 넓은 공간을 마련해 주고 다양한 블록과 주제에 따른 여러 가지 소품, 사고력에 도움이 될 만한 화보를 제공하여 놀이가 활성화될 수 있도록 한다(〈표 7-13〉, 〈표 7-14〉 참조).

〈표 7-13〉 쌓기 영역 구성 시 보육교사의 역할

- 통행이 많지 않는 곳에 충분한 공간을 확보하고, 역할 영역과 연계된 놀이가 빈번하게 이루어지는 영역이므로 통합놀이가 이루어질 수 있도록 근접하여 배치한다.
- 유아들의 상호작용이 가장 많이 이루어지는 활동적인 영역이므로 소음을 흡수하는 부분 카펫을 비치하고 언어 영역이나 수·과학 영역 등 정적인 영역과는 거리를 두어 배치한다.
- 구성물에 집중할 수 있도록 칸막이나 교구장 등으로 영역을 구분하여 다른 영역과의 경계를 명확히 해 준다.
- 유아 수를 고려하여 충분한 양의 블록을 구비하고, 블록 구성 후 소품으로 사용할 모형 자동차, 교통표지판, 사람 및 동물 모형 등을 주제에 따라 제공하여 놀이 확장이 이루어지도록 한다.
- 유아의 연령이 증가할수록 쌓기 활동이 언어 영역, 미술 영역, 역할 영역 등 다른 영역과 연계하여 종합적인 구성 활동이 이루어질 수 있도록 놀이를 촉진·확장해 준다.
- 학기 초에는 블록 던지지 않기, 블록 치울 때와 옮길 때의 방법 등 안전과 관련된 상황 그림을 활용하여 유아와 이야기 나누고, 상황 그림을 쌓기 영역 벽면에 일정 기간 게시해둔다.

〈표 7-14〉 쌓기 영역의 기본자료

3~4세반	종이벽돌 블록, 단위 블록(유니트 블록), 할로우 블록, 레고 블록, 스펀지 블록, 우레탄 블록, 큰 와플 블록, 주제에 따른 다양한 소품 블록(탈것, 동물, 사람 모형, 운전대, 교통표지판, 주유기 등), 카펫 혹은 매트 등
5세반	종이벽돌 블록, 단위 블록(유니트 블록), 할로우 블록, 원통·반원통 블록, 끼우기 블록(레고 블록, 와플 블록, 4차원 만능 블록, 꽃 블록, 띠 블록, 몰폰 블록 등), 주제에 따른 다양한 소품 블록(탈것, 동물, 사람 모형 등), 카펫 혹은 매트 등

사진 설명　교실 사진의 오른쪽 상단을 보면 쌓기 영역과 역할 영역을 근접하게 배치한 모습이다.

사진 설명　5세반 쌓기 영역 모습으로 주제별 활동에 따라 특정 블록만으로 교구장을 채울 수 있다.

사진 설명　쌓기 영역 화보를 보며 구성물을 만드는 모습이다.

사진 설명　유아들이 정리하기 싫어하는 쌓기 영역 구성물의 경우, 사진으로 찍어 벽면에 게시해 둘 수 있다.

사진 설명　필요시 쌓기 영역에 화보를 준비하여 쌓기 영역 구성에 도움을 줄 수 있다.

사진 설명　쌓기 영역에 다양한 블록을 이용하여 아쿠아리움을 구성한 모습이다.

(2) 역할 영역

유아기는 역할놀이 및 상상놀이가 가장 활발하게 이루어지는 시기이다. 이 시기에는 자신이 흥미롭게 느꼈던 다양한 사건이나 경험을 놀이로 재현하며 또래와의 역할 분담 등 상호작용하는 과정을 통해 언어능력과 사회성 발달이 이루어진다. 교사는 유아의 일상적인 경험을 토대로 놀이할 수 있는 환경을 제공하고, 유아의 자발적인 역할놀이 주제를 수시로 관찰하여 이를 활동 주제와 영역 구성에 반영해야 한다(〈표 7-15〉, 〈표 7-16〉 참조).

〈표 7-15〉 **역할 영역 구성 시 보육교사의 역할**

- 유아의 이동이 많은 동적인 영역이므로 소음이 많은 영역과 인접하여 배치하고, 여러 명이 모여서 놀이할 수 있도록 충분한 공간을 마련한다.
- 놀이 중 유아들의 참여 상황에 따라 유동적으로 공간 크기가 조절될 수 있도록 운영한다.
- 유아의 활발한 역할놀이가 이루어질 수 있도록 싱크대, 세탁기, 냉장고 등 유아 신체 크기에 맞는 가구, 소품, 의상 등을 다양하게 비치한다.
- 가정을 중심으로 한 소꿉놀이 외에 다양한 역할놀이가 이루어질 수 있도록 의상과 소품을 주제에 따라 교체한다.
- 견학 등을 통해 얻은 유아의 직접적인 경험을 또래와 공유하고 역할놀이로 표현해 볼 수 있도록 유사한 소품을 제공하거나 스스로 역할놀이에 필요한 도구나 자료를 만들도록 격려한다.
- 역할놀이와 상징놀이를 촉진할 수 있도록 그림과 사진을 게시하고 유아들에게 다양한 에피소드를 자극하도록 한다.
- 5세반에는 동화나 이야기를 표현하는 환상극, 다양한 사회적 역할을 표현하는 사회극화놀이, 유아들 간 협동놀이 등이 이루어질 수 있는 환경을 조성한다.

〈표 7-16〉 **역할 영역의 기본자료**

3~5세반	모형 가구(싱크대, 냉장고, 가스레인지, 화장대, 낮은 상 등), 소꿉놀이용 그릇 및 조리기구(냄비, 주전자, 프라이팬, 접시, 컵, 숟가락, 포크, 모형 칼, 작은 도마, 주걱, 거품기 등), 음식 소품(모형 과일 및 채소, 밀가루 반죽과 찍기틀 등), 의상 및 소품(아빠 셔츠, 재킷, 치마, 원피스, 옷걸이, 액세서리, 다리미, 빗, 드라이기, 모자, 구두, 신발, 가방, 지갑, 화장품 모형, 전화기, 포대기 등), 인형(아기 인형, 동물 인형 등), 주제에 따라 교체해 주는 다양한 소품(돗자리, 배낭, 직업 관련 의상, 병원놀이 세트, 한복 등) 등

사진 설명　주제 활동에 따라 역할 영역 소품을 교체하여 비치할 수 있다.

사진 설명　우리나라 주제 활동으로 역할 영역에 아궁이, 갓, 한복 등이 비치되어 있다.

사진 설명　쌓기 영역에서 구성한 블록을 이용하여 기상청 일기예보 놀이를 하고 있다.

사진 설명　쌓기 영역에서 아쿠아리움을 구성한 뒤 역할놀이와 연계하여 관객과 직원이 되어 놀이하고 있다.

(3) 미술 영역

유아는 다양한 재료를 탐색하고 이를 활용하여 자유롭게 표현하는 과정을 통해 신체 및 감각기관의 협응력, 창의성, 심미감을 발달해 나간다. 교사는 활동 주제와 관련된 미술 활동, 역할놀이에 필요한 소품 제작뿐 아니라 유아가 자신의 생각을 다양한 방법과 형태로 표현할 수 있도록 격려해야 한다. 미술 영역에서는 주로 미적 요소와 다양한 재료를 탐색하고 경험하는 탐색 활동, 그리기 및 만들기 활동을 통해 자신의 경험과 느낌을 자유롭게 표현하는 표현 활동, 다양한 미술작품이나 자연물, 사물이나 사건 등을 감상하는 활동이 실시된다(〈표 7-17〉, 〈표 7-18〉 참조).

〈표 7-17〉 미술 영역 구성 시 보육교사의 역할

- 조용하고 밝은 곳에 배치하며, 물을 사용하거나 손이 더러워지기 쉬우므로 화장실 가까이에 구성한다.
- 넓은 책상과 의자를 비치하고, 활동에 따라 공동 작업이 이루어질 수 있으므로 책상 배치를 조정할 수 있어야 한다.
- 게시판, 작품걸이대, 교구장 등을 활용하여 작품을 말리거나 전시할 수 있는 공간을 확보한다.
- 유아가 모든 재료를 한눈에 볼 수 있고 재료를 쉽게 이용할 수 있도록 충분한 양의 미술 재료를 교구장에 비치한다. 또한 스스로 꺼내고 정리할 수 있도록 제공한다.
- 미술 활동 재료는 다양하고 풍부하게 준비하며 유아의 흥미, 활동 주제, 계절에 따라 변화를 주어 제공한다.
- 창의적인 만들기를 격려하는 각종 재활용 재료 및 소품을 항시 제공한다. 친숙하고 동일한 미술 재료를 가지고도 창의적인 아이디어가 표현될 수 있도록 격려한다.
- 물감놀이 등 책상과 옷이 더러워질 수 있는 활동을 위해 비닐 테이블보와 미술 가운을 제공한다.
- 완성하지 못한 작품이나 완성한 작품을 보관할 수 있는 바구니 혹은 서랍장을 구분하여 준비한다.

〈표 7-18〉 미술 영역의 기본자료

3~5세반	여러 질감과 크기의 종이(도화지, 색도화지, 색종이, 검은 종이, 골판지, 포장지, 개인 스케치북 등), 그리기 도구(크레파스, 색연필, 유성 매직, 수성 사인펜, 2B연필 등), 다양한 만들기 재료(빨대, 수수깡, 나무젓가락, 조각 우드락, 빵끈, 노끈, 털실, 단추, 리본, 스팽글, 모루 등), 각종 재활용품(상자, 우유갑, 휴지심, 플라스틱 뚜껑 등), 각종 도구(풀, 물레방아 테이프, 가위, 펀치, 스테이플러 등), 활동에 따라 교체해 주는 도구와 재료(물감, 물통, 붓, 먹물, 앞치마, 셀로판지, 찰흙, 점토, 모양 도장 등), 작품 게시대(게시판), 휴지통, 휴지 등

사진 설명   미술 영역 교구장 상단에 다양한 그리기 재료, 꾸미기 재료 등이 비치된 모습이다.

사진 설명   미술 영역 교구장 하단에 다양한 종이류, 크기 큰 재료 등이 비치된 모습이다.

사진 설명 완성하지 못한 미술작품과 완성한 미술 작품을 보관하는 장소가 마련되어 있다.

사진 설명 미술 영역 일부 공간에 종이접기를 할 수 있는 공간이 마련되어 있다.

(4) 언어 영역

유아는 듣기, 말하기, 읽기, 쓰기의 다양한 활동을 통해 언어능력을 발달해 나간다. 교사는 언어 영역에서 말하기, 듣기, 읽기, 쓰기 관련 활동이 균형 있게 이루어질 수 있도록 구성하고 동시 감상, 창의적인 동시 짓기, 동극, 이야기 꾸미기 등의 다양한 언어활동이 이루어질 수 있는 환경과 자료를 제공해야 한다(〈표 7-19〉, 〈표 7-20〉 참조).

〈표 7-19〉 **언어 영역 구성 시 보육교사의 역할**

- 유아들이 방해받지 않고 안정적인 분위기에서 활동할 수 있도록 통행이 적고 조용한 곳에 배치한다. 아늑함을 조성할 수 있도록 카펫, 매트, 쿠션, 소파, 캐노피 등을 준비한다.
- 읽기 · 쓰기와 관련된 문해 자료를 사용하므로 적절한 조명의 밝기를 유지한다. 어두울 경우에는 부분 조명을 활용한다.
- 도서자료는 유아에게 다양한 자료를 제공할 수 있도록 기본자료를 항상 비치하고 활동 주제에 따라 다양한 주제 관련 도서를 추가 및 교체해 준다.
- 동화, 동시 자료를 활용하여 유아들이 개별적으로 재구성할 수 있는 기회를 제공한다.
- 5세 유아는 문자에 대한 관심이 증가하면서 읽고 쓰는 활동은 물론 말하기를 즐기므로 수수께끼, 끝말잇기 등 다양한 언어활동이 이루어질 수 있게 한다.

〈표 7-20〉 **언어 영역의 기본자료**

3~5세반	책꽂이, 책상, 의자 혹은 소파, 매트와 쿠션, 주제와 관련된 다양한 그림책, 음악 플레이어, 헤드폰, 주제와 관련된 음원(동화, 이야기 등), 다양한 형태의 동화자료 및 이야기 자료(융판, 손 인형, 손가락 인형, 막대 인형, 그림자 동화, 테이블 동화 등), 다양한 형태의 종이와 쓰기 도구(2B연필, 색연필, 수성 사인펜 등), 연필깎이, 지우개, 각종 글자 모양과 글자 퍼즐, 글자 도장(자음 모음 도장 세트), 환경인쇄물(잡지, 신문, 카탈로그 등), 포스트잇, 화이트보드와 마카펜 및 지우개, 자석 글자판과 자석글자, 수수께끼 상자, 주제에 따른 자료(그림과 글자화보 등) 등

사진 설명   언어 영역 교구장에 쓰기 도구, 각종 종
이류, 글자 도장, 카세트 등이 비치된 모습이다.

사진 설명   언어 영역에 쿠션, 매트를 제공하여 편
안한 분위기를 조성한 모습이다.

사진 설명   유아들이 직접 카세트를 조작하여 동화
를 들을 수 있도록 사용방법을 자세히 적어놓았다.

사진 설명   필요 시 주제와 관련된 화보를 파일에
넣어 제공할 수 있다.

(5) 수 · 과학(조작) 영역

유아는 여러 가지 조작물이나 카드 자료 등을 이용하여 짝짓기, 분류, 비교, 수세
기 등의 활동을 한다. 수 · 과학 영역은 유아가 주변 사물이나 자연환경, 자연현상
에 대하여 호기심을 가지고 탐구하는 과정을 즐기며 탐구적 태도를 기를 수 있도록
구성한다. 교사는 일대일 대응, 수세기, 분류, 비교, 서열, 무게, 부피, 부분과 전체,
형태, 공간, 측정 등의 수학적 개념을 다양하게 경험할 수 있는 교재와 교구를 준비
하며, 자연물과 실물, 과학 자료를 활용한 관찰, 실험, 탐구하는 과학적 경험을 제
공해야 한다(〈표 7-21〉, 〈표 7-22〉 참조).

〈표 7-21〉 **수 · 과학 영역 구성 시 보육교사의 역할**

- 개별적인 탐색 활동이 이루어지고, 자연물 관찰 등의 활동을 할 수 있도록 햇빛이 잘 드는 창가 근처, 물 사용이 수월한 안정적인 장소에 배치한다.
- 다양한 자연물과 실물 자료를 제시하고, 유아들이 직접 정보를 찾아볼 수 있는 과학 그림책, 화보, 사전 등을 풍부하게 준비한다.
- 수 개념을 포함한 인지발달, 감각기능 발달, 소근육 발달이 이루어지도록 직접 조작할 수 있는 교구를 제공한다. 연령이 증가할수록 정교한 협응력과 인내력을 요구하는 놀잇감을 제공한다.
- 자연물 관찰 등의 활동이 이루어지는 곳과 게임 및 퍼즐 맞추기 등의 교구를 이용한 활동이 이루어지는 곳을 구분하여 책상을 배치한다.
- 관찰내용 기록하기, 수세기 및 숫자 써보기 등의 활동이 이루어질 수 있도록 항상 쓰기 자료를 비치한다. 유아가 그림이나 글로 표현하여 또래와 결과를 분석하고 토의할 수 있게 하고, 계량컵, 저울, 눈금자 등의 표준화된 단위로 측정하는 활동, 자료를 수집하여 분석하고 그래프로 그리기 활동 등 수학 활동과 연계하여 기초적인 경험을 제공한다.
- 일상생활에서 일어나는 상황이나 익숙한 사물을 가지고 기초적인 수 · 과학적 개념과 문제해결 능력을 기를 수 있도록 한다. 일상생활에서 1:1대응, 순서 짓기, 비교 및 분류 등을 활용하여 자연스러운 학습이 이루어지도록 격려한다.

〈표 7-22〉 **수 · 과학 영역의 기본자료**

3~5세반	관찰 및 실험도구(색 관찰판, 색안경, 촉감 상자, 거울, 돋보기, 확대경, 자석, 프리즘, 요술경, 액체실험 튜브, 현미경 등), 측정 도구(양팔 저울, 계량컵, 모래시계, 온도계 등), 측정할 수 있는 사물(씨앗, 조개, 돌, 곡식류, 구슬, 단추 등), 식물 기르기(수경재배-감자, 양파, 당근/ 씨앗 키우기-콩, 봉숭아, 나팔꽃/ 다양한 꽃 화분), 동물 기르기(거북이, 달팽이, 금붕어, 사슴벌레 등), 수 세기를 위한 구체물(커다란 구슬, 솔방울, 밤 등), 숫자 카드, 순서 짓기 자료(다양한 크기 컵 쌓기, 순서 짓기 그림 자료, 패턴 자료 등), 모양 맞추기 자료, 다양한 모양의 기하학적 도형, 게임 자료(주사위 게임, 일대일 대응 게임, 패턴 게임 등), 분류 자료(열매류, 크기가 다른 뚜껑류 등), 조작 자료(다양한 퍼즐, 구슬 끼우기, 끼우기 블록, 지퍼 및 단추 끼우기, 자물쇠 열기 등), 다양한 과학활동 사진 및 화보, 쓰기 자료(관찰 기록지, 종이, 2B연필, 지우개, 색연필 등)

사진 설명 수 · 과학 영역에 모래시계, 지구본, 돋보기, 수세기 교구 등을 비치해 둔 모습이다.

사진 설명 수 · 과학 영역에 제작 교구(도형 구성하기, 연산하기 등)가 비치된 모습이다.

사진 설명 낮은 책상에 교구를 비치하고, 지속적으로 관찰 가능한 실물 자료도 함께 제시한 모습이다.

사진 설명 유아의 발달수준을 고려하여 수 개념과 관련된 교구를 제작할 수 있다.

(6) 음률 영역

유아는 음악을 듣고 몸을 자유롭게 움직이며 노래를 부르고 여러 가지 악기를 마음껏 탐색하는 것을 즐긴다. 교사는 악기 연주, 노래 부르기, 음악 감상, 신체 표현 등 다양한 표현활동을 제공하고 유아가 리듬, 강약, 속도 등의 음악적 요소에 관심을 갖고 탐색할 수 있도록 다양한 음악 관련 활동을 실시해야 한다. 즉, 다양한 매체를 활용하여 유아가 음악적 요소를 즐기고 자유롭게 표현할 수 있는 환경을 구성한다(〈표 7-23〉, 〈표 7-24〉 참조).

〈표 7-23〉 **음률 영역 구성 시 보육교사의 역할**

- 소음이 많이 발생하는 공간이므로 조용한 영역과는 거리를 두어 다른 놀이에 방해되지 않도록 주의를 기울인다.
- 유아가 자유롭게 움직이며 신체를 표현할 수 있도록 적절한 면적을 확보하고, 유동적으로 공간의 크기를 조절할 수 있도록 개방된 공간과 인접하여 배치한다.
- 다양한 종류와 형태의 악기를 교구장에 제공하고, 다양한 음악을 감상해볼 수 있도록 감상 공간도 마련한다.
- 유아에게 제시되는 노래 가사판은 그림과 글자를 함께 제공하고, 멜로디 악기 연주를 위하여 악보에 색깔 스티커를 부착하여 제시한다.

〈표 7-24〉 **음률 영역의 기본자료**

3~5세반	리듬악기류(우드블록, 귀로, 에그쉐이크, 마라카스, 캐스터네츠, 탬버린, 작은북, 리듬 막대, 트라이앵글 등), 기초적인 멜로디악기류(다양한 실로폰, 핸드벨, 교사용 키보드, 색깔 악보 등), 감상을 위한 기기(음악플레이어, 주제와 관련된 다양한 음원, 헤드폰 등), 신체 표현을 돕는 자료(스카프, 리본 막대, 꽃 수술, 주제에 따른 다양한 리듬뛰기용 발판 등), 그림이나 화보(그림이 있는 가사판, 음악 포스터, 악기 사진, 연주 화보, 안전거울 등), 주제에 따라 교체해 주는 악기 및 소품들(장구, 징, 꽹과리, 북, 소고, 레인스틱, 동작 관련 그림 등)

사진 설명　음률 영역에 소고, 트라이앵글, 리듬 막대, 스카프 등이 비치된 모습이다.

사진 설명　교사용 피아노를 유아들이 사용해볼 수 있도록 동요 판 옆에 색깔 스티커 악보를 제시하였다.

(7) 컴퓨터 영역

5세 유아는 소근육 발달과 함께 기계에 대한 이해도가 높아지므로 컴퓨터를 활용하여 자신이 알아보고 싶은 것을 직접 검색하면서 탐색능력과 문제해결력을 기를 수 있다. 교사는 구체적인 활용방법을 안내해 주어 주제와 관련된 다양한 소프

트웨어를 활용하고, 다른 영역 간의 연계와 확장이 이루어질 수 있도록 격려해 준다(〈표 7-25〉, 〈표 7-26〉 참조).

〈표 7-25〉 **컴퓨터 영역 구성 시 보육교사의 역할**

- 언어, 수·과학 영역과 인접하여 배치하고, 다른 영역 간의 연계 활동이 용이하도록 조용하고 구석진 벽면을 활용한다.
- 입식 컴퓨터 책상에는 유아용 의자 2개 이상을 비치하고, 다른 놀이에 방해되지 않도록 헤드폰을 제공한다.
- 컴퓨터 사용방법, 각 부분의 명칭과 기능, 사용규칙 등에 대한 안내문을 미리 부착해 둔다.
- 인터넷 검색은 인터넷 보안을 사전에 확인해두고 교사의 지도하에 진행되며, 기록을 위한 쓰기 도구를 항상 비치한다.

〈표 7-26〉 **컴퓨터 영역의 기본자료**

5세반	유아용 컴퓨터 책상, 의자, 컴퓨터(본체, 모니터, 프린터, 자판, 스피커, 마우스 등), 게시물(컴퓨터 사용방법, 사용 순서판, 시계, 타이머 등), 쓰기 도구(종이, 2B 연필 등)

사진 설명   5세반 컴퓨터 영역이 구성된 모습이다.

사진 설명   컴퓨터 영역 책상에는 사용방법과 구성물에 대한 안내가 부착되어 있고, 바닥에는 키보드 모양을 크게 확대하여 부착해 놓았다.

3. 실외 · 실내 놀이터 및 공용공간 구성

　실외 및 실내 놀이터는 영유아의 운동기능 발달을 위한 활동과 주변 환경에 대한 탐색, 다양한 사람과의 상호작용이 일어나는 의미 있는 공간이다. 교실에서 하기 어려운 신체활동이나 대근육 운동뿐 아니라 교실에서 이루어지는 모든 영역이 실내 · 외 놀이터에서도 연계되어 이루어지므로 이를 고려하여 환경을 구성한다. 이 외에도 영유아와 교사가 함께 사용하는 공용공간의 관리 및 점검은 영유아의 안전을 위해 중요하다.

1) 실외 놀이터와 보육교사의 역할

　실외 놀이터는 신체적 활동뿐 아니라 영유아가 실내를 벗어나 자연현상을 감각적으로 경험하고 관찰하며 날씨 변화 등을 느낄 수 있도록 구성한다. 실내에서의 놀이가 자연스럽게 연결될 수 있도록 여러 영역을 배치하고, 영유아의 다양한 흥미와 욕구를 충족시킬 수 있는 충분한 놀잇감과 시설을 제공한다. 실외 놀이터가 없는 어린이집의 경우, 주변 공원 및 산책로를 활용할 수 있으나 반드시 이동 경로에 대한 사전 확인과 이용할 공간에 대한 환경 점검, 휴식 공간 마련(돗자리, 텐트 구비) 등 구체적인 계획이 수립되어야 한다(〈표 7-27〉, 〈표 7-28〉 참조).

〈표 7-27〉 **실외 놀이터 구성과 보육교사의 역할**

- 신체조절 능력이 미숙한 영유아의 발달특성을 고려하여 안전한 환경조성과 관리가 중요하다.
- 영유아가 안전하고 자유롭게 활동할 수 있도록 울타리 등을 설치하여 외부로부터의 경계를 분명히 한다.
- 영유아의 관심에 따라 다양한 활동이 이루어질 수 있도록 신체 영역, 물 · 모래영역, 탐색 영역, 미술 영역, 역할 영역, 음률 영역 등의 공간을 마련하고 필요한 자료를 준비한다.
- 정적인 활동과 동적인 활동을 위한 영역으로 공간을 구분하고, 조용한 활동을 위해 벤치나 간이의자 등을 설치하여 쉴 수 있도록 한다.
- 신체적인 활동, 도전적이고 창의적인 활동은 물론 영유아가 긴장을 해소할 수 있는 가구와 공간 등으로 구성한다.
- 영유아가 다양한 촉감을 경험할 수 있도록 바닥의 재질과 높이를 다양하게 구성한다. 잔디밭, 모래, 물, 흙 등을 제공하고 바닥의 높이에 변화를 줄 수 있다.

- 실외 놀이터의 바닥이 우레탄 재질인 경우 햇볕에 뜨거워질 수 있으니 그늘 막·파라솔 등을 설치하고, 인조잔디인 경우 신체활동 중 영유아의 신체가 쓸리지 않도록 주의한다.
- 모래놀이터가 있을 경우 배수가 잘 되도록 설치하고 사용하지 않을 때는 덮개를 덮어 이물질이 유입되지 않도록 관리한다.
- 영유아의 움직임을 고려하여 놀이공간과 이동공간을 확보하고, 세발자전거, 붕붕차 등 탈것을 위한 전용로를 확보한다.
- 실외놀이용 탈것, 기구 등을 보관할 수 있는 창고나 보관함, 선반을 마련하여 놀잇감을 정리하고 관리한다.
- 돌출물(볼트, 너트 등), 녹슨 곳, 갈라진 곳, 이물질(배설물, 돌, 유리파편 등)이 있는지 매일 안전 점검하고, 실외놀이 전 반드시 주변 환경을 살펴본다.

〈표 7-28〉 **실외 놀이터의 기본자료**

- 신체 영역: 복합놀이 시설, 미끄럼틀, 오르고 내리는 기구, 그네, 징검다리, 안전 널빤지, 골대, 공, 흔들시소(말), 훌라후프, 줄넘기, 트램펄린, 바퀴달린 놀잇감(유모차, 끌차, 자전거, 자동차 등), 터널 등
- 물/모래 영역: 물놀이대, 몰놀이통, 비닐 가운, 깔대기, 눌러 짜는 플라스틱 통, 페인트 붓과 물통, 다양한 크기의 컵과 그릇, PVC 하수도관, 끝이 무딘 삽과 갈고리, 채, 소꿉놀이용 그릇류, 찍기틀 등
- 탐색 영역: 채소밭, 꽃밭, 물뿌리개, 정원용 호스, 화분, 모종삽, 곤충채집망(통), 바구니, 루페, 돋보기, 낮은 책상, 동·식물 등
- 미술 영역: 이젤, 물감, 붓, 종이, 크레파스, 비닐 가운, 빈 상자, 플라스틱 블록, 작업대, 작품 건조대 등
- 역할 영역: 놀이집, 유동 놀이시설(널빤지, 사다리, 받침대), 칸막이, 텐트, 운전대, 소꿉놀이용 그릇류, 상, 돗자리, 각종 역할 모자나 의상, 호루라기 등
- 음률 활동: 음악 담긴 USB, 음악플레이어, 스피커, 악기, 리본 테이프, 풍선, 스카프 등
- 휴식 영역: 의자나 벤치, 돗자리, 그림책, 조작 놀잇감 등

사진 설명 단독건물의 어린이집 내에 마련된 실외 놀이터 모습이다.

사진 설명 어린이집 내 실외 놀이터가 없을 경우 주변의 물리적 환경을 이용할 수 있다.

2) 실내 놀이터와 보육교사의 역할

실내 놀이터는 실내에서 영유아의 동적인 활동을 충분히 지원할 수 있도록 유동적인 공간으로 마련한다. 영유아의 기본적인 운동기능과 대근육 발달 증진을 위한 활동뿐 아니라 다양한 놀이기구를 비치하여 마음껏 신체를 활용할 수 있도록 구성한다. 실내 놀이터는 영유아의 휴식을 위한 공간이 될 수 있고, 실외놀이를 대체하는 용도로 활용 가능하며, 각종 원내 행사를 위한 장소로 사용될 수 있다(〈표 7-29〉, 〈표 7-30〉 참조).

〈표 7-29〉 **실내 놀이터 구성과 보육교사의 역할**

- 영유아의 발달수준과 흥미 등을 고려하여 다양한 수준의 놀이기구와 놀잇감을 제공한다.
- 동적인 활동을 위한 고정식 놀이기구가 설치될 수 있으며, 터널, 스폰지 매트, 탈것과 같은 유동식 놀이기구를 활용할 수 있다.
- 대근육 활동뿐 아니라 다양한 용도로 활용할 수 있으므로 융통성 있게 조정할 수 있도록 공간을 구성한다.
- 실내 놀이터의 한쪽 영역은 책꽂이, 매트, 벤치 등으로 도서 영역을 구성하여 책 읽기 등의 조용한 활동을 하거나 휴식할 수 있도록 구성한다. 또한 구성놀이를 위한 자료를 비치하는 것도 좋다.
- 영유아의 움직임이 많은 공간이므로, 부딪히지 않도록 공간을 확보한다. 예를 들어, 탈수 있는 놀잇감을 위해 움직임 방향을 바닥에 표시해 둔다.
- 놀이기구별 안전장치(모서리 방지, 미끄럼 방지, 낙상 방지 등), 보호장치(전기 콘센트 덮개, 전선 정리 등)를 설치하고, 수시로 안전 점검을 통해 위험요소를 제거한다.

〈표 7-30〉 **실내 놀이터의 기본자료**

- 대근육 놀이기구: 탈것(자전거, 자동차, 흔들말 등), 다양한 구성이 가능한 스폰지 블록, 대형 블록, 낮은 평균대, 안전사다리, 여러 가지 공, 이동식 터널, 구르기 매트, 놀이집 등
- 정적인 활동을 위한 자료: 구성놀이를 위한 블록류(작은 와플 블록, 끼우기 블록 등), 그림책, 수족관 등

사진 설명   어린이집 실내 공간에 마련된 영아용 실
내 놀이터의 모습이다.

사진 설명   어린이집 실내 공간에 마련된 유아용 실
내 놀이터의 모습이다.

3) 공용공간과 보육교사의 역할

어린이집의 공용공간은 영유아와 교사가 함께 사용하는 공간으로 가능한 한 가
정과 같은 분위기로 구성되는 것이 좋고, 청결하며, 쾌적하게 환경을 유지·관리해
야 한다. 대표적인 공용공간으로는 현관 및 로비, 복도 및 계단, 화장실, 도서 공간,
식당, 양호실이 있으며, 각 공간은 영유아와 성인이 생활하기에 편안하고 공간별
목적과 용도에 맞도록 구성한다(〈표 7-31〉 참조).

〈표 7-31〉 **공용공간 구성과 보육교사의 역할**

현관 및 로비	• 출입문에는 개폐 장치를 설치하여 외부인과 영유아의 출입을 통제한다. • 현관은 어린이집에 들어오는 영유아와 방문자가 친근하고 편안하게 느낄 수 있도록 밝고 아늑하게 구성한다. • 현관에 게시판을 설치하여 어린이집 소개, 공지사항, 행사, 식단 등의 다양한 정보를 제공한다. • 투약의뢰서와 약품 바구니를 학급별로 비치하되, 영유아의 손에 닿지 않도록 주의한다. • 신발장은 영유아 스스로 정리할 수 있는 위치에 배치하고, 이름표에 얼굴 사진을 부착한다. 반별로 이름표 색을 구분하면 쉽게 찾을 수 있다. • 등하원 시에 부모가 대기할 수 있는 공간을 마련하고, 해당 공간에 그림책, 양육 도서를 비치하여 주기적으로 교체한다. • 부모가 당일 식단을 확인할 수 있도록 급간식 쇼케이스를 비치할 수 있다.

복도 및 계단	• 복도와 계단은 많은 사람들의 이동이 있는 곳이므로 위생과 청결에 더욱 유의하여 관리한다. • 계단이 있는 경우에는 바닥에 미끄럼 방지 고무를 부착하고, 영유아용 핸드레일 설치, 안전문 설치 등을 통해 안전에 유의한다. • 복도에는 그림, 액자 외 영유아의 작품을 게시하여 심미적인 환경을 구성한다. • 각 층의 복도에는 음수대를 설치하여 영유아가 언제든지 물을 마실 수 있도록 하고, 뜨거운 물이 나오지 않도록 미리 조정해둔다.
화장실	• 변기와 세면대 등 모든 시설설비는 영유아의 신체 크기에 적합하게 설치하고, 안전하게 사용할 수 있도록 관리한다. • 화장실에서 영유아의 전체 모습이 보이도록 칸막이를 낮게 설치하여 개방적으로 구성한다. • 영유아가 미끄러지지 않도록 바닥은 미끄럼 방지 처리(발판 활용 등)를 하고, 바닥에 물기가 없도록 관리한다. • 영아용 화장실에는 배변 후 영아를 씻겨줄 수 있도록 샤워기를 설치하고, 샤워줄은 늘어지지 않도록 관리한다. • 손 씻기, 양치하기 등의 자료는 이해하기 쉽고 명확한 형태의 글과 그림으로 제작하여 영유아의 눈높이에 맞게 부착한다. • 밝은 조명, 청결한 위생관리로 화장실의 분위기를 쾌적하게 관리한다. • 수건이나 종이타올은 영유아의 신체에 적합한 높이로 설치하고, 영유아의 칫솔과 양치컵은 살균건조기에 보관하여 영유아의 손이 닿지 않는 높이에 설치한다. • 온수는 뜨거운 물이 나오지 않도록 적절한 온도로 설정해둔다. • 화장실 내에 세탁실이 있는 경우, 영유아가 출입하지 못하도록 잠금 장치를 해둔다.
도서 공간	• 영유아가 조용히 앉아서 쉬거나 책을 볼 수 있도록 매트, 쿠션, 미니 소파, 벤치 등으로 편안한 공간을 구성한다. • 영유아의 연령, 발달수준, 그림책 주제, 책의 형태 등을 고려하여 다양한 책이 포함되도록 비치한다. • 비치되는 도서는 영유아의 흥미와 관심, 계절, 활동 주제 등을 고려하여 주기적으로 교체한다. • 영유아가 스스로 책을 선택하고 꺼낼 수 있도록 구성하고, 일부 도서는 책의 표지가 보이도록 전시한다.
식당	• 식당은 영유아가 편안히 이용할 수 있도록 영유아의 신체 크기에 맞는 식탁과 의자를 배치한다. • 영유아가 자신이 먹은 식판을 스스로 정리할 수 있도록 공간과 동선을 구성한다. • 식당 내 음수대를 설치하여 유아가 스스로 물을 마실 수 있도록 하고, 먼저 먹은 영유아는 책을 보며 기다릴 수 있는 공간을 마련한다.

양호실	• 양호실은 아픈 영유아가 조용하고 편안히 쉴 수 있도록 구성하고, 약간의 놀잇감과 그림책을 구비한다. • 양호실은 간단한 치료와 간호가 이루어질 수 있도록 양호침대, 구급 약품 보관함, 간단한 의료기구, 약품 전용 냉장고를 비치한다. • 비상시 응급처치 방법과 비상연락 체계가 벽면에 잘 보이도록 게시한다. • 원장실 내 양호공간을 마련할 경우, 영유아에게 위험한 물건이 손에 닿지 않도록 주의한다.

사진 설명 어린이집 현관으로 투약함, 쇼케이스(식단)가 설치된 모습이다.

사진 설명 어린이집 복도로 위험한 물건 및 요소를 제거하여 안전하게 관리한 모습이다.

사진 설명 어린이집 영유아용 화장실로 발판을 활용하여 전체 미끄럼방지 처리를 한 모습이다.

사진 설명 어린이집 도서 공간으로 다양한 형태와 주제의 그림책이 비치된 모습이다.

사진 설명 어린이집 식당으로 낮은 식탁과 대기 가능한 공간(벤치, 책)을 마련한 모습이다.

사진 설명 어린이집 양호실로 원장실 내에 간호 공간을 마련한 모습이다.

생각해 보기

1 1세 영아반 교실의 흥미 영역을 떠올리며, 평면도를 그려 봅시다.

2 5세 유아반 교실의 흥미 영역을 떠올리며, 평면도를 그려 봅시다.

제8장

보육교사와 인간관계

보육교사는 보육교직원의 일원으로서, 원장, 특수교사, 간호사 혹은 간호조무사, 영양사, 취사부, 운전기사 등과 함께 어린이집에 근무한다. 특수교사나 운전기사는 어린이집의 상황에 따라 배치 여부를 결정할 수 있고, 간호사나 간호조무사, 영양사, 취사부는 어린이집의 규모에 따라 배치 여부를 결정할 수 있으나, 원장과 보육교사는 어린이집 운영에 있어 반드시 필요한 구성원이다. 특히 보육교사는 어린이집에서 영유아와 함께 하루일과를 보내는 핵심 인물로서 영유아의 보육을 직접 담당한다. 이처럼 어린이집 내에는 다양한 보육교직원들이 존재하며, 이들 간의 관계는 직장 내 상하관계와 동료관계로 나눠 볼 수 있고, 어린이집을 원만히 운영하기 위해서는 구성원들 간의 의사소통을 통한 원활한 상호작용이 필요하다. 또한 어린이집이라는 공간은 영유아가 가정 외에서 장시간을 보내는 장소로서 보육교사와 영유아는 하루 중 많은 시간을 공유한다. 따라서 보육교직원들 간의 관계만큼이나 보육교사와 영유아 간의 관계는 매우 중요하다고 할 수 있겠다.

이 장에서는 일반적인 인간관계의 의의를 바탕으로, 보육현장에서 보육교사를 중심으로 한 인간관계를 구체적으로 살펴보고, 보육현장에서의 갈등 및 구성원들 간 올바른 관계형성을 위한 지침에 대해 살펴보고자 한다.

1. 인간관계의 일반적인 의의

아리스토텔레스가 "인간은 사회적 동물이다"라고 이야기한 것처럼, 인간은 혼자 살아갈 수 없으며 누군가와의 관계 속에서 생활하게 된다. 관계형성은 개인 의사에 따른 경우도 있으나, 개인 의지와 상관없이 결정되는 경우도 있다. 관계 내 적응은 그 관계를 원만히 유지하도록 하며, 부적응은 그 관계를 회피하도록 만든다. 특히 심한 부적응은 정신병리적 문제를 유발하며 극단적인 결정을 내리게 하기도 한다. 인간은 다양한 관계 속에서 자신의 위치를 파악하고 역할을 규정지으며 다른 사람들이 자신을 어떻게 보는지를 중요하게 생각한다. 다른 사람으로부터의 평가는 자신의 가치를 판가름하는 기준이 되기도 한다. 따라서 인간이 자신을 정의하는 데 있어 타인과의 관계 속 의미를 짚어 보는 것은 의의가 있다고 할 수 있다.

1) 인간관계의 의미

사진 설명 영아가 아빠의 품에 안겨 있다. 부모-자녀관계는 인생의 첫 사회적 관계망이다.

인간은 태어나면서 부모와의 첫 사회적 관계망을 형성한 후(사진 참조), 형제자매관계, 또래관계, 이성관계, 부부관계, 직장에서의 동료 및 상하관계 등을 경험한다. 이처럼 인간은 태어나면서부터 누구나 다른 사람과의 관계 속에서 살아간다고 할 수 있다.

인간관계는 좁은 의미로는 사람과 사람 간의 관계로 규정지을 수 있고, 넓은 의미로는 한 사람의 관심과 이해가 다른 사람과 겹치거나 대립되거나 공유되는 모든 인간의 삶과 관련된 제반 문제라고 할 수 있다(이영실, 임정문, 유영달, 2011). 또한 인간관계는 대부분의 사회현상에서 볼 수 있는 인간 간의 상호작용으로, 인간과 인간 사이에 존재하는 상태를 뜻하고 다른 사람의 화합을 원만하게 할 수 있는지를 의미하며 다른 사람과 더욱 좋은 상태를 유지하기 위한 모든 내용을 포함한다고 할 수 있다(윤기영, 2005). 다시 말해서, 인간관계는 사람과 사람 간의 전반적인 상호작용을 의미하며, 인간의 삶의 제반 문제를 포함한다고 할 수 있다.

2) 인간관계의 유형

인간은 다양한 관계 속에서 생활한다. 인간관계는 발생의 기원 및 대상에 따라 구분하여 볼 수 있다. 인간관계 발생의 기원에 따라 혈연관계, 지연관계, 학연관계로 구분하기도 하고, 인간관계 대상에 따라 친구관계, 이성관계, 부모-자녀관계, 직장에서의 동료관계 및 상하관계로 구분하기도 한다(권석만, 2004). 또는 다양한 인간관계를 일차관계와 이차관계, 수직적 인간관계와 수평적 인간관계, 애정 중심적 인간관계와 업무 중심적 인간관계, 공유적 인간관계와 교환적 인간관계, 나-너의 관계와 나-그것의 관계로 구분하기도 한다. 이를 보다 구체적으로 살펴보면 다음과 같다(유영달 외, 2013). 먼저, 일차관계는 관계의 형성 요인이 일차적이고 근원적인 것으로 개인의 선택이나 의사와 관계없이 운명적으로 형성되고 평생 탈퇴가 불가하며 공식적이고 집단적인 관계이다. 혈연관계, 지연관계, 학연관계가 여기에 속한다. 반면, 이차관계는 자신이 좋아하는 사람, 직업적 이해가 있는 사람, 가치관이나 취미, 신념 등이 같은 사람과 선택적 자유의사로 형성하는 관계로, 직장 동료, 애인, 친구, 친목단체의 구성원이 이에 해당된다.

수직적 인간관계는 나이나 지위, 권한 등에서 상하관계가 있는 경우로, 부모-자녀관계, 스승-제자관계, 선배-후배관계, 상사-부하관계가 이에 속한다. 반면 수평적 관계는 구성원이 서로 동등하고 평등한 관계를 맺는 것으로, 교우관계, 연인관계, 부부관계, 직장 동료 간의 관계 등이 여기에 해당된다.

애정 중심적 인간관계와 업무 중심적 인간관계는 인간관계에서 얻고자 하는 목적에 따라 구분된 개념이다. 애정 중심적 인간관계는 관계를 시작하고 유지하는 목적이 사랑과 관련되어 있으며, 연인관계나 부부관계가 여기에 속한다. 반면, 업무 중심적 인간관계는 어떤 과업의 수행을 위해 맺어진 관계로, 직장의 동료관계, 상사-부하관계가 해당된다. 스승-제자관계, 친구관계, 부모-자녀관계는 상황에 따라 애정 중심적 인간관계일 수도 있고 업무 중심적 인간관계일 수도 있다.

Clark(1985)은 인간관계를 공유적 인간관계와 교환적 인간관계로 설명한다. 이는 애정 중심적 인간관계와 업무 중심적 인간관계의 구분과 비슷한 맥락을 보인다. 공유적 인간관계는 상대와의 만족스러운 친교의 경험을 공유하기 위한 관계로 구성원끼리 내면적으로 상호 의존적이며 강한 친밀감을 느낀다. 반면, 교환적 인간관계는 서로 필요한 것을 주고받는 거래적이고 교환적인 관계를 말하며, 여기서는 거래와 교환의 공정성, 즉 이득과 손실의 균형이 무엇보다 중요하다.

끝으로, Buber(1977)가 구분한 나-너의 관계와 나-그것의 관계를 살펴보면, 나-너의 관계란 한 인간 대 한 인간의 개방적이고 진실하며 수평적인 관계를 의미한다. 이 관계에서는 관계 자체가 목적이기 때문에 관계를 통하여 어떤 이득이나 목적을 달성하고자 하지 않는다. 반면, 나-그것의 관계는 내가 주체가 되며 상대방은 나의 목적을 달성하기 위한 수단적 대상에 불과하다. 이 관계에서 나는 상대방에게 가면을 쓰고 다가가서 교류하게 되고 나는 단순히 나에게 주어진 역할을 수행할 뿐이다.

이와 같이 인간관계 양상은 다양한 기준에 따라 다르게 구분될 수 있다. 이때 무엇보다 중요한 것은 개인이 속한 사회적 관계망이 어떤 특성을 보이는지 정확히 판단하고 자신의 역할을 숙지한다면 집단 속 구성원으로 적응하는 데 도움이 될 것이다.

3) 인간관계상의 부적응

Jourard(1971)에 따르면, 인간은 두 가지 측면의 '나'를 가지고 살아가는데 하나는 '있는 그대로의 나'이고 다른 하나는 '가식적인 나'이다. 살다 보면 우리는 다른 사람과의 관계 속에서 자신을 솔직히 드러내야 할 때도 있고, 때로는 포장해서 그럴듯하게 표현해야 할 때도 있다. 그런데 이런 포장의 과정에서 자신의 본질을 잃는다면 진정한 관계형성이 어려울 것이다.

인간은 관계 속에서 삶을 영위하며, 자신을 규정짓는 과정에서 긍정적 혹은 부정적 정서를 느낀다. 원만한 인간관계를 통해서 행복을 느낄 수 있는 반면, 인간관계의 부적응으로 갈등을 경험하는 경우도 있다. 권석만(2004)에 따르면, 부적응적 인간관계의 유형에는 인간관계 회피형, 인간관계 피상형, 인간관계 미숙형, 인간관계 탐닉형이 있다. 첫째, 인간관계 회피형은 고립된 생활을 하며 소극적이고 제한된 인간관계를 맺는다. 이 유형은 다시 경시형과 불안형으로 구분되며, 경시형은 삶에서 인간관계의 중요성을 느끼지 못하고 무의미하다고 생각하는 유형이고, 불안형은 사람을 사귀고자 하는 욕구가 있지만 사람을 만나는 것이 불편하고 피곤하여 결과적으로 고립된 생활을 하는 유형이다. 둘째, 인간관계 피상형은 대체로 넓은 인간관계를 가지고 있으나 깊이 있는 인간관계를 맺지 못하고 피상적인 인간관계를 맺는다. 이 유형은 다시 실리형과 유희형으로 구분되며, 실리형은 주된 의미를 실리적인 목적에 두는 유형으로 관계를 현실적 이득을 위한 거래관계로 생각하는 경향이 있고, 유희형은 인간관계에서 쾌락과 즐거움을 최고의 가치로 생각하며 구속과 규제를 회피하는 유형이다. 셋째, 인간관계 미숙형은 사교적 기술이 부족하여 대인관계가 원활하지 못한 유형이다. 이 유형은 다시 소외형과 반목형으로 구분되며, 소외형은 다른 사람으로부터 따돌림을 받고 소외받는 유형이고(사진 참조), 반목형은 반복적으로 말다툼

과 싸움을 경험하는 유형이다. 넷째, 인간관계 탐닉형은 인간관계에서 강박적으로 친밀한 유대관계를 추구하고 구속하는 경향을 가진 유형이다. 이 유형은 다시 의존형과 지배형으로 구분되며, 의존형은 내면의 자신을 외롭고 나약한 존재라고 믿고 관계에 자신을 맡기고 의지하며, 지배형은 집단을 이끌려는 성향이 강하여 상대방을 통솔하는 데에서 만족감을 얻고 자기주장이 매우 강하여 집단 내 경쟁자가 있을 경우 대립하는 경향이 있다.

이처럼 부적응적 인간관계는 다른 사람과의 관계에서 적응을 어렵게 하고, 우울증, 사회공포증, 알코올 관련 장애, 섭식장애와 같은 정신장애, 편집성 성격장애, 반사회적 성격장애와 같은 여러 가지 성격장애와 밀접한 관련을 보인다(유영달 외, 2013). 따라서 부적응적 인간관계 양상을 제대로 파악한다면 원만한 인간관계 형성을 위해 어떤 노력을 기울여야 하는지 판단할 수 있을 것이다.

2. 보육현장에서의 인간관계

보육현장 내 보육교사는 보육교직원과 함께 일하며 하루 중 대부분의 시간을 영유아와 보낸다. 보육교사는 영유아의 보육을 직접 담당하는 전문가로서, 영유아의 요구에 주의를 기울이고 영유아의 발달을 위해 노력하는 존재이다. 또한 보육교사는 어린이집이라는 조직의 일원으로서, 조직 내 공동의 목표를 달성하기 위해 동료교사와 협력하고 원장과 원만한 관계를 형성하는 것이 필요하다. 따라서 보육현장의 핵심 인물이라고 할 수 있는 보육교사를 중심으로 이와 관계를 맺는 대상에 초점을 맞춰 그들 간 관계의 특징 및 바람직한 관계에 대해 살펴보는 것은 의미가 있다고 하겠다.

1) 보육교사와 영유아의 관계

영유아들이 어린이집에서 생활하는 시간이 증가하면서 보육교사와 영유아 간의 관계는 부모-자녀 간의 관계만큼이나 중요해지고 있다. 보육교사와 영유아는 어린이집에서 많은 시간을 함께 보내며 서로에게 영향력을 행사한다. 인생의 전반부를 시작하는 영유아에게 있어 보육교사는 의미 있는 타인의 역할을 한다. 따라서 보육교사는 영유아를 하나의 인격체로 존중하고, 이들의 권리보장을 위해 노력하며, 건강한 전인발달을 이루도록 힘을 기울여야 한다.

(1) 관계의 특징

사진 설명 영아들이 보육교사와 함께 활동하고 있다.

사진 설명 아동학대 신고 안내 자료
출처: 보건복지부.

어린이집의 보육교사는 영유아의 건강한 발달을 일차 목적으로 기관 내 보육을 담당하는 사람이다. 부모-자녀관계와 같이 보육교사와 영유아 간의 관계는 외관상 수직적 관계로 비춰지기는 하나, 실질적으로는 함께한다는 동반자적 의미가 강하다(사진 참조). 보육교사와 영유아는 하루일과 중 많은 시간을 공유하며 긴밀한 유대감을 쌓고, 서로를 지지해 주는 역할을 한다. 때로는 수직관계의 잘못된 양상이 아동학대와 같은 사건으로 이어지는 일도 있다(사진 참조). 이는 상하관계의 폐단을 드러내는 것으로 보육교사가 영유아를 존중하지 않고 힘의 원리로 지배하고자 하는 성향으로 일어난 결과라 할 수 있다.

영유아는 시간의 흐름에 따라 다양한 발달 영역에서 성장을 보인다. 보육교사는 영유아발달을 적절히 지원하기 위해 발달에 적합한 자극을 제공해야 한다. 또한 영유아를 객관적으로 관찰하면서 연령별 발달기준치에 도달하였는지 살피고, 영유아의 요구에 민감하게 반응해야 한다. 이러한 보육교사의 역할을 수행하는 과정에서 영유아의 성장 변화를 확인할 수 있고 영유아의 반응에 보람을 느낄 수 있다.

(2) 바람직한 관계

보육교사는 영유아가 어린이집이라는 낯선 환경에 적응할 수 있도록 노력해야 한다. 처음 기관에 입소하는 영유아에게 어린이집의 인적·물적 환경은 모두 새로울 수밖에 없다. 물리적 환경은 영유아의 호기심을 자극할 수는 있으나 인적 환경인 보육교사가 제시하는 방식에 따라 그 정도는 달라질 수 있다. 따라서 보육교사는 영유아가 호기심을 보이는 놀잇감을 사용하도록 권하면서 영유아에게 접근을 시도하고, 따뜻한 관심과 미소로 우호적으로 반응해 주면서 영유아가 편안함을 느낄 수 있도록 하는 것이 필요하다.

① 영아와의 관계

영아기는 신체적·인지적·사회정서적으로 급격한 성장을 이루는 시기로서, 영아발달은 월령에 따라서뿐만 아니라 개인별로도 수준차를 크게 보인다. 영아를 담당하는 보육교사는 우선 영아발달에 대해 바르게 이해하고 있어야 하며, 영아의 개별적 욕구에 민감하게 반응해야 한다. 영아가 주 양육자와 맺는 정서적 유대감인 애착은 가정에서는 부모, 주로 어머니와 형성하고, 어린이집에서는 보육교사와 형성한다(사진 참조). 영아와 보육교사 간에 형성된 애착은 어린이집 적응에 영향을 미치므로 보육교사는 영아에게 신뢰를 바탕으로 한 일관된 양육태도를 보이며 영아와 안정된 애착을 형성하는 것이 필요하다. 따라서 영아반을 맡고 있는 보육교사는 언어적으로 의사표현이 미성

사진 설명 영아가 보육교사의 품에 안겨 무언가를 응시하고 있다. 이러한 접촉은 영아의 안정애착 형성에 도움이 된다.

숙한 영아의 표현방식을 잘 알아차려 민감하게 반응해 주어야 한다. 즉, 영아가 보내는 신호를 인식하고 바르게 해석하여 즉각적이고 적절하게 반응해 주어야 한다. 이런 과정에서 영아는 보육교사에게 믿음이 생기고 자신을 드러낼 수 있게 된다.

한편 Piaget(1954)의 감각운동기로 대변되는 영아기는 감각이라는 자극을 통해 운동이라는 반응을 보이는 시기이다. 영아는 감각 및 지각 기관이 발달하면서 오감 능력을 향상시켜 나간다. 영아의 감각적 욕구를 충족시키기 위해서 보육교사는 이

사진 설명 영아가 모양 맞추기 놀잇감을 가지고 놀이하고 있다.

와 관련된 놀잇감을 제공해 줄 수 있고(사진 참조), 신체접촉을 촉진하는 놀이를 계획해 볼 수 있다. 무엇보다 영아에게 필요한 환경은 장시간 부모와 떨어져 있으면서 불안해하지 않고 편안한 상태에서 하루일과를 보낼 수 있는 환경일 것이다. 따라서 정서적 편안함을 느낄 수 있도록 보육교사가 영아와 상호작용 시 언행에 있어 따뜻함을 지녀야 하고, 영아가 관심을 가지고 활동할 수 있는 교구들을 비치하며, 도서도 영아의 감각적 욕구를 충족할 수 있는 다양한 소재의 것들로 마련해 두는 것이 필요하다.

② 유아와의 관계

사진 설명 유아들이 놀잇감을 가지고 함께 놀이하고 있다.

유아기는 꾸준한 성장을 보이는 시기로서, 운동능력 발달로 할 수 있는 신체활동이 많아지고, 언어발달로 의사표현이 자유로워지며, 사회성발달로 또래와 함께하는 놀이를 즐기는 시기이다(사진 참조). 유아도 영아처럼 발달에 있어 연령차와 개인차를 보이므로, 유아 개개인이 보이는 요구에 보육교사는 민감하게 반응해야 한다. 보육은 보호와 교육의 의미를 내포하지만, 영아기의 보육은 보호적 차원이, 유아기의 보육은 교육적 차원이 강조되는 경향이 있다. 따라서 유아기는 교육적 활동이 주로 이루어지는 시기로 볼 수 있으며, 이런 교육과정을 진행하는 중에 보육교사는 유아를 격려하고 칭찬하는 것이 필요하다.

유아가 할 수 있는 것이 많아지고 자기주장도 늘면서 유아들 간의 갈등 상황이 발생하기도 한다. 이런 문제 상황에서 보육교사가 해결자로서의 역할을 해야 할 때도 있다. 보육교사는 직접적으로 관찰한 내용만을 가지고 언급해야 하며, 일관된 방식으로 공정하게 문제를 해결해야 한다. 또한 문제해결 방식이 동료교사들과 다르다면 서로 간의 합의가 이루어져야 한다. 유아는 담임교사와의 상호작용뿐 아니라

등·하원 시간에 따라 당직교사와 상호작용을
해야 하는 때도 있으므로 보육교사들 간의 지도
방법에 관한 합의가 반드시 이루어져야 한다.

유아기는 기본생활습관을 형성해 가는 시기
로서, 보육교사는 유아 스스로 올바른 생활습관
을 익힐 수 있도록 지도하는 것이 필요하다. 몸
을 깨끗이 하는 것뿐만 아니라 올바른 식습관
및 인사습관을 익히는 등 기본생활습관에 관한
내용을 교육자인 보육교사가 학습자인 유아에

사진 설명 유아가 가정에서 보육교사의 흉내를 내며
책을 읽고 있다.

게 전달하기보다는 직접 모범을 보임으로써 유아가 자연스럽게 익히도록 한다. 모
방과 기억능력이 발달함에 따라 유아는 어린이집에서 일어난 일을 가정에서 시연
해 보기도 한다(사진 참조). 보육교사는 유아의 훌륭한 역할모델이 되도록 평소 올
바른 언행을 하여야 한다.

한편, Piaget(1954)는 유아기를 전조작기로 표현하며, 상징적 사고, 자기중심적
사고, 물활론적 사고, 인공론적 사고, 전환론적 추론능력을 보이는 시기라고 하였
다. 유아는 이러한 사고능력의 발달로 가상놀이를 즐기고, 자기 나름의 방식으로
생각하고 표현하는 것을 볼 수 있다. 이러한 사고와 행동은 유아기의 자연스러운
과정으로 보육교사는 유아기에 대한 이해를 기초로 하여 유아의 반응에 적절한 피
드백을 주어야 한다. 어린이집 환경은 보육교사와 유아 비율이 일 대 다수로 이루
어져 있어 보육교사가 여러 유아의 반응에 즉각적으로 피드백을 제공하기 어려울
때도 있다. 그래도 가능한 한 모든 유아의 반응에 피드백을 주도록 노력하며, 바로
피드백을 주지 못할 경우 추후 줄 것이라는 것 정도는 이야기하는 것이 필요하다.

2) 보육교사와 동료교사의 관계

어린이집의 규모에 따라 보육교사가 함께 생활하는 동료교사의 수는 적게는 3명
전후에서 많게는 20명 전후가 되기도 한다. 소규모 어린이집의 경우 가정적인 분위
기를 느낄 수 있다면, 대규모 어린이집의 경우는 보다 체계적이라고 할 수 있다. 동
료교사들끼리는 어린이집이라는 공간을 공유하고 영유아의 건강한 발달을 촉진하
는 공동의 목표가 있으면서도 다른 한편으로는 각자 담당 영유아의 보육을 일차적

으로 맡는 책임자라고 할 수 있다. 동료교사들은 영유아보육에 관한 의견을 나누며 협력관계를 유지하기도 하지만, 서로의 사적·공적 이야기를 나누는 중 의견이 맞지 않아 갈등을 빚는 경우도 있다. 동료교사들 간의 관계는 보육교사의 직무만족도에 영향을 미치며 이직(移職)을 결정하는 요인이 되기도 한다.

(1) 관계의 특징

어린이집에서 동료교사들 간의 관계는 원장과 보육교사 간의 상하관계와는 구분되는 수평적인 관계라고 볼 수 있다. 동료라는 차원에서는 대등한 관계임이 분명하나, 때로는 주임교사와 같은 직책이 주어진 보육교사와 일반 보육교사는 그들 간 다른 입장을 표명하기도 한다. 이는 어린이집마다 다른 양상을 보이며, 주임교사 직급에 대한 무게를 어느 정도 두는지에 따라 보육교사들 간의 관계는 수평적 혹은 수직적이 될 수도 있다.

어린이집 내 보육교사들은 입사 연도가 조금씩 다르기는 하나, 그들의 보육업무는 대체로 동일하다. 따라서 보육관련 의사결정을 내리는 데 있어 동등한 입장을 취한다. 한편 동료교사들은 각자의 반을 담당하면서 보육관련 내용을 공유하며 서로의 의견을 나눈다. 신입교사의 경우는 경험 부족으로 인해 어린이집 생활에 적응하는 데 시간이 필요하고, 연차가 높은 보육교사의 경우는 경험은 풍부하나 타성에 젖어 나태해질 수도 있다. 특히 신입교사는 부모와 이야기 나누는 부분을 어려워하고, 경력교사는 노련한 반면 솔선수범 의지가 약한 경향이 있다. 보육교사들은 서로의 모습을 통해 자극을 받으며 발전 가능한 방향으로 성장해 가기 위한 노력을 기울여야 한다.

동료의 사전적 의미는 같은 직장이나 부문에서 함께 일하는 사람으로 명시되어 있으며, 어린이집 내 동료교사는 어린이집이라는 직장에서 보육이라는 업무를 함께 보는 보육교사라고 규정할 수 있다. 동료교사들 간 배정받은 영유아의 연령이 다르지만 이들은 보육이라는 업무를 공동으로 맡는 협력자라고 볼 수 있다. 즉, 영유아보육에 있어 바람직한 교수방법에 대해 함께 고민하고, 문제상황 발생 시 해결책을 함께 모색하며 상호 협력관계를 유지하는 것이 바람직하다. 뿐만 아니라 어린이집 내 행사를 준비하는 데 있어 공동작업을 진행해야 할 경우 역할분담을 통해 일의 효율성을 높이는 것이 필요하다.

(2) 바람직한 관계

어린이집 내 보육교사들은 다양한 연령으로 구성되어 있다. 이들 간의 관계는 직장 내에서 동료관계이자 선후배관계로 엮여 있다. 다시 말해서, 동료관계는 일로 만난 관계이므로 보육교사가 자신에게 주어진 역할을 충실히 수행한다면 동료 간 발생할 수 있는 문제를 줄일 수 있을 것이다. 또한 동료교사들 간에는 기본적으로 지켜야 할 예의가 있으므로 직장 선후배 간 기본 예의를 갖춰 서로를 대하는 것이 필요하다. 선후배관계는 연령, 입사 연도로 볼 때는 상하의 수직관계일 수 있으나, 권한 면에서는 그렇지 않으므로 선배는 후배를 포용할 수 있어야 하고, 후배는 선배의 올바른 모습을 따를 수 있어야 한다. 입사 선배라는 이유로 후배에게 예의 없는 행동을 해서도 안 되고, 후배 또한 선배를 맹목적으로 추종하기보다는 옳고 그름을 따져 올바른 모습을 배울 수 있어야 할 것이다.

한편, 보육교사는 담임교사로서의 역할 이외에도 어린이집 내 행정관련 기타 업무를 담당한다. 보육교사들은 교사회의를 통해 역할분담 관련 업무분장표를 작성하고 자신의 역할을 숙지한 후 이에 맞춰 임무를 수행한다(〈표 8-1〉참조). 보육교사가 자신의 역할을 충실히 이행하지 않을 경우, 이는 동료교사에게 피해를 주는 것이므로 제 역할을 제대로 수행해야 한다. 또한 동료교사들은 경쟁자이기보다는 협력자 · 조력자로서 서로의 고충을 나눌 수 있어야 한다. 영유아보육 및 부모상담 시 어려운 부분에 대해 함께 이야기 나누고 해결책을 모색해 보며 서로를 지지해 주는 역할이 무엇보다 필요하다고 하겠다.

〈표 8-1〉 **보육교직원 업무분장표(예시)**

구분	담당	업무 내용	비고
주요 업무	원장	• 원의 전반적인 교육 및 운영 계획 / 견학 및 행사 계획 • 업무분장, 감독, 근무평정 등 업무관리 • 시설설비 및 재정 관리 / 운영 및 교육 정보 수집 • 행정당국 및 단체와의 관계 유지 / 일지 취합 검사	• 전체 청소 구역 관리
	교사	• 보육활동 진행 및 준비 / 보육일지 작성 • 각 보육실의 환경 구성 및 청결 관리 / 학부모 상담 • 영유아에 대한 관찰 일지 및 보고서 작성 • 영유아 건강 및 안전 관리 / 영유아 영양 및 급식 관리	• 담당 교실 관리

기타 업무	교사 ○○○	• 영아반의 전반적인 교육내용 관리 • 연간보육계획안, 주간보육계획안, 일일보육계획안 작성 • 원아 관리 및 관찰지도 / 소모성 교재 점검 및 신청 • 시청각 기자재 관리(OHP, 빔프로젝터, 비디오 카메라 등) • 안전 관리(소화기 점검), 비상 대피 훈련 담당	• 계단 청소 • 외부 청소

	교사
	○○○
		• 입학상담 및 자원봉사자 담당 / 위생 소독
		• 식단표 작성 및 주문 담당 / 화분 관리
		• 게시판(주간보육계획안, 주간식단표, 월행사) 담당 및
		  관리
			• 화장실 청소
			• 화장실 수건
			  관리

	교사 ○○○	• 유아반의 전반적인 교육내용 관리 • 연간보육계획안, 주간보육계획안, 일일보육계획안 작성 • 원아 관리 및 관찰 지도 / 교재 · 교구 정리 및 관리 • 행사일지 작성 / 비디오 및 테이프 정리 담당	• 실외 놀이터 청소

	교사
	○○○
		• 사무실 도서 정리 및 관리 / 업무일지 작성
		• 종이, 시트지, 코팅지, 복사지(복사기) 등 지류 정리 및
		  관리
		• 약품장 관리 및 약품사용 대장 담당 / 생일잔치 계획 및
		  준비
			• 현관 청소

	운전사 ○○○	• 차량안전 준수사항 관리 • 차량 내 소화기 관리	• 차량 청결
	조리사 ○○○	• 1층 물컵 관리 / 식자재 주문 및 관리 • 2층 정수기 물컵 관리	• 수족관, 화초 관리 • 세탁기 관리

출처: 보건복지부(2014). 2014 어린이집 평가인증 안내(40인 이상 어린이집).

　　나석희와 이현진(2012)에 따르면, 보육경험 과정에서 보육교사들은 인간관계를 가장 힘들어하였는데, 여기서 언급된 인간관계에는 동료교사와의 관계가 포함된다. 또한 이병록(2011)에 따르면, 동료교사와의 관계 및 원장과의 관계를 내포한 인간관계가 보육교사의 직무만족도에 큰 영향을 미치는 것으로 나타났다. 이처럼 동료교사와의 관계는 보육교사의 직업만족도에 영향을 미치고, 더 나아가 영유아발달에까지 간접적인 영향력을 행사할 수 있으므로 동료교사들 간의 원만한 관계유지를 위해 보육교사 스스로 마음의 문을 열고 다가가는 노력이 필요하다.

3) 보육교사와 원장의 관계

보육교사는 원장의 지도 · 감독하에 영유아를 보육하고 그 밖의 업무를 담당한다. 원장은 보육교사의 채용면접부터 보육교사와 관계를 형성하며, 채용 후 퇴직 전까지 원장과 보육교사는 직장 내 상하관계로 연결되어 있다. 보육교사는 어린이집의 총괄 책임자인 원장의 보육철학 및 운영방침을 숙지하고 어린이집 업무를 수행해야 하며, 원장은 보육교사의 의견을 경청해야 한다. 보육교사와 원장 간 상호작용이 원활히 이루어지는 경우 한 어린이집에서 오랫동안 보육 경험을 함께 쌓을 수 있지만, 이들 간의 관계가 소원한 경우 장시간 함께 일하는 것은 어려울 수 있다.

(1) 관계의 특징

원장과 보육교사의 관계는 직장 내 상하관계로 수직관계라고 할 수 있다. 입사연도에 따른 보육교사들 간 선후배관계에서 나타나는 수직 성향과는 다른 양상을 띤다. 어린이집 운영의 전반적인 책임을 맡고 있는 원장은 영유아보육과 관련하여 보육교사에게 지시사항을 전달하고, 보육교사는 이를 따르도록 되어 있다. 보육교사가 영유아의 역할모델이 되듯이, 원장은 보육교사의 역할모델로서 보육교직원이 갖춰야 할 인격과 소양을 겸비하고 다른 사람의 모범이 되어야 하며, 보육교사는 원장을 역할모델 삼아 보육교직원이 갖춰야 할 성품을 유지하기 위해 노력하여야 한다.

원장은 리더십을 발휘하여 보육교사를 포함한 기타 보육교직원을 하나로 아우를 수 있어야 하며, 보육교직원들의 후생복지에 관심을 갖고 권리보장에 힘써야 한다. 보육교사는 원장의 보육철학에 맞춰 영유아보육을 담당하며 운영지침에 근거하여 업무수행을 하여야 한다. 원장과 보육교사의 관계는 상하 · 수직관계로 대변되지만, 다른 한편 공동의 목표를 갖고 어린이집 운영에 참여하는 동반자적 입장도 있다. 원장과 보육교사는 영유아의 건강한 성장을 촉진하기 위해 함께 노력하는 사람으로 각자 실제 수행역할은 다르지만 뜻을 함께하는 공동체라고 할 수 있다.

(2) 바람직한 관계

어린이집에 따라 원장과 보육교사의 연령차가 큰 경우도 있고 그렇지 않은 경우도 있다. 연령차가 큰 경우는 연령으로만 보아도 위계가 분명하나, 연령차가 크지 않은 경우는 다소 관계 규명이 어려울 때도 있다. 특히 동일한 어린이집에서 보육교사직을 수행하다가 원장이 되는 경우, 기존 동료교사들과 연령차가 크지 않을 때에는 동료교사였다가 상하관계로 바뀌면서 서로의 역할에 대해 충분히 이해할 시간이 필요할 수도 있다. 하지만 원장과 보육교사의 역할은 명확히 구분되기에 각자의 위치에서 자신의 본분에 충실하도록 노력해야 한다.

보육교사의 직무만족도에 있어 원장과 보육교사의 관계는 보육교사들 간의 관계만큼이나 중요한 변수로 작용한다. 보육교사는 원장과의 관계상 어려움을 호소하기도 하고, 이로 인해 직업만족도도 낮아진다는 연구 결과들이 있다(나석희, 이현진, 2012; 이병록, 2011). 다시 말해서, 직장 내 부정적 인간관계는 업무 효율성을 떨어뜨리고, 직무수행 만족도를 낮게 만든다. 따라서 원만한 관계를 형성하고 유지하는 것은 직업만족도를 높이는 데 중요하다.

한편, 직장 내 부하는 상사의 호의성, 자신의 의사에 대한 상사의 경청, 성과 평가에 대한 상사의 인지, 부하의 능력에 대한 상사의 신뢰도 등으로 인해 상사로부터 스트레스를 받는다(Cooper & Marshall, 1986). 아랫사람은 윗사람이 하달하는 것을 받는 입장이 커서 상사의 언행에 주의를 기울일 수밖에 없다. 다른 한편으로, 윗사람은 아랫사람을 평가하는 데 있어 객관성을 보여야 하고, 형평성에 어긋나지 않는 기준으로 평가해야 한다. 보육교사가 영유아를 편애하여 다른 아이들이 불공정한 상황에 놓이지 않도록 하는 것이 중요한 것처럼, 원장이 특정 보육교사를 편애하는 것은 어린이집 전체 분위기를 흐릴 수 있으므로 각별히 주의하여야 한다.

보육교사는 영유아보육과 관련한 모든 사항을 원장에게 보고해야 한다. 원장은 대체로 직접적 보육은 하지 않고 관리 · 감독하는 입장이다 보니 영유아 보육 시 일어난 상황, 그리고 학부모와 보육교사 간 발생한 문제에 대해 보육교사를 통해 듣게 된다. 보육교사는 문제 상황에 대해 있었던 사실 그대로 즉각적으로 전달하여야 한다. 사실을 감추다가 더 큰 문제를 초래할 수 있으므로, 반드시 특이사항에 대해 보고하여야 한다. 원장은 어린이집 내 총 책임자로서 보육교사의 말에 주의를 기울이고, 원 내에서 일어나는 상황을 모두 파악하고 있어야 한다. 이를 통해 어린이집이 원활히 운영되도록 힘써야 한다.

3. 보육현장에서의 갈등

어린이집은 보육교사가 영유아를 대상으로 양질의 보육서비스를 제공하는 곳으로, 보육교사를 중심으로 보육교직원과 영유아가 함께 생활하는 환경이라고 할 수 있다. 보육현장은 성인들로만 구성된 일반적인 조직체와는 다른 양상을 띠기 때문에 그 안의 인간관계 및 갈등상황이 일반 회사와는 다르다고 할 수 있다. 따라서 보육현장에서의 특수성을 고려하여 갈등요인을 살펴볼 필요가 있다고 하겠다.

1) 갈등의 의미

갈등의 사전적 의미는 칡과 등나무가 서로 얽히는 것과 같이, 개인이나 집단 사이에 목표나 이해관계가 달라 서로 적대시하거나 충돌하는 것을 말한다. 심리학에서 갈등은 두 가지 이상의 상반되는 요구나 욕구, 기회 또는 목표에 직면하였을 때, 선택하지 못하고 괴로워함을 의미한다.

갈등은 개인 내적으로도 일어나며 개인 간, 집단 간, 조직 간에도 발생한다. 조직 내에서 개인은 다양한 욕구와 역할을 가지고 있고 이러한 역할들은 다양하게 얽히거나 상충하기도 한다. 개인 내 갈등은 개인의 사고, 태도, 가치관, 그리고 행동 사이의 불일치를 인식하는 인지부조화에 의해 일어나기도 하고 이러한 불일치는 심리적 불편을 초래한다. 조직 내의 개인 간 갈등은 개인 상호 간의 의사결정에 있어서 그 상황에 대한 과거 경험의 양과 결정의 복잡성으로 말미암아 개개인이 다른 대체안을 선호하는 선택의 차이에서 발생한다. 즉, 두 사람이나 그 이상의 상호작용하는 개인들 간에 비양립성, 불일치 및 차이에서 나타나는 현상으로, 여러 가지 형태로 나타난다. 집단 간 갈등은 조직 내의 집단과 집단 사이에서 일어나는 갈등을 의미한다. 조직의 규모가 커지고 기능이 다양해질수록 집단 간의 관계는 더욱 복잡해지고 집단 간의 갈등 유발 가능성도 더욱 커진다. 마지막으로, 둘 또는 그 이상의 조직 사이에서 발생하는 갈등을 조직 간 갈등이라고 한다. 서로 다른 목표를 지향하지만 이를 달성하기 위한 방법이 같거나 공동의 자원을 서로 차지해야 목표를 달성할 수 있는 경우, 그리고 같은 목표를 달성하려 하지만 목표달성을 위해 선택하는 방법이 다른 경우에 두 조직 간 갈등이 발생한다(조용현, 2011).

이와 같이 개인 내적으로뿐 아니라 개인 간, 나아가 집단 간, 조직 간 갈등은 인간관계 속에서 필연적이라고 할 수 있고, 단지 그 정도 면에서 차이가 있다고 하겠다. 현대인은 다양한 인간관계 속에서 생활하고 있고, 갈등을 인지하는 정도와 극복하는 정도에 따라 갈등상황이 다르게 전개된다고 할 수 있겠다.

2) 보육교사의 조직 내 갈등

보육교사는 개인 내의 신변 및 환경 변화로 인해 갈등을 경험하기도 하고, 어린이집이라는 조직 내에서 다양한 요인들에 의해 갈등을 경험하기도 한다. 조직 내 갈등상황은 직무스트레스를 유발하고 직무만족도를 떨어뜨린다. 직무스트레스는 직무환경과의 상호작용에서 발생하는 부조화나 직무요건의 갑작스런 변화로 인해 심리적인 위협을 느끼는 역기능적인 감정을 의미하고(Brenner & Bartell, 1984), 직무만족도는 개인이 직무에 대해 가지는 일종의 정서적인 태도로 교사가 자신의 직무를 수행할 때 직업에 대해 보람을 느끼고 긍지를 가지는 만족의 정도를 말한다(이순애, 2011). 보육교사는 조직 내 다양한 인적 관계망 속에서 직무를 수행하며 갈등을 경험하고, 이것이 직무스트레스로 나타나고, 직무만족도에 영향을 미친다고 할 수 있다.

보육교사는 가정 내 부모와 같이 어린이집 내에서 부모를 대신하여 대리양육자로서의 역할을 하며, 영유아의 요구에 민감하게 반응하고 적절한 발달적 자극을 제시하며 계속해서 영유아의 행동을 지켜보고 교사로서의 사명을 갖고 영유아와 함께 하루일과를 보낸다. 영유아의 발달에 있어 영향력 있는 존재로서 막중한 책임을 갖고 역할을 수행함에도 불구하고, 보육교사는 초·중·고교 교사들에 비하여 보수 및 처우수준이 낮은 실정이다. 또한 보육교사에 대한 사회적인 인식, 근무여건, 복지수준 등의 문제로 인해 이직을 고민하는 보육교사도 있다. 이러한 문제는 보육교사 자격이 국가자격증화 되고, 유치원과 공통의 교육과정을 운영하고, 후생복지에 관한 요구가 증가하면서 과거에 비하여 개선된 것이 사실이지만, 앞으로 더 많은 변화가 필요하다. 특히 보육교사의 근무여건을 고려할 때, 보육교사는 장시간 영유아와 함께 생활하며 체력소모가 많고, 전반적인 교육과정 운영과 관련하여 원장 및 동료교사와 잦은 회의에 참여해야 하고, 실질적인 영유아보육 이외에도 부모면담, 행사준비, 평가준비 등으로 인해 역할 과부하로 갈등을 경험한다. 조직 내 갈등상황은 스트레스를 유발하고 직무스트레스는 개인에 따라 인지하고 대처하는 방식이 다르므로 다양한 결과를 초래할 수 있다.

Rahim과 Bonama(1979)에 의하면, 갈등관리 유형은 자신에 대한 관심과 타인에 대한 관심을 중심으로 회피, 지배, 순응, 타협, 협력 유형으로 설명된다. 회피 유형은 자신의 이해관계가 작고 상대방의 이해관계도 작은 갈등상황으로 서로 불편한 상황을 피하려고 하는 성향을 보인다. 지배 유형은 자신의 이해관계는 크지만 상대방의 이해관계는 작은 갈등상황으로 자신은 어떻게 해서든 자신에게 유리한 방법으로 갈등을 해결하려는 성향을 보인다. 순응 유형은 자신의 이해관계는 작지만 상대방의 이해관계가 큰 갈등상황으로 자신에 대한 이해관계가 작기 때문에 상대적으로 상대방의 요구에 반응을 보인다. 타협은 자신의 이해관계도 중간이고 상대방의 이해관계도 중간인 갈등상황으로 모두가 해결책을 찾으려고 노력한다. 이 유형은 상대방이 서로 적정한 선에서 협의하기 때문에 모두가 원하는 수준의 해결책을 찾기 힘들다는 단점이 있다. 끝으로 협력은 자신의 이해관계도 크고 상대방의 이해관계도 큰 갈등상황으로, 갈등상황이 비중이 커서 서로가 협력해서 해결책을 찾기 때문에 많은 시간이 소요되지만, Mouton(1964)은 협력을 가장 건전한 방법이라고 하였고, Thomas(1976)도 협력이 가장 좋은 갈등관리 유형이라고 이야기한다(이혜정, 나유미, 2019 재인용).

한편 Lazarus와 Folkman(1984)는 스트레스 대처 유형을 문제중심, 정서중심, 생리중심으로 구분하여 설명한다. 문제중심적 대처방안은 문제에 초점을 두고 문제를 보다 잘 해결하기 위해 책략을 사용하고, 수정하여 스트레스를 대처하고 극복하는 유형이고, 정서중심적 대처방안은 스트레스를 일으키는 문제를 직접 해결하기보다는 스트레스에 의해 발생한 불안이나 초조함 등의 정서적 고통을 감소시켜 스트레스를 대처하고 극복하려는 유형이며, 생리중심적 대처방안은 스트레스로 인한 신체적 충격을 감소시키려는 노력을 하여 스트레스를 대처하고 극복하려는 유형이다. Saifer(2005)에 따르면, 교사의 스트레스 감소를 위한 대처방안으로는 지지집단 찾기, 휴식하기, 교사 자신의 건강 돌보기, 혼자서 일하지 않기, 통제력 가지기, 교사의 한계 설정하기, 목표 세우기, 재미있게 지내기와 같은 내용을 제시하고 있다(김미량 외, 2005 재인용).

이와 같이 갈등관리 유형 및 스트레스 대처 유형은 학자들마다 다양한 차원으로 설명되는데, 무엇보다 중요한 것은 갈등 및 스트레스 상황을 제대로 지각하고 개인이 효과적으로 극복할 수 있는 적절한 방법을 찾아 관리하는 것이 필요하다고 하겠다.

4. 구성원 간 올바른 관계형성을 위한 지침

어린이집 환경에 직접적으로 관여하는 인적 자원에는 보육교직원과 영유아가 있고, 더 넓게는 부모, 지역사회 전문가까지 포함될 수 있다. 보육교직원에는 어린이집을 총괄하는 원장, 실제 보육업무를 담당하는 보육교사, 영유아의 식단과 음식을 책임지는 영양사와 조리사, 영유아 및 보육교직원의 건강을 담당하는 간호사나 간호조무사, 차량 운행을 하는 경우 운전기사 등이 있다. 어린이집 내에는 다양한 인간관계가 존재하는데, 여기서는 이들 관계를 원활히 하기 위한 건설적 상호작용 방법에 대해 설명하고자 한다.

1) 인간관계를 위한 일반 지침

우리는 다양한 관계 속에서 생활해 가며 그 관계로 인해 즐거움을 얻기도 하고, 고충을 경험하기도 한다. 원만한 관계는 그 관계가 지속적으로 유지되는 경향이 있고, 그렇지 못한 관계는 단시간에 깨지는 것을 종종 볼 수 있다. 첫 단추를 끼우는 것부터 신중히 관계를 형성하고, 한번 만들어진 관계는 특별한 문제가 없는 한 지속되도록 노력하는 것이 좋다. 성공적인 인간관계를 위해 다음과 같은 제언을 찾아볼 수 있다(김혜숙, 박선환, 박숙희, 이주희, 정미경, 2013).

- 상대방을 존중하라.
- 자기를 개방하라.
- 효과적인 의사소통 방법들을 적절히 이용하라.
- 정직하고 성실하라.
- 협력하라.
- 서로 간의 이해의 폭을 넓히라.

- 건설적인 비판을 수용하라.
- 경청자가 돼라.
- 자신의 생각이나 느낌을 표현하라.
- 긍정적으로 사고하고 행동하라.
- 칭찬하라.
- 유머감각을 살리라.
- 융통성을 가지라.
- 먼저 베풀라.
- 친절하라.

출처: 김혜숙, 박선환, 박숙희, 이주희, 정미경(2013). 인간관계론. 경기: 양서원.

인간관계는 사람과 사람 간의 관계로, 내가 상대방과의 관계 속에서 자신을 어떻게 표현하는지, 상대방을 어떻게 대하는지가 중요한 요소로 지적되고 있다. 인간관계 개선을 위해서는 기본적으로 상대방을 존중해야 하고, 상대방의 말에 귀 기울이고 수용적이며, 친절하고, 베풀려는 마음을 지녀야 하며, 자신을 드러내고, 긍정적으로 사고하고 행동하며, 서로 간 이해와 신뢰가 있고, 효과적인 소통을 위한 효율적인 의사소통 방법들을 활용하는 것이 필요하다.

2) 보육교사와 영유아 관계를 위한 지침

보육교사와 영유아 간의 관계는 보육교사가 다른 구성원들과 맺는 관계와 비교해 볼 때, 우선 연령 및 발달수준 면에서 차이를 보인다. 영유아는 인생의 전반부에서 한창 성장하고 있는 아이들로 성인 보육교사에 비해 미흡한 부분이 있다. 어린이집에서 영아를 대상으로는 보호적 측면이, 유아를 대상으로는 교육적 측면이 중시된다. 각 대상을 보살필 때 초점을 맞추는 부분은 다르더라도 보호와 교육 모두 보육교사가 영유아와 관계를 형성하고 유지하는 데 작용한다. 즉, 보육현장에서 영유아는 보육교사의 도움을 필요로 하는 상황이 있고, 보육교사는 영유아가 도움을 받고 조금씩 성장해 나가는 모습에 보람을 느낀다. 보육교사는 영유아와 건설적 상호작용을 위해 다음의 상호작용 방식을 따르는 것이 좋다(민성혜, 신혜원, 김의향, 2013).

- **몸 사용하기**
  - 정서적 유대관계를 위해 몸을 사용하기
  - 정확한 의사전달을 위해 몸을 사용하기
  - 긍정적 정서전달을 위해 몸 사용하기
  - 신체발달을 촉진하기 위해 몸 사용하기
- **말로 표현하기**
  - "나도 너와 같은 마음이야."
  - "나도 너와 같은 속도야."
  - "잘 들리지?"
  - "날 따라 해도 돼."
- **영유아들의 신호에 민감하기**
  - 지속적으로 영유아들에게 관심을 가지고 관찰하기
  - 학부모와 협력 작업하기
  - 동료교사들과 이야기하기
- **영유아들의 신호의 성격에 따른 반응하기**
  - 일단 웃으면서 쳐다보기
  - 이름을 불러 주기
  - 신호가 정확하게 해석되었는지 의심이 들 때는 확인하기
  - 즉각 반응을 해 주지 못할 상황이면 구체적으로 언급하고 양해 구하기
- **적절히 반응하기**
  - 인정하기와 긍정적 강화
  - 용서하기
  - 이끌어 주기
  - 따라 하기
  - 일관성

- **현명한 결정하기**
  - "지금 뭐가 우선이지?"
  - 안전과 관련된 것에 먼저 반응하기
  - 적극적인 개입이 필요한 것부터 반응하기
  - 자긍심이 부족한 영유아에게 먼저 반응하기
  - 도움을 줄 수 있는 사람을 찾아 반응을 부탁하기
- **원활한 상호작용을 위한 환경 조성하기**
  - 환기가 잘 되고 온도가 적절한 환경
  - 놀잇감이 충분하고 적절한 환경
  - 긍정적인 분위기의 환경
  - 밀집 공간이 없는 환경
  - 전시 공간이 마련된 환경
  - 자랑 시간이 마련된 환경
- **긍정적인 해결전략**
  - 나의 불편함과 상대편의 불편함을 알아보기
  - 모두에게 좋은 방법 모색하기
  - 시간을 갖고 생각해 보기
  - '우리 모두가 불편한 환경이라면' 재구성해 보기
- **피해야 할 상호작용**
  - 명령하기
  - 비교하기
  - 정답 요구하기
  - 보편적일 것 요구하기
  - 표정 굳히기
  - 말로만 지시하기
  - 무시하기

출처: 민성혜, 신혜원, 김의향(2013). 보육교사론(3판). 경기: 양서원.

이와 같이 무엇보다 보육교사는 영유아가 보내는 신호를 인지하고 이에 적절히 반응하는 것이 필요하다. 영유아가 보이는 발달적 특성을 감안하여 영유아의 눈높이에 맞춰 몸과 목소리를 사용하여 반응한다면, 보다 원활한 상호작용이 이루어질 수 있다. 보육교사와 영유아 간 긍정적 교류를 위해서는 환경 마련에도 신경을 써야 하고, 해결방안을 모색하는 데 있어 긍정적 방향을 검토하는 것이 필요하다. 반면, 영유아를 대하는 데 있어 무표정한 얼굴을 하거나, 영유아의 말에 귀를 기울이지 않고 무시하거나, 명령 혹은 비교하는 식의 말은 하지 않는 것이 좋다. 보육교사의 이러한 반응은 영유아가 자신을 평가하는 근거가 되고, 보육교사의 바람직하지 못한 언행을 영유아가 따라하면서 문제가 커질 수 있다.

3) 보육교사와 동료교사 관계를 위한 지침

어린이집 내 동료교사들은 서로 경쟁적이라기보다는 하나의 목표를 향해 협력해가는 조력자이다. 보육교사들은 영유아의 전인발달을 촉진하기 위한 공동목표를 갖고 이에 부합하는 보육업무를 수행해야 한다. 동료교사 간 의견이 상충할 때는 조율하고, 갈등상황이 발생하면 효과적으로 대처하기 위한 전략을 모색해야 하며, 함께 일하는 공간이 서로에게 즐거움을 줄 수 있도록 노력해야 한다. 다음은 동료관계 개선을 위해 지녀야 할 자세를 기술한 것이다(정진선, 문미란, 2011).

- 공동체 의식을 가져야 한다.
- 서로의 인격을 존중해 주어야 한다.
- 서로 신뢰해야 한다.
- 건설적인 비판을 수용할 수 있어야 한다.
- 각자 업무를 충실히 담당하여야 한다.

출처: 정진선, 문미란(2011). 인간관계의 심리: 이론과 실제(제3판). 서울: 시그마프레스.

이와 같이 동료관계도 서로 간 인격을 존중하는 것이 필요하다. 보육교사들은 공동의 목표를 향해 함께 나아간다고 생각할 때 서로의 힘을 모아 더 큰 기쁨을 맛볼 수 있다. 또한 동료에 대한 믿음은 관계를 더욱 끈끈하게 만드는 요소로 단순히 어린이집이라는 공간을 함께 쓰는 차원을 넘어 진솔한 관계를 유지하는 데 도움이 된다. 때로는 업무수행을 소홀히 하여 다른 보육교사에게 피해를 주는 경우도 있고, 동료교사들 간 의견이 맞지 않아 불편한 상황이 발생할 수도 있다. 각자에게 주어진 업무를 충실히 수행하는 것만으로도 동료 간 큰 문제를 줄일 수 있다. 때로는 지나친 호의로 동료교사의 영역까지 침범하는 일도 있는데, 이 또한 상대방을 불편하게 하는 것이므로 주의해야 한다.

4) 보육교사와 원장 관계를 위한 지침

원장과 보육교사는 적당한 거리를 유지하는 것이 필요하다. 친밀감 수준이 지나치게 높아 거리낌이 없는 관계가 되거나 그 반대로 형식적인 대화 이외에는 서로 소통하지 않는 소원한 관계는 원장과 보육교사 모두에게 불편함을 초래할 수 있다. 원장과 보육교사의 관계가 수직적인 상하관계이다 보니 원장의 지시사항을 보육교사가 전달받는 일이 대부분이고, 보육교사는 이에 따라 업무를 수행하게 된다. 원장은 어린이집의 보육철학 및 운영방침에 따라 보육교사가 자신의 역할을 원활히 수행할 수 있도록 안내하고, 보육교사는 이러한 어린이집 운영방식에 따라 자신의 능력을 발휘할 수 있도록 노력해야 한다. 다음은 보육교사와 원장 간의 건설적 상호작용을 위한 지침이다(민성혜 외, 2013).

> • 어린이집 원장이 가진 철학과 신념 이해하고 수용하기
> • 어린이집의 전체적인 운영 익히기
> • 정기적인 회의시간과 개인적인 면담 활용하기
> • 원장 지지하기

출처: 민성혜, 신혜원, 김의향(2013). 보육교사론(3판). 경기: 양서원.

이와 같이 원장과 보육교사의 관계가 수직적 양상을 보이기는 하나 원장 또한 칭찬과 격려를 통한 지지가 필요하다. 대체로는 원장이 보육교사를 칭찬할 일이 많지만, 원장 또한 누군가로부터 지지받고 있다고 느끼면 업무수행에 보람을 느낄 것이다. 그 역할을 보육교사가 한다면 원장의 지지자로서 둘 간의 관계가 더욱 끈끈

해질 것이다. 보육교사는 자신이 선택한 어린이집에 취업한 후에는 원장의 보육이념에 근거해서 업무수행을 하고, 어린이집의 운영방식 및 전체적인 분위기를 익히는 것이 빠른 적응에 도움이 된다고 할 수 있다. 또한 보육교사가 원장과 의견이 맞지 않을 때는 어린이집의 전체 이익에 우선하는지 고민해 보고 예의를 갖춰 원장에게 의사전달을 하여야 할 것이다. 원장은 동료교사들이 하기 어려운 따끔한 충고를 보육교사에게 해야 하는 경우도 있고, 따뜻한 칭찬과 격려로 사기를 북돋아야 하는 경우도 있다. 따라서 원장과 보육교사 간 신뢰를 바탕으로 지지적인 관계를 유지하는 것이 좋다.

생각해 보기

1 다른 사람과의 관계에서 갈등을 극복했던 경험이 있었는지 생각해 봅시다.

2 동료교사와 갈등상황이 생겼을 때 어떻게 갈등을 해결할 것인지 이야기 나누어 봅시다.

제9장

부모 및 지역사회와의 협력

오늘날 많은 영유아들은 부모와 함께 사는 가정과 어린이집이라는 두 환경 사이를 매일 반복하며 생활하고 있다. 어린이집은 영유아들이 생애 최초로 경험하는 사회이며, 영유아들은 어린이집뿐만 아니라 어린이집을 둘러싸고 있는 부모와 지역사회라는 환경을 통해 많은 영향을 주고 받는다. 영유아가 경험하는 환경들이 서로 분리되고 이질적이라면, 영유아는 이로 인해 직간접적인 부정적 영향을 받게 된다. 따라서 영유아의 바람직한 발달을 위해 이들 환경의 축 중에 부모와 교사의 협력적 관계 형성이 매우 중요하다.

"한 아이를 키우려면 온 마을이 필요하다"라는 아프리카 속담처럼 영유아는 지역사회라는 거대한 외부 환경이 추구하는 가치에 영향을 받으며 살아간다. 영유아는 가정에서 만나는 부모나 형제뿐만 아니라 지역사회의 각종 시설에서 일하는 사람들 혹은 도시나 국가 등의 정책이나 행정의 방향을 결정하는 사람들로부터도 직 · 간접적인 영향을 받는다.

이 장에서는 영유아 발달에 영향을 미치는 환경 중 부모 및 지역사회와의 협력에 대해 살펴보고자 한다.

1. 부모와의 협력

사진 설명 영유아의 발달을 위해 교사와 부모 간에는 상호 협력적 관계를 구축해야 한다.
출처: 용인시청 공식 블로그.

어린이집에서는 부모-교사 간 협력관계가 요구되며, 협력적 관계란 교사와 부모가 함께 영유아교육에 관심을 가지고 동반자라는 인식으로 서로 협력하는 것이다(이지훈, 2012). 부모와 영유아교육기관의 협력적인 관계는 영유아교육에 영향을 미치는 '제3의 기관'으로(Stamp & Groves, 1994), 좋은 어린이집은 좋은 교사에 의해 만들어지고, 좋은 교사는 지지적이고 협력적인 부모가 있을 때 가능하다. 따라서 영유아의 바람직한 발달을 위해 이들 환경의 축인 부모와 교사의 협력적 관계가 매우 중요하다(사진 참조).

부모와의 교류방법은 크게 소극적 부모참여, 부분적 부모참여, 적극적 부모참여로 구분할 수 있다.

1) 소극적 부모참여

소극적 부모참여 유형에는 오리엔테이션, 가정통신문, 강연회, 참관수업, 면담, 그리고 행사를 통한 부모참여 등이 있다.

(1) 오리엔테이션

사진 설명 원장이 신입원아 부모를 대상으로 어린이집에 대해 소개하고 있다.

부모 오리엔테이션의 목적은 어린이집과 가정의 긴밀한 유대관계를 형성하고 보육교직원과 부모 간의 신뢰감 형성을 토대로 보육활동의 효과를 높이는 데 있다. 먼저 신입원아 부모를 대상으로 입소 상담 시 개별적인 안내를 하였더라도, 입소 예정인 원아들을 위해 입학 전 오리엔테이션을 실시한다(사진 참조). 또한 재원아 부모를 대상으로 한 오리엔테이션에서는 1년

간의 보육활동과 내용을 공유하고, 새롭게 구성된 반 배정과 교사진을 소개한다.

대부분의 어린이집에서는 입학 며칠 혹은 몇 주 전에 부모들을 대상으로 오리엔테이션을 실시하며, 필요한 내용을 담은 안내 책자를 배부한다. 또한 부모의 이해를 돕기 위해 사진자료나 간단한 PPT를 준비하는 것도 좋다. 이러한 오리엔테이션을 통해 부모를 협조자로 만들고 가정과 어린이집이 보육에 있어 일관성을 가질 수 있다.

(2) 가정통신문

가정통신문은 어린이집에서 가장 보편적으로 활용하고 있는 부모와의 교류방법이다(사진 참조). 이를 통해 어린이집의 보육내용, 교육계획안, 점심 및 간식, 교통편, 각 반의 하루일과, 각종 행사 등에 대한 다양한 정보가 제공된다. 가정통신문이 한번에 너무 많은 정보를 제공하거나 횟수가 너무 빈번하면 부모들의 주의집중도가 떨어질 수 있기 때문에 적당한 분량을 적당한 간격으로 유지하여 활용하는 것이 좋다.

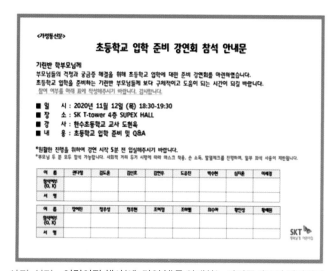

사진 설명   어린이집 행사(예: 강연회)를 안내하는 가정통신문의 예시이다.

① 쪽지메모

쪽지메모는 영유아가 어린이집에서 생활해 나가는 동안 일어나는 새로운 행동의 변화나 비교적 작은 사고 등의 내용을 비공식적으로 작은 쪽지에 간단하게 메모하여 영유아를 통해 전달하도록 하는 방법이다. 간단해 보이지만 부모와 교사가 서로의 신뢰감을 형성해 나가는 데 매우 유익한 방법이다.

② 온라인 소통

최근에는 밴드 및 키즈노트 등 스마트폰을 이용하여 더 편리하게 학급별 행사 및 준비물 안내, 담임교사와의 간단한 의사소통이 가능하다.

(3) 강연회

강연회란 전문강사를 초청하여 자녀양육에 관해 도움이 되거나 부모의 자아실현을 위해 도움이 되는 정보와 기술을 제공하는 것이다(사진 참조). 강연회는 한 장소에서 여러 사람들에게 정보를 제공할 수 있는 장점은 있으나 부모들이 공통적으로 관심이 있는 주제를 선정하는 것이 어렵다.

사진 설명 전문강사를 초청하여 부모 대상 강연회가 진행되고 있다.

강연회에 참석한 부모들이 자녀양육 등에 도움을 받았다고 느끼면 추후의 부모교육에도 꼭 참석하고 싶은 동기를 갖게 된다. 따라서 어린이집에서는 학기 초에 성공적인 강연회를 통해 부모의 지속적인 관심을 유도할 필요가 있다.

어린이집에서는 부모들의 욕구를 고려하여 1년 간의 강연회 계획을 세우고 적절한 강사를 선정해야 한다. 강사의 선정은 적어도 1개월 전에 완료하여 부모에게 사전에 통보하는 것이 좋다. 강연회의 장소는 채광이 밝은 곳으로 하며, 참석 인원에 따라 좌석을 다양하게 배치한다. 소수이거나 강의 내용이 실제적인 문제를 다루는 경우 원형이나 반원이 적당하며, 인원이 많은 경우 단상을 향해 앉는 것이 효과적이다.

(4) 참관수업

참관수업이란 부모들이 수업이 이루어지고 있는 교실에 직접 들어가 교사의 수업을 관찰하는 것을 의미한다. 어린이집에서 공개수업 참관 날짜를 안내하면 부모가 자발적으로 참여하여 자녀의 수업을 관찰할 수 있다. 참관수업 시 사전에 미리 치밀하게 준비하여 공개하는 것보다는 일상적인 수업활동을 자연스럽게 진행하는 것이 바람직하다. 또한 참관수업 때 참관 기록지를 나누어 주고 자녀의 모습을 관찰해 보도록 하면 훨씬 더 적극적으로 참관할 수 있다.

참관수업의 의의는 다음과 같다. 첫째, 자녀의 발달 정도를 객관적으로 파악하게 할 수 있다. 둘째, 또래집단 내에서 자녀의 행동과 가정에서의 행동 간의 차이를 알 수 있다. 셋째, 어린이집의 교육과 지도방법에 대한 이해를 높이고, 가정에서 일관성 있게 지도하는 데 도움을 준다.

　　참관수업은 참관실이 있는 기관에서는 주로 참관실에서 이루어지고 그렇지 않은 어린이집에서는 부모가 직접 교실에 들어와서 영유아를 관찰하게 된다(사진 참조). 먼저 직접 관찰하는 경우에는 교실의 공간 문제, 교사와 영유아의 지나친 긴장, 자신의 자녀만을 집중적으로 보는 과정에서 몇 가지 어려움이 발

사진 설명　부모님들이 뒤에 앉아 아이들의 수업을 참관하고 있다.

생한다. 예를 들어, 영유아가 평소와는 다른 행동을 한다거나, 부모가 교육프로그램에 대한 이해가 없어 다소 방해를 줄 수도 있다. 이에 비해 참관실을 통한 참관수업은 직접 관찰에 따른 문제가 최소화되기에 순수한 관찰을 할 수 있으나, 대학부속기관과 일부 어린이집 외에는 참관실을 구비하고 있는 기관을 찾기가 어렵다. 따라서 교사는 교실에서 직접 참관을 하는 경우 부모가 자녀의 활동에 간섭하거나 이리저리 돌아다니는 것을 삼가고, 다른 부모와 소곤소곤 이야기를 나누는 것도 수업에 방해될 수 있음을 주지시킨다. 더불어 참관실에서도 관찰 시 소음이 나지 않도록 주의해야 한다.

(5) 면담

　　부모면담은 교사와 부모의 가장 적극적인 의사소통이라고 할 수 있다. 대화를 통해 교사는 영유아의 가정환경에 대해, 부모는 기관에서 자녀의 생활에 대해 알 수 있다. 특히 영유아가 문제행동을 보일 때 교사와 부모의 의사소통은 반드시 필요하다.

　　면담은 크게 개별면담과 집단면담으로 구분된다. 개별면담은 부모의 환경과 수준을 고려하여 영유아에 대한 의견을 교환할 수 있는 장점이 있다. 공식적인 개별면담 시 부모와의 계획적인 면담을 위해 사전에 편지나 전화를 통하여 면담일자와 장소를 정하는 것이 좋다. 집단면담은 학기 초나 학년 말에 학급의 모든 부모들이 담임교사와 함께 모여 이야기를 나누는 면담이다. 집단면담에서는 여러 부모들이 자녀를 키우며 겪는 문제를 함께 공유할 수 있기 때문에 혼자만의 문제가 아님을 알게 되어 위안을 받을 수 있는 동시에 다른 사람의 성공적인 경험담을 간접적으로 체험할 수도 있다.

① 개별면담

사진 설명 교사가 부모님과 개별면담을 진행하고
있다.

부모와 교사의 면담은 다양한 상황에서 이루어
진다(사진 참조). 미리 약속한 면담일 수도 있고 등
하원을 지도하면서 우연히 면담이 진행될 수도 있
다. 또한 전화나 컴퓨터 통신을 통한 면담도 가능
하다.

효과적인 개별면담을 위한 요소로는 라포, 공감,
수용적 존중, 전문적 능력, 의사소통이 있다. 먼저,
라포(rapport)란 서로 간에 신뢰와 친근감이 이루어
진 관계를 말하며, 바람직한 면담의 분위기로 발전

시키는 데 있어 가장 근본적인 것이다. 라포가 형성되면 교사와 부모가 서로를 신
뢰하고 편안한 감정으로 대화를 나눌 수 있게 된다. 공감이란 자신이 직접 경험하
지 않고도 다른 사람의 감정을 거의 같은 내용과 수준으로 이해하는 것이다. 수용
적 존중이란 교사가 부모의 입장을 이해하고 부모의 생각을 존중하는 것을 말한다.
전문적 능력이란 부모가 자신을 도와줄 수 있는 전문가로 교사를 인식하는 것이다.
끝으로, 의사소통은 성공적인 면담을 위해 매우 중요하며, 의사소통이 원활하게 진
행되기 위해서는 부모가 하는 말을 열심히 들으면서 이해하고 있다는 느낌을 전달
하는 '적극적 경청'이 필요하다. 개별면담의 운영 시 면담을 통해 알게 된 부모의 사
생활을 보호하고, 다른 영유아와의 비교를 삼가며, 부모의 말을 듣는 시간과 교사
가 말하는 시간을 균형 있게 배당해야 한다.

② 집단면담

집단면담은 깊이 있는 면담을 갖기 어려운 단점이 있지만 시간 절약을 비롯해 부
모들 간의 교류를 통해 자녀의 문제를 폭넓게 볼 수 있는 점, 그리고 부모와 교사
둘만의 긴장된 관계를 해소할 수 있다는 장점이 있다. 집단면담 시 주의할 점은 어
느 한 부모에 의해 이야기가 독점되지 않도록 하고, 서로가 원만한 대화를 이루기
위해서 4~10명 이내의 규모로 하는 것이 바람직하다. 면담시간도 1시간~1시간
30분 정도로 계획하여 너무 지루하지 않도록 하고, 부모들에게도 소요 시간을 미리
알려 주는 것이 좋다.

(6) 행사를 통한 부모참여

행사를 통한 부모참여란 운동회나 소풍, 바자회 등 어린이집에서 계획하는 행사에 부모가 함께하는 것이다(사진 참조). 최근 들어 영유아들이 교육받는 활동의 과정에 부모가 참여하거나 활동의 기록이나 결과물을 전시하고 부모를 초대하는 경우가 많다.

사진 설명   부모들이 운동회에 참여하고 있다.

2) 부분적 부모참여

부분적 부모참여 유형에는 워크숍, 부모참여수업, 자원봉사 등이 있다.

(1) 워크숍

워크숍은 부모들이 한 가지 주제에 대한 보육활동에 직접 참여하여 실제로 배우고 연습해 보는 과정이다. 워크숍을 진행하기 위해서는 교사와 부모가 공동으로 계획하고 흥미와 관심이 있는 분야를 선정해야 한다. 또한 워크숍에서 필요한 자료-교구 등을 부모들이 만들도록 하고, 어린이집에서 하는 활동을 노래, 언어, 수 개념 익히기, 동화 등을 부모들과 함께 해 봄으로써 영유아교육 활동에 대한 이해를 도모할 수 있다.

워크숍이 끝난 후에는 성공적인 결과를 영유아와 공유해 볼 수 있다. 예를 들어, 어린이집에서 인형극을 주제로 워크숍을 계획할 경우, 부모들에게 사전에 인형극 공연에 참여할 지원자를 모집하여 상당한 기간을 두고 차근차근 준비해 나가게 된다. 먼저 참여자들과 함께 인형극의 극본을 마련하고, 인형극에 나오는 등장인물의 특징을 살펴 인형을 제작한다. 인형의 제작이 완료되면 각자의 배역을 정하여 인형의 표정과 움직임에 대해 충분히 연습해야 한다. 인형극에서 조명, 소품 및 배경, 효과음 등을 곁들이면 인형극의 재미를 훨씬 고조시킬 수 있다. 부모들은 인형극 공연을 통해 부모 자신의 성취감을 느낄 수 있으며, 자신이 만든 인형을 가지고 자녀들과 함께 조작하고 공연해 보는 경험을 통하여 부모-자녀의 유대관계를 향상시킬 수 있다. 또 서로의 역할을 바꾸어 공연해 보는 과정을 통하여 서로의 입장을 보다 잘 이해할 수 있는 기회를 경험할 수 있다.

(2) 부모참여수업

부모참여수업은 자녀와 함께 어린이집의 생활을 직접 경험해 보는 활동이다. 부모들은 이러한 경험의 공유를 통하여 교육프로그램을 이해하고 자녀의 생활을 새로운 관점에서 이해하는 기회를 가질 수 있다. 과거 부모참여수업은 어머니만 참여하는 경우가 대부분이었다. 그러나 최근에는 자녀양육에 대한 아버지들의 관심이 높아짐과 동시에 자발적 참여의사를 가진 아버지들이 늘어나면서 아버지들이 함께 할 수 있는 다양한 수업들이 모색되고 있다(사진 참조).

일반적으로 부모들의 상황이나 교육프로그램의 특성에 따라 어머니 참여수업, 아버지 참여수업, 할머니 혹은 할아버지 참여수업을 계획할 수 있으며, 필요한 활동을 선택하여 진행한다. 부모참여수업은 보통 보육활동 시간 내에 계획되나 맞벌이 가정 등 상황에 따라 저녁 시간, 주말이나 공휴일을 이용하여 진행하기도 한다. 부모참여수업의 내용은 특별한 프로그램을 마련하기보다는 평소의 자연스러운 활동을 계획하

사진 설명 요리를 주제로 한 아버지 참여수업이 진행되고 있다.

는 것이 바람직하다. 교실에 부모와 영유아가 함께 활동할 것을 고려하여 영유아의 수가 많을 경우에는 두 번 정도에 나누어서 계획하는 것도 좋다. 소요 시간은 프로그램에 따라 다르겠으나 일반적으로는 영유아의 주의집중 시간을 고려할 때 2시간 내외로 계획하는 것이 적절하다.

(3) 자원봉사

부모는 어린이집의 견학, 소풍, 운동회, 바자회, 교육과정 운영 등 다양한 행사에서 자원봉사자로 참여할 수 있다(사진 참조). 어떤 어린이집에서는 교육과정과 관련이 있는 직업에 종사하는 부모를 자원봉사자로 수업에 참여시키는 경우도 있다. 예를 들어, 경찰, 군인, 간호사 등의 직업을 가진 부모를 초청하여 자신이 하는 일에 대한 이야기를 영유아에게 들려준다. 영유아들의 흥미와 관심이 지속되는 경우에는 활동을 더욱 확장시켜 병원이나 경찰서를 직접 방문해 보고 돌아와서 추후 활동으로 연장하기도 한다.

이처럼 부모가 어린이집에 도움을 주기 위하여 교재나 교구를 제작해 주거나 학급

에서 보조교사로 일하고 기관 내 여러 가지 프로그램에 협조하는 것은 서구에서 흔히 있는 일이다. 부모의 적극적인 참여가 이루어지는 이탈리아의 레지오 에밀리아 프로그램의 경우, 부모는 지역사회의 자원을 영유아에게 제공하기 위해 협조하고 어린이집에 적극적인 방식으로 기여하려고 한다. 즉, 부모는 교사와 함께 어린이집에 필요한 가구를 만들거나 교육 공간의 재배치, 운동장의 여러 놀이기구를 수리해 주기도 한다. 또한 현장학습이나 소풍에 보조교사로 참여하여 영유아들이 진행하는 프로젝트에 적극 도움을 제공하기도 한다. 부모가 자원봉사자로 활동하게 되면 부모-교사 간 친밀한 유대관계를 구현할 수 있다.

2021년도 부모 자원 프로그램 신청서

원아명	
반명	
부모 자원 프로그램 일자 및 시간	
부모님명	
프로그램 내용	

※ 참여하실 수 있는 프로그램 내용은 다음과 같습니다.

점심시간 급식 도우미	매주 수요일 영아반은 11시 30분~12시 30분까지, 유아반은 12시~1시까지 점심시간 영유아들의 식사 도우미가 되어주시면 됩니다.
견학 도우미	견학, 소풍, 산책 시 영유아들의 보조교사가 되어주시면 됩니다.
보육주제 관련 활동 시 일일교사	직업안내 등 유아반 보육주제에 맞는 내용으로 일일교사가 되실 수 있습니다.
기타	환경구성 도우미, 도서영역 정리, 교재교구 제작 등 다양하게 참여 가능합니다.

사진 설명 SKT 행복날개 어린이집에서 사용하고 있는 부모 자원 프로그램 신청서 양식이다.

① 전문지식을 활용한 봉사

특정 전문지식이나 기능을 가진 부모가 어린이집을 방문하여 영유아들을 지도하거나 부모의 직장을 견학함으로써 직접 경험을 하는 기회를 제공할 수 있다. 예를 들어, 피아노를 연주하는 아버지는 영유아를 위해 작은 음악회를 열어 줄 수 있으며, 치과의사인 어머니의 병원을 방문하도록 하여 영유아들에게 치아관리에 대해 설명해 줄 수 있다.

② 교육자료의 제작

부모는 어린이집에 필요한 여러 가지 자료의 제작을 도와줄 수 있다. 특히 기관에 충분한 자료가 구비되지 못했을 때는 부모로부터 이러한 도움을 받는 것도 의미가 있다. 예를 들어, 언어나 역할 영역에서 사용할 교구, 인형극 등의 제작을 부탁할 수 있다. 따라서 학기 초에 도움이 필요함을 알리고 자발적인 지원을 받은 후, 기관에서 장소와 자료를 제공하고 제작 방법을 안내하여 진행한다. 자료를 제작한 부모는 자신의 도움이 자녀의 보육환경 개선에 도움이 되는 경험을 함으로써 보람을 느끼게 된다.

③ 수업보조교사

수업보조교사란 부모가 영유아교육에 대해 일정한 훈련을 받고 교사를 도와 직접 수업에 참여하는 것이다. 처음에는 간식을 준비하거나 동화책을 읽어 주는 정도의 일에서 시작하여 점차 자유놀이의 한 영역을 지도하고 부분적으로 프로그램에 관여하는 역할까지 할 수 있다.

3) 적극적 부모참여

적극적 부모참여 유형에는 부모가 교육프로그램 구성, 조직, 운영 등의 의사결정 과정에 직접 참여할 수 있는 가장 진보적인 부모참여 유형이라 할 수 있다. 적극적 부모참여는 수준 높은 어린이집을 구축해 나가는 데 필수적인 과정으로, 대표적인 형태로는 어린이집 운영위원회, 부모모니터링 참여, 그리고 이용 만족도 조사가 있다.

(1) 어린이집 운영위원회

사진 설명 원장, 교사대표, 부모대표, 지역사회인사가 함께 모여 운영위원회를 개최하고 있다.

「영유아보육법」 제25조에 따르면, 어린이집의 원장은 어린이집 운영의 자율성과 투명성을 높이고 지역사회와의 연계를 강화하여 지역 실정과 특성에 맞는 보육을 실시하기 위하여 어린이집에 어린이집 운영위원회를 설치 · 운영할 수 있도록 하고 있다(사진 참조). 어린이집 운영위원회는 어린이집의 원장, 교사 대표, 부모 대표 및 지역사회 인사(직장어린이집의 경우에는 그 직장의 어린이집 업무담당자로 한다)로 어린이집 규모에 따라 5~15명 이내의 범위(100인 미만 어린이집의 경우 5~10인 이내, 100인 이상 어린이집의 경우 11~15인 이내)에서 구성된다. 운영위원 자격요건은 〈표 9-1〉에 제시하였다.

〈표 9-1〉 어린이집 운영위원회 자격요건

구분	자격요건
어린이집 원장	• 당해 어린이집의 원장
보육교사 위원	• 당해 어린이집에 재직하고 있는 보육교사
부모 위원	• 당해 어린이집에 자녀를 보내는 부모
지역사회 위원	• 당해 어린이집 지역을 생활근거지로 하는 보육전문가 • 기타 지역 및 어린이집 운영에 이바지하고자 하는 자 • 직장어린이집 업무 담당자 등 • 해당어린이집과 관련 있는 지역주민, 지역대표, 졸업생 부모(구의원, 동장, 통장 등) • 법인어린이집은 법인 담당자 등 ※ 가정어린이집의 경우 지역사회인사는 제외할 수 있음

* 보육교사 이외의 보육교직원(간호사, 영양사, 조리원)은 운영위원이 될 수 없음.

어린이집 운영위원회에서는 분기별 1회 이상[1] 운영되며, 심의할 내용은 〈표 9-2〉와 같다. 따라서 부모가 어린이집 운영위원회의 위원으로 참여하는 것은 가장 적극적인 형태의 부모참여라고 할 수 있다.

〈표 9-2〉 어린이집 운영위원회가 심의할 내용

어린이집 운영규정 제 · 개정에 관한 사항	어린이집 예산 및 결산의 보고에 관한 사항	영유아의 건강 · 영양, 안전 및 학대예방에 관한 사항
보육시간 · 보육과정의 운영 방법 등 어린이집의 운영에 관한 사항	보육교직원의 근무환경 개선에 관한 사항	영유아의 보육환경 개선에 관한 사항
어린이집과 지역사회의 협력에 관한 사항	보육교사의 권익 보호에 관한 사항	보육료 외의 필요경비를 받는 경우 제38조에 다른 범위에서 그 수납액 결정에 관한 사항
그 밖에 부모 모니터링단의 모니터링 결과 등 어린이집 운영에 대한 제안 및 건의 사항		

출처: 보건복지부(2021). 2021년도 보육사업안내.

1 다만, 아동학대 예방 등의 사유로 부모 대표 등의 요구 시 수시 개최 가능

(2) 부모모니터링단 참여

사진 설명 부모모니터링단이 어린이집을 방문하여 건강·안전·급식·위생관리를 확인하고 있다(UPKOREA 2020. 4. 9. 은평구, '2020년 부모 모니터링단' 모집).

「영유아보육법」 제25조의 2에 따르면, 시·도지사 또는 시장·군수·구청장은 어린이집 보육환경을 모니터링하고 개선을 위한 컨설팅을 하기 위하여 부모, 보육·보건 전문가로 점검단('부모모니터링단')을 구성·운영할 수 있도록 하고 있다. 부모모니터링단은 어린이집 급식, 위생, 건강 및 안전관리 등 운영상황 모니터링, 어린이집 보육환경 개선을 위한 컨설팅 등의 직무를 수행한다(사진 참조). 부모모니터링단 지원은 연초 어린이집이 소속된 지자체를 통해 할 수 있다. 또한 시·도지사 또는 시장·군수·구청장이 위촉한 부모모니터링단이 아니라도 일부 어린이집 내에서 자발적인 부모참여를 통한 영유아 건강관리, 급식관리, 위생관리, 안전관리에 대한 부모모니터링도 실시되고 있다.

(3) 이용 만족도 조사

어린이집에서는 부모의 다양한 요구를 수렴하여 수요자 중심의 보육서비스를 제공하기 위해 어린이집 운영 전반에 대한 만족도 조사를 실시한다. 어린이집 운영 전반에 대한 부모의 평가는 어린이집의 보다 나은 보육서비스 제공을 위한 중요한 자료로 활동되므로 적극적으로 참여해야 한다(사진 참조).

[공지] 어린이집 이용만족도 설문조사(12/14~17)

SKT행복날개 어린이집 부모님, 안녕하세요.

다음주 12월 14일(월)부터 18일(금)까지 어린이집 이용에 대한 만족도 조사를 실시합니다. 설문지는 14일(월) 하원 시에 배부될 예정이며, 18일(금)까지 작성하셔서 어린이집 현관에 비치된 투명함에 넣어주시기 바랍니다.

해당 설문지는 보다 행복하고 건강한 어린이집 운영을 위하여 부모님의 의견 수렴을 목적으로 합니다. 설문조사는 익명으로 처리되며, 향후 운영 계획에 반영하고자 하오니 적극적인 참여 부탁드립니다.

감사합니다.

사진 설명 어린이집에서는 이용 만족도 조사에 대한 안내를 하고 있다.

2. 지역사회와의 협력

지역사회(community)란 라틴어 'communus'에서 유래한 말로 'com(함께)'과 'munus(선물 주기)'의 뜻이 합쳐진 말로(정하성, 2002), '서로 간에 주고받는 관계' 또는 '서로 보살피는 관계'이다. 이처럼 지역사회란 일정한 지역 내에서 함께 살며 서로의 상호작용을 통해 공동의식을 가지고 있는 공동체를 의미한다(이정빈, 2019).

어린이집과 지역사회의 협력이 필요한 이유로 첫째, 지역사회는 영유아에게 탐구와 상호작용의 장이자 신체적 · 정서적 발달을 위한 장으로 영유아의 다양한 경험을 형성하는 데 중요한 역할을 수행한다. 예를 들어, 지역사회 문화교육은 지역사회 내 문화 자체에 대한 이해뿐만 아니라 영유아의 애향심, 공동체 의식, 지역에 대한 자긍심 등을 기를 수 있다. 또한 영유아가 지역사회의 행동양식을 이해하는 것은 자신의 삶에 긍정적인 영향을 줄 뿐만 아니라 성장 후에도 지역사회 발전에 공헌하게 될 것이다(정미라, 이희선, 노은호, 2004).

둘째, 영유아는 미래를 책임질 주체이기 때문에 어린이집과 지역사회는 영유아보육에 대한 연대책임의식을 가져야 한다(사진 참조). 관련 연구들(Aneshensel & Succoff, 1996; Craig, Liliana, Paula, Joshua, & Nicole, 2006; Garbarino & Kostelny, 1996; Leventhal & Brooks-Gunn, 2000)에서 낮은 사회경제적 지위, 불안정한 주거환경, 폭력적인 지역사회 환경은 영유아의 발달에 불이익을 주며, 내재화 · 외현화 문제행동을 증가시킨다고 하였다. 따라서 지역사회는 영유아와 가족에게 필요한 서비스를 연계하고, 어린이집은 지역사회 행사에 적극적으로 참여할 필요가 있다. 어린이집과 지역사회는 영유아에 대한 많은 정보와 기술, 전문적 지식을 공유하고 협력적 관계를 유지함으로써 지역 보육의 질적 수준도 높일 수 있다.

사진 설명　보건소 직원이 어린이집을 방문하여 교육을 해주고 있다.

셋째, 어린이집은 공공시설이며 국민의 조세로 지원받고 있다는 면에서 사회적 공공자원이다. 어린이집은 공익성을 기반으로 하는 공적인 시설로 어린이집의 보육서비스는 영유아, 가족, 지역사회가 함께 상호 혜택을 입는 공익사업이어야 한다. 즉, 영유아와 가족을 위한 보호, 교육과 더불어 사회복지 기능을 담당하는 보육사업으로의 보육개념이 확대되고 있다. 구체적으로, 어린이집에서는 지역사회 주민을 대상으로 한 부모교실운영, 육아상담, 교재·교구대여 서비스 등을 통해 지역복지 실현에 기여할 수 있다.

1) 지역사회자원의 유형

모든 어린이집은 특정 지역사회 내에 위치하고 있으며, 각 지역사회에는 보육프로그램 운영 시 유용하게 활용될 수 있는 여러 자원들이 있다. 지역사회자원의 유형은 자연적으로 조성되거나 손쉽게 활용할 수 있으며 무한한 교육적 경험을 제공해 줄 수 있는 자연적 자원, 지역사회에 거주하며 지역사회의 다양한 사회문화적 특징을 지니고 살아가는 인적 자원, 지역사회의 풍부한 자료들로 구성된 물적 자원, 마지막으로 지역사회가 가진 고유한 문화와 역사인 문화적 자원으로 구분할 수 있다(이아름, 2018).

(1) 자연적 자원

자연적 자원은 가장 쉽게 활용할 수 있는 지역사회자원으로, 각종 상점들과 지하철이나 버스 등과 같은 운송수단체계, 지역사회에 위치한 종교시설, 동물원, 박물관, 우체국과 같은 공공기관, 공원과 같은 휴식 공간 등이 해당된다(사진 참조). 대표적인 자연적 자원의 종류는 〈표 9-3〉과 같고, 이러한 지역사회자원들은 영유아들에게 실질적이고 교

사진 설명   유아들이 우체국을 견학하고 있다.

육적인 경험을 제공해 주는 중요한 자원이다.

선행연구들에 따르면 산과 하천, 박물관 등 자연적 자원을 경험한 영유아들은 지역에 대한 이해, 지역공동체 의식 및 애향심에 긍정적인 효과가 있는 것으로 나타났다(신미숙, 2015; 조성욱, 2017).

〈표 9-3〉 **자연적 자원의 종류**

종류	대표적인 예
유통기관	재래시장, 대형마트, 편의점, 백화점 등
운송수단	지하철, 버스, 택시 등
종교시설	교회, 성당, 절 등
공공기관	동물원, 박물관, 구청, 주민센터, 은행, 우체국, 소방서, 보건소, 사회복지관, 경로당 등
휴식 공간	공원, 인근, 산, 들, 하천, 강 등
기타	건설현장, 실내놀이터, 키즈 카페 등

(2) 인적 자원

어린이집이 위치한 지역사회에는 다양한 사회문화적 특징을 가진 사람들이 살고 있다. 어린이집에서는 보육프로그램을 진행하는 과정 중에 지역사회의 다양한 인적 자원을 적극적으로 활용함으로써 영유아에게 제공되는 활동을 보다 풍성하게 할 수 있다.

활용 가능한 인적 자원으로는 의사와 간호사 등 어린이집에서 영유아들의 진료활동에 참여하거나 위생에 관한 교육활동을 직접 진행시켜 줄 수 있는 사람들, 그밖에 경찰관이나 소방관 등 지역사회기관에 종사하는 사람들, 자원봉사자, 기타 일반 지역 주민으로 구성된다.

한편 영유아도 지역사회 인적 자원으로서의 역할을 할 수 있다(사진 참조). 예를 들어, 경제적으로 어려운 가정의 또래들이나 기관에 지원할 물품을 수집하고 알뜰장을 열어 자금을 모금하는 활동, 지역 양로원이나 고아원 방문 등의 활동을 통해 영유아들은 지역사회에 기여할 수 있는 인적 자원으로서의 역량을 키워 나가게 된다.

사진 설명 연말을 맞아 남해어린이집 원생들이 성금을 기탁하였다.

출처: 오마이뉴스(2020년 12월 28일자 기사).

① 전문기관 및 전문가

어린이집에는 가정환경이나 발달적 특성이 또래들과 달라서 특별한 보호를 필요로 하는 영유아가 있다. 특수한 요구사항의 예로는 영유아의 개별적인 행동문제(예: 또래 영유아들에 비해 어떤 사물을 아주 무서워함)에서부터 부모의 이혼이나 학대, 질병에 이르기까지 다양하다. 따라서 원장과 교사는 영유아와 가족의 다양한 문제를 이해하고, 이들의 특수한 요구를 파악할 수 있는 능력을 길러야 한다. 즉, 어린이집에서는 영유아와 가족의 특정 문제를 도와줄 전문기관에 대한 실질적인 정보(예: 서비스 종류, 전화번호, 비용)를 가지고 있음으로써, 가족이 전문가를 찾아가 도움을 구하도록 격려해 주어야 한다. 또한 특수한 요구가 있는 영유아를 위해 관련 전문가와 협조하여 함께 문제를 해결하도록 노력해야 한다.

② 자원봉사자

영유아는 지역 주민과 접촉함으로써 다양한 성인과 상호작용을 경험하게 된다. 영유아는 지역 주민과 주변 학교 학생들의 자발적인 보육참여를 통해 긍정적인 대인관계를 이해하고 유지할 수 있다. 예를 들어, 우리나라의 전통문화에 익숙한 어르신들이 전통놀이인 실뜨기, 강강술래, 윷놀이, 전통의복과 관련된 경험을 위한 감물 또는 황토물 들이기, 전통 음식인 쑥범벅, 화전, 열무김치, 빈대떡 만들기 등에 참여하게 되면, 교사 경력이나 연령이 낮은 교사와 영유아들에게 도움을 줄 수 있다(정옥분 외, 2019).

어린이집은 본질적으로 가정과 지역사회의 협력이 요구되는 곳이므로 영유아를 보육하는 일차적인 역할과 함께 다양한 자원봉사 활동을 통해 지역사회 공동체 형성의 작은 구심점이 될 수 있다. 구체적으로 보육공간의 청결 유지, 각종 행사의 계획과 실행, 교재 및 교구 제작 등의 분야에 많은 인적 자원이 필요하다.

어린이집에서는 봉사자를 관리함에 있어 사전에 계획된 봉사활동 계획안을 통해 일회성 봉사를 지양하고 체계적이고 의미 있는 봉사활동이 진행되도록 해야 한다.

③ 보육교직원

어린이집은 지역사회로부터 지원을 받을 뿐 아니라 동네 청소, 노인정 방문, 지역방치 아동을 위한 프로그램 등 지역사회에 봉사하는 기회를 가질 수 있다. 특히 어린이집에 근무하는 보육교사가 전문지식을 바탕으로 지역 주민의 육아문제를 상담거나 육아정보를 제공하여 지역사회의 건강한 육아환경에 기여할 수 있다. 이 외에 보육교직원은 그 지역에 위치한 양로원이나 고아원 방문, 환경보호를 위한 분리수거 실시에서부터 지역 발전을 위한 정보교환, 경제적으로 어려운 이웃을 위한 물품 수집 및 자금마련을 위한 알뜰시

사진 설명 어린이집 안전공제회 영상 콘텐츠 수상작인 부산경찰청 어린이집의 "교통안전교육-창의융합놀이를 만나다"의 한 장면이다.

장 개최, 환경오염을 줄이기 위한 걷기운동 동참, 지역사회의 축제참여 및 자원봉사, 공익 UCC 제작 등에 참여할 수 있다(사진 참조).

이러한 활동은 어린이집과 영유아 및 부모들에게 지역에 대한 애정을 고취시킬 수 있고, 나눔의 미덕을 깨달을 수 있게 하며, 더 나아가서는 영유아가 지역사회에 헌신할 수 있는 인적 자원으로 키워 나갈 수 있을 것이다(정옥분 외, 2019).

(3) 물적 자원

물적 자원이란 지역사회의 다양한 후원금과 물품 등을 지칭한다. 어린이집은 보육프로그램 진행 과정에서 필요한 물품과 재활용품을 주변에 가까운 사업체, 지역 재활용센터 등으로부터 지원받을 수 있다. 예를 들어, 작은 미술용품, 종이상자, 다양한 질감의 작은 나무 조각, 장난감 등의 지원 및 기부는 보육활동을 풍성하게 해 주며, 재활용의 활성화에도 도움이 된다. 사업체들도 어린이집에 자료를 지원함으로써 사업체의 홍보 효과를 거둠과 동시에 지역사회 영유아들을 미래의 고객으로 확보하는 기회를 가질 수 있다.

따라서 어린이집과 지역사회는 지역사회의 지원 및 기부문화를 활성화시키는 데 노력해야 한다. 이를 위해 교사는 어린이집이 위치한 지역사회의 각종 기관이나 사업체들에 관한 정보를 구축하고 관리하여 자료들에 대한 지원 가능성을 타진해 볼 필요가 있다.

(4) 문화적 자원

어린이집에서는 지역사회가 가진 다양한 문화적 자원을 활용할 수 있다. 지역사

회의 문화적 자원에는 지역사회에서 주최하는 행사, 문화공연, 영유아를 대상으로 하는 각종 대회 등이 있다. 어린이집에서는 특색 있는 지역문화에 참여하는 등 지역사회의 문화적 자원을 보육과정과 연계하여 영유아들이 풍성하게 체험할 수 있게 해 준다. 이러한 체험을 통해서 영유아들은 지역에 대한 애정을 키우고, 지역이 가진 문화적 가치를 이해하고 존중하며, 미래 지역의 문화적 자원을 보존할 수 있는 인적 자원으로 성장하게 된다.

3. 보육과정에서의 부모 및 지역사회와의 협력

어린이집 내 부모 및 지역사회와의 유기적인 협력을 위해서는 보육과정에 대한 이해와 계획이 필요하다. 여기서는 제4차 표준보육과정과 2019 개정 누리과정 내 부모 및 가족과의 협력 관련 내용을 살펴보고, 연간계획안 예시를 통해 실질적인 협력, 부모-교사 협력을 위한 지침, 어린이집 지역사회서비스의 영역 등에 대해 알아보고자 한다.

1) 제4차 표준보육과정에서의 부모 및 지역사회와의 협력

제4차 표준보육과정에서 부모 및 지역사회와의 협력은 '사회관계'와 밀접한 관련이 있다. 만 0~1세 영아의 사회관계는 가정에서 자신을 돌보아주는 가족에서 점차 교사와 안정된 애착을 형성하면서, 반에서 함께 생활하는 또래, 교사와 편안하게 지낼 수 있는 과정으로 확대된다. 따라서 만 0~1세의 사회관계 영역은 영아가 다른 사람의 행동이나 표정을 보거나 말을 듣고 그 사람에게 주의를 기울이면서 자신과 다른 사람의 감정을 인식함으로써 사회적 상호작용의 기초를 형성하는 것을 목표로 한다. 이를 위하여 교사는 만 0~1세 영아의 자아존중감과 함께 다른 사람과 더불어 생활함에 필요한 기초 능력을 기르는 데 중점을 두고 영아가 주변의 친숙한 사람들과 긍정적인 관계를 경험하고 어린이집에서 하루일과를 편안하게 지낼 수 있도록 지원해야 한다.

만 0~1세 영아의 사회관계는 '나를 알고 존중하기'와 '더불어 생활하기'로 구성되어 있다. 이 중 '더불어 생활하기'는 만 0~1세 영아가 교사와 안정적인 애착을 형성하고, 또래와 다른 사람에게 관심을 가지면서 반에서 편안하게 지내는 것을 경험하는 내용이다.

내용 범주: 더불어 생활하기

내용

⚙ **안정적인 애착을 형성한다.**
  • 0~1세 영아가 교사에게 정서적 유대와 심리적 안정감을 갖고 자신의 욕구와 관심을 표현함으로써 자신이 안전하게 보호받고 있다는 것을 인식하는 내용이다.

⚙ **또래에게 관심을 가진다.**
  • 0~1세 영아가 교사 외에 다른 영아와 함께 지내는 경험을 통해 자연스럽게 자신과 구별되는 다른 존재로서 또래가 있다는 것을 인식하고 또래에게 관심을 가지는 내용이다.

⚙ **다른 사람의 감정과 행동에 관심을 가진다.**
  • 0~1세 영아가 주변의 다른 사람이 표현하는 감정과 행동을 보고 자신이 여러 가지 감정을 표현하는 것처럼 다른 사람도 감정과 행동을 나타내는 존재임을 알고 관심을 가지는 내용이다.

⚙ **반에서 편안하게 지낸다.**
  • 0~1세 영아가 자기가 속한 반의 쾌적한 환경, 반응적인 교사, 불편함을 주지 않는 또래, 규칙적인 일과운영 속에서 생활하며 정서적 안정감을 가지고 편안하게 지내는 내용이다.

영아 경험의 실제	선생님이 좋아
	유하가 등원 첫날 엄마를 찾으며 운다. 교사가 "엄마 보고 싶구나. 걱정되고 속상하지? 선생님과 재미있게 놀다보면 엄마가 데리러 오실 거야"라고 말해준다. 처음에는 교사를 쳐다보지 않았지만 교사가 쓰다듬어주고 달래주자 차츰 울음을 멈추고 교사와 눈을 마주친다.
	교사는 동물인형을 가져와서 유하에게 가까이 간다. 인형을 보여주며 동물소리를 낸다. "안녕, 유하야. 난 유하 친구 몽이야. 반가워. 나랑 같이 놀자" 하고 말한다. 인형을 관심 있게 바라보다가 인형을 가까이 당긴다. 인형을 잡고 흔들거나 한참을 쳐다보며 흥미를 보인다.

교사가 유하에게 "몽이도 엄마가 보고싶나 봐. 우리가 몽이 안아줄까?"라고 말한다. 그러자 유하가 몽이를 안아준다. 교사가 "선생님도 우리 유하 안아줘도 될까?"라고 말하며 유하에게 팔을 벌린다. 유하가 교사 가까이에 다가와 품에 안긴다.

유하는 교사와 인형을 가지고 놀이하다가 음악 소리를 듣더니 일어난다. 교사가 "유하가 좋아하는 노래야?" 하고 묻자 "응" 하면서 노랫말에 맞추어 팔을 뻗는 동작을 하며 몸을 흔든다. 교사 곁에 머물던 유하가 잠시 후 인형을 들고 교실을 살피며 돌아다니기 시작한다.

영아 경험 이해

- 영아는 애착이 형성되어 있는 부모와 일시적으로 분리된 것에 대한 불안감을 느꼈지만 교사가 신체적 접촉을 하며 달래주고 인형으로 관심을 유도하자 교사에게 안정감을 느꼈다.
- 영아는 교사의 긍정적이고 우호적인 표정과 태도에서 심리적 안정감을 갖게 되었다. 영아는 좋아하는 인형을 매개로 교사와 소통함으로써 자신이 관심과 보호를 받고 있다는 것을 인식하였다.
- 영아는 교사에게 애착을 형성하고 반에 있는 다른 공간과 활동에도 관심을 갖고 편안하게 지내기 시작하였다.
- 영아는 교사가 보여주는 표정, 몸짓, 말을 집중하여 듣고 이해하며 자신의 의사를 표현하였다.

교사 지원

⚙ 자료
- 신입영아가 정서적 안정감을 갖고 적응하도록 영아가 흥미를 가질 만한 인형을 제공하였다.

⚙ 일과
- 영아가 어린이집의 하루 일과에 적응하는 과정에서 편안해질 수 있도록 개별적으로 충분한 시간을 제공하며 천천히 놀이에 참여하도록 하였다.

⚙ 상호작용
- 교사는 영아의 감정을 읽어주고 언어적 표현뿐 아니라 친근함을 나타내는 표정과 행동으로 상호작용하였다. 영아가 듣고 이해하며 스스로 감정을 조절할 수 있도록 기다려주면서 제안하는 방법으로 이야기를 하였다.

출처: 보건복지부(2020). 제4차 어린이집 표준보육과정 해설서, pp. 102-103.

만 2세 사회관계 영역의 목표는 만 2세 영아가 자신에 대해 알아가고, 다른 사람과 더불어 생활하는 경험을 통해 사회관계 형성의 기초를 기르는 것이다. 만 2세 영아가 자신이 다른 사람과 다르다는 것을 알고 자신을 긍정적으로 인식하며, 다른 사람과 생활하며 즐겁게 지내기 위한 태도를 기르는 것을 목표로 한다.

만 2세 영아의 사회관계는 '나를 알고 존중하기'와 '더불어 생활하기'로 구성되어 있다. '더불어 생활하기'는 만 2세 영아가 가족에게 관심과 특별한 감정을 갖고, 또래와 함께 놀이하며, 다른 사람의 감정과 행동에 적절하게 반응하고, 반에서의 기본적인 규칙과 약속을 알고 지킬 수 있도록 하여 사회관계의 기초를 경험하는 내용이다.

내용 범주: 더불어 생활하기

내용

⚙ 가족에게 관심을 가진다.
  • 2세 영아가 주변의 친숙한 사람 중에서도 가족이 보다 특별한 대상임을 알고 가족에게 관심과 소속감, 애정을 가지고 표현할 수 있도록 하는 내용이다.

⚙ 또래와 함께 놀이한다.
  • 2세 영아가 또래와 함께 놀이하는 경험을 통해 또래에게 자연스럽게 관심을 가지고 또래의 모습과 행동을 모방하면서 또래관계를 익히도록 하는 내용이다.

⚙ 다른 사람의 감정과 행동에 반응한다.
  • 2세 영아가 다른 사람의 기쁨이나 즐거움과 같은 긍정적인 감정뿐만 아니라 슬픔, 화남, 두려움, 아픔 등의 부정적인 감정을 알아차린다. 상대방의 감정에 같이 기뻐하고, 공감하며, 돕거나 위로를 하는 등의 반응을 할 수 있도록 돕는 내용이다.

⚙ 반에서의 규칙과 약속을 알고 지킨다.
  • 2세 영아가 자신이 자주 경험하는 상황에서 지켜야 할 간단한 규칙이나 약속이 있다는 것을 인식하고 이를 스스로 지키고자 노력하도록 돕는 내용이다.

영아 경험의 실제	우리 엄마, 아빠

예진이가 놀이하다가 엄마 이야기를 한다.
"엄마는 지금 뭐하지?"
교사는 예진이에게 "엄마는 지금 회사에서 일하고 계시지. 예진아, 엄마 보고싶어요?" 하자 예진이는 고개를 끄덕인다. "그럼 잠깐 엄마, 아빠 사진 보고 올까?"라고 교사가 묻자, 예진이는 가족사진이 있는 교실 벽면으로 가서 엄마, 아빠 사진을 보며 엄마 얼굴에 손을 대고 엄마 사진을 바라본다.

영아 경험 이해

- 영아는 주변의 친숙한 사람과 함께 있는 일과 중에도 가족에 대한 생각을 하거나 가족이 무엇을 하고 있을지 궁금해하며, 가족에 대한 애정이나 소속감 같은 특별한 감정과 관심을 표현하였다.
- 영아는 놀이 중에 엄마가 무엇을 하는지 물어보며 자신의 의사를 표현하였다.

교사 지원

🔧 자료
  - 교실 벽면에 영아들의 가족사진을 게시하여 영아가 가족원과 자신의 관계에 대해 인식할 수 있고, 가족과 함께한 일상적인 일들을 또래들과 공유할 수 있게 하였다.

🔧 상호작용
  - 교사는 가족에 대해 궁금해하는 영아의 관심을 민감하게 확인하고, 교실 내에 있는 영아의 가족사진을 가서 볼 수 있게 하였다.
  - 교사는 영아와 함께 영아의 가족사진을 보고 가족들과 즐거웠던 경험이나 추억에 대해 이야기하며 영아의 가족에 대한 감정을 인정해 주고, 남은 일과를 즐겁고 편안하게 보낼 수 있도록 지원하였다.

출처: 보건복지부(2020). 제4차 어린이집 표준보육과정 해설서, pp. 204-205.

2) 2019 개정 누리과정에서의 부모 및 지역사회와의 협력

2019 개정 누리과정에서 부모와의 협력과 관련된 영역은 '사회관계'이다. 사회관계 영역은 유아가 자신을 이해하고 존중하며, 친구와 가족 또는 다른 사람들과 사이좋게 지내며, 유아가 속한 지역사회와 우리나라, 다양한 문화에 관심을 가는 내용으로 구성된다. 사회관계 영역은 크게 '나를 알고 존중하기' '더불어 생활하기' 그리고 '사회에 관심 가지기' 등 세 가지로 이루어져 있고, 특히 이 중에서 부모 및 지역사회와의 협력은 '더불어 생활하기'와 '사회에 관심 가지기'가 가장 관련성이 높다.

'더불어 생활하기'는 유아가 가족의 의미와 소중함을 알며, 친구와 서로 돕고 양보하기, 배려, 협력하며 사이좋게 지내고, 사람들마다 감정, 생각, 행동이 각기 다름을 알고 존중하여, 친구와의 갈등을 여러 가지 긍정적인 방법으로 해결하는 내용이다. 또한 친구와 어른께 예의 바른 태도로 말하고 행동하며, 사회 공동체의 일원으로서 약속과 규칙의 필요성을 알고 지키는 내용이다.

내용 범주: 더불어 생활하기

목표   다른 사람과 사이좋게 지낸다.

내용
- 가족의 의미를 알고 화목하게 지낸다.
- 친구와 서로 도우며 사이좋게 지낸다.
- 친구와의 갈등을 긍정적인 방법으로 해결한다.
- 서로 다른 감정, 생각, 행동을 존중한다.
- 친구와 어른께 예의 바르게 행동한다.
- 약속과 규칙의 필요성을 알고 지킨다.

내용 이해	유아 경험의 실제
가족의 의미를 알고 화목하게 지낸다. 유아가 자신의 가족 구성원을 알고, 가족과 함께 생활하며, 가족은 서로 돕고 살아간다는 것을 경험하는 내용이다. 가족의 구성원이 다양함을 이해하고 존중하는 내용이다.	4세 유아는 가족과 지냈던 일에 대해 그림을 그리며 웃으면서 말한다. "엄마, 아빠랑 캠핑 갔는데 정말 재미있었어요. 아빠가 밥하고 고기를 구웠고, 엄마는 식탁을 차렸어요. 저는 물컵을 꺼냈어요. 밥을 다 먹고 나서, 같이 공놀이도 하면서 놀았어요." 

출처: 교육부, 보건복지부(2019). 2019 개정 누리과정 해설서, p. 85.

'사회에 관심 가지기'는 유아가 사회 구성원으로서 자신이 사는 지역에 관심을 가지고 탐구하며, 우리나라의 상징, 언어, 문화를 알아 가면서 대한민국 국민으로서 긍지와 자부심을 가지는 내용이다. 그리고 다른 나라의 다양한 문화에 관심을 가지고 존중하는 경험을 담고 있다.

내용 범주: 사회에 관심 가지기

목표   우리가 사는 사회와 다양한 문화에 관심을 가진다.

내용
- 내가 살고 있는 곳에 대해 궁금한 것을 알아본다.
- 우리나라에 대해 자부심을 가진다.
- 다양한 문화에 관심을 가진다.

내용 이해	유아 경험의 실제

내가 살고 있는 곳에 대해 궁금한 것을 알아본다.

유아가 자주 접하는 가까운 주변 지역과 이웃에 대해 관심을 가지고, 궁금한 것을 알아보며, 지역 구성원으로서 유대감과 소속감을 느끼는 내용이다.

우리나라에 대해 자부심을 가진다.

유아가 우리나라의 전통에 친숙해지고, 우리나라의 상징, 언어, 문화 등을 경험하면서, 우리나라에 대해 자랑스러운 마음을 가지는 내용이다.

다양한 문화에 관심을 가진다.

유아가 다른 나라의 다양한 문화와 생활양식에 대해 관심을 가지고, 문화의 다양성을 이해하며 존중하는 내용이다.

유아들이 함께 블록으로 동네를 만든다. 유아들은 도서관을 만들면서 이야기를 나눈다. "여기는 도서관! 우리 도서관 가봤지? 우리 동네에 도서관이 있으니까 좋다. 그치?" "응, 선생님한테 내일 또 도서관 가자고 말씀드리자"

바깥 놀이터에서 유아들과 선생님이 이야기를 나눈다.

우재: 너희들은 우리나라에서 누가 제일 좋아?
유아들: 이순신 장군! 세종대왕!
교사: 왜 좋아하는데?
시연: 한글을 만들었잖아요. 나는 한글을 진짜 잘 쓰는데, 한번 보세요. (모래바닥에 나뭇가지로 자신의 이름을 쓴다.)
유아들: 나도 내 이름 써야지. 아! 맞다. 내일 한글날이라 했지.

출처: 교육부, 보건복지부(2019). 2019 개정 누리과정 해설서, p. 88.

3) 부모 및 지역사회와의 협력 연간계획안의 예

(1) 부모와의 협력

어린이집과 가정이 협력하는 차원은 매우 다양하다. 특히 부모-교사 간 동반자적 관계를 위해 부모는 어린이집에서 실시되는 교육내용을 이해하고, 그것이 가정에까지 연결되어 부모로서의 역할을 수행할 수 있어야 한다. 가정에서 유아를 양육하는 것으로부터 영유아 교육기관에 대한 직간접적인 협력과 후원에 이르기까지 여러 가지 형태의 협력을 통하여 보육활동을 지원하고 영유아의 발달을 도울 수 있다. 〈표 9-4〉는 어린이집에서 실시 가능한 부모와의 협력에 대한 연간계획안의 예시다.

〈표 9-4〉 **부모와의 협력에 대한 연간계획안 예시**

시기	프로그램	유형	대상	내용
2월	신입원아/재원아 부모 오리엔테이션	설명회	전체 부모	운영안내 - 교육과정과 운영지침 안내, 교사 소개
3월 말~ 4월	부모 개별면담 (적응보고서 배부)	개별면담	신입원아 부모 전체 부모	영유아의 어린이집 적응에 관한 교사의 관찰기록 배부(신입 대상) 및 면담(전체 대상)
5월	상반기 학급별 부모 간담회	간담회	전체 부모	푸르니 보육프로그램에 소개 학급별 간담회(집단면담/반별 운영위원 선정)
6월	강연회	강연회	전체 부모	영유아발달 및 양육에 대한 전문가 초청 강연회
9월	취학 전 부모 강연회	강연회	5세반 부모	초등학교 준비에 대한 초등교사의 강연
10월	푸르니 가족행사	가족참여	전체 원아 가족	가족이 함께하는 원내외 놀이와 활동 - 가족참여수업, 운동회 형식 등
11월	부모 개별면담 (유아반)	개별면담	유아반 부모	일 년간의 발달 및 생활에 관한 교사와의 개별면담
11월	하반기 학급별 부모 간담회	간담회	전체 부모	학급별 간담회(집단면담)

12월	푸르니 가족잔치	가족참여	전체 부모	놀이와 공연으로 구성된 학급 가족잔치
12월	부모 개별면담 (영아반)	개별면담	영아반 부모	일 년간의 발달 및 생활에 관한 교사와의 개별면담
2월	영유아 성장발달 보고서	보고서	전체 부모	개별 영유아에 대한 관찰기록, 심리검사, 체격검사 등 지속적인 평가에 대한 보고서
2월 말	졸업식 (책 전시회)	가족참여	5세반 부모	5세반 유아의 졸업식

※ 본 행사 일정은 추후 변동될 수 있습니다. 홈페이지와 어린이집 게시판을 통해 공지되는 내용을 확인하시기 바랍니다.
출처: 푸르니보육지원재단(2021). 2021 어린이집 운영안내.

(2) 지역사회와의 협력

어린이집은 지역사회의 개인, 전문기관이나 유관단체와의 협력관계를 통해 영유아에 대한 이론적·실제적 지식과 정보를 얻을 수 있다. 또한 대중매체를 통해서 지역사회와 의사소통을 활발히 하는 것도 지역사회 참여의 예가 된다. 그 외에도 지역의 문화행사 등에 참여하는 것은 영유아와 가족, 어린이집이 지역사회의 공동체 의식을 형성하는 방법이 된다(〈표 9-5〉 참조).

〈표 9-5〉 **지역사회와의 협력에 대한 연간계획안 예시**

시기	프로그램	관계 기관	내용
3월	시장놀이	강서구 신마트	물건사기 체험
4월	경전철 이용하기	경전철홍보관	경전철 운행시설 탐방
5월	구강건강교육	강서구보건소	구강검진 및 불소도포
6월	현충일 기념 방문	유엔기념공원	국화꽃 헌화 체험
7월	수족관 관람	해운대아쿠아리움	해양생물탐구
7월	다양한 해양 체험	국립해양박물관	해양문화와 해양산업 탐방
7월	숲 체험	근린공원	생태학습
8월	어촌문화여행	어촌박물관	낙동강 어촌민속실 관람
8월	가야문화체험	가야누리박물관	가야유물전시실 관람
9월	동물원	삼정더파크/주렁주렁	다양한 동물 관찰

9월	교통안전교육	구포어린이교통공원	자동차의 역사 및 교통
10월	경찰교통문화체험	경찰청포돌이교통나라	경찰직업탐방 및 교통안전교육
10월	법 문화체험	솔로몬 로 파크	모의재판, 과학수사 등 법체험 교육
11월	재난안전체험관 및 탄생의 신비관	해운대유아안전체험관	재난안전교육 및 탄생의 신비체험
11월	병원 둘러보기	갑을녹산병원	병원의 역할과 직업탐방
12월	우리고장 특산물 알기	삼진어묵체험박물관	어묵을 만드는 과정과 역사교육
12월	다양한 공원체험	렛츠런 파크	경마공원의 모습과 시설관람
1월	기후변화체험	기후변화체험관	기후영상관 및 전시실 관람
1월	체험탐구학습	낙동강에코센터	다양한 체험전시실 관람
2월	과학의 세계	부산국립과학관	과학교실 및 3D영상관 체험

출처: 부산시 강서구 파랑새어린이집(2021).

4) 부모-교사 협력을 위한 지침

부모-교사 협력과 참여는 영유아에게 양질의 교육 경험을 제공하는 중요 요소이며, 인지적 발달 향상에 영향을 준다(Weiser, 1991). 하지만 지나치게 적극적인 부모의 태도는 교육기관에 여러 가지 갈등을 초래할 수도 있다(Stipek, Rosenblatt, & DiRocco, 1994). 따라서 이러한 갈등을 줄이고 긴밀한 관계를 형성하기 위해서 교사와 부모는 서로의 다양한 입장을 이해할 필요가 있다(정갑순, 1996; 한국보육진흥원, 2018b).

(1) 공동양육자로서의 부모

어린이집은 여러 명의 영유아가 함께 생활하는 곳으로, 가정에서 이루어지는 일대일 개별 양육과는 차원이 다른 환경이다. 그러므로 어린이집에 아이를 맡기는 부모들은 교사가 자신의 자녀를 잘 보살피고 교육할 수 있도록 공동양육자로서의 협력적 역할을 수행해야 한다. 따라서 공동양육자로서 부모의 역할수행 정도는 교사들이 보육현장에서 좋은 교사로서의 역할을 감당할 수 있도록 하는 중요한 요인이된다.

- 교사에게 예의를 지키고 존중해주세요.
- 교사의 좋은 면을 구체적으로 칭찬해주세요.
- 개별적인 특별한 요구는 가정에서 해결해주세요.
- 아이가 아프거나 컨디션이 안 좋은 경우 가정에서 돌보아주세요.
- 교사의 전달사항을 정확히 확인해주세요.
- 어린이집 요청사항에 적극 협조해주세요.
- 교사와 원활한 의사소통의 통로를 확보하세요.

(2) 부모를 이해하는 교사

부모의 다양한 상황을 이해하는 교사는 부모를 진정한 동반자로 인식하게 되어 부모-교사 간 협력을 위해 더욱 노력하게 된다.

- 부모는 때때로 교사의 말을 이해하지 못하고 엉뚱한 것 같기도 하지만 자녀교육에 있어서는 아주 실질적이고 그 나름대로의 확고한 신념을 가진 사람이다.
- 부모는 친지, 친구, 이웃 등 많은 사람들과 복잡한 관계를 갖고 있으며, 이러한 관계는 영유아의 생활에 영향을 미치는 중요한 변인이 된다.
- 부모는 교육과정에 수반되는 어떤 보육활동의 목적을 이해할 수도 있고 혹은 이해하지 못할 수도 있다.
- 부모는 영유아가 원해서 교육기관에 보내는 것이 아니라 강제로 강요해서 보내는 입장일 수도 있고, 반대로 영유아는 원하지만 부모는 교육기관의 교육보다는 다른 기능적 훈련을 위한 프로그램에 등록하기를 더 원할 수도 있다.
- 부모의 부부생활은 영유아의 일상생활, 즉 수면습관, 식사습관, 사고의 유형 등에 영향을 준다.
- 부모는 자녀가 갖고 있는 문제를 효율적으로 처리하지 못할 수도 있다.
- 부모는 자기 자신의 건강이나 가족문제에 대하여 또는 자녀문제에 대하여 비관적이거나 이미 더 이상 지탱해 나갈 것을 포기한 사람일 수도 있다.
- 부모는 자신들의 목적과는 일치하지 않지만 교육기관의 운영 방침에 호응해 나가려고 노력하는 사람일 수도 있다.
- 부모는 자신의 생활이 너무 바쁘기 때문에 교사와의 관계를 유지하기가 힘들고, 교사의 방침이나 교육방법에 비협조적이며 순응할 수 없는 입장일 수도 있다.
- 부모는 자녀의 교육에 대한 책임이 모두 교사에게 있고 부모는 단지 경제적 부담의 책임만 지면 된다고 생각할 수도 있다.

5) 어린이집 지역사회서비스의 영역

어린이집에서 지역사회서비스의 영역은 지역사회봉사, 지역사회홍보, 지역사회참여, 지역자원 동원으로 구분한다(구미진, 2000; 백선희, 1999). 이러한 서비스들은 상황에 따라 영역별로 중복, 시행될 수 있다(〈표 9-5〉 참조).

먼저, 지역사회봉사는 지역사회 내의 한 집단이나 전체 지역사회를 위하여 서비스를 제공하는 것으로, 어린이집에서 아동, 가족, 지역사회를 대상으로 서비스를 제공할 수 있다. 이는 지역사회 내의 기관으로 어린이집의 의무를 다하는 방안이 되며, 영유아에게는 사회통합의 가치를 학습시키는 방법이다. 즉, 어린이집의 지역사회봉사는 지역사회기관으로 어린이집의 사회적 효용재로서의 기능과 영유아 및 부모에게는 사회통합의 가치 습득, 지역사회복지 주체라는 목적을 달성할 수 있다. 제공 가능한 서비스로는 영유아의 지역사회봉사, 특별보육, 시설개방, 주민참여 프로그램, 지역사회 육아상담, 지역사회 교육 등이 있다.

지역사회홍보는 지역사회에 어린이집의 존재와 업무 등을 알려 어린이집 이용자에게 선택권을 주고 보육에 관한 관심을 갖게 한다. 최근 인터넷의 활성화로 어린이집의 홈페이지가 많이 증가하고 있으며, 이는 여러 정보를 습득할 수 있는 통로가 되고 있다. 이러한 홍보는 보육에 대한 관심을 증대시키고, 어린이집과 지역사회 간의 상호 이해를 돕는 기회가 될 수 있다.

지역사회참여는 지역사회의 생활에 집단 또는 기관 및 위원회로서 참여함으로써 가정 및 어린이집과 지역사회 간의 원만하고 긴밀한 관계 형성에 기여한다. 예를 들어, 주민참여 프로그램은 지역 주민의 참여를 유도함으로써 지역사회 통합에 기여할 수 있다.

지역자원 동원은 지역사회참여를 통하여 연계된 자원을 효과적으로 활용함으로써 빈약한 어린이집 자원을 효과적으로 극복하여 서비스의 질적 향상을 도모한다. 예를 들어, 지역사회 자연환경, 시설의 활용, 지역인사의 초청, 어린이집연합회 등과의 연계이다.

제4차 표준보육과정과 2019 개정 누리과정은 영유아를 포함한 다양한 주체가 협력하여 함께 만들어가는 교육과정을 지향하고 있다. 먼저 부모는 영유아를 양육하는 것에서부터 어린이집에 대한 직간접적인 협력에 이르기까지 여러 가지 방법을 통해 어린이집과 교류한다. 또한 지역사회 내 다양한 자원은 영유아의 놀이를 지원하고, 삶의 경험을 풍부하게 해주고, 지역 공동체의 일원임을 느끼게 한다. 지역사회와의 협력은 영유아보육의 중요한 부분으로, 어린이집에서는 지역사회와의 협력 속에 이루어지는 통합된 교육을 계획해야 한다. 단, 어린이집은 저마다의 특색과 처한 실정, 각 부모의 여건이 다르므로, 각 어린이집의 사정을 고려해서 진행해야 한다.

생각해 보기

1 부모와의 협력에서 가장 인상 깊었던 형태는 무엇이며, 그 이유에 대해 이야기 나누어 봅시다.

2 부모와의 협력 시 아버지의 참여를 높일 수 있는 방안을 생각해 봅시다.

3 자연적 자원을 통한 지역사회와의 협력 시 발생 가능한 문제는 무엇이고, 그 이유에 대해 이야기 나누어 봅시다.

4 지역사회와 협력을 높일 수 있는 보다 적극적인 방법은 어떤 것이 있을지 이야기 나누어 봅시다.

제10장

보육교사의 자기관리

성인이 직업을 갖고 일을 할 때 어떤 일을 하는가보다 어떻게 하는지가 중요하며 그 일에 어떤 마음으로 임하는지가 중요하다. 기쁜 마음으로 열의를 가지고 일할 수 있는 직업을 가진 사람은 행복하다. 보육교사로서 해야 하는 일들이 자기 자신에게 적합한 일인지, 자신이 잘 해낼 수 있는 종류의 일인지를 알아보기 위해서는 보육교사의 업무가 무엇인지를 파악하는 것도 중요하지만 이와 마찬가지로 자기 자신에 대한 이해가 필수적이다. 자신이 영유아를 좋아하는지, 돌봄과 배려를 지향하는 성품인지, 가르치는 일을 즐거워하는지, 타인과 협력하고 소통하는 것을 불편해 하지 않는지 등 보육교사의 주요 역할을 흔쾌히 감당할 기본 소양이 있는가를 생각해 보아야 한다. 만약 부족한 부분이 있다면 그것을 보완하기 위한 노력을 통해 더 좋은 교사가 될 것이고 자신의 직업에 만족하는 행복한 직업인이 될 수 있을 것이다.

이 장에서는 보육교사라는 직업에 대한 자신이 가지고 있는 이미지를 분석해 보고, 자기 자신의 다양한 내적 소양이 보육교사로서의 역할에 적합한지 알아보고자 한다. 또한 보육교사로서 성장하고 발달하기 위한 자기개발 방법을 살펴보기로 한다.

1. 보육교사의 자기이해

보육교사로서 자기이해가 필요한 이유를 알아보고 보육교사에 대해 가지고 있는 이미지 분석을 통해 교직에 대한 자신의 생각을 알아보기로 한다. 또한 자신이 가지고 있는 자아개념, 자아존중감, 성격 등 자기 자신을 이해하고, 교사효능감, 교육신념을 점검하여 자신이 교직에 적합한 사람인가에 대해 생각해 보자.

1) 자기이해의 필요성

교육은 결국 어떤 방향으로의 변화를 위한 것이고, 그 방향은 가치를 내포하기 마련이므로 교사가 어떤 가치관을 가지느냐는 교육에 있어서 매우 중요한 요소이다. 교사가 어떤 가치관과 내면을 가지고 있느냐에 따라 교육의 목표와 과정은 달라진다(박은혜, 2014). 영유아와 하루 종일 지내는 보육교사들은 끊임없이 움직이고 요구하는 영유아의 흥미를 최대한 반영하여 계속해서 의사결정을 해야 하는 순간을 맞이한다. 이러한 역동적인 상황에서 영유아의 놀이와 활동(실내외 자유놀이, 대소집단활동 등), 일상생활(급간식, 낮잠 등) 간 균형을 유지해야 한다. 보육교사들은 동시 다발적으로 여러 영유아와 상호작용하는 매우 복잡한 상황을 이끌어가는 사람으로서 Shulman(2004)은 이를 '자연재해가 일어났을 때의 응급실 상황'이라고 언급하기도 하였다.

예를 들어, 교사가 학급운영의 편리성을 위해 정해둔 규칙들(예: 놀이시간이 끝나면 정리정돈하기, 교사가 동화를 들려주는 동안 방해가 되지 않도록 조용히 하기)은 경우에 따라 영유아의 발달이나 상황, 또는 환경에 따라 지키지 못하는 경우가 발생할 수 있다. 영유아가 정리하던 도중에 다른 것에 호기심이 생겨 그것을 탐색하느라 정리하던 중이었다는 사실을 잊고 다른 놀이를 시작했다면 영유아의 발달에 적합한 행동이며, 교사가 들려주는 동화보다 옆에 앉아있는 친구에게 하고 싶은 말이 있어서 그것을 통제하지 못하고 친구에게 말을 거는 영유아의 행동도 정상적인 발달 범위에 있는 행동이다. 그러나 교사들은 이런 모습들을 문제행동으로 인식하기 쉽다. 정리하는 것에 관해 '모든' 영유아가 '열심히' '빠른 시간' 내에 모든 놀잇감을 '제자리'에 정리하는 것이 목표라고 생각하고 교사 자신의 기준에 맞춰 이 규칙을 준수하지 않는 '문제행동'을 완벽히 해결하려는 교사가 있을 수 있다. 반면 영유아의 기질적 경향, 정리정돈하게 만든 방식의 수준, 1년 중 시점(즉, 학기 초, 중, 후반)에 따라 영유아의 정리정돈 능력이 다르다는 것을 이해하고 점진적으로 향상될 수 있도록 장기적 목표를 세워서 지도하려는 교사도 있을 수 있다(김희진, 2020). 교사들의 이러한 차이는 어디에서 비롯되는 것일까? 대부분의 보육교사는 영유아의 발달에 대한 이해와 지식이 있으므로 그것을 이해하지 못해서는 아닐 것이다. 이에 대해 김희진(2020)은 부모효율성훈련(Parent Effectiveness Training: PET) 프로그램에서 효율적인 의사소통을 위해 누가 문제를 소유했는지 살펴보는 것을 인용하여 영유아 행동지도의 영역에서 문제의 소유자(즉, 문제라고 인식하는 사람)는 대개의 경우 교사라고 하였다. 즉, 교사의 교수행동의 차이는 교사 자신에게 있다는 것이다.

교사가 하는 업무는 다양한 선택의 순간을 마주해야 하는 일이다. 다 같이 동화를 듣고 있는 시간에 혼자 다른 놀잇감을 찾아 돌아다니려 하는 영유아가 있을 때, 그 아동의 흥미와 놀이취향을 존중하여 원하는 것을 하도록 허용할 것인가, 아니면 동화를 다 듣고 나서 자유놀이 시간에 원하는 놀이를 하게할 것인가를 결정하는 '교육에 관한' 선택에서부터 낮잠을 자지 않고 놀고 싶은 영유아와 그로 인한 소란스러움으로 인해 낮잠에 방해를 받는 영유아가 있는 상황처럼 보육교사는 일상의 거의 대부분의 일에 선택과 결정을 내려야 한다. 교사가 어떤 선택을 하는가에 따라 영유아의 보육경험은 달라진다.

선택의 순간에 어떤 결정을 내리는가는 선택의 주체가 되는 교사 자신의 가치관과 신념, 성격과 경험 등에 달려 있다. 사람은 태어날 때부터 선하다고 생각하는 교사는 타고난 대로 자라나길 바랄 것이지만 악하게 태어난다고 믿는 교사는 영유아의 행동이나 태도를 수정하고자 노력할 것이다. 또한 백지상태로 태어난다는 아동관을 가졌다면 영유아의 천성이나 타고난 재능에 대해 인정하려 하지 않을 것이다. 이러한 생각이나 믿음은 교사가 어떤 결정을 내려야 하는 상황에서 그가 하는 선택에 영향을 미친다. 동화를 듣는 시간에 여기저기 돌아다니려 하는 영유아에 대해 호기심을 존중하고 탐색을 허용하기로 결정하는 교사와, 학급의 규칙을 일관성 있게 적용하여야 하므로 동화를 듣는 시간에는 다른 영유아와 같이 동화를 듣게 하려는 교사는 서로 다른 기준과 우선순위를 가지고 있는 것이다. 교사가 결정해야 하는 수많은 순간에 의식적, 무의식적으로 하는 거의 모든 선택은 교사가 어떤 사람인가, 어떤 성격인가, 평소에 무슨 생각을 하는가, 무엇을 믿는가, 어떤 환경에서 성장했는가, 누구와 친하게 지내는가와 같이 교사 자신에게 달려있다. 이로써 자신이 어떤 존재이며 어떤 가치관과 신념을 가지고 있느냐는 교직을 수행하는 데에 영향을 준다. 교사가 어떤 성향, 성격을 가지고 있는지, 교사가 어느 정도의 지식을 소유하고 있는지에 따라 교실에서 교사의 행동은 달라지며 교사의 태도와 행동은 영유아의 하루일과와 놀이에 지속적으로 강하게 영향을 미친다. 이것이 보육교사가 자기 자신에 대해 이해해야 하는 이유이다. 따라서 자신에 대해 깊이 생각해 보고 분석 또는 평가하여 자기 자신을 이해하는 것은 교사가 되기 이전은 물론 교사가 된 이후에도 지속적으로 필요하며 교사가 되는 데 필수적인 성찰이라고 할 수 있다.

2) 보육교사의 이미지

교사 이미지는 특정한 대상에 대하여 개인이 가지고 있는 믿음, 개념, 인상의 총합으로, 교사 이미지는 교사에 대하여 사회문화적으로 형성되어 있는 이상적인 이미지와 개인적 관점에서 나타나는 정의적, 내면적 이미지들의 총체적인 개념으로 볼 수 있다(하은옥, 2007). 대부분의 성인은 성장과정에서 10년 이상 학교에 다니며 수십 명의 교사를 만났고 학생으로서 교사에 대해 긍정적인 경험이나 부정적인 경험을 가지고 있다. '교사'라고 했을 때 따뜻하고 자상한 어머니의 이미지가 그려지거나 엄격하고 차가운 이미지가 떠오를 수도 있다. 이러한 이미지는 보육교사 자신의 정체성에 영향을 주며 교사는 어떤 사람이어야 한다는 성격이나 인성 등에 관한 것에서부터, 교사는 이런 일을 잘 해내야 한다는 직무에 대한 생각, 또 교사는 어떻게 보여야 한다는 겉모습에 이르기까지 다양한 측면에 영향을 미친다. 자신이 가지고 있는 교사에 대한 이미지가 무엇인지, 또는 어떤 이미지가 가장 강렬한지를 파악하는 것은 교사의 업무 중 무엇을 가장 중요하게 생각하는지, 교사가 되면 어떤 일에 가장 중점을 두어 교사직을 수행하게 될 것인지를 예측할 수 있고, 약한 부분을 찾아 보완하는 데 도움을 준다.

보육교사가 자신 스스로를 어떤 이미지로 인지하는가를 연구한 류칠선(1996)은 자기개발 지향형, 사회적·환경적 요소 추구형, 내적 만족 지향형으로 분류하였다. 자기개발 지향에 속한 교사들은 보육이란 영유아를 안전하게 돌보는 것뿐 아니라 전문적 지식과 기술이 필수적이라 생각하고 전문가로 성장하기 위해 워크숍, 연수

참여 등을 통해 지속적으로 연구하고자 하는 특성이 있다. 사회적·환경적 요소 추구형은 보육교사가 영유아기라는 중요한 시기의 교사임에도 낮은 사회적 지위와 열악한 근무조건 등 사회적·환경적 요소를 크게 지각하는 특성이 있다. 내적 만족 지향형은 보육교사의 사회적 기여도가 높으며 다른 직업보다 보람 있는 직업으로 인식하여 현재는 충분한 보상이 부족하더라도 미래 전망을 밝게 지각하였다.

황해익, 김미진과 김병만(2012)은 교사들이 인식하는 유아교사의 이미지를 브레인스토밍을 통해 부정적·수동적 교사형, 긍정적·헌신적 교사형, 중립적·교수활동 교사형으로 분류하였다. 브레인스토밍 과정에서 모델링, 사랑, 인성, 모범, 조력자 등의 단어를 먼저 떠올리는 교사들을 긍정적·헌신적 교사형으로, 가르침, 교육자, 만능사전, 만능엔터테이너 등의 단어를 먼저 떠올리는 교사들을 중립적·교수활동 교사형으로 명명하였다. 자신의 직업에 대하여 긍정적이고 헌신적인 이미지를 가진 교사들은 양질의 교육을 실현하며 힘들다는 생각보다 뿌듯하다는 느낌을 가질 것이다. 교수활동 교사형이라면 영유아를 지도하고 교육하는 것을 중요하게 여길 것이며 옳다고 믿는 방향으로 이끌기 위해 노력할 것이다. 반면 부정적·수동적인 이미지를 가진 교사라면 자신의 직무에 동기부여가 부족하고 주도적이지 못하며 위축된 자세로 근무하기 쉬울 것이다.

이금란(2000)은 학부모와의 인터뷰를 통해 유치원 교사의 이미지를 '교육전문가' '부모' '힘든 일을 하는 사람' '의욕적인 사람' '순수한 사람' '예쁘고 다재다능한 사람'으로 분석하였는데 이 중에서 '교육전문가' '부모' '힘든 일을 하는 사람'이 전체의 76%로 나타나 학부모들이 인식하는 보육교사의 이미지는 전문가로서의 이미지와 힘든 직업이라는 이미지를 동시에 가지고 있는 것으로 볼 수 있다.

😵 전문가로서의 이미지

흔히 아이들 심성을 도화지 같다고 하고 거기 물감이 칠해지는 게 성장이라고 생각하잖아요. 물감을 칠하는 사람은 물론 친구들도 영향을 줄 수 있기도 한데, 영향을 퍼센티지로 할 때 유치원 교사가 가장 많은 부분을 차지하는 것 같아요. (학부모4)

유치원 선생님은 농부와 같아요. 씨 뿌리는 걸로 비유했는데 아이들한테 여러 가지 소양을 심어줄 수 있고, (…중략…) 그러니까 어렸을 때는 뿌리는 대로 받아들이는 시기인 것 같거든요. 골고루 심어줄 수 있는 시기인 것 같아요. 여러 가지 씨앗을 선생님은 뿌려줄 수 있지 않을까… (학부모16)

⊠ 부모 같은 이미지

요즘 아이들은 아침을 잘 안 먹고 유치원에 가잖아요. 그러니까 저녁 먹을 때까지 한 끼밖에 안 먹는 건데 선생님이 신경을 써 주셨으면 좋겠어요. 그리고 집에서 잘 안 먹는 것도 선생님이 얘기하시면 잘 먹거든요. 점심이라도 잘 먹고 오면 얼마나 좋은데요, 어쨌든 애들 먹는 거에 신경 써주는 선생님이 좋은 거 같아요. 일단 아이들이 잘 먹어야 건강하고, 건강해야 다른 학습이나 뭐 그런 것도 잘 이루어지니까요. (학부모15)

일단은 유아들을 사랑하는 마음이 있어야 되는데, 그게 구체적으로 겉으로만 사랑하는 게 아니라 진정으로 사랑하는 거, 말로만 하는 게 있잖아요, 나는 그 애를 사랑한다. 이런 것보다 아이들이 표현 못하고 가만히 있을 때 가까이 가서 걔 심정을 알려고 노력해 보고 그렇게 해서 사랑하는 마음을 나타내는 게 좋을 것 같아요. (학부모2)

⊠ 힘든 일을 하는 사람의 이미지

굳이 비유하자면 선생님보다는 사회사업하는 사람하고 비슷해요. (초등학교)선생님은 우선 지위 같은 것도 유치원 교사보다는 높고 뭐 그런 여러 가지가 보장되지만 유치원 교사는 사실 자기네가 받는 거에 비해서 하는 일은 (초등학교)선생님보다도 훨씬 더 힘들다고 생각되거든요. 그러니까 사회사업하는 사람들 하고 비슷하게 거의 줘야하는 그리고 베풀어야 하는 입장이니까… (학부모11)

출처: 이금란(2000). 유치원 교사의 이미지에 관한 연구, 이화여자대학교 교육대학원 석사학위논문. 연구결과(pp. 21-41) 직접인용 부분에서 발췌.

보육교사의 이미지 구축에 영향을 주는 요인에는 교사 자신이 스스로 어떻게 인지하는가 하는 내적 요인과 교사를 둘러싸고 있는 다양한 외적 요인 즉, 원장, 학부모, 전문가, 예비교사, 나아가 일반대중, 대중 매체 등이 있다. 동시대를 살아가는 사람들이 어떤 직업에 대해 가지고 있는 이미지는 대중매체를 통해서 살펴볼 수 있는데 특히 TV나 영화 등에 나타난 보육교사의 이미지는 대중의 인식을 나타낸다. 이현숙(2005)은 TV드라마에 나타난 유아교사의 이미지를 인성적 측면과 외형적 측면으로 나누어 인성적 측면에서는 사랑이 풍부하고 순수하며 도덕적이고 인내심이 있으며 성실한 이미지로, 외형적 측면에서는 여성스럽고 차분한 이미지로 표현되었다고 분석하였다.

　　예비교사들은 보육교사에 대해 어떤 이미지를 가지고 있을까? 박혜훈(2009)은 대학교 3, 4학년을 대상으로 예비유아교사가 가지고 있는 영아교사에 대한 이미지를 분석한 연구에서 인성중심 전문가형, 단순 보모형, 미래지향적 전문가형으로 분류하였다. 인성중심 전문가형은 영아를 사랑하고, 배려하며, 따뜻함과 포근함을 주는 인성적인 이미지와 영아교육에 관한 전문적인 지식과 능력이 있는 전문가로서의 이미지이며, 단순 보모형은 영아교사의 역할인 돌봄에 대해 단순한 보호의 개념으로 인식하고 있는 것을 의미한다. 미래지향적 전문가형은 체계적인 교사양성과정이나 교육과정, 저출산 시대에 맞는 사회적인 제도 등이 뒷받침 된다면 앞으로는 좋아질 것이라는 미래지향적 이미지로 분류하였는데 예비교사는 영아교육에서의 돌봄의 역할을 '교육'활동을 포함한 전문적인 역할로 인식할 수 있어야 하고 미래지향적인 이미지를 구축하는 것이 바람직할 것이다.

　　보육교사에 대해 어떤 이미지를 가지고 있는지를 파악하는 방법은 다양하다. 유아를 대상으로 교사의 이미지를 연구한 조운주(2007)는 그림으로 교사를 그리게 하고 그림에 대해 설명하는 방법을 사용하였다. 황해익 등(2012)은 유아교사의 이미지를 단어로 적고 그 이유를 서술하도록 하는 방법을 사용하였고, 이훈희와 황병순(2015)은 부모를 대상으로 보육교사에 대한 다양한 진술문에 대해 점수를 매기도록 하는 방법을 이용해 부모가 보육교사를 어떻게 인식하고 있는지를 파악하였다.

　　보육교사를 그림으로 그리고, 그림에서 표현된 이미지를 설명함으로써 자신이 갖고 있는 '보육교사란 어떤 일을 하며, 어떤 성품의 사람이어야 하고, 어떠한 모습으로 보여야 한다'는 생각을 보다 명확히 들여다 볼 수 있다. 치마를 입고 긴 머리를 묶은 여성이 웃는 얼굴을 하고 있는 그림을 그렸다면 보육교사직은 여성스러워야 한다거나 여성에 적합하다는 인식, 친절하고 상냥하며 긍정적이어야 한다는 생각 등이 표현되었다고 설명할 수 있다. 앞치마를 입고 땀을 흘리는 모습을 그렸다면 힘들게 일해야 하는 직업이라는 생각을 먼저 떠올렸다는 것을 의미한다. 〈그림 10-1〉은 보육교사 이미지에 대한 그림의 예이다.

여성적인 이미지   다재다능한 이미지

〈그림 10-1〉 **보육교사 이미지 그림의 예**

다음은 '보육교사는 (무엇)이다'라는 문장을 은유법으로 완성하고 그 이유를 서술한 것이다.

- 보육교사는 <u>어머니</u>이다. 왜냐하면 아이를 먹이고, 재우고, 씻기는 어머니가 하는 일을 하기 때문이다.
- 보육교사는 <u>동네북</u>이다. 왜냐하면 아이들, 학부모들, 원장선생님의 요구에 맞춰줘야 하고, 그러면서도 좋은 소리를 듣기 힘들기 때문이다.
- 보육교사는 <u>정원사</u>이다. 왜냐하면 씨앗에 물을 주면 잘 자라듯이 영유아들에게 사랑과 적절한 교육을 통해 잘 자라도록 돕기 때문이다.

▶ **보육교사 이미지를 은유법으로 나타낸 예**

보육교사를 정원사라고 동일하게 적었다 하더라도 그 설명에 따라서 어떤 사람은 영유아는 타고난 재능과 유전적인 요인이 있고 그것이 발현되는 것을 방해하지만 않는다면 그대로 자라날 것이라는 성숙주의 교육신념을 가지고 있을지 모른다. 또 다른 설명에는 정원사의 역할에 적합하게 잡초는 자라기 전에 뽑아버려야 하므로 영유아의 잘못된 습관을 바로 잡기 위해 정원사가 가지를 치는 방식으로 고쳐주는 것이 중요하다는 의미가 담겨있을 수도 있다.

3) 자기이해

보육교사는 장시간에 걸쳐 영유아들을 안전하게 보호하고 교수학습 활동을 수행할 뿐 아니라 부모 및 지역사회와 의사소통하며, 각종 행사 및 사무관리에 필요한 일들을 수행해야 한다(김은영, 박은혜, 2006). 교사는 자신의 내면을 들여다보고 자신이 하는 일에 대해 반성적으로 사고할 수 있어야 하는데 교사가 되기 위한 교육과정에서는 대부분 교사가 되는 데 필요한 지식과 기술을 전달하는 것에 치우치게된다. 보육교사가 타인인 영유아를 이해할 수 있으려면 먼저 자기이해가 바탕이 되어야 하며 자아개념, 자아존중감, 자기통제능력 등을 생각해 볼 수 있다. 또한 교직을 수행하는 것에 관련된 자기이해를 위해 교사효능감과 교육신념을 분석해 볼 수있다.

(1) 자아개념

자아개념(self-concept)은 신체적 특징, 개인적 기술, 특성, 가치관, 희망, 역할, 사회적 신분 등을 포함한 '나'는 누구이며, 무엇인가를 깨닫는 것을 의미한다(정옥분, 2017). 자아개념이란 개인이 가지고 있는 자신에 대한 견해로 '나는 어떤 사람인가?' '나의 능력은 어느 정도인가?' '나는 지금 어떤 처지에 있는가?' 등의 질문에 대하여 스스로 자신에게 답을 제시하는 것이므로 자기 자신의 능력에 대한 견해만이아니라 성격, 태도, 느낌 등을 모두 포괄하는 개념이며 자기 자신에 대한 인식이다.

보육교사는 영유아의 자아를 발전시키고 이해하여 더 나은 방향으로 이끌고 안내할 수 있어야 하는데 이때 보육교사 자신의 자아에 대한 이해는 그 바탕이 된다. 보육교사의 자아개념이 긍정적이라는 것은 자신을 있는 그대로 받아들이고 자신이하는 일에 긍지를 가지며 교사의 역할을 효과적으로 수행할 수 있는 능력이 있다는 것을 의미한다. 교사의 자아개념은 교실에서의 대인관계 행동과 교수행동에 중요한 영향을 미친다. 교사 자신의 긍정적인 자아개념은 타인과 지지적이고 친애적인 관계를 형성하고 영유아를 긍정적으로 만든다. 교사의 자아개념은 자신이 경험한 것에 영향을 받기도 하고, 또 어떻게 행동할 것인지에 영향을 주기도 하면서 자아개념과 교사의 행동은 상호적인 관계에 있다(송인섭, 2001). 자아개념이 긍정적인유아교사는 직무만족도도 높은 것으로 나타났고(임영순, 2001), 직무스트레스가 낮은 것으로 조사되었다(민선우, 2004). 또한 유아교사의 자아개념과 인성개발 효능감의 관계를 연구한 최일선(2009)의 연구에서는 자아개념이 긍정적인 교사들이 인성개발 효능감이 높은 것으로 나타나 교사교육에서 자기 자신에 대한 수용도를 향상시킬 수 있는 교육경험이 필요하다고 하였다. 이는 교사의 성장과 발달의 관점에서도 자아개념을 중요하게 다뤄야 한다는 것을 의미하며, Zehm(1999)도 교사교육에서 전문적인 지식과 기술습득 이외에도 자아인식, 자아존중, 자기이해 등에 관한 부분도 교사교육의 내용으로 포함되어야 한다고 주장하였다.

예비유아교사의 자아개념을 연구한 장영숙(2004)은 신체자아개념, 정서자아개념, 정체자아개념, 가족자아개념, 학문자아개념의 5개 하위영역으로 구분하여 자신의 외모에 만족하는지를 비롯하여 가족관계와 학업성취에 긍정적으로 느끼는가, 자신을 도덕적이고 믿을 만한 사람으로 생각하는가 등을 평정하여 예비교사의 자아개념이 교사역할에 대한 인식에 영향을 준다는 것을 밝혔다. 이로써 예비교사들이 긍정적인 자아개념을 지니도록 지도하는 것이 졸업 후 교사역할을 성공적으로 수행하는 데 필수적이며 이를 위해 심리적 지원이 필요하다는 것을 주장하였다.

자아개념이 긍정적인 보육교사와 부정적인 보육교사가 영유아와 하루를 보내며 다양한 상황을 맞이한다고 생각해 보자. 교사의 지시에 따르지 않는 영유아, 전날 알림장에 써서 보내달라고 부탁한 물건을 보내지 않은 학부모, 정해진 시간에 업무를 마치지 못한 동료교사, 퇴근시간이 다 되어 업무를 지시하는 원장을 바라볼 때 서로 다르게 상황을 판단하고 행동하게 될 것이다. 만약 이런 일들을 경험할 때 영유아가 자신을 좋아하지 않고 신뢰하지 않는다거나, 학부모나 동료교사가 자신을 무시한다는 생각이 드는 교사는 자신의 자아개념을 점검해 볼 필요가 있다.

(2) 자아존중감

자아존중감이란 자신의 존재에 대한 긍정적 또는 부정적 견해로서, 자아개념이 자아에 대한 인지적 측면이라면 자아존중감은 감정적 측면이라 할 수 있다(정옥분, 2018). 높은 자아존중감은 스스로를 존중하고, 가치 있는 사람이라고 여기는 것으로 긍정적인 평가를 의미하고, 낮은 자아존중감은 자기 거부, 자기 차별, 자기 멸시 등의 부정적 평가를 의미한다(Rosenberg, 1965). 자기 자신에 대한 만족감은 당면한 문제나 상황을 대하는 태도에 긍정적인 영향을 준다. 자아존중감이 높으면 자신이 성취하고자 하는 목표에 대한 인식이 뚜렷하고 자신을 존중하는 만큼 타인을 배려하기 때문에 보육교사의 자아존중감이 높으면 영유아를 잘 이해하고 동료교사나 학부모들과의 대인관계도 원만하게 형성한다. 보육교사가 긍정적인 자아존중감을 가질 때, 보육업무 및 행정업무, 인간관계 등에서 발생하는 문제 상황에서 자아존중감이 낮은 교사들보다 스트레스를 덜 받는다(이지영, 2012).

유아교사의 자아존중감에 영향을 미치는 요인을 조사한 한진원(2010)의 연구에서는 가족 및 부모와의 상호작용, 학교 및 직장에서의 대인관계, 자신에 대한 주변의 평가, 명확한 자기인식 및 성취경험이 자아존중감 형성에 영향을 주는 것으로 나타났다. 어린 시절부터 주변 사람들과의 관계 및 그들로부터 받은 평가가 긍정적일 경우 높은 자아존중감을 형성하게 된다. 보육교사의 자아존중감이 중요한 이유는 교사 개인에게만 한정되는 것이 아니라 영유아들에게도 큰 영향을 미치기 때문이다. 교사는 영유아에게 의미 있는 타인으로서 교사가 자신에게 더 많이 기대하고 자기의 능력을 신뢰한다고 느끼는 영유아는 자신의 능력을 더 높게 평가하고 자신감을 보이며 새로운 일에 도전하는 등 높은 자아존중감을 갖게 된다.

자아존중감은 보육교사로서의 역할을 수행하면서 당면할 수 있는 다양한 갈등과 역할수행에 대한 어려움을 극복할 수 있는 원동력이 된다. 자아존중감이 높은 교사는 행복감과 주관적 안녕감이 높고(한종화, 2014), 책임감이 강하며(심익섭, 임권엽, 2013), 직무스트레스가 낮고(이지영, 2012), 생활만족도가 높다(권연희, 2013). 김정원과 전선옥(2018)의 연구에서는 자아존중감이 높은 교사는 교직에 적응하는 능력인 교직적성의 수준이 높은 것으로 나타나 교사양성과정에서 자아존중감을 중요하게 다루어야 한다고 주장하였다. 또한 어린이집 아동학대 영향요인을 분석한 이현순(2004)의 연구에서는 보육교사의 자아존중감이 보육교사의 아동학대에 대한 인식에 영향을 미치는 요인으로 나타나 보육교사의 자아존중감을 향상시킬 수 있는 프로그램이 필요하다고 주장하기도 하였다.

예비보육교사의 자아존중감을 높이는 요인으로 신고운(2019)은 사회적 지지가 중요하다고 하였는데 예비교사가 가족과 친구, 교수로부터 긍정적인 지지를 받을수록 자기 스스로 가치 있는 사람이라고 느끼고, 스스로를 긍정적으로 평가한다는 것이다. 뿐만 아니라 자아존중감이 높은 예비교사의 경우 자신이 교육에 영향을 미칠 수 있다고 느낌으로써 교사효능감도 높은 것으로 나타났다(이현경, 남명자, 2000). 영유아를 잘 보육하기 위해 교사효능감이 높은 보육교사가 필요하고 교사효능감을 높이려면 보육교사의 자아존중감을 향상시켜야 하며, 가족과 친구와 교수로부터 긍정적인 사회적 지지가 자아존중감을 높이는 데 효과적이다.

(3) 자기통제

어떤 사건을 경험할 때 그 원인을 자기 자신에게 두는 사람이 있는가 하면 환경이나 타인에게 돌리는 사람이 있다. 또는 운이 좋거나 나빴다고 생각할 수도 있다. 사건의 원인을 환경적인 것에서 찾는 사람들은 상대방 탓을 하기 쉬우며, 운에 의해 결정된다고 믿는 사람들은 개선을 위한 노력을 게을리 하기 쉽다. 반면 자기 자신이 통제할 수 있다고 믿는 사람들은 문제를 해결하고 예방하려 할 것이며 자신의 실수가 없었는지 분석하려 할 것이다. 이것을 '통제소재' 또는 '내외통제성'이라고 부른다. 자기통제는 내적 통제, 타인통제, 우연통제의 하위요인으로 구분할 수 있다. 내적 통제는 개인의 생활을 컨트롤하는 힘이 자신에게 있다는 믿음이고 타인통제는 제 3자의 힘이 좌우한다는 믿음이며, 우연통제는 어떤 일이 발생하는 데 운명이나 우연에 따른다는 믿음을 의미한다.

개인의 행동양식은 자기통제에 따라 달라진다. 내적 통제적인 사람은 스스로의 노력에 따라 결과가 달라진다고 믿고 독립적으로 행동하며 스스로를 조절하려 하고 정보를 추구하며 적극적이고 자신감이 있는 반면 타인통제, 우연통제 등 외적 통제적인 사람은 운이나 운명에 따라 결과가 달라진다고 믿고 타인에게 더 의존적으로 행동하며 스트레스, 무기력, 좌절, 불안, 우울 등의 문제를 많이 보인다. 보육교사가 내적 통제보다 우연통제나 타인통제가 우세하다고 가정해 보자. 보육활동 중에 안전사고가 발생했을 때 영유아가 운이 나빴다거나, 다칠 운명이었다고 생각할 수 있고, 문제행동을 보이는 영유아가 있을 때 가정불화에서 원인을 찾으며 적극적인 교육적 노력을 포기할 수도 있다. 반면 내적 통제가 높은 보육교사는 문제를 해결하기 위해 자신의 실수가 없는지 되돌아보고 개선을 위한 노력을 통해 보다 나은 보육을 제공하려 할 것이다.

내적 통제가 높을수록 스트레스가 낮고 수행능력 및 만족도가 높으며(Chen & Silverthorne, 2008), 창의적 사고력과 창의적 인성도 높게 나타났고(성은현, 조경자, 2005), 예비유아교사를 대상으로 한 연구에서도 내적 통제가 높을수록 행복감이 높게 나타났다(고영미, 유영의, 권혜진, 2017). 자신에게 일어나는 사건이나 일을 스스로 예측, 통제할 수 있다고 지각하고 사건의 결과에 대한 원인을 자신의 능력이나 노력과 같은 자기 내부 요인에서 찾는 교사는 자신의 삶 전반에 대한 행복감을 긍정적으로 인식할 확률이 높다. 따라서 교사의 내적 통제를 함양할 수 있는 기회를 제공하는 것이 매우 중요하며 이를 위해서는 학업이나 과제 등 어떤 일을 수행 할 때 잘해낼 수 있다는 내적 동기를 부여하고, 그 일의 결과에 대해 스스로 책임지는 기회를 충분히 제공하는 것이 그 방안이 될 수 있다.

(4) 교사효능감

효능감이란 주어진 과제를 성공적으로 수행할 수 있다는 기대를 의미하며 교사효능감이란 교사로서의 직무에 대하여 어느 정도로 수행할 수 있는 능력이 있는지에 대한 스스로의 평가를 의미한다. 보육교사로서의 교사효능감은 업무에 관한 개인의 능력에 대한 자신감과 기대감을 나타내는 개인효능감, 자신이 가르치는 교수행동으로부터 결과를 기대하는 교수효능감, 영유아를 돌보고 상호작용하는 일에 대한 자신감인 양육효능감을 포함하는 개념이다(김해리, 이경화, 2019). 교사효능감이 높은 교사는 자신이 영유아의 발달에 긍정적인 영향력을 갖고 있다고 믿으므로 영유아의 학습에 책임을 가지고 다양한 방법을 시도하고 만약 실패하는 경우에도 다른 방법을 찾는 등 노력하지만 효능감이 낮은 교사는 영유아의 발달을 위한 노력을 적게 기울이고 쉽게 포기하려 할 것이다. Vrugt(1994)도 교사효능감이 높은 교사들은 자신이 맡은 일을 끝까지 책임감 있게 완수하고 학업성취가 낮은 학생을 쉽게 포기하지 않으며, 높은 수준의 어려운 과업이 있어도 새로운 해결방안을 적극적으로 모색하는 특징이 있다고 하였다.

예비교사를 대상으로 교사효능감에 영향을 미치는 요인을 알아본 연구들을 살펴보면 수동적으로 또는 물질적인 이유로 교직을 선택한 경우보다 자발적, 능동적으로 교직을 선택한 경우와 교직에 대한 책임감과 소명감이 높을수록 교사효능감이 높았으며(김경철, 정혜승, 2016), 교직에 대한 열정, 이타주의적인 성품과 영유아와의 활동이 좋아서 교직을 선택한 선택동기가 높은 경우 교사효능감이 높았다(김현진, 2012). 또한 예비교사의 행복감이 증가할수록 일반적 교사효능감과 개인적 교사효능감이 모두 높아지는 것으로 조사되었다(강정원, 2015). 이로써 교사효능감이 높은 교사는 교직에 열정과 소명감을 가지고 영유아와의 활동을 즐길 것이라고 예측할 수 있다.

교사효능감이 높은 교사의 교실과 높지 않은 교사의 교실에서는 어떤 차이가 있을지 생각해 보자. 교사효능감이 높은 교사는 곤란을 겪는 유아를 더 오랫동안 지지하고 지원하며 긍정적인 관계를 형성하고자 노력하고(Yoon, 2002), 교사효능감이 낮은 교사의 경우 유아의 동기를 부정적으로 바라보고 엄격한 규제, 잦은 벌과 외적 보상을 사용하는 것으로 나타났다(Erdem & Demirel, 2007). 교사의 교사효능감은 유아의 자아존중감에 긍정적인 영향을 미치고(박혜정, 오재연, 2017), 교사의 교사효능감이 높은 학급의 유아가 규칙을 지키고 협력하는 등 사회적 유능성이 높게 나타났다(심숙영, 임선아, 2018). 이와 같이 보육교사의 교사효능감이 영유아에게도 영향을 미칠 수 있다는 것을 알 수 있다.

예비교사의 교사효능감을 높이는 가장 좋은 방법은 교수실제를 경험하는 것이며 긍정적인 교수경험이 자신감을 향상시키고 교사효능감을 높일 수 있다. 현장실습 경험의 유무에 따라 교사효능감이 차이가 있는지를 살펴본 이현경과 남명자(2009)의 연구에 따르면 교육실습과 보육실습을 포함한 현장실습을 하기 전보다 하고난 후의 교사효능감이 높아졌다. 교사자격을 위해 필수로 정해진 현장실습 기간 외에도 예비교사 교육과정에서 다양하고 성공적인 실습 및 모의수업 기회를 많이 경험할수록 교사효능감을 높일 수 있다는 것을 알 수 있다.

(5) 교육신념

신념이란 한 개인이 가지고 있는 굳은 믿음을 의미하므로 교육신념은 교사의 판단이나 행동에 지속적이며 강력한 영향을 미친다. 영유아가 스스로 세상을 배워갈 능력이 있다고 믿는 교사와 성인이 가르쳐주지 않으면 배울 수 없다고 믿는 교사의 교수행위는 다를 수밖에 없다. 영유아가 스스로 학습할 능력이 있다고 믿는 교사는 영유아가 탐색할 수 있는 풍부한 환경을 마련하고 직접적으로 개입하기보다는 관찰하며 필요할 때 지원을 하는 교수방식을 선택할 것이다. 그러나 성인이 가지고 있는 지식을 전달하는 것이 영유아가 배우는 방식이라고 믿는 교사는 보다 직접적인 교수법을 사용하며 교정의 방식을 선택하려 할 것이다.

교육에 있어서 대표적인 신념은 '성숙주의' '행동주의' '상호작용주의'로 구분할 수 있으며 그 특징은 〈표 10-1〉과 같다. 성숙주의 신념은 영유아의 발달이 경험과 환경에 의한 것이 아니라 유전적인 것이며, 학습은 영유아가 성숙될 때까지 기다려야 한다는 입장이다. 따라서 교사의 역할은 영유아의 발달단계에 맞게 수용적이며 편안한 환경을 마련하는 것으로 보호자, 관찰자로서의 역할이다. 행동주의의 신념을 가진 교사는 유전적 요인보다 환경적 요인을 강조하며 교육이란 지식, 기술, 가치 등을 학습자에게 전달하는 것으로 본다. 교사가 직접적으로 가르치는 것이 가장 좋은 교수방법이라 여기므로 교육의 주도권을 교사가 가진다. 상호작용주의 신념

은 인간의 성장과 발달에서 생득적인 것과 환경적인 측면을 동시에 강조하는 입장
으로 주변 환경과의 능동적인 상호작용을 통해 영유아가 변화되어 간다고 보므로
교사의 역할은 적절한 인지적 갈등상황을 제공하고 영유아의 학습동기를 유발할
수 있는 기회를 제공하는 것으로 본다.

〈표 10-1〉 **성숙주의, 행동주의, 상호작용주의 교육신념 특징**

특징	성숙주의	행동주의	상호작용주의
교육목적	사회정서 발달과 인성발달	학문적 기초 형성	인지발달
아동관	유전적 시간표에 따라 정해진 순서대로 발달하는 수동적인 존재	환경에 의해 영향을 받는 수동적 존재	환경과의 자발적인 상호작용을 통해 발달하는 능동적인 존재
발달관	인간 고유의 생득적 성향의 자연적 계발	외재적 환경의 조작 및 반응을 통한 경험	통합적 과정
동기화	유전적 성숙에 의한 내적 자극	환경의 외적 자극	환경과 유아의 내적 자극
학습관	성숙준비도와 학습동기화의 조화	환경에 의한 동기화	개인과 외적 환경과의 상호작용

출처: 박은혜(2014). 유아교사론.

　아동을 어떤 존재로 보는지, 교육이란 무엇이라고 생각하는지, 지식이란 무엇인
지에 관한 철학적 사고가 교육신념의 바탕이 된다. 교육신념은 성장과정에서의 경
험으로 형성되며 성인이 되고 교사가 된 이후의 경험으로도 변화된다. 보육교사가
되려고 대학의 전공을 선택하는 시기의 교육신념과 교사양성과정의 교과목을 이수
하고 보육실습을 마친 후의 교육신념은 다를 수 있다. 또한 초임교사 시기에 가진
교육신념이 경력이 쌓여가면서 달라지기도 한다. 초임교사는 자신의 교수행동으로
영유아를 변화시킬 수 있다는 행동주의의 믿음이 크지만 실제로 영유아의 변화는
기대만큼 크지 않다는 것을 경험하면서 성숙주의의 신념으로 변화되기도 하며, 교
사가 가르쳐준 것이 아님에도 환경과의 상호작용을 통해 스스로 학습하는 영유아
를 보며 상호작용주의로 변화되기도 한다.

　교사의 교육신념에 영향을 미치는 요인으로 예비교사 교육과정에서 경험한 학습
내용, 교사가 된 후의 현직교육 및 교육수행과정, 자신이 처한 다양한 교육상황, 교

사의 직무 이외의 개인적 경험 등을 들 수 있다(장영숙, 최미숙, 황윤세, 2004). 자유로운 환경에서 많은 성공을 경험한 사람과 반대의 경험을 하며 성장한 사람은 세상을 바라보는 관점이 서로 다를 수밖에 없다. 따라서 내적인 요인인 자아개념도 교육신념에 영향을 미친다(성원경, 김진영, 2011). 뿐만 아니라 교사가 되는 데 필요한 내용을 배우는 교사양성과정에서 가르치는 사람의 교육신념을 그대로 받아들이기 쉽고 교사의 역할을 처음 경험하는 보육실습과 교사가 된 후 첫 1년 동안의 경험에서 교사란 어떤 역할을 해야 하는가에 관한 신념이 확고해진다.

교사의 신념은 실제 교실에서 제공하는 경험의 내용과 방법에 영향을 미치기 때문에 교육의 질적 향상을 위한 중요한 요인이며 교사의 교육신념은 교수행동을 결정하는 태도와 관련이 있고 교수방법에 관한 의사결정과 행동에 관여하는 요인이다(박현경, 신은수, 유영의, 2004). 따라서 자신이 어떠한 교육신념을 가지고 있는지를 점검하고 무엇이 옳다고 믿는지를 확인하는 과정은 예비교사 시기뿐 아니라 교사가 된 후에도 지속적으로 생각해 보아야 할 것이다.

2. 보육교사의 자기개발

보육교사가 된 순간부터 그 직업을 그만둘 때까지 보육교사의 전문성은 지속적으로 발달시켜 나가야 하는 과제이다. 자격증을 취득한 후 지속적인 훈련과 재교육에 관한 지원이 현장에서 다양하고 활발하게 이루어져야 보육교사로서의 직무를 효과적으로 수행할 수 있다. 보육교사의 발달을 위한 재교육 방안을 정부차원, 지자체와 기관차원, 개인차원으로 나누어 살펴보고자 한다.

1) 보육교사의 발달

영유아가 발달하고 성장하는 것과 마찬가지로 교사들도 자격을 취득하여 현장에 들어선 초임교사를 시작으로 '교사'로서의 성장과 발달을 지속해 나간다. 교사로서의 발달이란 전문성 발달을 의미하며 영유아의 학습과 경험을 증진시킬 수 있는 전문적 지식, 기술, 태도를 향상시키도록 디자인하는 과정, 또는 체계를 말한다(Cherrington et al., 2013). 예비교사교육을 받는 기간 동안 학습한 교사로서의 역할과 자질을 초임교사가 되어 실제로 실행하는 것이 즐겁고 보람차기만 한 것은 아니다. 초임교사는 발등에 떨어진 불을 끄는 것처럼 하루, 한 주, 한 달을 생존해나가는 시기를 거쳐 경력교사가 된다. 마치 생존과 안전의 욕구가 충족되어야 자아실현의 욕구를 추구하는 것과 마찬가지로 경력교사가 되어 어느 정도 보육교사로서의 업무에 익숙해지면 반복되는 일상에 적응하면서 더 높은 수준을 지향하며 스스로의 부족함을 채워줄 자기개발과 성장의 기회를 추구하게 된다.

교사의 발달에 대한 연구는 교사의 관심사 변화과정을 개념화한 Fuller(1969)로부터 시작되었다. 그는 초기이론을 여러 차례 수정·보완하여 교직 이전 관심사, 생존에 대한 초기 관심사, 교수 상황 관심사, 학생에 대한 관심사로 정리하였다(이은화, 배소연, 조부경, 1995). Katz(1972)는 Fuller의 이론을 확장하여 유아교사를 대상으로 교사 관심사를 연구하여 전문성을 갖춘 유아교사로 성장해 가는 과정을 생존기, 강화기, 갱신기, 성숙기로 제시하였다(〈그림 10-2〉 참조).

〈그림 10-2〉 Katz의 유아교사 성장과정

생존기는 교직생활 최초 1년에 해당하는 시기로 교사로서 적응하기 위해 직접적인 문제를 고민하게 된다. 예비교사교육에서 학습한 이론을 실제 교육현장의 다양한 요구를 가진 영유아에게 적용하려면 예상대로 되지 않는 좌절을 맛보게 되며 사소한 문서 하나를 작성하기 위해 장시간이 걸리기도 한다. 이 시기의 교사들은 자신이 교사로서 살아남을 수 있는지에 관한 생존에 관심이 있으므로 경력이 많은 교사들의 지원, 이해, 격려와 구체적인 도움이 필요하다. 강화기는 생존기를 지나 안정감과 자신감을 얻게 되는 시기로 교사로서의 업무나 교수기술을 숙달하고 문제유아와 상황에 관심을 갖게 된다. 산만하여 활동에 집중하지 않거나, 자조기술이 부족한 영아를 돕는 방법 등을 고민하는 강화기 교사들에게는 동료교사와의 감정적 공유와 경력교사의 풍부한 경험 및 전문가의 도움이 필요하다. 교직 경력 3년을 넘어서면 교사들은 반복되는 자신의 업무에 싫증을 느끼기 시작하는 갱신기에 접어든다. 다양한 프로그램에 대한 정보, 같은 분야에 관심을 가진 동료교사와의 만남, 다른 교사의 수업참관, 전문가와의 상담 등을 통한 교사발달에 대한 요구가 생기므로 다양한 재교육 프로그램에 참여하고, 연구수업을 발표하거나 대학원에 진학하는 등 교사로서의 전문성을 발달시키기 위해 노력한다. 교직경력이 5년 이상이 되면 교사들은 성숙기에 도달하며 교사로서의 완전한 자신감을 갖게 되고 교직 전반에 걸친 관심사를 가지고 전문가 협회나 세미나 참석, 다양한 분야의 전문가들과 상호접촉 등을 통해 자신의 요구를 충족시키게 된다.

Katz(1972)에 따르면 생존기나 강화기보다 갱신기나 성숙기가 더 높은 수준이며, 갱신이나 성숙 관심사를 보이는 교사들이 발달단계에서 더 높은 수준에 있다고 볼 수 있다. 교사발달단계가 직선적이라는 이러한 관점은 교사의 발달은 시간의 경과에 따라 자동적으로 발달한다거나 교사는 계속해서 성장하며 후퇴는 없다는 것을 가정한다. 그러나 Tasi(1990)는 Katz의 교사 관심사 척도를 수정하여 유치원 교사 관심사 평정척도를 제작하여 연구하였는데 교사들은 경력에 따라 정도의 차이가 있기는 하지만 모든 관심사를 가지고 있으며 경력 이외에도 학력, 현직교육을 받은 횟수, 소유하고 있는 자격유형, 자신이 맡고 있는 영유아의 연령에 따라서도 관심사에 차이가 있었다. 따라서 교사의 발달에 영향을 미치는 요인은 교직 경과기간을 의미하는 경력 이외에도 교사 개인의 가정적인 배경, 위기적 사건이나 과거의 경험, 개인적인 관심사와 같은 개인적인 요인과 교사로서의 생활에 관련된 근무하는 기관의 규정, 경영형태, 신뢰감 등의 조직적 요인, 그리고 사회적 기대나 전문단체 및 교원노조의 역할 등 거시적인 차원도 작용한다. 이를 정리하면 〈표 10-2〉와 같다.

〈표 10-2〉 교직 발달에 영향을 주는 요인

구분	범주	내용	
인적 요인	가정	• 가정 내 지원 체제 • 재정 상태 • 가족들의 특별한 요구	• 가정 내 역할 기대 • 가족 수
	긍정적 사건	• 결혼	• 자녀의 출생
	위기적 사건	• 사랑하는 사람의 병이나 사망 • 재정적 손실이나 법률적 문제 • 가정 내의 핍박	• 자신의 병 • 이혼 • 친구나 친척의 어려움

인적 요인	개인적 경험	• 교육적 배경 • 유아교육기관 이외의 개인적인 일 • 전문적 발달을 위한 활동	• 자녀와의 경험 • 다양한 교직활동
	개인적 관심사	• 취미 • 스포츠와 체력 관리 • 여행	• 자원 봉사 활동 • 종교 활동
	개인적 성향	• 개인의 목표와 포부 • 인생에서의 우선순위 • 지역사회에 대한 느낌	• 개인의 가치관 • 다른 사람과의 관계
조직적 요인	기관 규정	• 인사 정책 • 자격 요건 • 맡은 유아들의 연령	• 종신 임용제도 • 교육과정 운영의 자율성
	기관 경영 형태	• 분위기 • 의사소통 방식	• 교육철학의 일치 정도
	신뢰감	• 후원적인 분위기 • 재정적인 후원	• 교사에 대한 신뢰
거시적 요인	유아교육기관에 대한 사회적 기대	• 유아교사에 대한 사회적 이미지 • 유아교육기관과 관련된 법령	
	전문 단체	• 관련 학회의 방향 • 학회에서 제공하는 정보	• 학회에서의 활동 및 참여
	교원 노조	• 후원적인 분위기 • 교육위원회 및 교육 행정가와의 관계	• 보호 및 안정감

출처: 박은혜(2014). 유아교사론. 창지사. pp. 309-310.

발달단계가 각기 다른 교사들의 전문성 변화 양상이 어떻게 다른지를 연구한 강주연과 정정희(2018)는 교사들이 자기장학을 실시하는 과정을 인터뷰하여 다음과 같이 분석하였다. 생존기의 교사는 선배교사의 지도, 조언을 통한 실제적, 구체적 지원을 바탕으로 협력적 자기장학을 실행하여 '교사가 되어가기'의 과정으로, 적응기의 교사는 문제점을 해결해나가는 과정의 적극적 자기장학의 실시로 '보다 유능한 교사 되어가기'의 과정으로, 성숙기의 교사는 지속적인 자기반성으로 전문성 신장을 도모하는 자율적, 독립적 자기장학의 실시로 '반성적 실천가 되어가기'의 과정으로 각기 다르게 나타났다. 따라서 교사의 발달단계에 따라 요구와 지원방향에 차이가 있어야 한다.

김양은(2018b)은 초임교사부터 고경력교사까지 다양한 경력의 교사를 면담하여 보수교육의 문제점과 개선방안을 도출하였다. 초임교사들은 생존의 과정을 거치는 동안 교사교육을 받을 기회가 없으며 교실 내 문제 상황을 처리하기 급급하여 전문성 향상을 위한 교육에 관심을 둘 여력이 부족하며 현장중심의 실제적 교육을 제공하여 실무능력을 심화시키도록 도움을 주어야 한다. 예를 들어, 영유아들에게 빈번하게 일어나는 갈등 중재와 학부모들과 상담하는 과정에서 문제행동에 대해 전달하는 것은 예비교사 교육기간 동안 실제적인 학습이 이루어지기 어려운 영역이다. 초임교사들로서는 현장에서 부딪히며 시행착오를 거칠 수밖에 없으므로 문제행동에 대한 학부모 상담기법과 같은 실제적 업무수행에 필요한 교육이 필요하다.

3~4년 경력의 교사들은 승급대상자이거나 막 승급교육을 마친 예비경력교사들로 스스로 부족한 부분을 자각하고 이를 보완하기를 원하며 이 시기에는 교사들이 가지고 있는 내적 문제 상황을 관찰하고 피드백을 긴밀히 주고받을 수 있는 지원방안을 마련할 필요가 있으며, 5년 이상 경력교사들은 선임 혹은 주임교사로 그들 나름대로 자신의 교육철학과 교직관을 형성하며 기관 내의 다양한 사안에 대해 자신감과 능력을 갖추게 되므로 교실과 기관에서 좀 더 책임감 있는 역할을 수행하는 데 필요한 높은 수준의 전문지식이 요구된다. 10년을 초과한 고경력교사들을 위한 교육과정은 이전 단계의 교사들과 달리 내용이나 과목중심이 아니라 사고중심으로 구성되어야 하는데 이미 지식이 충분한 고경력교사들에게는 자신을 성찰하고 사고하는 방법을 터득하며 이를 공고히 할 수 있는 교육내용이나 방법이 더욱 필요하다는 것이다.

2) 정부주도의 보수교육

현직에 있는 교사들의 교육역량을 강화하고 전문성을 향상시키기 위해서는 지속적으로 재교육을 받아야 한다. 일정 연한이 지나면 자격증을 갱신해야 하는 나라들[1]과 달리 우리나라는 자격증을 취득하고 나면 자격이 계속 유지되기 때문에 보수교육의 중요성이 매우 크며 의무적으로 받아야 한다. 우리나라 보육교사 보수교육

---

1 뉴질랜드는 매 3년마다, 캐나다 브리티시컬럼비아와 영국의 스코틀랜드는 매 5년마다 보육교직원들이 자격증을 갱신해야 하며 갱신하지 않을 경우 교사등록증의 효력이 상실된다(OECD, 2012a).

은 1992년에 시작되어 1996년부터 승급 시 보수교육을 의무화하였고, 2009년 표준
보수교육과정이 개발되어 2016년 개편을 거쳐 교육통합관리시스템으로 관리되고
있다.

보수교육은 정기적으로 받는 직무교육과 상위등급의 자격을 취득하기 위해 받아
야 하는 승급교육 및 어린이집 원장의 자격을 갖추기 위해 받아야 하는 사전직무교
육을 말한다(보건복지부, 2021; 〈표 10-3〉 참조). 직무교육은 현직에 근무하는 보육
교사나 시설장이 주기적으로 받아야 하는 교육이며, 승급교육은 보육교사가 3급에
서 2급 또는 2급에서 1급으로 승급할 때 받는 교육이다.[2] 만 2년 동안 보육업무를
하지 않다가 다시 취업하려는 사람은 보육업무를 수행하기 전(채용이전)까지 장기
미종사자 직무교육을 이수하여야 한다는 규정이 2020년 3월부터 적용되어 미 이수
자는 채용이 불가하다.

〈표 10-3〉 **보수교육의 종류**

직무교육					승급교육		사전직무교육
일반직무교육		특별직무교육			2급 보육교사 승급교육	1급 보육교사 승급교육	어린이집 원장 사전직무교육
기본교육/ 심화교육	장기 미종사자 교육	영아보육 직무교육	장애아보육 직무교육	방과후보육 직무교육			

- 일반직무교육에서 기본 및 심화교육과정은 보육업무경력 등을 감안하여 교육대상자가 선택하여 이수할 수 있음.
출처: 보건복지부(2021). 2021년도 보육사업안내, p. 227.

보수교육 중 직무교육은 보육업무경력이 만 2년이 지난 사람과 보육교사 직무교
육(승급교육을 포함)을 받은 해로부터 만 2년이 지난 사람이 대상이 되며, 승급교육
을 받은 사람은 일반직무교육을 이수한 것으로 본다(〈표 10-4〉 참조).

---

2 직무교육을 이수하여야 할 연도에 해당교육을 이수하지 못하면 다음 연도에 이수해야 하며, 특별직
무교육을 이수한 경우에는 일반직무교육을 이수한 것으로 한다. 또, 직무교육과 승급교육을 같은
해에 받는 경우에 한하여 직무교육을 생략할 수 있다.

〈표 10-4〉 **보육교직원의 보수교육 주기**

	1년차	2년차	3년차	4년차	5년차	6년차	7년차	8년차
3급 보육교사	-	2급 승급교육 (80시간)	-	-	1급 승급교육 (80시간)	-	-	직무교육 (40시간)
						이 중 한 해에 원장 사전직무교육(80시간)이수가능		
2급 보육교사	-	-	1급 승급교육 (80시간)	-	-	직무교육 (40시간)	-	-
				이 중 한 해에 원장 사전직무교육(80시간)이수가능				
원장	직무교육 (40시간)	-	-	직무교육 (40시간)	-	-	직무교육 (40시간)	-

출처: 이미정(2019). 보육교직원 보수교육 현황 고찰 및 발전 방안. 한국보육학회지, 19(3), 59.

보육교사의 보수교육 내용은 일반직무교육, 승급교육 모두 인성·소양, 건강·안전, 전문지식·기술의 3영역이 있으며 전문지식·기술영역은 장애 및 다문화 실제, 보육활동 운영의 실제, 가족 및 지역사회 협력의 3개 내용으로 나누어진다. 인성·소양영역은 보육교사의 인권과 직무역량 강화에 관한 내용을 비롯하여 보육교사의 신체 및 정신건강을 관리하는 실제적인 방법을 다루고 있다. 건강·안전영역은 영유아의 보건위생과 안전사고 예방, 응급처치 방법을 다루며 아동학대에 관한 이해, 예방, 개입과정을 내용으로 한다. 보수교육의 가장 많은 시간은 전문지식·기술영역에 배정되며 장애 및 다문화 실제, 보육활동 운영의 실제, 가족 및 지역사회 협력의 3개 내용 중에서도 보육활동 운영의 실제 내용에 가장 많은 시간을 배정하고 있어 보육교사의 재교육에 직접적인 효과를 도모한다.

영아·장애아·방과후 보육을 담당하고 있거나 담당하고자 하는 보육교사 및 어린이집 원장은 사전에 특별직무교육을 받는 것이 원칙이며, 불가피한 사정이 있는 경우 채용 후 6개월 이내에 특별직무교육을 받아야 한다. 이 경우 특별직무교육을 받은 사람은 일반직무교육을 이수한 것으로 보므로 담당 업무의 변화가 있는 경우 의무적으로 이수해야 하는 교육이 무엇인지 확인하고 또 이수한 것으로 인정되는 교육이 무엇인지도 확인해야 한다. 보수교육을 연속하여 3회 이상 받지 아니하는 경우 자격이 정지될 수 있다. 특별직무교육의 내용은 인성·소양, 건강·안전, 전문지식·기술의 3영역이 있으며 전문지식·기술 영역에는 보육활동 운영의 실제,

가족 및 지역사회 협력이 영아 · 장애아 · 방과후 보육에 공통으로 포함되며, 방과후 보육에만 장애 및 다문화연계 내용이 포함된다. 이에 관한 세부적인 내용은 보건복지부에서 매해 발간하는 보육사업안내에서 확인할 수 있다.

보수교육에 관한 현행 법령과 정책의 변화를 문헌연구한 이미정(2019)에 따르면 현행 보수교육이 보육교사의 직위 등과 무관하게 주기적으로 이루어지며 내용의 차이가 거의 없어 교육과정의 획일성이 문제라고 지적하였다. 보육교사의 자격취득은 일정 과목 이수와 실습을 조건으로 하고 있어 다양한 전공과 취득경로를 통해 보육교사가 된 이들이 2년 혹은 3년이 지났다고 같은 수준의 전문성을 가질 수 없음에도 경력, 전공, 직급에 상관없이 같은 교육을 받고 있다. 또한 직무 및 승급교육 과정에서 중복되는 과목들이 편성되어 있는 문제점을 해결하기 위해서도 교육과정의 다양성을 추구하여 보육교사의 요구에 적합한 보수교육이 되도록 해야 한다.

보수교육을 이수하는 과정에서 보육교사들이 가장 힘들게 여기는 것은 평일(또는 주말)에 연속해서 40시간 동안 강의를 듣는 것과 대체교사 활용이 어려워 교육을 위한 시간을 내기 어렵다는 것이다(김명순, 2014). 또한 집합교육기관이 대도시 중심으로 위탁되어 있어서 교육장소에 접근성이 너무 낮은 것도 문제로 지적되고 있다(이미정, 2019). 보수교육이 보육교직원의 역량강화라는 목표를 달성하기 위해서는 수시로 필요한 교육을 받을 수 있는 형태가 바람직하다. 따라서 접근성과 편의성에서 강점을 보이는 온라인교육이 대안으로 제시되고 있지만 보수교육은 현장중심의 실무교육이 중요하다는 점도 고려하지 않을 수 없다. 정혜진과 임민욱(2017)의 연구에서 2016년 경기도 보육교직원 중 직무교육 대상자의 약 76%가 온라인 직무교육을 이수하고 있다고 보고하였는데 이는 점점 증가할 수밖에 없는 현

사진 설명 워크숍 유형으로 진행되는 교사교육

사진 설명 온라인으로 진행되는 교사교육

실이다. 온라인교육은 바쁘고 힘든 어린이집 업무를 종료한 후에 장소를 이동하지 않아도 되며 시간적으로도 학습자가 원하는 시간에 언제나 접속 가능하다는 점에서 집합교육보다 훨씬 강점이 크다. 그러나 교육의 효과성 부분에서 교육에 집중하지 않아도 이수가 손쉬운 측면이 있다. 온라인교육이 대세를 형성한 현재 이러한 문제점을 잘 파악하여 온라인교육의 장점을 살리고 문제점을 개선하려는 노력이 필요하다.

3) 지자체 및 기관차원의 전문성 향상

정부가 주도하는 법적 보수교육 이외에도 지방자치단체별로 자율적인 보육교직원 재교육이 이루어지고 있다. 또한 시도, 시군구 육아종합지원센터에서 안전교육, 아동학대 예방교육, 평가인증 관련교육, 보육과정 컨설팅 등 다양한 재교육이 제공되고 있다. 보육교사의 경력별로 차별화된 교육과정을 운영하는 대표적인 사례로 서울시여성가족재단 보육서비스지원센터의 인력풀교육이 있다. 신입(초임)교사, 중간관리자교육, 예비원장교육, 인력풀교사교육 및 심화과정 등 교사의 경력과 직급에 따른 차별화된 교육과정을 개발하여 시행하고 있으며, 현장중심적인 다양한 교수법을 활용하여 교육하고 있다.

국공립, 법인, 가정, 부모협동, 민간 등 다양한 보육기관 유형 중에는 직장보육기관이 있고 이들 중 재단이 관리하는 직장어린이집이 있다. 이러한 위탁기관들에게는 재단차원에서 교사교육을 실시하는 곳이 많다. 재단 소속의 보육교사들에게 근무 연차에 따라 필수과정(보육활동 운영)과 선택과정으로 다양한 교육내용을 운영하고 있어 재교육기회를 제공한다. 국공립 어린이집의 경우 지자체의 예산범위에 따라 지자체 차원[3]의 교사연수비를 지원하기도 한다. 예를 들면 서울시의 구청별로는 국공립 어린이집의 교사 중 일정기간 이상 근속하는 경우 해외연수기회를 제공하는 사례가 있고, 민간, 가정 보육기관 교사 중 우수교사를 선발하여 해외연수비를 제공하기도 한다.

보육기관을 운영하는 기관장의 입장에서도 보육교사의 전문성 향상은 영유아에

---

3 예산범위에 따라 지자체 별로 내용이 다르며 보육기관의 유형 및 보육교사 근속연수 등 각기 다른 기준으로 운영된다.

게 질 높은 교육을 제공한다는 의미와 더불어 어린이집 평가의 측면에서도 중요한 사항이다. 제 3차 어린이집 평가인증 지표에 따르면 교사의 전문성 제고를 위해 다양한 연수 기회를 부여했는지를 평가하게 되므로 기관차원에서도 교사의 연수를 지원해야 한다. 기관 내 초임 혹은 저경력교사의 보육활동에 대한 고경력교사의 조언, 평가, 모델링 등은 기관운영의 연속성을 유지하는 역할을 한다. 고경력교사는 풍부한 경험으로 인해 동시에 여러 가지 일을 처리할 수 있고 시간을 허비하지 않도록 일과를 구조화 하여 업무시간을 단축하고 보육실의 혼잡스러운 환경에도 능동적으로 대처할 수 있으며 문제 상황도 융통성 있게 처리할 수 있다. 또한 영유아의 흥미와 활동의 지속성 유지를 위한 전이도 능숙하고 보육현장에서 일어난 상황들의 우선순위를 파악하여 선택과 집중을 할 수 있다. 이러한 경력교사의 업무 능력과 태도는 초임교사의 역량을 강화하는 유용한 모델링이 된다. 또한 경력교사 자신도 초임교사의 성장에 기여하게 됨으로써 경력교사 스스로 자긍심과 업무효능감을 높이는 계기가 될 수 있다. 유치원의 경우 컨설팅 장학, 연구수업, 교과교육연구회, 전달강습, 교내자율장학 등의 이름으로 다양성을 가지고 운영되고 있다. 기관차원의 교사재교육은 고경력교사와 저경력교사가 짝이 되어 한 학급의 담임을 맡도록 하는 팀티칭, 지식이나 능력이 많은 사람에게 지도 및 조언을 받을 수 있는 멘토링, 자신에게 필요하다고 생각하는 부분에 관해 해당 분야의 전문가로부터 직접적인 도움을 받는 컨설팅[4], 실제 보육활동을 참관 혹은 녹화하여 개선할 점을 도출

사진 설명　기관차원 연구수업의 예
출처: 여수 죽림2차 부영 사랑으로 어린이집

---

4 컨설팅 장학은 교사와 컨설턴트의 관계가 수직적인 관계가 아닌 수평적인 관계의 조력을 하는 것으로 교육부는 전문 컨설턴트를 연결해 주는 맞춤형 컨설팅 장학을 통해 현장 지원을 강화하였다(교육부, 2013).

하는 연구수업 등 다양한 방안이 활용되며 이를 통해 소속교사들의 전문성을 발전
시키고 결과적으로 기관의 질적 향상을 도모할 수 있다.

4) 개인차원의 전문성 향상

교사로 재직하는 동안 자신의 전문성 함양을 위한 개인의 노력을 지속하는 것은
전문가로서 성장하는 데 필수적이다. 보육교사로서의 직업을 병행하며 학위취득을
하는 방법으로는 야간이나 주말, 방학기간을 활용하여 수업을 수강할 수 있는 교육
대학원 또는 보육관련 특수 대학원이 있다. 학위취득으로 학문적으로 성장할 뿐만
아니라 승급교육에서 혜택을 받을 수 있다.[5]

또한 개별적으로 자신이 관심 있는 분야에 관한 지역별 교과교육연구회에 가입
하여 같은 관심을 가진 교사들과 협력하여 연구할 수 있다. 예를 들면 음악, 미술,
수학, 과학 등 자신이 관심 있는 교과영역에 관해 교수방법을 개발하고 공유하는
협력적 공동체를 형성하는 것이다. 관련 학회에 가입하여 지속적으로 새로운 교수
법과 연구동향을 제공받거나 변화되는 사회의 요구에 관심을 가지고 보육관련 직
종의 미래를 예측하고 대비하는 자세를 가지는 것도 자신의 직업에 관한 진지한 태
도가 될 것이다.

진정한 교사가 되는 것은 자격증 취득으로 이루어지는 것이 아니며 교사가 된 이
후 지속적인 자기개발을 통해 성장할 때 가능한 일이다. 법적으로 이수해야 하는
필수적인 교육만으로 만족할 수도 있고 보육업무로 지쳐 시간적 여유를 가지기 힘
들 수도 있지만 누가 시키지 않더라도 보다 '좋은 교사'가 되기 위한 자기개발의 노
력을 지속하는 교사가 진정한 의미의 전문가라 할 수 있을 것이다. 김의향과 박진
옥(2018)은 보육교사의 재교육 정책을 분석하는 연구에서 교원 연수방식으로 시행
되고 있는 교과교육연구회, 학위취득 과정, 학술세미나 및 학회 참석, 컨설팅, 원내
자율연수, 육아종합지원센터에서 제공하는 국가시책 교육 및 지역대학이나 연구
소, 비영리 교육기관의 인증된 교육프로그램 등의 다양한 교육방식 도입이 필요하
다고 주장하였다. 정부와 지자체, 지역사회의 대학 및 연구소, 기관은 다양한 교사

---

5 보육교사 2급 자격을 취득한 후 보육관련 대학원에서 석사학위 이상을 취득한 자는 보육업무경력이
만 6개월 이상 경과한 경우 1급 승급교육을 받을 수 있다(보건복지부, 2021).

재교육과정을 개발하고 교사는 자기개발을 위해 노력한다면 보육의 질은 더욱 우수해질 것이며 이 혜택은 영유아와 학부모, 교사와 기관, 지역사회 모두에게 돌아갈 것이다.

생각해 보기

1　교사가 된 자신의 모습을 떠올리고 자신과 1년을 보낸 영유아들이 배우기를 바라는 것 중에서 가장 중요하다고 생각하는 것 하나만 적어보고, 자신이 이것을 중요하게 생각하는 이유가 무엇일까 생각해 봅시다.

2　보육교사가 된 이후 1년 후, 3년 후, 5년 후, 10년 후, 20년 후의 로드맵을 그려봅시다.

제11장

보육교사의 스트레스관리

현대인에게 있어 스트레스는 친숙한 용어이다. 우리는 다양한 인간관계와 사회생활 속에서 많은 시간 스트레스를 겪으며 살아가고 있다. 출근 시간에 늦을까 봐 스트레스를 받으며, 업무량이 많아 조급해할 때도, 시험을 앞두고 마음을 졸일 때도, 사람들 앞에서 발표를 해야 할 때도 우리는 스트레스를 느낀다. 그렇다면 스트레스가 없는 삶이 행복한 삶인가? 이에 대해 많은 전문가들은 부정적이다. 스트레스가 전혀 없는 생활은 우리를 게으르고 권태롭게 만들기 때문이다. 오히려 적당한 스트레스는 인간이 환경에 더 잘 적응하고 변화하기 위해 꼭 필요한 요소이기도 한다.

또한 스트레스는 개인이 스트레스 상황을 어떻게 인식하느냐에 따라 스트레스가 될 수 있고, 반대로 삶의 윤활유가 될 수도 있다. 즉 개인의 스트레스의 대처방법에 따라 스트레스가 삶에 미치는 영향력은 상이하다. 스트레스는 특정 목적을 달성하는 촉진제 역할을 하지만, 반대로 불면과 우울증, 다양한 질병의 원인이 될 수 있다.

그러나 스트레스의 긍정적 기능보다 부정적 기능이 강조되는 것은 스트레스로 인한 질병이 더 심각해지고 있기 때문이다. 따라서 이 장에서는 스트레스에 대한 정확한 이해를 통해 우리가 어떻게 스트레스를 긍정적으로 관리할 수 있는지 살펴보고자 한다.

1. 스트레스의 이해

우리는 복잡한 사회구조와 과도한 업무, 대인관계에서 오는 어려움 등으로 누구나 스트레스를 경험하며 살아간다. 스트레스는 우리 모두에게 불가피한 요소이지만, 이 스트레스를 어떻게 받아들이고 대처하는가는 큰 차이가 있다. 따라서 현대를 살아가는 우리들에게 스트레스에 대한 이해는 매우 중요하다.

1) 스트레스 개념

현대 사회에서 스트레스(stress)는 매우 익숙한 용어이다. 하루에도 몇 번씩 듣는 스트레스라는 용어는 우리나라에서 가장 많이 사용하는 외래어이다(SBS 뉴스, 2016년 6월 15일 방송). 만병의 근원으로 여겨지는 스트레스의 어원은 라틴어의 strictus(꽉 죄는)와 stringere(단단히 죄다)에서 유래하였다. 인간은 내적인 자극이든지 혹은 외적인 자극이든지 자극을 받으면 그에 따른 '어떤 변화'가 발생한다. 이러한 변화가 점점 꽉 죄어져 오는 것을 스트레스라고 한다. 스트레스라는 용어는 처음에는 물리학과 공학에서 물체나 인간에게 가해지는 힘, 즉 압력을 가리키는 뜻으로 사용되다가 20세기에 들어 Seyle(1956)에 의해 스트레스와 인체와의 상관관계가 연구되면서 의학적 관점에서 만병의 근원이며, 정신장애의 원인으로 스트레스가 지목되었다.

사전적 의미에서는 스트레스를 "유기체의 기능을 교란시키는 긴장이나 장애를 일컫는 용어"(다음 국어사전 https://dic.daum.net)로 정의하였다. Lazarus와 Folkman(1984)은 스트레스를 인간이 심리적, 신체적으로 감당하기 어려운 상황에 처했을 때 느끼는 불안과 위협의 감정으로 설명하였다. 장현갑과 강성균(1996)은 지금 자기에게 부과된 요구 수준과 이 요구에 부응할 수 있는 자신의 능력 간에 어떤 불균형을 지각할 때 일어나는 생리적·심리적 반응으로 규정하였다. 이와 같이 스트레스는 우리 자신이 감당하기 어려운 환경에 처할 때 느끼는 심리적·신체적 긴장상태로, 스트레스가 지속될 경우 여러 질병을 야기할 수 있음을 알 수 있다.

또한 스트레스의 개념은 일반적으로 반응으로서의 스트레스, 자극으로서의 스트레스, 그리고 상호작용으로서의 스트레스 등 세 가지 모델로 구분되어 있다. 먼저,

반응으로서의 스트레스(response-based model of stress)는 외적 조건에 대한 신체적 반응을 스트레스로 규정하였다. 스트레스는 자극에 대한 유기체의 반응으로, 생물

스트레스 연구의 아버지, Hans Seyle

1930년대에 처음 스트레스라는 단어를 학계에 소개한 Seyle는 원래 내분비학자로서 새로운 여성 호르몬을 발견하기 위해 쥐를 대상으로 실험하였다. 그는 실험집단 쥐에게는 새로운 호르몬을, 통제집단 쥐에게는 일반 생리식염수를 주사로 놓으며 매일 새로운 호르몬을 맞은 쥐는 통제집단의 쥐와 달리 신체에 이상이 있을 거라고 예측하였다. 그러나 실험집단과 통제집단의 쥐 모두에게서 위에 궤양이 생기고 면역조직이 크게 위축되었다. Seyle가 제시한 연구의 가설대로라면 호르몬을

사진 설명　스트레스 용어를 학계에 처음 소개한 Seyle
출처: https://www.pc.gc.ca/apps/dfhd/page_ nhs_eng.aspx?id=1570&i=75786.

주사 맞은 실험집단 쥐에게만 이상이 생겨야 하는데, 실험집단과 통제집단의 쥐 모두에게 이상이 생겨 처음 Seyle는 자신의 실험을 실패한 실험으로 생각하였다. Seyle는 왜 통제집단의 쥐들이 단지 식염수 주사를 맞고도 위에 궤양이 생겼는지 이해할 수 없었다. 결국 그는 여성호르몬이 아닌 무언가가 실험집단과 통제집단 모두에게 문제를 야기했다고 보고, 두 집단이 공동으로 경험한 무언가를 찾기 시작했다. 그과정에서 Seyle는 자신이 쥐를 다루는 데 무척 서툴러 호르몬과 식염수를 주사할 때마다 쥐들과 소동을 벌이고 힘들게 쥐에게 주사를 놓았던 사실을 떠올렸다. Seyle는 주사 놓는 과정에서 쥐들이 자신과 매일 이런 불쾌한 경험을 한 결과 위궤양과 같은 신체 변화가 나타났다고 가정하였다. 그리고 바로 이를 증명하는 실험을 시작하였다. 추운 겨울에 쥐들을 연구소 건물 지붕 위에 올려놓거나 못 견디게 더운 보일러실에 두기도 했다. 또 일부러 상처를 낸 뒤 치료하기도 했다. 그의 예상대로 이렇게 시달린 쥐들 모두 앞의 쥐들과 비슷한 신체 변화를 보였다. Seyle는 1936년 자신의 발견을 과학저널 '네이처'에 1페이지 논문으로 정리해 발표했고, 이후로 바로 쥐들에게 나타난 증상을 '스트레스 반응'이라고 사용하였다.

출처: Brain Immune Media(http://www.brainimmune.com/hans-selye-birth-stress-concept).

학적 · 생리학적 · 정서적 또는 행동적 항상 기능(homeostatic functioning)의 붕괴나 변경으로 정의된다. 즉, 유해한 자극으로 인해 나타나는 신체적, 생리적 기능의 변화를 의미한다. 힘들 때 소화불량과 피곤함 또는 두통을 느끼다가 더 나아가 질병까지 일으키는 개인의 반응을 스트레스로 규정하였다. 따라서 반응으로서의 스트레스모델에서는 스트레스를 일으키는 요인을 스트레스원(stressor)으로 부른다. 그리고 스트레스로 인한 신체의 자율신경계 각성과 내분비 기능의 변화, 정서적 문제, 이상 대처행동 등을 측정하여 스트레스 지표로 사용한다. 이 모델은 주로 유해자극으로 인한 신체 · 생리적 기능의 변화의 관계에 대한 연구를 통해 스트레스가 우리에게 미치는 문제를 객관적 자료로 제시하였다.

자극으로서의 스트레스(stimulus-based model of stress)는 스트레스를 유발하는 자극 자체를 스트레스로 규정한다. 일정한 상황을 유지하고 있는 상태에서 긴장이나 갈등을 일으키는 변화 자체가 스트레스라는 것이다. 자극에는 외적인 환경에서부터 내적인 신체 상태까지 다양하다. 이 이론에서는 스트레스 자극으로 자극의 결핍이나 피곤, 권태뿐만 아니라 새로운 것 또는 갑자기 변화하는 상황들을 포함하였다. 따라서 생활사건(life event)과 스트레스에 관한 연구들의 대부분은 이 모델에 기초하고 있다. 우리는 부정적 자극이든지 긍정적 자극이든지, 어떤 자극이 가해졌을 때 자신이 수용할 수 있는 한계를 넘어서면 불안해진다. 따라서 긴장과 갈등을 일으키는 스트레스원 자체를 스트레스로 보고, 스트레스를 환경적 자극으로 바라본다.

상호작용으로서의 스트레스(transactional model of stress)는 환경과 개인의 역동적인 상호작용을 중요시한다. 인간은 일방적으로 자극에 휘둘리는 존재가 아니다. 비록 유해한 자극이 영향을 미치지만 개인의 특성에 따라 자극에 대한 반응과 영향력은 달라지기 때문이다. 스트레스를 일으키는 요인이 모두에게 동일한 반응을 일으키지 않기 때문에, 스트레스를 이해하기 위해서는 환경적, 외부적 자극뿐만 아니라 개인의 내적인 심리과정에 대한 이해도 필요하다. 따라서 상호작용으로서의 스트레스에서는 환경에 영향을 받기도 하고 주기도 하는 개인의 역동적인 면을 강조하며, 스트레스를 역동적 상호작용으로 인식한다. 또한 상호작용으로서의 스트레스 모델은 다른 모델에 비해 스트레스를 보다 포괄적인 관점에서 이해할 수 있게 하였으며, 특히 스트레스 과정에서 차지하는 개인의 역할을 강조함으로써 스트레스에 대한 인지-행동적 접근법의 이론적 근거를 제공하였다(최해림, 1986).

이와 같이 스트레스는 갈등과 긴장을 야기하는 원인일 수 있고(자극으로서의 스트레스), 반면에 어려운 상황에 대한 우리 몸의 긴장과 질병일 수 있다(반응으로서의 스트레스). 그러나 중요한 것은 자극이든, 반응이든 어려운 스트레스 상황을 우리가 어떻게 받아들이는가(상호작용으로서의 스트레스)에 따라 스트레스는 얼마든지 달라진다는 것이다.

2) 스트레스의 단계

일반적으로 스트레스는 인간에게 부정적이며 해로운 것으로 인식되어 왔지만, 오히려 삶의 무료함을 벗어나 적당한 활력을 제공하는 스트레스도 있다. Bernard(1968)는 스트레스를 우리에게 긍정적인 영향을 미치는 순기능적 스트레스인 유스트레스(eustress)와 과도한 압력으로 우리의 에너지가 소진되어 탈진하는 부정적 결과를 가져오는 디스트레스(distress)로 구분하였다.

지금 당장은 힘들어도 적절히 대응하여 앞으로의 삶이 더 나아질 수 있는 스트레스는 긍정적 스트레스(유스트레스)이다. 반면에 어떤 스트레스는 자신의 대처나 적응에도 불구하고 지속됨으로써 결국 불안이나 우울 등의 증상을 일으킨다(디스트레스). 특히 디스트레스가 충분히 해소되지 않고 반복되면 만성 피로와 두통, 소화불량, 심근 경색, 뇌졸중, 궤양, 우울증, 정신질환 등의 각종 심각한 신체, 정서적 질환을 유발한다. 만병의 원인을 '스트레스'라고 부르는 이유가 바로 여기에 있다.

어떤 상황에서 스트레스가 디스트레스가 되는가? 일반적으로 스트레스가 발생했을 때 자신의 대처능력을 넘어서고 이러한 스트레스 상황이 반복될 때, 디스트레스가 된다. Seyle(1976)는 심리적 압박을 받을 때 몸에서 일어나는 변화를 관찰한 후, 우리 몸은 외부 압력과 같은 자극을 만나면 이를 대처하기 위해 일반적으로 다음의 3단계 스트레스 과정을 거친다고 제시하였다.

(1) 1단계: 경고 단계(alarm reaction stage)

외부 압력에 적절히 대처하기 위해 우리 몸에 코르티솔 호르몬이 분비되면서 처음에는 혈압과 맥박 수가 증가하고 신진대사가 활성화된다. 즉 뇌에서 아드레날린과 호르몬들을 분비하면서 우리 몸이 외부 압력을 대처하고 극복할 수 있는 힘을 만들어 간다. Seyle(1976)는 이러한 신체 반응을 '투쟁-도피 반응(fight or flight response)'이라고 불렀다. 이러한 경고 단계는 최초의 자극을 받은 지 6~48시간 동안 지속된다. 그리고 이러한 스트레스 사건이 지속되면 두 번째 단계인 저항기 (resistance)에 들어선다.

(2) 2단계: 저항 단계(resistance stage)

외부 압력이 너무 커서 스스로 대처할 수 없는 상황이 되면, 코르티솔 호르몬이 과잉분비되어 흉선과 비장, 임파선이 수축하고 체온이 떨어지며 소화기가 손상된다. 자극을 받는 시간이 48시간이 넘어가면 2단계인 저항단계로 들어서는데, 부신이 커지고 몸의 성장이 멈춘다. 또한 생식선이 위축되어 젖을 먹이는 동물은 젖 분비가 이루어지지 않는다. 우리 몸의 자원을 스트레스를 극복하는 데 사용하기 때문이다. 소화불량, 근육긴장, 성욕감소와 같은 생리적 반응과 함께 분노, 짜증, 불안 등의 정서적 반응을 일으킨다. 이와 같이 극복하지 못한 스트레스 상황과 이에 따른 부정적 감정을 반복적으로 경험하게 되면 우리 몸은 호르몬의 과잉 분비로 인한 신체, 정서 반응이 나타난다. 그리고 이 단계에서도 스트레스가 해소되지 않으면 우리 몸은 다음 단계인 소진의 단계로 넘어간다.

(3) 3단계: 소진 단계(exhaustion stage)

일반적으로 자극이 1~3개월 정도 지속되면 세 번째인 소진단계로 들어간다. 이때는 몸이 스트레스로 손상을 입어 궤양, 우울, 소화계 장애, 심혈관계 장애 등이 나타난다. 코르티솔 호르몬의 과잉분비가 반복되면서 부신기능이 저하되고 이로 인해 면역기능이 떨어진다. 또한 스트레스에 대한 신체방어능력과 심리적 에너지도 모두 고갈되어 간다. 두통, 복통, 근육통, 만성피로와 정서적으로 분노, 짜증, 불안, 우울, 강박, 무기력, 적대감, 자존감 저하 등이 나타난다. 소진 단계에서 회복하지 못하면 생명이 위험해질 수도 있다.

이와 같이 지나친 스트레스는 질병에 대한 저항력을 낮춰 건강을 해친다. 그러나 스트레스 반응단계에서 외부압력에 대처하기 위해 오히려 신진대사가 활성화된 것과 같이 적절한 단계의 스트레스와 유스트레스는 오히려 생활에 활력을 준다. 아울러 생산성과 창의력을 높이며, 건강에 긍정적인 영향을 미친다(Quick & Quick, 1984).

그러나 앞에서 살펴보았듯이 스트레스는 우리 삶에 긍정적 영향을 미친다. 스트레스의 긍정적 효과를 정리하면 다음과 같다.

첫째, 삶을 더욱 활기차게 살아가는 촉매제가 된다. 아무런 스트레스가 없는 상황을 사람들은 무료하게 여긴다. 오히려 적정 수준의 자극과 모험은 자극을 받고 도전하려는 욕구를 자극하여 우리의 삶에 활력을 준다.

둘째, 개인의 성장과 자기발전, 자존감을 증진한다. 스트레스 사건은 우리로 하여금 스트레스를 벗어나기 위해 새로운 지식과 기술을 발달시키고 새로운 통찰을 하게 한다. 또한 스트레스에 도전하고 이를 극복하는 과정을 통해 문제해결력을 향상시키고 자신의 성장과 자기발전을 이루어 자존감을 발달시킬 수 있다.

셋째, 건강을 증진시킨다. 앞서 살펴보았듯이 Seyle가 제시한 스트레스 반응의 1단계에서 우리 몸은 외부의 압력에 맞서기 위해 신진대사가 활성화된다. 이처럼 적절한 스트레스는 신체를 활성화하여 건강을 증진시킨다.

넷째, 스트레스를 경험함으로써 더 큰 삶의 위기에 대한 예방력을 높인다. 과도하지 않은 적절한 스트레스는 우리 삶에 있어 큰 위기가 다가올 때 오히려 예방력을 높이는 예방접종의 역할을 한다(장연집, 강차연, 손승아, 안경숙, 2008).

Seyle(1976)는 우리가 살아있는 한 스트레스는 계속 나타난다고 주장하였다. 현대인에게 스트레스는 피할래야 피할 수 없는 존재이다. 또한 같은 스트레스 요인이라고 할지라도 받아들이는 사람에 따라 긍정적 스트레스로, 또는 부정적 스트레스로 작용한다. 그렇다면 우리에게 닥친 자극을 좋은 스트레스, 즉 유스트레스로 받아들이는 것이 우리의 건강과 행복, 그리고 성공의 열쇠가 될 수 있다.

3) 보육교사의 직무스트레스

많은 현대인들이 하루의 대부분을 직장에서 보낸다. 직무스트레스는 업무상의 요구사항이 근로자의 자원과 능력 또는 근로자의 요구보다 과할 때 생기는 유해한 신체, 정서 반응을 말한다(National Institute for Occupational Safety and Healthy, 1999). 강만호(2010)는 직무스트레스에 대해 과도한 신체적, 심리적 요구가 주어지는 환경 속에서 개인이 타인에게 기쁨을 주기 위해 자신의 감정 혹은 노동력을 과도하게 조작함으로써 발생되는 부조화상태라고 정의하였다. 이와 같이 직무 스트레스(job stress)는 직장에서의 업무, 즉 직무로 인해 에너지가 고갈되어 마음이 불편하고 더 나아가 무력감과 압박감을 느끼는 심리적 상태를 의미한다. 직무 스트레스는 직장을 다니는 모든 직장인이 겪는 문제이다. 그러나 직무 스트레스를 방치하였을 때, 우울증과 불안증, 또는 불면증으로 이어지고 이로 인해 직무 스트레스가 더욱 악화될 수 있다. 일반적으로 직무 스트레스는 직장에서 일의 요구도 많고, 업무에 대한 자율성이 없거나, 직업이 불안정할 때, 주위 동료나 상사와의 관계가 좋지 않을 때, 직업 만족도가 떨어질 때 커진다(강만호, 2010; 권용수, 2006; 김홍조, 2017). 또한 직무스트레스는 개인 본인뿐만 아니라 조직에게도 악영향을 초래한다는 데 심각성이 있다.

어린이집과 유치원 교사 역시 교사역할을 수행함에 있어 여러 가지 문제들을 경험하고 직무스트레스를 받는다. 직업에 따른 스트레스와 정신건강과의 관련성을 살펴본 Penning과 Wu(2016)에 의하면, 돌봄서비스를 제공하는 간호사 집단과 교육을 담당하는 교사 집단의 직무스트레스가 가장 높게 나타났다. 어린이집과 유치원교사의 경우, 어린 영유아의 발달 특성상 돌봄과 교육이 함께 이루어짐을 고려할 때, 보육교사와 유치원교사의 직무스트레스는 다른 직업군과 비교하여 매우 높음을 짐작할 수 있다.

보육교사와 유치원교사는 교직의 특성상 업무가 많은 직업이다. 교육계획안과 평가, 수업준비, 영유아관찰 및 상호작용, 부모상담 등에 따른 과중한 업무와 신체적 피로감은 교사역할의 수행에 있어 어려움을 야기하는 원인이 된다. 비록 아동학대 예방 차원에서이지만 교실마다 카메라가 설치되어 교사의 일상이 관찰되고, 교사의 아동 훈육이 자칫 아동학대로 오해받을 수 있는 상황은 교사에게 스트레스로 작용된다. 특히 보육교사는 초 · 중 · 고 교사에 비해 임금수준과 직업 안정성이 낮다. 이러한 어려움 속에서 업무스트레스가 가중될 경우, 교사는 소진의 단계로 접어들 수 있다는 데 그 심각성이 있다.

소진(burn out)은 직무 스트레스와 관련된 증상으로 현대 사회에 들어와 새로이 발견된 개념이다. 소진에 대한 최초의 연구자는 미국의 심리학자인 Freudenberger이다. 그는 현대인에게 나타나는 탈진 증상을 발견하고 최초로 소진에 대한 전문적인 연구를 수행하였다(Freudenberger & Richelson, 1980). 이후 Farber(1991)는 개인의 욕구와 관계없이 지나치게 열심히 일하는 사람들 중 특별히 봉사적이고 헌신적인 교사들에게 소진이 발생함을 발견하였다.

소진은 직무 스트레스와 관련된 증상이지만 차이가 있다. 직무 스트레스는 직무환경에 대한 개인의 반응으로 그 결과가 개인의 특성에 의해 조절된다. 그러나 소진은 완충장치나 지원체계 없이 스트레스가 지속됨으로써 신체적, 정서적으로 탈진되는 심각한 증상이다. 소진은 자신에게 주어진 일을 열심히 수행하였으나 예상했던 보상이 뒤따르지 않아 경험하는 심각한 회의감과 좌절현상이다. 다음은 소진을 일으키는 요인들이다(근로복지넷, www.workdream.net).

- 업무량이 과도하거나, 업무를 수행할 기술이 부족할 때
- 업무에 대한 자신의 통제력이 상실되어 일을 추진할 수 있는 권한이 없을 때
- 능력이 없어서 업무에 필요한 지시를 할 수 없을 때
- 노력에 대한 보상을 받지 못하거나 인정받지 못했을 때
- 소속감을 느끼지 못할 때, 또는 공정한 취급을 받지 못한다고 여겨질 때
- 회사가 추구하는 가치가 올바르지 않을 때

우리는 심리적 고갈상태인 소진이 누적될수록 사소한 일에도 예민해지고, 예민함으로 인해 작은 우울감이 우울증으로 바뀐다. 심리적 에너지가 고갈되면 부정적 감정들에 대해 통제가 되지 않기에 두려움이 불안감이 되고, 사소한 일에도 분노가 폭발한다. 따라서 보육교사와 유치원교사는 평소 자신의 감정과 마음을 관찰하고 관리해야 한다. 그리고 무엇보다 소진 후 적당한 충전의 시간이 필요하다. 비록 교사의 성향에 따라 충전의 방법은 각기 다르지만, 독서와 영화보기, 등산, 여행 등의 취미활동을 통해, 또는 지인과의 만남을 통해 심리적 에너지를 충전한다.

전문가들은 어린이집과 유치원의 질을 결정하는 가장 중요한 요소로 물리적 환경과 인적 환경을 지적하였다. 그리고 이 중에서도 가장 핵심적인 요인은 교사와 원장의 인적 환경이다. 선행연구들에 의하면 원장의 역할은 교사의 소진이나 전문성에 핵심적인 요소로 작용하였다(김순안, 2006; 심순애, 2007). 그러나 어린이집 원장 역시 지나친 스트레스로 심리적 고갈을 경험한다. 어린이집 원장의 소진을 살펴본 황현주(2016)에 의하면, 가정어린이집 원장의 소진이 가장 높았고 그 다음으로 민간어린이집, 지원어린이집(국공립, 법인, 직장어린이집) 순이었다. 즉, 외부 기관의 지원이 상대적으로 낮은 어린이집 원장의 소진이 높은 것으로 나타났다. 또한 원장의 소진 내용을 살펴본 결과, 어린이집 업무에 대한 열정저하가 가장 많았으며 비인격화(관계저하), 신체·정서적 고갈, 성취감 상실 등의 순서로 나타났다. 한편 교사의 소진은 교사의 이직률을 높게 하였고(김은정, 2014), 유아의 훈육방식에도 영

향을 끼쳐 교사가 소진되었을 경우, 아동학대가 될 수 있었다(노미정, 2018).

헌신적이며 자신의 일에 몰두하는 교사들에게 소진이 높은 것은 일에 몰두하면서 정작 자신에게 쉼을 주는 데 인색했기 때문이다. 어린 영유아를 돌보는 보육교사와 유아교사는 매우 매력적이며 좋은 직업이지만, 자신을 제대로 돌보지 않는다면 교사가 되었을 때 소진될 수 있다. 따라서 아직 학생일 때부터 일(또는 공부)과 적절한 휴식의 균형이 직무스트레스를 예방한다는 것을 인식하고, 소진되지 않는 삶을 살기 위해 지혜롭게 자신에게 투자하길 바란다.

2. 스트레스의 요인

과거에는 스트레스 요인으로 천재지변과 같은 자연재해가 많았다면, 오늘날에는 외적인 환경조건뿐 아니라 개인의 심리적 요인과 아울러 대인관계에 따른 스트레스가 높아지고 있다.

1) 외적 요인

우리가 스트레스를 받는 외적 요인은 우리의 선택과 관계없이 외부 환경에 의해 나타나는 상황들이다. 예를 들어 우리는 너무 춥거나 더울 때, 장마가 계속될 때, 심각한 악취가 날 때 스트레스를 받으며, 고등학교를 졸업한 후 대학생활을 시작할 때나 새 직장에 입사했을 때에도 스트레스를 받는다. 이와 같이 스트레스는 날씨나 시간, 추위와 더위, 소음, 공기오염 등과 같은 환경에서부터 급변하는 사회변화와 학교 및 직장에서의 새로운 작업 환경 등 매우 다양하다.

그런데 외적 요인은 스트레스를 받는 사람의 연령과 사회인구학적 특성에 따라 차이가 있다. 전업주부의 경우 가장 큰 스트레스가 자녀양육과 집안일이라면, 집안의 가장인 남편은 실직의 위험과 과중한 업무에서 오는 스트레스가 가장 크다. 또한 청소년 자녀는 공부와 진학(대학)이, 성인 자녀는 안정적인 직장과 결혼이 가장 큰 스트레스였다(장미경 외, 2013). 통계청과 여성가족부가 발표한 '2020년 청소년 통계'에 따르면, 우리나라 청소년 사망 원인 1위는 2012년부터 2019년까지 8년 연속 자살로 나타나 청소년이 겪는 스트레스가 심각한 수준임을 알 수 있다.

2019년 중・고등학생 10명 중 4명(39.9%)은 평상시 많은 스트레스를 느끼며, 10명 중 3명(28.2%)은 최근 12개월 내 우울감을 경험하였다. 또한 10대 청소년 10명 중 3명(30.2%)은 스마트폰 과의존 위험군이며, 중학생이 스마트폰 과의존 위험에 가장 취약하였다.

한편 외적 스트레스 요인 중 개인의 삶에 가장 큰 영향을 미치는 것은 외상적 사건(traumatic events)이다. 외상적 사건은 개인이 매우 큰 충격적 사건에 노출된 것으로, 미국의 9・11 테러사건과 우리나라의 세월호사건 등을 손꼽을 수 있다. 또한 교통사고나 가정폭력, 밀폐된 공간에 갇힌 경험 등과 같이 자신의 의지와 관계없이 경험하는 사고도 대표적인 외상적 사건이다. 외상적 사건을 겪게 되면 그 사건으로 인한 심각한 심리・정서적・행동적 문제들(예: 악몽, 수면장애, 심각한 우울과 죄책감, 불안 등)이 나타나고, 외상적 사건과 관련 있는 것들을 지속적으로 회피한다. 결국 일상생활의 유지를 어렵게 하고, 이들 증상이 반복됨으로써 외상 후 스트레스장애(Post Traumatic Stress Disorder: PTSD)가 될 수 있다.

우리가 생활하면서 모든 사람들이 외상적 사건을 겪지는 않지만, 생활 속에서 만나는 크고 작은 사건들도 우리에게 스트레스를 준다. 미국의 정신과의사인 Holmes와 Rahe(1967)는 다양한 생활사건 속에서 받는 스트레스 정도를 수치화하여 '생활사건 척도(Life Events Scale)'를 개발하였다. 오늘날에도 사용되고 있는 생활사건 척도는 기혼자들에게 '결혼식'의 스트레스를 50이라고 했을 때, 결혼보다 두 배의 스트레스를 주는 사건이면 100점, 결혼과 비교하여 반 정도의 스트레스는 25점을 주도록 하였다.

우리나라에서는 홍강의와 정도언(1982)이 Holmes와 Rahe(1967)의 척도를 토대로 한국의 생활사건 척도를 개발하였다. 〈표 11-1〉에 나타나 있듯이, 미국의 경우에는 배우자의 사망이 가장 큰 스트레스인 반면에 한국에서는 자녀의 사망에 따른 스트레스가 가장 높게 나타났다. 우리나라의 경우 자녀와 배우자의 사망 다음으로 부모의 사망에 대한 스트레스가 높았다. 이처럼 생활사건으로 인한 스트레스는 미국과 한국에서의 문화적 차이가 반영되어 있었다. 그럼에도 불구하고 한국과 미국 모두 결혼과 가정에 대한 스트레스가 직장이나 다른 업무에 대한 스트레스보다 압도적으로 많았다. 이는 현대인들에게 배우자를 포함한 가족이 얼마나 중요한 영향을 미치는지 잘 알려주고 있다. Holmes와 Rahe(1967)는 1년 동안 생활사건들로 인한 점수가 300점 이상의 사람들은 79%가 다음 해에 발병하였고(심각한 위기상태),

〈표 11-1〉 한국과 미국의 생활사건 척도

한국(홍강의, 정도언, 1982)			미국(Holmes & Rahe, 1967)		
순위	삶의 변화	점수	순위	삶의 변화	점수
1	자식 사망	74	1	배우자 사망	100
2	배우자 사망	73	2	이혼	73
3	부모 사망	66	3	부부 별거	65
4	이혼	63	4	징역	63
5	형제자매 사망	60	5	가까운 가족 사망	63
6	혼외 정사	59	6	질병, 부상	53
7	별거 후 재결함	54	7	결혼	50
8	부모의 이혼, 재혼	53	8	해고	47
9	별거	51	9	부부 재결합	45
10	해고, 파면	50	10	은퇴	45
11	정든 친구의 사망	50	11	가족의 병	44
12	결혼	50	12	임신	40
13	징역	49	13	성문제	39
14	결혼 약속	44	14	새 가족 등장	39
15	중병, 부상	44	15	사업 재정비	39
16	사업의 일대 재정비	43	16	경제 상태 변화	38
17	직업 전환	41	17	친한 친구 사망	37
18	정년 퇴직	39	18	직업 전환	36
19	해외 취업	38	19	배우자의 언쟁 빈도 변화	35
20	유산	37	20	1만 달러 이상의 부채	31
21	임신	37	21	저당물 상실	30
22	시험, 취직 실패	36	22	직위 변화	29
23	자식의 분가	36	23	자식의 분가	29
24	새 가족 등장	35	24	시댁, 처가와 알력	29
25	가족 1명의 발병	35	25	개인적 성취	28
26	성취	35	26	아내의 직장 생활 시작, 중단	26
27	주택, 사업, 부동산 매입	35	27	학업 시작, 종료	26
28	정치적 신념 변화	35	28	생활 조건 변화	25
29	시댁, 처가, 친척과의 알력	34	29	개인 습성의 개조	24
30	학업의 시작, 중단	34	30	상사와의 알력	23

출처: 홍강의, 정도언(1982). 사회 재적응 평가 척도 제작. 신경정신의학, 21, 123-136.
　　　Holmes, T. H., & Rahe, R. H. (1967). The Social Readjustment Rating Scale. *Journal of Psychosomatic Research*, *11*(2), 213-218: 장미경 외(2013), p. 225에서 재인용.

200~299점 사이에서는 51%에게서 발병하였다(보통의 위기상태)고 보고하였다. 150~199점에서는 37%에게서 발병하였으며(가벼운 위기상태), 0~149점은 스트레스 관련 질병의 가능성이 없는 것으로 나타났다.

2) 심리적 요인

외적인 환경 조건이 동일하여도 어떻게 이를 받아들이고 반응하는가에 따라 개인이 받는 스트레스는 달라진다. 심리적 스트레스 요인 역시 개인마다 독특성이 존재한다. 다음은 사람들이 스트레스를 받는 대표적인 심리적 요인이다.

(1) 과잉부담

과잉부담은 외부에서 개인에게 주어진 요구가 개인의 능력으로 감당하기 어려울 때 발생한다. 외적 자극을 자신의 능력으로 이루기 어렵다고 여길 때 과잉부담이 된다. 어떤 엄마는 직장을 다니며 살림하고 자녀를 돌보는 것이 힘들지만, 스트레스로 받아들이지 않는 반면에 다른 엄마는 심각한 스트레스로 여긴다. 과잉부담의 대표적인 경우는 직장을 다니는 엄마들의 슈퍼우먼 콤플렉스이다. 슈퍼우먼 콤플렉스는 자신이 가지고 있는 능력이나 상황에 관계없이 직장과 가사, 육아에 이르기까지 모든 역할을 완벽하게 하려는 여성이 겪는 콤플렉스이다. 실제로 많은 여성들이 위에서 언급한 역할 중 한 가지라도 잘 수행하지 못하면 자신을 질책하고 갈등한다. 자신도 모르게 슈퍼우먼 콤플렉스에 빠진 것이다. 직장일과 가사를 모두 완벽하게 해내야 한다는 강박관념으로 인해 심한 불안감과 초조감, 심지어 죄책감 등으로 고통을 받는다. 자신에게 과잉부담을 주는 사람은 주변사람에게도 동일하게 과잉부담을 적용하여 배우자와 자녀에게 완벽한 기준을 요구함으로써 주변도 피곤하게 할 수 있다. 완벽하게 따라오지 못하는 배우자와 자녀에게 화를 냄으로써 자신뿐 아니라 주변 사람에게도 스트레스를 준다면 자신이 슈퍼우먼 콤플렉스가 아닌지 점검할 필요가 있다.

과잉부담은 학교와 직장에서도 나타난다. 대학생의 경우 졸업 후 취업은 중요한 인생사건이다. 그러나 졸업 후 취업까지의 과정을 잘 해내는 학생이 있는 반면, 지나친 스트레스로 중간에 포기하는 학생도 있다. 아울러 직장에서도 업무가 많지만 자신의 직무에 잘 적응하고 즐겁게 다니는 사람이 있는 반면에, 과잉부담으로 인한 스트레스로 직장을 이직하거나 그만두고자 하는 사람도 있다. 이와 같이 스트레스는 외적인 요인으로만 결정되지는 않는다. 개인이 외적인 요인을 적절한 자극으로 인지하는지, 아니면 과잉부담으로 받아들이는지에 따라 개인이 받는 스트레스에는 차이가 있다.

(2) 결핍

결핍이란 있어야 할 것이 부족한 상태이다. 스트레스는 과잉부담과 같이 외부(또는 내부)에서 오는 압력이나 자극이 심할 때만 경험하는 것이 아니라 부족할 때에도 경험한다. 스트레스가 전혀 없다면 우리는 무기력해지고, 우울감에 빠질 수도 있다. 이와 같이 자극이나 스트레스가 너무 없어 그 자체가 스트레스가 되는 것을 '탈핍성 스트레스(deprivational stress)'라고 한다. 정년 퇴직자들이 은퇴 후 처음에는 즐거워하지만 점차 무기력해지는 것도 이와 같은 맥락이라 할 수 있다. 지나치게 많은 업무량이나 주위의 과도한 기대감이 스트레스가 되지만, 반대로 할 일이 없고 나에 대한 주위의 기대감이 전혀 없는 것도 스트레스이다.

인간관계의 결핍과 경제적 결핍 역시 중요한 스트레스 요인이다. 배우자와 사별하였거나 이혼한 노인이 배우자와 함께 사는 노인보다 사망률이 높았다. 또한 노인 자살의 가장 큰 요인인 우울은 사회적 지지가 약할수록, 동거가족이 없을수록 높게 나타났다(박봉선, 2019; 박순천, 2005, 박정남, 2013). 인간관계의 결핍은 모든 연령대의 사람들에게 큰 스트레스의 요인이 된다. 가정에서, 학교에서 혹은 직장에서 우리는 자신이 대인관계에서 고립되거나 소외되었다고 느낄 때 좌절감에 빠지기 쉽다.

또한 심리사회적 결핍뿐만 아니라 경제적 결핍은 스트레스의 주요 요인이다. 빈곤 미혼모가 경험하는 경제적 어려움과 양육스트레스는 아동 학대 및 방임을 야기하는 위험요인이었으며(변호순, 최정균, 2016), 경제적 어려움을 겪는 고등학생은 진로를 결정하는 데 심각한 갈등과 스트레스를 받았다(이경원, 2017). 최근 대학생과 취업준비생을 대상으로 코로나19로 인한 스트레스를 살펴본 결과 경제적 어려움으로 인한 스트레스가 사회활동 제한에 따른 스트레스나 건강 및 감염병에 의한 스트레스 보다 높았다(이데일리, 2020년 4월 28일자 기사). 이와 같이 심리사회적, 경제적 결핍은 우리에게 큰 스트레스 요인 중 하나이다.

대학생과 취업준비생의 코로나19로 인한 스트레스

잡코리아에서 대학생과 취업준비생을 대상으로 '코로나19에 따른 스트레스 상황'을 조사한 결과, 경제적인 어려움으로 인한 스트레스가 가장 높았다(36.7%). 또한 취업 활동의 어려움(32.1%)과 '개강 연기에 따른 스트레스(27.7%)' '여행 등 야외활동 제한에 따른 스트레스(21.6%)' '모임 및 사회활동 제한에 따른 스트레스(17.5%)' '운동 및 취미활동 제한에 따른 스트레스(17.3%)' '막연한 불안감(15.2%)' '건강 및 감염병 스트레스(13.4%)' 등의 순이었다. ……중략……

스트레스 증상으로는 '이유 없이 계속 우울하다'가 응답률 38.9%로 1위를 차지했으며, 다음으로 '모든 일에 의욕상실 및 무기력해 진다(21.3%)' '신경과민(17.5%)' '두통(9.7%)' '불면증(9.2%)' '대인기피증(8.6%)' '식욕부진(7.7%)' 등을 겪고 있는 것으로 나타났다. (하략)

1위	경제적인 어려움, 36.7%	─ 복수응답
2위	상반기 공채시즌 증발, 32.1%	
3위	학교 개강 연기, 27.7%	
4위	여행 등 야외활동 제한, 21.6%	
5위	모임 등 사회활동 제한, 17.5%	

출처: 이데일리, 2020년 4월 28일자 기사(https://news.v.daum.net/v/20200428102428346).

3) 보육교사의 직무스트레스 요인

직무스트레스는 스트레스를 받는 개인뿐만 아니라 개인이 속한 조직 내에 많은 영향을 미치기 때문에 집중적으로 연구되어 온 분야이다. 직무스트레스는 개인과 직무 사이의 부조화로 인해 개인이 정상적인 기능을 유지하기 어려운, 심리적·신체적·행동적 역기능을 유발하는 상태이다(차주영, 2020). 즉, 직무스트레스는 과도한 업무 환경 속에서 자신을 과도하게 혹사함으로써 나타나는 역기능상태이며, 직무스트레스 요인이란 직장에서 개인의 직무 그 자체 및 직무 환경과 관련하여 개인에게 발생되는 스트레스 요인을 의미한다(홍승만, 2000).

직무스트레스 요인은 학자들마다 다양하지만, 일반적으로 개인적 요인과 조직요인, 사회적 요인 등 3가지로 정리할 수 있다(Steers & Mowday, 1981). 먼저 개인적 요인은 연령, 성, 나이, 직업, 교육수준, 성격특성 등과 같은 개인적인 특성이다. 조직요인은 조직 내에서 업무에 대한 역할모호성, 역할갈등, 역할과부하, 근무환경 등의 조직적 특성이며, 마지막으로 사회적 요인은 가족관계와 동료 및 상사와의 관계, 사회적 지원 등이다. 비록 직업 유형에 따라 다소 차이가 있지만, 업무량이 많거나 노력에 비해 보상이 적절하지 않을 때, 의사결정권이 없고 편파적인 대우를 받는다고 여길 때 직무스트레스는 높아졌다(권용수, 2006; 김은정, 2014; 김홍조, 2017).

교사의 직무스트레스 요인도 이와 유사하였다. D'Arienzo, Moracco와 Krajewski (1982)는 교사 직무에 대한 연구들을 종합하여 직무스트레스 요인을 개인적 요인과 대인적 요인, 그리고 환경적 요인으로 구분하였다. 개인적 요인은 자아개념, 동기유발, 학급관리기술, 교사의 경험 등 교사 개인의 역량에서 오는 스트레스 요인이다. 대인적 요인은 학급관리와 동료교사, 학부모 등 대인과의 관계에서 오는 스트레스 요인이다. 마지막으로 환경적 요인은 학교조직과 관련하여 학교 내에 내재되어 있는 스트레스 요인이다. 자신의 직무에 대한 역할갈등과 역할모호성, 역할과다, 역할과소, 역할불충분, 과도한 책임감, 업무의 반복, 자율성 부족 등이 있다.

영유아교사의 직무스트레스 요인을 살펴본 신혜영(2004)은 원장의 지도력 및 행정적 지원 부족과 업무 과부하, 동료와의 관계, 학부모와의 관계가 직무스트레스에 영향을 미친 것을 발견하였다. 영유아교사의 경우 업무관련 요인에서 느끼는 스트레스가 다른 요인들에 비해 높은 반면 동료와의 관계와 관련된 영역에서 스트레스를 적게 느끼고 있었다(권정윤, 2010; 이연경, 2018; 장미아, 1996). 이는 영유아교사의 경우 어린이집과 유치원에서 오랜 시간 동안 영유아를 돌보고 가르치며, 교육계획안과 영유아 평가서를 기록하고, 교육활동에 필요한 교재교구를 제작하고, 서류와 행사 준비 등의 여러 업무를 해야 하는 것에서 기인한다. 영유아교사의 직무스트레스는 교사의 소진과 이직(윤혜미, 노필순, 2013; 이순애 외, 2019)에 영향을 미쳤다. 또한 아동학대와도 밀접한 연관이 있다는 연구결과(서동미, 연선영, 2016; 홍인실, 전정민, 2020)를 고려할 때, 영유아교사의 직무스트레스를 대처할 수 있는 방안이 요구되어진다. 아울러 교사 스스로 자신의 스트레스를 적절히 관리하고 대처할 수 있어야 할 것이다.

3. 스트레스 대처

스트레스 대처(stress coping)란 개인이 스트레스 상황을 극복하기 위해 노력하는 일련의 과정이다. 이러한 스트레스 대처방식은 매우 다양하다. 그러나 각각의 대처 방식이 모든 스트레스를 해결하지 않는다. 이 절에서는 스트레스에 대해 부적절하게 대응해서 부작용을 야기하는 부정적 대처와, 효과적으로 대처함으로써 부작용을 최소화할 수 있는 적응적 대처를 중심으로 살펴보기로 한다.

1) 스트레스의 부정적 대처

(1) 포기

포기하기는 스트레스에 직면했을 때 가장 흔하게 나타나는 부정적 대처방안이다. 스트레스를 반복적으로 경험하고 스트레스를 극복하지 못할 때, 특히 스트레스 상황을 자신이 해결할 수 없다고 생각할 때 사람들은 스스로 포기한다. 내 자신이 도저히 해결할 수 없는 불가항력의 상황에서는 빠른 포기가 오히려 효과적인 스트레스 대처방법이 될 수 있지만, 문제는 낮은 문제 상황 속에서도 자신의 능력이나 자원을 충분히 사용하지 않고 포기하는 것이다. 스트레스의 문제를 인식하고 그 원인을 직접적으로 밝히고 처리하는 대신 쉽게 포기하는 경우, 포기하는 원인을 자신이 부족하기 때문이라고

Martin Seligman

생각한다. 그리고 이러한 부정적인 해석은 극복하기 어려운 사건 뿐 아니라 약간의 어려움을 겪었을 때에도 쉽게 포기하게 함으로써, 앞으로의 성취에 지속적으로 부정적인 영향을 미친다.

포기하기의 대표적인 예는 Seligman(1974)이 주장한 학습된 무력감(learned helplessness)이다. Seligman은 펜실베이니아 대학 박사과정 중 심리학과 연구실에서 개를 대상으로 파블로프의 자극-반응 실험과 유사한 실험을 하였다. 종소리를 들으면 자동적으로 침을 흘리는 파블로프의 조건반사 실험과 같이, 개들에게 특정 주파수의 소리를 들려주고 전기 자극을 반복함으로써 주파수 소리가 들릴 때마다 다른 장소로 이동을 하는 회피학습을 시키고 있었다. 그런데 처음에는 자극에 바

로 반응하던 개들이 어떤 순간부터 전기 자극을 받아도 아무런 반응을 보이지 않은 채 낑낑 소리만 내고 웅크리고 있었다. 그는 불쾌한 자극에도 아무런 반응을 보이지 않고 실험대 위에서 쭈그리고 있는 개의 모습이 무력감에 빠진 상태임을 직감했다. 이러한 무력감은 선천적인 것이 아니라 경험(학습)의 결과였다. 즉, 전기자극이라는 부정적인 환경에 지속적, 반복적으로 노출되자 개는 자신이 어떻게 해도 고통스러운 전기 자극을 피할 수 없다고 판단하였고 곧 아무리 전기 자극을 가해도 피하려는 시도조차 하지 않게 된 것이다.

이와 같이 학습된 무력감은 고통스럽거나 혐오스러운 자극을 반복적으로 견뎌내야 하는 상황에서 발생한다. 벗어나려 해도 벗어날 수 없고 피할 수조차 없는 상황들이 반복되면 스스로 상황에 대한 통제력을 포기하고 이를 벗어나려는 시도도 더 이상 하지 않는다. 아울러 누적된 감정의 억압과 회피도 학습된 무력감으로 이끈다. 즉, 학습된 무력감은 장기적 스트레스가 방치되고 누적돼 무너져 내리는 상태이다. 이러한 경우에는 무엇을 해도 자신이 없고 기쁨이 없다. "난 할 수 없어" "구제불능이야" "형편없어"란 생각이 떠나지 않는다. 이러한 학습된 무력감은 무감각과 활동 감소 등으로 나타나다가 우울증과 같은 정신 질환으로 발전될 수 있다.

(2) 회피

스트레스를 받으면 당신은 어떤 식으로 반응하는가? 어떤 사람은 스트레스 상황에 정면으로 부딪혀 해결하려고 하는 반면에 어떤 사람은 참고 모른 척하기도 한다. 또 다른 사람은 술을 마시거나 담배를 피우고 쇼핑이나 먹는 것(과식, 지나치게 매운 음식을 먹음) 등 다른 일에 몰두함으로써 잊으려고 한다.

회피는 갈등 상황이나 문제 상황을 도피하여 문제 해결을 체념하는 행동방식이다. 문제 해결을 체념한다는 면에서 앞서 살펴본 포기와 비슷하다. 그러나 하려던 일을 도중에 그만둬 버리는 것이 포기라면 회피는 일이나 상황에 대하여 직접 하거나 부딪치기를 꺼리고 피하는 것이다. '기분전환'이라는 명목하에 쇼핑이나 술, 게임과 같은 잠깐의 즐거움을 누리며 스트레스 상황을 만든 문제에 직면하기를 피한다. 따라서 정신분석이론에서는 회피를 미성숙한 방어기제로 본다.

그러나 모든 회피가 항상 부정적인 것만은 아니다. 스트레스를 받았을 때 잠을 자거나 맛있는 음식을 먹고, 음악을 들으면 우리는 스트레스로 인한 괴로움을 잠시 잊어버릴 수 있다. 잠을 푹 자고 나면 괴로웠던 감정이 가라앉아서 전날 힘들었던 마음이 정리되는 것을 종종 경험한다. 그러나 중요한 것은 이렇게 마음이 정리된 후 스트레스 상황에 어떻게 대처하느냐이다. 스트레스 상황에 대한 잠깐의 회피는 격정적이었던 우리의 마음을 정리해 주어 보다 객관적이고 차분하게 문제를 대처할 수 있도록 도와주지만, 계속적인 회피는 스트레스 상황을 더 악화시키고 나아가 포기로 이어지게 한다.

특히 술, 약물, 게임, 도박 등과 같은 회피방법은 중독적 성향이 강하여 습관화된 행동을 유발하고 그 행동의 결과로 또 다시 우울과 불안을 경험하는 악순환의 고리가 된다(Coventry & Norman, 1997). 한국도박문제관리센터의 2018년 조사에 따르면 도박 중독 관련 상담 청소년 수가 5년 사이에 16배 이상 급증했다. 실제로 청소년 도박중독 유병률은 2015년 5.1%에서 2018년 6.4%로 상승했다. 약 14만 4,950명의 청소년이 도박중독 위험집단으로 분류됐다. 또한 학교 밖 청소년의 경우 약 12.5%가 도박중독 위험집단으로 분류되었다(아주경제, 2020년 12월 16일자).

청소년도박의 심각성은 친구들과 어울려 놀이로 시작하다가 자신도 모르는 사이에 도박으로 빠진다는 데 있다. 실제로 온라인과 스마트폰으로 쉽게 접할 수 있어 도박에 빠진 대부분의 청소년들이 도박을 범죄가 아닌 놀이로 인식하였다. 도박중독은 파산과 같은 개인의 문제뿐만 아니라 각종 사회범죄로 이어진다. 우리나라 청소년의 특성상 학업스트레스가 심각하다. 또한 또래집단의 영향을 많이 받는 발달특성상 청소년들은 친구와의 놀이로 시작하여 도박 중독에 빠지기 쉽다. 도박에 빠진 청소년의 경우 성인기에도 도박을 계속할 수 있어 문제의 심각성이 크다.

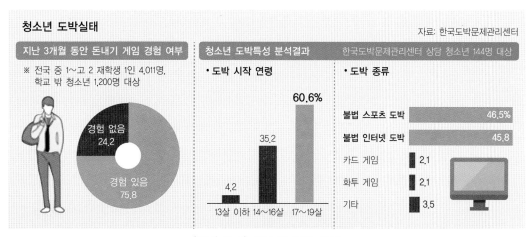

〈그림 11-1〉 청소년 도박 실태

출처: 한국도박문제관리센터(www.kcgp.or.kr): 아주경제, 2020년 12월 16일자에서 재인용.

(3) 분노

인간은 스트레스를 지각하면 이를 해소하기 위해 자신의 모든 신체를 준비시킨다. 스트레스 상황에 맞서 싸울 것인지 또는 도망갈 것인지를 판단하고 우리 몸을 준비시킨다. Cannon(1932)은 이를 투쟁-도피반응(fight or flight response)이라 명명하였다. 분노는 스트레스에 대한 인간의 투쟁-도피반응에서 대표적인 투쟁 반응이다. 즉, 분노는 자신과 주변 사람의 생존을 위해 꼭 필요한 인간의 속성이다. 역사적으로도 지배세력에 감당하기 어려운 핍박을 받을 때 사람들은 분노하였고, 분노는 고통 받는 사람들을 하나로 묶어주고 부조리에 대항할 용기를 주었다.

그러나 개인적이고 사소한 일에도 자주 화를 내고 주변 사람에게 분노한다면 이것은 스트레스에 대한 대표적인 부정적 대처방법이다. 특히 조절되지 않는 분노는 상대에게 심각한 상처를 주고, 해소되지 않은 분노는 증오와 더 나아가 복수로 변할 수 있다. 어떤 이들은 분노에 빠지면 걷잡을 수 없이 극단적으로 변해 분노의 대상을 배제하기 전까지는 멈추지 않는다. 특히 현대 사회에서 분노조절장애로 인한 범죄가 급증하고 있다.

자신의 분노를 조절하지 못하고 이를 폭력적인 행동으로 표출하는 분노조절장애는 '간헐성 폭발장애'와 '외상 후 격분장애' 등으로 구분된다. 간헐성 폭발 장애는 사소한 일에도 자주 이성을 잃고 지나치게 분노를 표출하는 증상이고, 외상 후 격분장애는 특정 사건으로 충격을 받은 뒤 분노 상태가 오랫동안 지속되는 증상이다. 이들의 공통점은 분노에 빠지면 자신과 타인에게 큰 피해를 입힐 수 있다는 것이다. 심지어 분노조절장애는 생존에 위험이 닥치는 상황이어도 이를 무시하고 분노를 표출함으로써 종종 상해와 살인사건으로까지 이어진다. 임금이 체불됐다고 자신의 집에 불을 지르고 주민들에게 흉기를 휘둘러 5명이 숨진 40대 남성(KBS뉴스, 2019년 4월 17일자), 다툼 끝에 자신의 차를 몰고 편의점으로 질주한 30대 여성(news1, 2020년 9월 19일자), 화투치다 화가 나 같이 화투치던 이웃노인 2명을 살해한 60대 남성(아시아경제, 2020년 9월 21일자) 등 모두 분노조절장애로 인한 사건들이다.

분노조절장애는 충동이 제어되지 않는 일종의 충동조절장애로, 분노조절장애가 있으면 사소한 자극에도 발작적이고 폭발적으로 반응한다. 이러한 분노조절장애는 일상생활에서도 쉽게 나타난다. SNS에서의 막말과 악성댓글, 친구와 말다툼하다가, 종업원이 불친절해서, 주차하면서 사소한 승강이를 벌이다가 격분하여 화를 내고 상대를 공격하기도 한다. 또한 평소에는 차분한 사람이 자동차 운전대만 잡으면 분노조절이 되지 않아 다른 운전자를 위협하고, 난폭한 행동을 일삼는 경우도 종종 있다.

자신과 다른 사람에게 심각한 해를 끼치는 분노를 우리는 왜 참기 어려운가? 이는 스트레스를 지속적으로 받게 되면, 뇌가 불안정해지면서 뇌의 전두엽이 제대로 작동하지 못하기 때문이다. 특히 자제력과 충동조절이 어려워지고 공격성이 외부로 드러나는데, 이것이 분노이다(송형석 외, 2016). 또한 정신분석이론에 의하면 인간은 불안과 우울, 수치감, 죄책감 같은 불쾌한 감정을 경험할 때 이러한 감정에서 자신을 보호하기 위해 다양한 방어 기제를 사용한다. 자신의 마음 속 평안함을 지키기 위해 무의식적으로 타인에게 내가 경험한 상황에 대한 분노를 전가하는 투사를 한다. 즉 "내가 화를 내고 술을 마시는 것은 나를 화나게 만든 너 때문이야"라며 '남 탓'을 한다는 것이다.

인간의 감정은 전염성이 있다. 행복한 사람을 보면 기분이 좋아지고 화가 난 사람을 보면 자신도 모르게 화가 쌓인다. 앞서 살펴보았듯이 분노는 인간과 동물의 생존을 위해 꼭 필요한 요소이다. 그러나 조절되지 않은 분노는 이성을 마비시키고 공격적인 행동으로 이어지며 인간관계를 파괴한다. 문제는 해결되지 않고 관계만 나빠지는 악순환이 벌어진다.

2) 스트레스의 적응적 대처

Lazarus와 Folkman(1984)은 스트레스 상황에 대한 개인의 인지적 평가에 따라 문제중심 대처와 정서중심 대처로 구분하였다. 문제중심 대처가 스트레스를 일으키는 문제 자체를 해결하고자 하는 과정이라면, 정서중심 대처는 스트레스로 인한 부정적인 정서 상태를 통제하기 위한 노력이다.

Richard S. Lazarus

(1) 문제중심 대처(인지적 대처)

문제중심 대처는 스트레스 상황을 객관적으로 살피고 그 원인을 찾아 해결하거나 적절한 대안을 찾아 대응하는 인지적 대처방법이다. 스트레스를 대처하기 위하여 부정적 요인을 인지적으로 분석하고 이에 대한 해결방안을 체계적으로 검토하여 가장 합리적인 해결방법을 선택한다. 여기서는 D'Zurila와 Sheedy(1997)가 제시한 체계적인 문제해결 4단계를 중심으로 졸업 후 취업이 스트레스인 경우 어떻게 문제를 해결해 가는지에 대한 문제중심 대처방법을 살펴보았다.

① 문제를 명료화하기

내가 취업하고자 하는 회사의 자격조건을 탐색한다. 취업에 필요한 자격조건에서 자신에게 부족한 것을 객관적으로 살펴본다.

> **예** 영어가 부족한 경우, 목표로 하는 영어시험점수를 정한다(토익 ○○○점 이상).

➡ 해결해야 할 과제들 앞에서 많은 사람들은 "너무 힘들어" "하기싫어" "짜증나"라고 말한다. 그러나 이러한 부정적인 감정은 자신이 해결해야 할 근본 문제가 무엇인지 파악하기 어렵게 만든다. 그리고 문제 자체와 문제로 인한 결과를 혼동하게 함으로써 문제로 인한 결과에 초점을 맞춘다. 따라서 문제중심 대처의 첫 번째 단계는 현재 내가 해결하고자 하는 문제를 명확히 아는 것이다.

② 대안행동 마련하기

앞서 목표한 것을 이루기 위한 여러 대안을 살펴본다. 이때 가능한 한 많은 대안을 찾아본다.

> **예** 토익 ○○○점 이상의 점수를 성취하기 위한 방법들을 찾아본다(토익 영어학원을 등록한다/ 영어 스터디모임에 들어간다/ 온라인으로 할 수 있는 영어공부를 찾아본다 등).

➡ 내가 고민하고 있는 문제를 해결해 줄 수 있는 완벽한 해결책은 거의 존재하지 않는다. 따라서 가급적 여러 대안을 비교, 검토할 수 있도록 많은 대안행동들을 생각한다. 이때 대안행동은 바로 실행할 수 있도록 현실적이고 구체적이어야 한다. 또한 각각의 대안행동의 장단점을 살펴보고 지금 자신에게 가장 적절한 것을 찾는다.

③ 대안행동 평가하기

2단계에서 찾은 여러 대안행동들이 각각 얼마나 가능성이 있는지, 현실적으로 지금 나에게 적합한 것이 무엇인지 비교하여 이 중에서 현재 본인의 상황에서 가장 적합한 방법을 찾는다.

> **예** 본인이 혼자 공부하는 것이 어려운 성향이라면 영어학원을 등록한 후 스터디모임에 들어간다. 또는 경제적으로 부담이 되면 온라인으로 할 수 있는 영어공부를 찾아본다.

➡ 대안들을 평가할 때 다음과 같은 내용을 고려한다.

- 현실적인 계획인가.
- 실행할 때 성공할 가능성은 얼마인가.
- 장애물은 없는가, 장애물을 어떻게 해결할 것인가.
- 각각의 대안에 대한 부담은 어떠한가.
- 대안을 선택했을 때 예상되는 결과의 유익한 점은 무엇인가.

④ 대안을 실행하기

4단계는 앞서 3단계에서 여러 대안들을 비교, 분석하여 선택한 대안을 실제로 실행하는 단계이다.

📝 혼자 공부하는 것이 어려워 영어학원을 등록하였는데, 코로나로 인한 사회적 거리두기로 인해 학원에 못 가게 되었다 → 학원에서 줌(zoom)으로 화상 공부를 하며 학원에 나가는 시간을 아낄 수 있게 되어 영어공부 시간을 더 늘린다.

➡ 최종 결정한 대안을 실행할 때 갑작스러운 상황의 변화로 선택한 대안을 실행하기 어려울 수 있다. 따라서 융통성 있게 대안을 변경하거나 수정하는 것이 필요하다. 또한 제대로 대안을 실행하지 못하였어도, 이를 실패했다고 여기며 실망하지 말고 지금 나에게 맞는 대안을 다시 계획하고 실행한다. 실패를 통해 문제에 재도전할 수 있는 정보를 얻는 것도 중요한 과정이다.

(2) 정서중심 대처

스트레스는 특히 우리에게 불안과 우울, 좌절과 같은 여러 부정적인 정서를 야기한다. 정서중심 대처는 스트레스로 인한 부정적인 정서를 통제하기 위한 노력으로, 스트레스와 관련된 감정과 잠시 거리를 두는 방법이다. 스트레스로 인한 부정적 감정과 심리적인 위축을 회복하기 위하여 사용하지만, 자칫 문제해결보다는 정서적 위안만을 추구할 수 있다는 문제점을 가지고 있다. 대표적인 정서중심 대처방법은 다음과 같다.

① 소망적 사고

이미 발생한 스트레스 상황에 대해 부정적인 생각 대신 긍정적으로 생각한다.

소망적 사고의 예

• **자동차 접촉사고가 났을 때**

"이 정도 사고가 난 것은 다행이야. 이 사고가 아니었으면 더 크게 사고가 났을 수 있어."

• **대학 입시 또는 직장 입사시험에서 실패했을 때**

"이 대학(직장)이 나에게 맞지 않아서 불합격한 것일 수 있어. 나와 잘 맞는 대학(직장)을 다시 찾아보자." "비록 이 대학(직장)에서는 불합격했지만. 다시 하면 여기보다 더 좋은 대학(직장)에 갈 수 있을 거야."

② 책임감 수용

스트레스를 야기한 문제상황을 살펴보고 원인이 자신이라는 판단이 들 경우, 이를 인정한다. 그리고 다른 사람이나 상황에 핑계를 대지 않는다. 이에 대한 책임을 스스로 진다.

책임감 수용의 예

• "컵이 깨진 것은 내가 부주의했기 때문이야."
• "이번에 학점이 잘 나오지 않은 것은 내가 공부를 하지 않았기 때문이야."
• "오늘 선생님께 꾸중 들은 것은 내가 늦게 일어나 지각했기 때문이야."

③ 거리두기

스트레스 상황의 불편함을 잊기 위해 의도적으로 생각하지 않고 그 상황을 피하기 위해 노력한다.

거리두기의 예

- 선생님께 꾸중들은 것을 의도적으로 생각하지 않는다.
- 이성친구와 헤어진 후, 이성친구를 떠올리는 물건을 모두 버리고 같이 데이트 했던 장소를 방문하지 않는다.
- 싸운 친구와 한동안 만나지 않는다.
- 다툴 수 있는 상황을 만들지 않고 피한다.

④ 긴장해소

다른 일에 집중함으로써 스트레스로 인한 불안과 분노, 공포 등의 부정적 감정을 잊어버린다.

긴장해소의 예

- 좋아하는 영화보기, 노래방 가서 신나게 노래 부르기, 땀 흘리며 운동에 집중하기, 친구들과 즐거운 대화하기, 맛있는 음식 먹기, 좋아하는 취미활동하기 등

⑤ 사회적 지지 추구하기

나의 스트레스 상황을 이야기하여 상대방에게 이해와 공감을 받는다.

사회적 지지 추구하기의 예

- "많이 힘들었겠구나." "괴로웠지." "나도 그런 일을 겪었어." "나도 너처럼 행동했을 거야." 등

이와 같이 정서중심 대처방법은 스트레스 상황을 인지적으로 재구성하거나(소망적 사고), 스트레스를 해결할 수 있을 수 있을 때까지 스트레스의 원인을 피한다(거리두기). 그리고 긍정적인 상황에 주의를 기울여(긴장해소, 사회적지지 추구하기) 스트레스로 인한 정서적인 고통을 감소시킨다. 즉, 스트레스를 일으킨 문제를 직접적으로 다루는 대신 문제에 대한 정서를 조절하는 방향으로 대처한다.

이에 대해 일부에서는 정서중심 대처방법이 문제를 해결하지 않고 피한다는 부

스트레스관리 10계명

1. 자신이 어떠한 일에 얼마만큼 스트레스를 받고 있는지 알아야 한다.

적을 알고 나를 알아야 한다. 의외로 자신이 받고 있는 스트레스의 정도와 종류를 모르는 사람이 많다.

2. 긍정적 사고를 가진다.

생각하는 방식이나 습관이 부정적이면 스트레스와 어깨동무하는 것이다.

3. 균형 있는 식사가 필요하다.

술과 카페인, 과식을 피하고 야채와 과일, 균형 잡힌 식단과 규칙적인 식사를 한다.

4. 적당한 운동은 스트레스를 이겨낸다.

운동은 스트레스 호르몬의 분비를 감소시키며 부교감신경 활성화를 도와주는 등 꼭 실천해야 하는 중요한 대처법이다.

5. 깊은 호흡이 자율신경계를 안정시킨다.

고르고 깊은 호흡은 부교감 신경을 활성화시켜 흥분을 가라앉혀 주고 긴장 이완에 중요하다.

6. 여유 있는 생활 스케줄을 짠다.

바쁘고 쫓기는 생활은 바로 스트레스를 만나는 길이다. 자신의 능력을 알아 현실적으로 가능한 정도의 목표를 잡아야 한다.

7. 거절할 줄도 알아야 한다.

자신이 하기 힘든 것들은 안 된다고 거절할 줄 아는 결단력과 판단력이 필요하다.

8. 과감히 포기할 줄도 알아야 한다.

자신이 바라던 목표를 이루지 못하게 되었을 때 좌절감이 드는데 이루지 못한 것을 빨리 포기하고 다른 목표를 세운다. 좌절감에만 휩싸여 있으면 더 의욕이 없어지고 우울해지기 쉽다.

9. 유머 감각으로 긴장을 해소할 줄 알아야 한다.

웃음을 잃지 않는 사람에게 스트레스는 힘을 쓰지 못한다. 긴장이 되고 어려울수록 웃음을 간직할 수 있는 마음가짐은 큰 힘이다.

10. 경쟁적인 대인관계는 스트레스를 만나는 지름길이다.

더러 저줄 줄도 알아야 여유로운 마음을 가지게 된다.

출처: 현정신건강의학과(https://blog.naver.com/pigtreee/221944457703).

정적 평가가 있다. 스트레스의 원인을 직면하지 않고 회피하는 것은 부적절한 대처 방법이다. 그러나 자신의 마음이 안정될 때 까지 잠시 거리를 두는 것은 필요하다. 또한 자신의 실수라 판단될 때에는 다른 사람을 탓하지 않고 스스로 책임을 지기도 한다(책임감 수용). 따라서 문제중심 대처와 정서중심 대처에서 어떤 방식이 좋거나 좋지 않다는 극단적 평가는 적절하지 않다. 오히려 다양한 스트레스 상황과 개인의 특성에 따라 적절한 해결방법을 선택하여 스트레스를 관리하는 것이 보다 효과적 이라 할 수 있다. 다음에 제시한 스트레스 관리 10계명 중 자신에게 적합한 방법을 찾아 실행해 보자.

3) 직무스트레스의 대처

어린이집 교사와 유치원 교사는 영유아기의 아동에게 가장 중요한 인적 자원의 하나로서, 영유아의 발달과 학습 그리고 사회정서에 중요한 영향을 미친다. 또한 영유아의 보육 및 교육 프로그램의 집행자로서 서비스의 질에 결정적인 역할을 하고 있다. 따라서 교사의 잦은 이직은 영유아의 발달과 심리적 안정에 부정적인 영향을 미칠 수밖에 없다. 특히 교사의 높은 직무스트레스는 교사 개인의 이직과 우울뿐만 아니라 교실에서 아동과의 관계형성에 부정적인 영향을 미치기 때문에(강미자, 2012; 신혜영, 2004), 효과적인 직무스트레스의 대처 및 관리가 필요하다.

직무스트레스에서도 모든 스트레스가 부정적이지는 않다. 적절한 수준의 직무 스트레스는 건강한 긴장감을 유발하여 업무와 관련된 새로운 기술을 배우고 경험을 쌓으며 성취감을 갖게 한다. 그러나 개인이 감당하기 어려운 수준의 높은 직무 스트레스는 정신적·신체적 건강을 저해하는 요인이 되고, 교사의 반응성이나 민감성의 저하 등으로 교수활동에 부정적인 영향을 끼치고 이직률을 높이는 원인이 되어 교사의 안정성을 떨어뜨림으로써 결국 질 높은 보육과 유아교육을 실천하기 어려운 상황에 놓이게 한다(강미자, 2012).

유아교사는 직무수행 과정에서 정신적·육체적인 부정적 긴장 상태를 경험하며, 업무나 동료 교사, 학부모, 유아와의 상호작용에서 발생하는 다양한 갈등 상황에 적응하지 못하여 직무스트레스를 많이 느끼는 것으로 나타났다(전은주, 2015). 특히 유아교사는 직업적으로 특정한 지식과 기술을 가르치는 일을 넘어서 한 인간의 성격, 가치관, 인간성 등의 형성을 돕는 일을 수행하는 사람으로, 유아와의 상호작용뿐 아니라 동료교사, 원장, 학부모와의 복합적이고 다양한 상호작용을 하기 때문에 스트레스는 더욱 가중될 수밖에 없다. 따라서 유아교사의 효과적인 직무스트레스 대처는 교육 현장에서 중요하다.

일반적으로 교사의 직무스트레스 대처는 생리중심적 대처, 정서중심적 대처, 문제중심적 대처 등 크게 3가지로 나뉜다. 먼저 생리중심적 대처는 규칙적인 운동, 적당한 수면과 휴식, 균형 잡힌 식사 등을 통해 스트레스가 생길 때 나타나는 신체적 증상을 감소시키기 위한 노력이다. 즉 규칙적인 생활 등을 통해 건강한 신체를 만들고 이를 통해 스트레스에 대처한다. 최근 교사의 정신건강을 위하여 방과 후에 교사들이 함께 모여 볼링을 치거나 에어로빅을 함께 하고, 또는 살사댄스와 같은 사교춤을 배우도록 하는 곳들이 점차 늘고 있다(연합뉴스, 2019년 5월 30일자 기사). 교사들은 함께 몸을 움직이고 즐겁게 땀을 흘리며 스트레스를 해소한다. 또한 근육을 이완시키는 이완요법과 숨을 깊이 들이쉬고 천천히 내쉬는 복식호흡은 스트레스를 관리하는 데 많은 도움을 준다. 특히 복식호흡을 하며 깊게 들이쉬었던 공기는 폐 깊숙이 들어가 충분한 산소를 우리 몸에 공급하고 배출한다. 충분한 산소 공급은 에너지를 생산하고 노폐물을 배출시켜 우리 몸의 대사가 잘 이루어지도록 도와주기 때문에 자신의 호흡을 살펴보고 천천히 깊숙이 호흡하는 훈련을 하면 마음과 몸이 이완되고 안정을 찾는 데 도움이 된다.

최근 명상의 효과에 대한 연구들이 많이 나오고 있다. 명상을 통해 수용적 태도가 향상되고(Brown & Ryan, 2004), 자신에게 해소되지 않은 심리적 요소를 이해하고 풀어나가는 매개가 되며(Germer, 2005), 자신의 감정에서 벗어나 현재에 집중할 수 있는 능력이 향상되었다(Shapiro et al., 2006). 또한 우울증 치료에서 명상과 인지치료의 효과를 비교한 연구에서도 명상집단이 인지치료집단에 비해 우울증상이 더 개선되었고(한정균, 임성문, 2005), 성인학습자들의 주의집중력 및 수업집중력에도 효과를 미치는 것으로 나타났다(이진석, 2019).

정서중심적 대처는 직무 스트레스에 의해 유발된 불안과 긴장, 초조감 등의 정서적 고통을 감소시키기 위해 기분전환을 하고 긍정적으로 사고하는 방법이다. 취미활동을 하거나 맛있는 음식을 먹고 스포츠나 영화를 관람하는 것 등은 모두 정서중심적 대처 방법이다. 또한 가족이나 동료 교사, 또는 존경하는 대상(교수, 원장, 주임교사 등)에게 자신의 고민과 문제를 이야기하고 조언을 구함으로써 사회적 관계에서의 지지를 통해 자신의 스트레스를 해결하고자 노력한다. 그러나 교육경험이 적은 초임교사의 경우 영유아와 학부모와의 관계에서 발생하는 문제들에 많은 스트레스를 받고, 제대로 해결되지 않은 경우 극도의 좌절감을 느끼며 교사직과 자신이 맞지 않는다고 생각하여 포기하기도 한다. 그러나 영유아 학습지도와 학부모와의 관계에서 생기는 스트레스를 동료교사나 선임교사와의 대화 및 상담으로 해소할 수 있다.

앞에서 살펴보았듯이 모든 사람은 스트레스를 받으며 살아간다. 따라서 자신 보다 먼저 직무스트레스를 겪은 선임교사에게 자문을 구하는 것은 중요하다. 또한 내가 문제가 생겼을 때 자문을 구하고 힘들 때 정신적으로 의지할 수 있는 정신적 멘토가 있는 사람은 심각한 스트레스 상황에서도 이를 잘 해결해 갈 수 있다. 존경하는 선생님이나 선배 등 직무와 관련된 자신의 멘토를 두는 것도 매우 좋은 방법이다.

마지막으로 문제중심적 대처는 문제를 해결하기 위하여 문제가 되는 특정 행동이나 직무 환경을 변화하고자 하는 스트레스 대처방법이다. 스트레스를 일으키는 내·외적 조건을 변화시켜 문제 상황을 적극적으로 해결한다. 이를 위하여 먼저 스트레스를 야기하는 문제를 인지적으로 평가한 후, 다양한 해결책을 비교하고 가장 좋은 방안을 선택하여 스트레스 상황에 대처한다. 무엇보다 스트레스를 회피하거나 무기력하게 받아들이는 대신 먼저 현재의 불편한 상황을 수용하고, 자신의 능력을 확인한 후 최선의 대처를 능동적으로 한다. 이 과정에서 가장 중요한 부분은 인지적 평가이다. 인지적 평가는 환경과 개인 간에 일어나는 복잡한 상호작용을 매개한다. 또한 스트레스 과정에서 나타나는 개인차를 설명해 준다. 동일한 스트레스 사건의 경우에도 인지적 평가의 차이에 따라 정서적·행동적 반응이 달라지기 때문이다.

직무스트레스는 일반 스트레스와 마찬가지로 교사 개인의 지각이나 조절과 같은 인지적 평가과정에 따라 달라진다. 즉, 동일한 사건이라도 개인에 따라 스트레스로 작용할 수도 혹은 작용하지 않을 수 있으며, 스트레스의 대처방법 또한 달라진다. 연구들에 의하면 보육교사의 정서지능이 낮을수록 직무스트레스가 높았으며 이직의도가 많았다(김건옥, 2016). 또한 유아교사의 자아탄력성과 심리적 안녕감도 교사의 직무스트레스에 상당한 영향을 미치는 것으로 나타났다. 교사가 낙관적 사고를 하고 분노조절을 잘 할수록, 그리고 자신이 처한 환경을 잘 통제할수록 직무스트레스를 덜 나타내었고(김리진, 홍연애, 2013), 자신의 일에 만족하는 교사일수록 이직의도가 낮았다(Colbert, 2003).

한 연구(정은경, 2011)에 의하면, 신입교사의 50%가 첫 5년 이내에 그만두기 때문에 이 시기에 교사가 직무스트레스를 잘 관리하여 자신의 직무만족을 향상시키는 것이 중요하다. 직무만족은 교사의 헌신을 결정하며, 퇴직을 줄이고 동료 간의 협조관계와 직무수행을 향상시키고 나아가 아동과의 상호작용에 영향을 미친다. 따라서 보다 효율적으로 직무스트레스를 관리하고 나아가 자신의 교사직무에 만족하며 긍정적인 인식으로 주어진 직무를 잘 수행한다면 결과적으로 양질의 교육을 아동에게 제공하게 되어 아동의 성장과 발달에 긍정적인 영향을 미칠 수 있을 것이다.

생각해 보기

1 지난 일주일 동안 신경이 예민해지고 스트레스를 받고 있다는 느낌을 얼마나 경험하였는지 생각해 봅시다.

2 스트레스를 받을 때 자신이 자주 하는 스트레스 해소방법을 이야기해 봅시다.

제12장

보육교사직과 전문성

영유아 보육분야에서 직업으로서의 보육교사, 보육교사의 근무여건이나 전문성 등에 대한 관심과 논의는 보육서비스 자체나 서비스의 수혜자인 영유아에 대한 지원이나 관심에 비해 상대적으로 더 늦게 시작되었다. 하지만, 영유아들의 발달 결과에 영향을 미치는 보육의 질을 향상시키는 데 있어 양질의 보육교사가 핵심적 요소라는 점이 점차 설득력을 얻으며 보육교사의 전문성을 신장시키는 데 사회적 관심이 모아지고 있다.

이 장에서는 영유아를 돌보고 사회화시키는 보육교사직이 보다 발전하고 전문직으로 자리 잡기 위해 해결해야 할 과제들에 대해 알아보고자 한다. 이를 위해 먼저, 직업으로서의 보육교사가 어떻게 변화해 왔는지 살펴보고, 최근 보육교사의 사회적, 경제적 처우 등을 포함한 현황과 관련 정책 및 개선 방안에 대해 알아보고자 한다. 다음으로, 보육교사의 전문성 개념에 대한 담론과 보육교사직의 전문화에 대해 알아보고, 보육교사의 전문성을 신장하는 과정들을 소개하며, 보육교사직이 전문직으로 자리 잡기 위해 보육교사 개개인이 갖추어야 할 소양과 태도, 보육교사들이 집단으로서 해결해야 할 과제에 대해 생각해 보고자 한다.

1. 보육교사직의 변천과 관련 정책

여기서는 보육교사직의 현황을 파악하기 위해 보육교사라는 공식 명칭을 사용하기 이전부터 최근까지 보육교사직의 변천에 대해 살펴보고자 한다. 보육교사직 및 국가자격제도로서의 보육교사 자격증에 영향을 미친 「영유아보육법」 제정 전과 후로 구분하여 자격제도의 변천 과정에 대해 알아볼 것이다. 이어서 보육교사직과 관련된 정책들을 살펴보고, 바람직한 개선 방향을 모색해 보고자 한다.

1) 보육교사직의 변천

2021년 현재 보육교사는 국가에서 그 전문성을 인정하고 공인된 자격증을 부여하는 국가제도에 따른 자격이다. 「영유아보육법」에서는 보육교사를 1, 2, 3급으로 구분하여 그 자격을 규정하고 있고, 보육교직원인 어린이집 원장의 자격도 별도로 규정하고 있다. 이러한 보육교사제도는 1991년 1월 제정된 「영유아보육법」에 의한 것으로 처음에는 소정의 교육과정을 이수하게 하는 인정제도였으나, 2004년 개정된 「영유아보육법」에 의해 국가자격증제도로 변화하게 되었다. 여기서는 이러한 보육교사제도의 변천과정에 대해 「영유아보육법」 제정 전과 후로 구분하여 알아볼 것이다.

(1) 영유아보육법 제정 전 보육교사직

우리나라 보육서비스의 시작은 1921년 태화기독교사회관에서 빈민가정의 자녀를 맡아서 돌보아 준 것이라고 볼 수 있다. 이때는 빈민구제사업의 일환으로 부모가 맡긴 영유아를 보호한다는 탁아(託兒)의 의미가 강했다. 해방과 한국전쟁을 거치면서 장기간 보호를 필요로 하는 아동들이 증가했고, 이러한 아동들을 돌보기 위한 시설과 제도, 인력 등이 필요하게 되었다. 1961년 제정된 「아동복리법」에서는 영유아를 돌보기 위한 탁아시설에 대한 설치기준과 직원 배치, 보육시간, 내용 등에 대해 규정하였다. 하지만 당시 탁아시설에 근무하는 교사에 대한 기준은 별도로 제시하지 않았고, 시설장의 경우도 '아동복리시설을 관리 운영하는 자'라고만 간략히 규정되어 있었다. 따라서 이 시기에 탁아시설에서 영유아를 돌보는 교사나 시설장은 특별한 자격이 없어도 탁아시설 운영이나 근무에 관심이 있는 사람이라면 누구나 그 일을 담당할 수 있었다. 「아동복리법」이 전면 개정되어 1981년에는 「아동복지법」이 시행되었지만, 여전히 영유아를 돌보는 보육교사에 대한 자격 기준이 마련되지 않았다.

영유아의 보육 및 교육에 종사하는 교사에 대한 규정이 처음으로 언급된 것은 1982년 제정된 「유아교육진흥법」에서였다. 이 법에 따르면 새마을유아원의 시설 종사자로 원장과 교사, 보육

사를 두도록 하였다. 원장과 원감 및 교사는 각각 교육법에 의한 유치원의 원장·원감 및 교사의 자격을 가진 자로, 보육사는 대통령령이 정한 보육사의 자격을 가진 자로 명시하였다. 이후 1989년 아동복지법 시행령을 개정하여 영아반에 배치하는 보육사에 대한 법적 자격기준을 제시하였다. 당시 새마을 유아원 영아반에는 보육사 3급 이상의 자격을 가진 자를 영아반 보육사로 배치할 수 있었다. 「아동복지법 시행령」에서 제시한 보육사 3급의 자격은 고등학교 또는 이와 동등 이상의 학교를 졸업하고, 보건사회부장관이 실시하는 자격검정시험에 합격한 자로 명시되어 있었다. 이처럼 「영유아보육법」 제정 전에는 보육교사직에 대한 독자적인 자격제도를 찾아보기 어려우며, 영아반의 보육을 담당했던 보육사의 최소 자격요건 또한 영유아 보육의 전문성을 보장하기에 상당히 미흡한 수준이었다.

(2) 영유아보육법 제정 후 보육교사직

보육서비스를 보다 체계적이고 안전하게 제공할 필요성이 사회적으로 대두됨에 따라 1991년 「영유아보육법」이 제정되었다. 「영유아보육법」에는 보육을 위한 교사 제도가 포함되었는데, 보육시설의 장과 보육교사에 대한 자격기준이 각각 제시되었다. 당시의 시설장 자격기준에는 사회복지사, 간호사, 유치원 및 초등학교, 중등학교 정교사 등 다양한 전공자로 사회복지 관련 혹은 유아교육 관련 업무 경력이 있을 시 보육시설 시설장의 자격을 인정받을 수 있도록 되어 있었다. 보육교사 자격기준을 '대학(전문대학을 포함한다) 또는 이와 동등 이상의 학교에서 보건복지부령이 정하는 유아교육 또는 아동복지에 관련된 학과를 전공으로 졸업한 자, 혹은

고등학교 또는 이와 동등 이상의 학교를 졸업한 자로서 보건복지부령이 정하는 교육훈련시설에서 소정의 교육과정을 이수한 자'로 규정하였고, 1급과 2급으로 나누어 등급별 구체적 자격기준도 명시하였다. 하지만 기본적으로 보육교사자격은 영유아보육과 관련된 과목을 이수하면 자격을 취득한 것으로 인정하는 인정제도였으므로, 보육교사 자격증이 별도로 부여되지는 않았다. 이처럼 보육시설장이나 보육교사로의 진입은 상당히 개방되어 있었다. 따라서 보육의 질을 높이기 위해 보육교사의 전문성을 뒷받침할 수 있는 제도적 보완이 시급하게 되었다.

2004년 「영유아보육법」이 전면 개정됨에 따라 보육교사 및 시설장의 자격기준 및 자격 취득조건이 강화되고, 보육교사 국가자격증제도가 실시되었다. 2005년부터는 국가에서 보육교사자격을 검정하고 자격증을 교부하게 되었고, 등급도 1, 2, 3등급으로 세분화하게 되었다. 또한 등급별 자격기준과 보육교사 자격관련 교과목 및 학점, 교육훈련시설의 교과목 등을 새로 정비하였다. 특히 보육교사의 보수교육을 강화하여 전문성을 신장하고자 하였다. 이어 2007년부터는 시설장에 대해서도 자격기준을 개정하고 국가에서 자격을 검정하고 자격증을 교부하기 시작하였다. 따라서 2007년 이후에는 보육교사나 어린이집 원장 모두 국가에서 제도적으로는 그 전문성을 인정하고 공인된 자격증을 부여하는 것으로 되었다.

2) 보육교사직 관련 정책

보육의 질을 높이기 위해서는 보육교사의 전문성을 신장해야 한다. 정부에서 중장기보육계획을 수립할 때마다 해당 정책에는 보육교사의 전문성 제고나 처우 개선과 같은 내용이 포함되어 왔다. 여기서는 보육교사직의 자격과 지위를 유치원 교사의 경우와 비교해 보고, 보육교사의 사회, 경제적 처우 현황과 관련 정책, 향후 개선 방향에 대해 알아볼 것이다.

(1) 보육교사직의 자격과 처우 현황
교원의 경우 「교육기본법」이나 「교육공무원법」 「사립학교법」과 함께 「교원지위 향상을 위한 특별법」에 의거해 법적 지위를 확보하고 그에 따른 처우를 보장받고 있다. 유치원 교사도 이에 해당된다. 하지만, 보육교사는 '교사'라는 명칭은 사용하고 있어도 「교육공무원법」에 따른 지위를 가지고 있는 유치원 교사와 달리 교원으로 인정받지 못하고 있다. 뿐만 아니라 보육교사들에 대한 사회적 인식이나 실질적 처우도 유사관련 직종인 유치원 교사들과 비교할 때 차이가 있다. 이와 관련해 유치원 교사 대비 상대적으로 느슨한 학점이수 방식의 신규 교사 양성 체계 등이 문제로 지적되어 왔다(⟨표 12-1⟩ 참조). 사회나 정부 관련 부처에서는 보육교사의 자격과 전문성을 강화하고 처우를 개선하기 위해 노력하고 있으나 2020년 현재까지 충분한 실효를 거두지는 못한 실정이다.

⟨표 12-1⟩ 어린이집과 유치원의 교사 자격 비교

구분	어린이집 보육교사	유치원교사
자격구분	• 보육교사 1, 2, 3급	• 유치원교사 1, 2급, 준교사
자격방식	• 학점 단위의 개방형 관련과목 학점이수 시 자격부여 (최소 고졸) • 2급 총 51학점(성적 제한 없음)	• 학과 단위의 목적형 최소 전문대 이상의 관련학과 졸업 시 자격부여(교직이수) • 2급 총 72학점 이수(성적 기준 있음)
양성기관	• 일반대학, 전문대학 • 방송통신대 • 학점은행, 기타 보육교사 교육원	• 일반대학, 전문대학 • 방송통신대

출처: 보건복지부(2017). 제3차 중장기보육 기본계획(2018-2022).

보육교사의 법적 지위와 관련해서는 「영유아보육법」「영유아보육법 시행령」「영유아보육법 시행규칙」 및 지방자치단체의 자치법규인 보육조례에서 보육교사의 법적 지위에 대해 언급하고 있다. 「영유아보육법」에서 교사의 자격기준과 임면 절차 등을 명시하여 보육교사가 법에 의하지 않고 함부로 쫓겨나거나 불이익을 당하지 않도록 하였으나, 정부에서는 여전히 보육교사의 자격강화와 관리에 보다 초점을 두고 이를 우선적으로 다루고 있는 실정이다. 따라서 보육교사의 지위를 규정하고 있는 별도의 법은 찾아보기 힘들다. 보육교사는 일반종사자, 즉 노동자에 해당하는 신분보장을 받고 있다. 즉, 「근로기준법」과 「남녀평등고용법」 규정에 적용을 받고 있으며, 정년이나 근무조건, 급여 산정 등에 있어서 보육교사로서의 전문성을 인정받지는 못하고 있다.

매 3년 단위로 진행되고 있는 전국 보육실태조사 자료에 따르면, 2018년 6월 기준 어린이집 통합정보시스템에 등록된 어린이집은 총 39,000여 개소로 나타났다.

그 가운데 어린이집 모집단 규모를 고려해 전체 시설의 약 9%에 해당하는 3,400여 개 어린이집을 층화표집한 후, 이들을 대상으로 2018년 전국보육실태조사(보건복지부, 육아정책연구소, 2018)가 수행되었다. 그 결과, 먼저, 보육교사의 월평균 보수는 213만 원(기본급 약 170만 원, 기관 제수당 약 6만 원, 정부 및 지자체 지원 수당 28만 4천 원)으로 나타났다. 시설유형별로 교사의 월 평균 급여에 차이가 있었는데, 국공립, 법인, 직장어린이집 교사는 평균 240만 원 이상을 받는 것으로 나타났고, 가정과 민간어린이집의 교사는 평균 190만원에서 200만 원대로 더 낮게 받는 것으로 나타났다. 기관 현원의 규모가 클수록 교사의 급여 수준이 높았고, 영아반 교사에 비해 유아반 교사의 급여 수준이 높은 것으로 나타났다. 〈표 12-2〉에 제시되었듯이 이러한 급여수준은 2009년 이후 서서히 상승하는 경향을 보였고, 직전 조사자료인 2015년 대비 총 급여를 기준으로 15.6%가 상승하였다.

〈표 12-2〉 **보육실태조사에 나타난 보육교사 임금현황**   (단위: 만 원)

구분	2009년			2012년			2015년			2018년		
	급여	수당	총액	급여	수당	총액	급여	수당	총액	급여	수당	총액
전체	126.1	12.3	138.4	131.4	23.7	155.0	147.8	36.5	184.3	168.9	44.1	213.0
국공립	155.0	12.3	167.3	162.8	25.5	188.3	173.5	36.7	210.4	202.9	46.9	249.8
민간	113.8	12.6	126.4	121.7	23.8	145.5	128.4	34.9	163.4	160.5	44.1	204.6
가정	101.9	12.4	114.3	115.5	22.3	137.8	118.3	32.0	150.5	156.6	39.9	196.5
직장	154.0	12.4	168.4	157.6	31.3	189.0	169.1	49.0	218.2	185.6	63.4	189.0

출처: 보건복지부, 육아정책연구소(2012, 2018). 전국보육실태조사: 어린이집 조사보고.

다음으로, 2018년 전국보육실태조사(보건복지부, 육아정책연구소, 2018)에서 주 5일 근무기준의 일일 근무시간을 살펴보면 평균 8시간 12분으로 나타났다. 〈표 12-3〉에 제시되었듯이 직장어린이집이 8시간 29분으로 가장 길었고, 국공립어린이집이 8시간 8분으로 가장 짧았다. 1일 평균 근로시간은 2009년 9시간 30분에서 점차 줄어들었으며, 2015년의 8시간 42분에 비해 30분가량이 줄어들었다. 이는 보조교사 지원, 맞춤형 보육제도 도입 등의 정책 효과와 관련되는 것으로 보인다.

〈표 12-3〉 **보육실태조사에 나타난 보육교사 하루 총 근무시간 평균(주중 근무시간 기준)**

구분	2009년	2012년	2015년	2018년
전체	9시간 30분	9시간 28분	8시간 42분	8시간 12분
국공립	9시간 36분	9시간 39분	8시간 36분	8시간 8분
사회복지법인	9시간 30분	10시간 2분	9시간 6분	8시간 17분
민간	9시간 30분	9시간 41분	8시간 42분	8시간 10분
법인단체	9시간 54분	9시간 56분	8시간 48분	8시간 11분
가정	9시간 12분	9시간 13분	8시간 30분	8시간 13분
직장	9시간 54분	10시간	8시간 54분	8시간 29분

출처: 보건복지부, 한국여성정책연구원(2009, 2012). 보육시설조사 보고.
　　　보건복지부, 육아정책연구소(2016). 2015년 전국보육실태조사-어린이집 조사보고.
　　　보건복지부, 육아정책연구소(2018). 2018년 전국보육실태조사-어린이집 조사보고.

(2) 보육교사의 전문성 제고 및 처우 개선 정책

　우리 사회 내 보육인력의 전문성 제고나 처우 개선의 필요성을 절감하고 정부에서도 중장기보육계획을 수립할 때마다 보육교사와 관련된 정책을 포함해 왔다. 과거 제1차 중장기 보육계획인 새싹플랜(2006년~2010년)이나 이를 수정·보완한 아이사랑플랜(2009년~2012년)에는 보육인력의 전문성이나 자긍심 제고의 내용이 포함되었고, 근무시간 대비 열악한 보수여건에 있는 보육교사의 처우를 개선하기 위한 시도들이 포함되어 왔다(〈표 12-4〉 참조). 예를 들어, 새싹플랜에서는 기본보조금과 보육교사 보수수준을 연계하여 급여인상을 유도하였고, 이후 아이사랑플랜에는 보육교사 급여수준 현실화 및 근로환경 개선을 골자로 하는 교사 처우개선 정책이 포함되었다. 이를 위해 보육교사 임금 현실화, 대체교사 인력 지원, 근무환경이 열악한 보육교사에 특별수당 지원, 초과근무수당 지원비 지급 추진 등의 세부 과제가 설정되었으나, 만족스러운 수준으로 달성되지는 못하였다.

　보육교사 처우개선과 관련된 제1차 중장기보육계획의 한계에 대한 지적으로 다음을 들 수 있다(황옥경, 2012). 첫째, 보육교사의 실질적인 임금 상승에 대한 정책을 찾아보기 어렵다. 새싹플랜이나 아이사랑플랜은 실질적 임금을 상향조정하기보다는 각종 수당을 지급하는 형태로 교사의 경제적 처우를 개선하고자 시도하였다. 하지만 이는 수당항목의 변화나 예산 확보 여부, 지방자치단체의 상황 등에 따라 개선 여부가 달라지므로 안정적이라고 보기 어렵다. 둘째, 교사처우 개선을 위

〈표 12-4〉 새싹플랜과 아이사랑플랜에 제시된 보육교사 관련 정책(2006~2012년)

새싹플랜 (2006~2008)	아이사랑플랜 (2009~2012) 2009년 발표	아이사랑플랜 (2009~2012) 2010년 시행계획	아이사랑플랜 (2009~2012) 2011년 시행계획
과제4: 아동 중심의 보육환경 조성 중 '보육인력 전문성 제고 및 처우개선' - 대학의 보육교사 양성 교과목(학점)을 12과목(35학점)에서 15과목(42학점)으로 상향 조정 - 2007년부터 시설장 국가자격증 제도 시행 - 기본보조금과 보육교사 보수 수준을 연계하여 급여 인상 유도 과제5: 보육서비스 관리체계 강화 중「보육관리재단」설치 검토 - 급증하는 보육업무에 전문적으로 대응하고 보육시설 안전관리, 종사자 경력관리 등을 효율적으로 수행하기 위함	과제4: 보육인력 전문성 제고 1) 보육종사자 자격관리 강화 - 보육종사자 보수교육 내실화 - 양성 및 보수 교육과정 평가 관리체계 마련 - 보육실습 기준 마련 - 보육인력의 자격변동에 관한 정보를 연계하여 보육종사자 자격관리 강화 - 중장기적 자격체계 정비 방안 연구 2) 보육교사 급여수준 현실화 및 근로환경 개선 - 보육교사 임금 현실화 - 대체교사 인력 지원 - 근무환경이 열악한 보육교사에게 특별수당 지원 - 초과근무수당 지원비 지급 추진	과제4: 보육교사 전문성 및 자긍심 제고 1) 보육종사자 자격관리 강화 - 자격 및 양성·보수교육 체계 개선 - 교육기관 평가제도 및 운영지원시스템 개발 - 보육실습지침 보급 및 교육 2) 보육교사 처우 및 근무환경 개선 - 보육교사의 휴가, 보수교육 등 불가피한 공백 해소를 위한 대체교사 인력 지원 - 농어촌 보육교사에게 특별근무수당(월11만원) 지원 확대 - 우수 보육시설에 대해 근무환경 개선 사업비 지원	과제4: 보육인력 전문성 강화 1) 보육시설 종사자 자격관리 강화 - 보육시설장 및 보육교사 전문성 강화: 영유아 보육법 시행령 및 시행규칙 개정을 통해 시설장 및 보육교사 전문성 강화를 위한 자격제도 개선 2) 보육교사 처우 개선 - 국공립 보육시설 보육교사 보수수준 개선 - 대체교사 인력 지원 - 농어촌 특별수당 지원 - 우수 보육시설 근무환경 개선비 지급

출처: 황옥경(2012). 보육교사의 처우 현황과 개선방안: 보수 체계를 중심으로. 한국보육지원학회지, 8(3), 249-272.

한 정책에 일관성이 없다. 보육교사직의 지속적인 수요와 양질의 서비스를 고려할 때 보육교사의 처우에 대한 중장기적인 실행계획이 필요하다. 하지만 제시된 처우개선관련 정책은 모두 대체교사 인력지원이나 근무환경 개선, 특별수당 지급 등과 관련된 단편적 개선책에 머무르고 있다. 셋째, 자격강화에 따른 보육교사 처우개선책이 마련되지 못하였다. 정부의 보육교사자격요건 강화는 학력과 학과전공을 규정하기보다는 단순히 취득학점을 상향하는 수준에 그쳤다. 따라서 보육교사 자격취득의 최저학력 요건이 낮은 것은 여전히 열악한 임금수준에 영향을 미치고 있다.

이에 보육교사 처우개선과 전문성 제고에 대한 노력은 보건복지부의 제2차 중장기보육계획으로도 이어졌다(〈표 12-5〉 참조). 여기서는 보육교사 양성체계 전면 개정과 자격취득 기준을 강화하여 보육교사의 전문성 신장을 시도하였다. 예를 들어, 보육교사 자격 이수학점을 종전 12과목 35학점에서 17과목 51학점으로 강화하고, 3급에서 2급으로 승급하기 위한 보육업무경력도 종전 1년에서 2년으로 연장하였다. 또한 보육교사가 주중 5일을 연가로 사용할 때 보육정보센터에서 월급제로 채용된 대체교사를 시설에 파견하는 대체교사제도 사용을 용이하게 하고 처우개선비 지원도 확대하였다. 이러한 노력은 일부 결실을 맺었다. 2017년에 수행된 전국보육실태조사(보건복지부, 육아정책연구소, 2018) 자료를 바탕으로 보면, 2017년 한 해 동안 급여나 근무조건 불만족으로 인해 사직한 보육교사의 비율은 2015년에 비해 다소 감소하는 경향을 보였다. 또한 중간경력 보육교사를 대상으로 재직 중인 어린이집에서 사직이나 이직할 계획을 조사한 결과, 사직 또는 이직 계획 없음이 약 83%를 차지해, 2015년 대비 약 17%p가 상승하였다. 중간경력 보육교사를 대상으로 근무만족도를 조사한 결과도 급여 수준, 근무환경 전반, 물리적 환경, 근로시간, 사회적 인식에 대한 만족도가 2015년 대비 소폭 상승하였다.

하지만 이 시기에 무상보육도입이나 수요자 맞춤 지원으로 보육대상자 확대에서 진일보했던 점에 비추어보면, 보육교사 급여를 포함한 처우나 전문성이 상대적으로 크게 신장되지는 못하였다. 보육서비스 질의 핵심요소인 교사에 대한 사회적 신뢰가 충분히 높지 못하였고, 근로여건 대비 처우가 충분하지 않아 양질의 인력이 유입되는 것을 방해하거나 기유입된 인력의 이탈을 초래하였기 때문이다. 이를 뒷받침하는 일례로, 재직 중인 보육교사 평균호봉은 2012년 5호봉에서 2015년에는 4.8호봉으로 낮아졌다. 또한, 2017년 한 해 동안 사직교사비율은 조사대상 전체 교사 대비 약 25.7%로 2015년에 비해 1.6%p 상승하였고, 특히 민간과 가정어린이집의 사직교사비율이 상대적으로 높았다(보건복지부, 2017).

2017년 12월 발표된 제3차 중장기보육계획을 살펴보면, 주요 4대 과제 중 보육서비스 품질향상 과제에는 보육교사 전문성 강화와 보육교사 적정 처우 보장이 주요한 전략으로 포함되었다. 보육서비스 품질향상의 핵심은 보육교사가 양질의 보육을 수행할 수 있도록 하는 것이다. 우수한 인력이 보육에 유입되고, 보수교육을 통해 전문성이 강화되며, 적정한 처우와 근무여건이 보장되면 양질의 보육을 수행할 수 있다. 따라서 제3차 중장기보육계획의 보육서비스 품질향상 과제에서는 보

〈표 12-5〉 **제2차 중장기보육계획과 제3차 중장기보육 기본계획에 제시된 보육교사 관련 정책(2013~2022년)**

제2차 중장기보육계획 (2013~2017)	제3차 중장기보육 기본계획 (2018~2022)
과제 4: 양질의 안심 보육 여건 조성 '보육인력의 역량 지원 강화 및 처우개선' 1) 단계별 엄격한 자격 관리 및 전문성 지원 강화 - 현 체계에서 결격 사유, 자격 취득 등 요건 강화 - 보수교육 체계 개편을 통한 현직 교사의 자질 향상 - 중장기적으로 보육교사 양성체계 개편 방안 마련 2) 보육교사 근로 환경 개선 및 급여 인상 등 처우 현실화 - 0~2세 담당 보육교사와 3~5세 누리과정 보육교사의 처우개선비 격차를 2017년까지 단계적으로 해소 - 2013년 표준교육비용 재계측시 교사의 적정임금수준을 반영하고 보육료 수입이 교사의 급여인상으로 이어질 수 있는 기반 마련 - 교사의 휴가·보수 교육 등 불가피한 서비스 공백 방지를 위한 대체교사 지원 확대 및 보조교사 채용 유도 - 중장기적으로 현장 수요 및 재정 여건 등을 종합적으로 고려하여 주 5일제 단계적 적용 등 검토	과제 3: 보육서비스 품질 향상 3-1) 보육교사 전문성 강화 1) 보육교사 학과제도 도입 - 보육교사 자격체계를 1,2급 중심으로 재편하여 유치원 교사와의 양성체계 및 자격 격차 해소 추진 - 어린이집-유치원에 공통으로 적용되는 영유아교사 자격 신설 방안 검토 2) 보수교육 과정 내실화 - 신규진입, 경력단절 후 복귀, 보수교육 이수 횟수 등을 고려한 보수교육 커리큘럼 다양화를 통해 교육의 효과성 제고 - 보육교사의 보수교육 참여, 보육과정 준비를 위한 시간이 확보될 수 있도록 새학기 시작 전 '어린이집 방학' 도입 검토 3) 체계적 보수교육 운영을 위한 종합관리 - 보수교육 총괄관리기관 운영 및 보수교육 기관 평가, 관리 - 보육교사 이력 종합 관리체계 구축 및 연차별 맞춤형 보수교육 지원 3-2) 보육교사 적정 처우 보장 1) 보육교사의 적정 임금 지급 보장 - 국공립어린이집 교사의 급여 수준을 보육교사 자격체계 개편 등과 연계하여 국공립 유치원 수준으로 개선 추진 - 보육교사 적정 근로시간 보장 및 초과근무 수당 지급 보장 체계 마련 2) 보육교사 보조인력 지원 확대 - 담임교사의 업무부담 경감을 위해 보조교사 지원 확대 - 보육교사 등의 보수교육 참여, 연가 등 지원을 위한 대체인력 확대 및 지원 역할 강화 추진 3) 교사 업무부담 경감 - 보육교사의 직무스트레스 관리와 직무 만족도 제고를 위한 심리상담 지원 강화 및 피해구제를 위한 법률서비스 지원 - 어린이집의 출결관리, 보육료 신청 등 전산을 통해 자동화 가능한 사항 개발 - 보육교사의 자긍심 고취 및 사회적 인식 개선을 위한 홍보 실시

출처: 보건복지부(2013). 제2차 중장기보육 기본계획.
　　　보건복지부(2017). 제3차 중장기보육 기본계획.

육교사 전문성 강화를 위해 보육교사 학과제도 도입, 보수교육 과정 내실화, 체계
적 보수교육 운영을 위한 종합관리 계획이 설정되었고, 보육교사 적정 처우 보장을
위해 적정 임금 지급 보장, 보조인력 지원 확대, 교사 업무부담 경감 방안이 설정되
었다(〈표 12-5〉 참조).

　적정 임금 지급 보장 부분에서는 국공립어린이집 교사의 급여 수준을 보육교사
자격체계 개편 등과 연계하여 국공립 유치원 수준으로 개선하도록 추진하며, 국공
립 어린이집과 민간 어린이집 간 급여격차를 해소하는 방안이 다루어졌다. 보조 인
력 지원 확대 부분에서도 담임교사의 업무부담 경감을 위한 보조교사 지원 확대와
보육교사의 보수교육 참여, 연가 등 지원을 위한 대체인력 확대가 추진되고 있다.
특히, 교사 업무부담 경감부분에는 보육교사의 직무스트레스 관리와 직무 만족도
제고를 위한 심리상담 지원 강화, 피해구제를 위한 법률서비스 지원 등이 포함되었
다. 또한 보육교사 인식개선 홍보영상 등을 활용해 사회적 인식을 개선해 보육교사
의 자긍심을 고취하고자 하는 방안도 포함되었다. 제3차 중장기보육계획의 보육서
비스 품질향상과제에서 달라지는 지표를 살펴보면 〈표 12-6〉과 같다.

〈표 12-6〉 **제3차 중장기보육계획의 보육서비스 품질향상 지표 계획**

분야	지표	2017년	2022년
보육서비스 품질향상	보육교사 양성체계	학점제	학과제
	보수교육 관리	시도 개별	총괄관리기관 운영
	보조 대체교사 지원	2.1만 명	2.8만 명
	보육교사 처우개선비	0~2세 22만 원 3~5세 30만 원	보육료 인상과 연계해 처우개선
	평가인증제도 개선	평가인증제도 (신청 어린이집 평가)	평가제도 (모든 어린이집 평가)

출처: 보건복지부(2017). 제3차 중장기보육 기본계획.

(3) 보육교사직의 개선 방향

　영유아 보육에 있어 보육교사의 질과 역할이 중요하다는 점은 국내외 전문가들
의 주장에서도 재차 확인된 바 있다. 일례로, 2012년 노르웨이에서 열린 OECD 회
원국의『유아교육과 보육의 질 제고 사업 장·차관 및 주요 관계자 회의(Start Strong
III: Implementing Policies for High Quality Early Childhood Education and Care)』에서

는 양질의 유아교육과 보육을 위해서는 정부차원의 지속적인 투자가 중요하다는 점을 강조하였다. 이 회의에서는 각 나라에서 수행할 수 있는 효과적인 정책수단을 5가지 제시하였는데, 거기에는 유아교육과 보육의 질에 대한 목표와 규정 설정, 교육과정 및 표준 개발과 실행, 교사 자격기준과 훈련 및 근무여건 개선, 가족과 지역사회의 참여, 자료 수집과 연구 및 모니터링이 포함되어 있다. 교사와 관련된 항목에서는 유아의 교육이나 보육을 담당하는 교사가 영유아의 건강한 발달과 학습에 핵심적 역할을 하므로, 교사 자격과 교육, 전문가로서의 발달과 근무여건의 개선 관련 사항에 대해 언급하였다.

구체적으로 살펴보면, 먼저, 교사는 영유아에게 양질의 교육적 환경을 만들어줄 수 있는 능력을 갖추어야 한다. 즉, 영유아들 간 상호작용이나 영유아와 교사 간 상호작용을 이끌고, 다양한 교수전략을 사용할 수 있어야 한다. 이를 위해 교사가 되기 위해 보다 전문적 교육을 받아야 하고 교사가 된 후에도 지속적인 교육과 훈련을 받는 것이 필요하다. 나아가, 교사의 근무여건도 유아교육과 보육의 질에 큰 영향을 미칠 수 있다. 즉, 교사 대 영유아비율과 학급규모, 급여 및 혜택, 근무시간과 직무부담, 근속률, 물리적 환경, 관리자의 유능성과 지지 등의 요인은 교사의 직업에 대한 만족도나 이직률과 밀접히 관련된다. 따라서 이들 요인을 개선시킴으로써 교사의 직무 만족도를 높이는 동시에 근속률을 높여 유아교육 및 보육 서비스의 질을 향상시킬 수 있다(OECD, 2012b). 이는 보육현장에서 요구되는 교사의 역량이 제대로 발휘되기 위해서는 임금이나 보상체계를 포함한 근로여건의 개선과 교사 간 또는 교사와 관리자 간 상호적 지원체계 및 시스템 등이 중요함을 의미한다.

우리나라의 경우, 보육관련 예산 책정과 비중의 측면에서 볼 때, 중장기보육계획에서 정책적 노력으로 부모대상 보육비용 지원과 기관 중심의 지원이 주로 진행되었고, 보육교사 처우개선을 위한 비중은 상대적으로 늦게 개선되기 시작했다. 예를 들어, 2012년 전체 보육예산 중 보육료 지원액은 78%를 차지했으며, 보육교사 종사자 인건비 예산비율은 14%에 못 미쳤다. 하지만 2019년 예산의 경우, 보육교직원 인건비 및 운영지원은 20.8%로 직전년 대비 약 18%p가 상승했고, 2020년에는 전체 보육예산의 약 24%로 나타났다.

보육관련 전문가들은 보육교사 처우 개선을 위해 다음과 같은 정책적 노력이 지속되어야 한다고 제언한다(보건복지부, 육아정책연구소, 2018; 최윤경, 2013; 황옥경, 2012). 첫째, 보육교사의 임금수준을 상향조정하는 것과 동시에 학력과 자격급수,

근무경력이 반영된 임금체계가 마련되어야 한다. 즉, 학력과 자격급에 따른 초임의 차이를 고려하고, 동일 학력 및 경력의 유치원 교사에 준하는 임금 수준을 점차 확보해야 한다. 근무경력도 급여수준에 적절히 반영되어야 한다. 특히 민간과 가정어린이집의 경우, 보육교사의 기존 경력이 급여수준에 반영되지 않거나 부분적으로만 반영되었다는 비율이 높게 나타났다. 이는 현장에서 교사 경력만큼 호봉 체계에 따라 급여를 주지 못하는 것을 의미한다. 그런 상태는 우수한 인력의 보육교사직 진입에 방해가 되고, 보육교사의 유출을 가속화할 수 있다. 나아가, 임금체계에 수당항목이 보다 구체적으로 명시되어야 한다. 즉, 보육교사의 임금 산정 시 내역과 수당이 명확히 설계되어야 한다. 예를 들어, 기본급과 수당, 지원금 등의 임금체계가 명확히 제시되어야 하고, 처우개선비 형태의 지방자치제별 지원금보다는 기본급의 비중과 직무를 반영한 수당체계의 강화로 조정될 필요가 있다.

둘째, 보육환경 내 교사의 공간 마련, 근로시간의 구성 등 근로환경이 개선되어야 한다. 급여실태가 양호하고 비급여 만족도가 높을수록, 현재 급여와 미래 희망급여가 높을수록, 이직과 전직, 퇴직 의향이 낮아지는 것으로 나타났다. 즉, 경력이나 학력 연한에 따라 호봉승급이 잘 이루어지고 업무량, 휴가일 준수, 퇴직금 적립, 고용계약서 작성 등과 같은 비급여 만족도가 높은 보육교사는 향후 근속의지가 상대적으로 높았다. 특히, 1일 8시간 근무(주당 40시간 근무 적용), 대체교사 가능성, 교사근무시간의 탄력 운용 등에 대한 요구가 높았다(권순임, 구수연, 2019; 최윤경, 김재원, 2011). 따라서 교사 처우 개선과 관련해 정부와 지자체의 적극적인 관여와 평가인증지표화가 필요하다. 즉, 평가인증지표에 교사임금과 근로환경 관련 항목을 단계적으로 강화하여 우수 경력교사의 비율과 교사 근속률이 높아지도록 할 수 있을 것이다.

셋째, 보육기관의 규모, 유형, 지역에 따른 차이 등 보육교사 간 실질임금수준의 차이를 완화할 수 있는 제도적 정비와 관심이 필요하다. 기관의 규모나 유형, 지역 등에 관계없이 모든 어린이집이 정부의 지원과 규제의 정책 범주 안에 들도록 하는 노력을 해야 할 것이다. 특히, 정부 미지원 어린이집 교사의 인건비 관련 규정을 마련해 보육교사의 최저임금을 보장하고 초과근무 수당을 합법적으로 지급해야 할 것이다. 또한 교사의 임금에 대한 계약을 체결하는 과정과 임금 수준에 지방 정부가 관여하거나 모니터링하는 방안 등에 대해 고려해야 한다.

넷째, 보육교사의 자격체계 및 양성과정, 지속적인 현직 교육의 제공을 통해 전문성 신장 및 질 관리체계, 노동시장의 수급상황에 대한 고려를 통해 교사의 경제적 사회적 처우를 높이는 체계적이고 정교한 정책이 설계되어야 한다. 이를 통해 보육교사의 질을 제고하고 전문성 신장이 동기화되도록 정책적으로 설계해야 할 것이다.

2. 보육교사의 전문성

개개 영유아의 바람직한 발달과 성장은 추후 그 사회의 구성원으로서, 중요한 인적 자원으로서의 가치 및 역할수행으로 이어진다는 측면에서 보육교사의 역할이 중요함을 알 수 있다. 이러한 중요성에 대해 보육교사 개인 차원의 인식과 노력뿐 아니라 사회구성원들의 공감대가 형성되고 정책적 지원이 합해진다면 보육 전문성과 전문화가 자리 잡을 수 있을 것이다. 여기서는 국가정책, 학문분야, 보육현장 분야에서 보육교사의 전문성 개념에 대한 담론과 전문화 과정에 대해 소개하고, 보육교사의 전문성 발달의 목적과 방식을 설명한 후, 효과적인 전문성 발달의 특성을 알아볼 것이다. 끝으로, 보육교사 전문성 확립을 위해 개인수준과 집단수준의 과제에 대해 생각해 볼 것이다.

1) 보육교사의 전문성 개념에 대한 담론과 전문화

세계 여러 나라의 보육정책에서 양질의 보육을 제공하기 위한 방안의 하나는 보육교사의 전문성을 향상시키는 것이다. 따라서 보육의 질과 보육교사의 전문성은 함께 논의되는 경향이 있다(Urban, 2008). 1990년대부터 대부분의 직업에서 전문성이라는 용어를 사용하기 시작하였고, 보육분야도 예외는 아니었다. 이에 보육관련 연구자와 실천가들이 보육을 전문화하려는 노력이 시작되었다.

전문직, 전문가, 전문성과 전문화의 의미를 다음과 같이 정리할 수 있다(Evetts, 2003). 전문직(profession)은 지식에 기반을 둔 직업들의 범주를 말한다. 전문직을 수행하기 위해서는 대개 고등교육 및 직업적 훈련과 경험이 필요하다. 현대 사회의 생활에서 불확실성과 관련된 일을 다루기 위한 구조적, 직업적, 제도적 방식으로 전문직을 구분하기도 한다. 전문직은 출생, 생존, 신체건강과 정신건강, 분쟁 해결과 법률에 근거한 사회의 질서, 재정과 신용정보, 교육적 성과와 사회화, 물리적 구조물과 건축 환경, 군사적 수행, 평화유지와 안전, 엔터테인먼트와 레저, 종교, 다음 세계와의 협상과 밀접히 관련된다. 전문가(professionals)는 고객이나 서비스대상자들이 불확실성을 처리할 수 있도록 전문적인 지식을 사용해 위험에 대해 평가하고 위험을 다루는 일에 종사하는 사람들이다. 전문성(professionalism)은 전문직에 종사하는 전문가들이 지닌 특성, 행동, 태도, 가치, 신념, 지식 등을 의미한다. 이에 비해 전문화(professionalization)는 하나의 직업이 전문직으로서 그에 상응하는 가치를 승인받는 사회적 과정을 말한다. 전문성은 개인적 차원에 해당하고 전문화는 전체적인 직업에 대한 개념이다. 특정 직업에서 전문성과 전문화는 구분되는 개념으로 상호보완적 특성이 있다. 따라서 보육교사직이 전문직으로 잘 자리 잡기 위해서는 일정 수준의 전문성과 전문화를 모두 갖추어야 한다.

(1) 보육교사의 전문성 개념에 대한 담론

전문성의 개념은 시대나 학자마다 달라져 단일한 정의를 내리기는 어렵다. 따라서 전문성 개념에 대한 담론을 중심으로 알아볼 것이다. 담론(discourse)은 특정 주제에 대해 체계적으로 논의하는 것을 말한다. 예를 들어, 보육교사 관련 정책안의 경우, 정책에 대한 국가의 입장이 표현된 것이므로, 정책안을 통해 국가의 지배적 담론이 무엇인지를 추론할 수 있다.

보육교사의 전문성에 대해 국가수준에서, 학문분야에서, 보육현장 실천분야에서 형성되고 있는 담론에 대해 소개하고자 한다. 먼저, 국가수준의 보육교사 전문성 개념분석을 시도한 손흥숙의 연구(2015)를 찾아볼 수 있다. 이 연구에서는 1991년, 2004년의 「영유아보육법」과 2006년, 2009년 아이사랑플랜 정책을 해석해 보육정책에 명시되어 있는 보육교사 전문성 개념을 밝히고자 하였다. 정책안이 제시하는 보육교사의 전문성 향상 방안으로 보육교사의 자격강화, 급여수준 현실화, 근무환경 개선이 나타났으며, 이를 토대로 국가의 보육교사 전문성 개념에서 급여수준, 근무환경, 자격증을 중요한 요소로 분석하였다. 그 결과, 보육교사의 전문성은 첫째, 급여수준에서 사회복지종사자 수준으로, 둘째, 근무환경 수준에서 대체교사 인력지원과 특별수당, 초과근무 수당 등을 지급받는 대상으로, 셋째, 자격의 수준에서 국가가 평가 관리하고 표준화된 교육을 가르치는 것을 특성으로 한다고 보았다.

학문분야에 발표된 국내 연구들을 고찰해 보육교사의 전문성을 탐색한 연구(오채선, 2011)에서는 보육정책 변화와 관련해 보육교사의 전문성 내용도 변화되었다고 지적하였다. 또한 유아교사 전문성 연구들을 기초로 살펴볼 때 전문성을 높게 인식한 교사, 잘 가르치는 교사, 자발적으로 학습할 수 있는 교사를 전문성이 있는 교사로 보는 것으로 나타났고, 추후 갖추어야 할 전문성 신장 방안으로 도덕적으로 가르치기, 철학적으로 생각하기, 소통을 위해 개방적으로 협력하기를 들었다. 국외 연구동향을 분석한 연구(임민정, 2020a)에 따르면, 영유아 교사 전문성에 대한 이론 연구들은 전문성 담론에 내재된 애착과 돌봄 이론을 주로 검토하였고, 전문성을 규정하는 구성요인에 사랑, 열정, 돌봄 등의 정서적 속성과 윤리의식이 포함되어야 한다고 결론지었다.

보육현장 실천분야에서 보육교사와 부모들을 대상으로 전문성의 의미를 살펴본 연구(김양은, 2018a)에서는 보육교사의 전문성 요소로 6개의 대주제를 도출하였다. 여기에는 보육교사직을 전문직으로 인식하고 전문인으로 자각하는 것, 업무에 대해 갖는 태도, 필요한 지식과 기술을 이용한 의사결정, 기관과 교실운영, 보육에 관한 전문이론과 지식 보유, 사회적 인정과 사회봉사성이 포함되었다. 또 다른 연구(임민정, 2020b)에 따르면, 보육교사는 영유아의 개별적 요구를 수용하고 애정과 민감한 돌봄을 제공하는 전문가로 인정되었고, 일상에서 경험되는 부모와의 마주침을 통해 함께 소통하며 노력하는 조력자로서 논의되었다. 하지만, 원격교육 등 보육교사 자격취득의 용이함으로 인해 서비스종사자로서의 전문성이 거부되는 한계가 드러나기도 했다.

이러한 전문성 담론들은 보육교사의 전문성을 신장하기 위한 방안으로 이어진다. 하나의 방안은 국가주도의 전문성 강화정책을 적극적으로 수용하는 것이다. 국가정책상 보육교사의 전문성 개발을 위한 안내와 지침을 전문가로서의 지위를 향상시키는 데 적극적으로 활용하는 것을 의미한다. 이는 국가가 제시하는 표준이나 규제를 전문가로서의 자질을 형성하는 데 필요한 전문적 지식과 기술의 집합체로 보는 견해를 바탕으로 한다. 하지만, 국가의 전문성 개념이 수행성, 자격강화와 지위향상, 표준화 등을 강조함으로써 보육교사의 전문성에서 중요한 사랑, 헌신, 열정 등과 같은 정서적 요소를 배제하여 보육 고유의 특성을 과소평가할 수 있고, 학력주의와 계층화를 초래하며 보육교사의 자율성을 제한해 결과적으로 보육교사를 통제하게 된다는 우려도 나타난다(손흥숙, 2013). 나아가, 국가 중심의 보육 전문성 강조는 사회경제적 필요성에 기인한 것이므로, 사회경제적 상황이 바뀌면 보육의 전문성에 대한 관심이나 방향이 달라질 수 있다. 따라서 단순히 국가수준의 전문성 표준을 따르는 것을 넘어 보육교사 집단 내부에서 전문성과 역량을 키워 정부와 협상할 수 있는 능력을 갖추어야 한다.

실천현장에서 보육교사 내부로부터의 전문성 담론을 바탕으로 한 전문성 신장 방안은 다음과 같다(임민정, 2020b). 첫째, 객관적 지표 위주의 전문성 담론에서 경시되었던 돌봄과 관계성의 정서를 보육교사의 근본적 실천덕목으로 강조하고, 비판적 성찰을 통해 돌봄 윤리를 강화해야 한다. 현직교육이나 교사양성과정에서 보육교사의 정서적 역량을 강화하고 부모상담 등 의사소통 기술을 높이는 전문성 강화방안이 필요하다. 둘째, 모성이나 육아경험은 특히 미혼의 영아보육교사의 전문성 승인을 제한하는 선입견으로 작용하기도 하므로, 모성이 보육교사의 전문성 수행과 관련된 실존적 요소로 제고되어야 하는지 아니면 견제되어야 하는지의 문제에 관해 심도 있는 논의가 필요하다. 셋째, 평생교육 차원에서 제공되는 원격학습 보육교사 자격취득제도의 순기능 및 역기능에 대한 비판적 검토가 필요하다. 단기 원격교육으로 양성되는 보육교사의 전문성에 대한 불신은 보육교사 전문성 제고 및 처우개선을 제한하는 역기능이 있으므로 평생교육을 담당하는 교육부와의 정책적 조율이 필요하다.

(2) 보육교사직의 전문화

보육교사의 전문성(professionalism)이 주로 보육교사가 수행하는 일의 성격이나 질의 특성에 관심을 갖는 것이라면, 전문화(professionalization)는 보육교사직을 높은 수준의 역량을 갖춘 직업으로 변화시키는 사회적 과정에 관심을 갖는 것이다. 예를 들어, 다른 직업과 구분되는 상당한 정도의 자율성을 가져야 한다거나 장기간의 대학교육을 거쳐야 한다는 것 등을 들 수 있다. 종사자들의 전문성이 있다고 반드시 전문화된 것이 아니고, 직업이 전문화되었다고 종사자들이 항상 전문성을 지닌 것도 아니다. 하지만, 종사자들이 전문성이 있어도 해당 직업이 전문화되어 있지 않으면 종사자들의 활동이 제한받기 쉽다. 반면 전문화가 되어 있으면 전문성이 미흡한 종사자들도 노력에 의해 전문성이 강화될 수 있다. 따라서 보육교사직이 전문직으로 자리 잡기 위해서는 보육교사 집단 내부로부터 전문성뿐 아니라 전문화에 대한 노력이 수반되어야 한다.

국가정책, 학문분야, 보육현장의 실천가들 차원에서 영유아보육 전문화와 관련된 특성을 살펴보면 다음과 같다(Havnes, 2018). 국가정책 차원에서 전문화 과정은 보육관련 규정의 구체화와 직결된다. 세계 여러 나라에서 영유아보육에 대한 정치적 관심이 증가함으로써 영유아보육은 법에 규정된 가이드라인의 대상으로 변화되어 왔다. 예를 들어, 영국의 경우, 영유아 전문가 지위를 인정받기 위해서는 지식과 이해, 효과적 실천, 아동과의 관계, 영유아 가족이나 양육자와의 의사소통 및 협업, 팀워크와 협동, 전문성 발달을 포함하는 여섯 가지 범주의 기준을 충족시켜야 한다. 이들 여섯 가지 범주에는 총 39가지의 국가 기준이 구체화되어 있다. 국가정책차원에서 영유아보육에 대한 규정이 구체화되었고, 이러한 내용을 전국적 커리큘럼, 강화된 규칙, 기관 관리, 보육의 질 기준, 의무 체계와 문서화 등에서 찾아볼 수 있다. 이를 통해 영유아보육이 무엇인지, 영유아보육의 목적이 무엇인지가 명확해지고, 하향식 통치 및 관리의 범위가 증가하게 되었다. 즉, 강도 높은 정책적 관여는 정책과 실천 간의 위계적 관계를 나타내는, 위로부터의 전문성을 강화하게 된다.

학문분야 차원에서 보육의 전문화는 보육의 질이나 연구체계에 관한 것이다. 즉, 학문분야 보육의 전문화에는 학술적 지식과 전문적 조사가 강조되는 반면, 실천적 기술이나 개인적 경험은 크게 중시되지 않는다. 학문분야에서 지식이 학술적 연구나 전문적 논쟁을 통해 만들어지고, 전문적 준비나 훈련을 통해 전달되고, 실제 수행에 적용된다고 가정한다.

보육현장의 실천가들 차원에서 자신의 전문적 지식과 기술을 명확히 하고 이를 연구에서 추구하도록 만드는 작업도 증가하고 있다. 이러한 실천가들의 주도적 노력으로 나타나는 전문화는 상향식 과정(bottom-up process)으로, 전문화가 전문적 환경 내 전문적 학습과 발달에 따라 진행된다. Oberhuermer(2005)는 이를 '민주적 전문성(democratic professionalism)'이라고 칭한 바 있는데, 여기서는 전문가인 동료들과 기타 이해 당사자들 간의 협력적 행동이 중요시된다.

종합하면, 영유아보육 전문성과 관련된 사회적 과정인 전문화는 정책, 연구, 보육실천 간 삼원 관계로 나타낼 수 있다(Havnes, 2018). 〈그림 12-1〉에는 이들 삼원 체계와 핵심 요소가 제시되어 있다. 정책 차원에서는 평생 학습, 사회적 통합, 개인적 발달, 이후 고용가능성을 증진시키는 수단으로서 보육서비스 제공을 강조한다. 이는 단기간 또는 장기간의 사회경제적 결과를 가져오는 수행과도 관련된다. 연구 차원에서는 다양한 훈련 분야에서 전문적 실천을 위한 인지적 토대와 수행을 강조하면서 인지적 지식, 이론화, 반성적 사고와 비판적 사고를 우선시하는 경향이 있

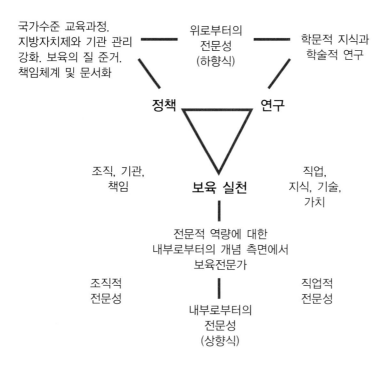

<그림 12-1> **영유아 교육 및 보육 전문가 삼원 체계와 핵심 요소**

출처: Havnes, A. (2018). ECEC Professionalization-challenges of developing professional standards. *European Early Childhood Education Research Journal*, *26*(5), p. 658. Figure 1 수정.

다. 보육 실천 차원에서는 아동과 상호작용하는 지역 기관의 실제, 교육적 리더십, 부모와의 관계, 전문적 기술이 중요시된다. 서비스대상자에 대한 수행, 동료들, 지역에 관한 지식과 실천을 강조한다.

각각의 입장은 사회적 지위, 서열, 권위의 측면에서 차이가 있다(Havnes, 2018). 즉, 정치가나 관리자, 연구자, 보육실천가가 보육 제공의 사회적 체계 안에서 대등하지 않다는 것이다. 삼원 체계 내에서 의제를 정하고 의사결정을 하는 데 있어 보육실천가들은 상당히 약한 요소로 볼 수 있다. 그래서 지금까지 보육교사와 같이 현장에서 직접 실제로 보육을 수행하는 실천가들의 주장이 보육의 질과 전문성 기준을 만드는 데 미미한 기능을 해 왔다. 자신이 하는 일에 대해 전문가적 자율성이나 통제의 정도가 낮은 것은 전문성의 개념과 부합하지 않는다. 따라서 보육교사들이 전문가적 독립성을 주장하기 위해서는 보육 체계 내의 상대적으로 약한 위치를 벗어나야 한다. 이를 위해 보육교사를 포함한 보육 실천현장의 전문가들은 집합적인 전문가적 의제를 통해 자신들의 역량, 우선순위, 전문가적 가치를 분명히 하고 스스로의 목소리를 낼 필요가 있다.

보육교사직의 전문화 과정에서 보육현장 실천가들의 관점을 강화시키는 방안의 하나로 보육교사 집단 내부에서 영유아보육의 전문적 기준을 제안하려는 시도나 노력을 들 수 있다. 일례로, Havnes(2018)의 연구에서 보육기관의 교사들을 대상으로 영유아보육의 전문적 기준을 도출하고자 하였다. 그 결과, 네 가지의 중요한 기준으로 '아동을 우선시하는 것, 교육적 실천을 이끄는 것, 큰 조직으로 발전시키는 것, 전문성을 증진시키는 것'이 제시되었고, 각 기준과 관련된 하위 주제들도 도출되었다(〈표 12-7〉 참조). 이러한 예는 현장의 보육교사들이 영유아보육의 전문적 지식, 기술과 가치의 핵심적 측면들을 명확히 표현하고 설명할 수 있는 역량이 충분히 있다는 것을 보여 준다. 따라서 전문성을 갖춘 보육실천가들이 보육 현장의 토대에서 이해당사자들 간의 협업을 바탕으로 보육의 전문적 기준을 도출하고자 하는 노력이 지속되어야 할 것이다.

〈표 12-7〉 현장의 교사들이 도출한 영유아 교육과 보육(ECEC: Early Childhood Education and Care)의 전문적 기준과 주제

ECEC 교사는 영유아를 우선시한다.	ECEC 교사는 교육적 실천을 선도한다.	ECEC 교사는 조직을 발전시킨다	ECEC 교사는 ECEC의 전문성을 증진시킨다.
ECEC 교사는 • 놀이를 우선시한다. • 영유아를 옹호한다. • 우정, 소속감, 공평성 발달을 촉진한다. • 배려심 있고 정서적으로 접근하기 쉬운 성인이 있는 학습 환경을 구축하고 유지한다.	ECEC 교사는 • 확실하고 민주적인 교육적 리더의 역할을 한다. • 교육적 작업을 계획한다. • 모든 종사자들과 함께 작업한다. • 발달적 접근방식을 취한다.	ECEC 교사는 • 조직 전체의 발전을 위해 애쓴다. • 조직 내 ECEC교사 협의회에 관여한다. • 영유아보육 실제의 발전에 체계적으로 작업한다. • 정책관련 서류를 적극적으로 다룬다. • 조직에 대해 효과적 관리를 수행한다.	ECEC 교사는 • 자신의 전문적인 책임을 다한다. • 상황을 처리하는 데 전문적 접근법을 취한다. • 영유아의 이익을 위해 다른 분야의 전문가들과 협력을 확립하고 유지한다. • 부모들을 참여시킨다.

출처: Havnes, A. (2018). ECEC Professionalization-challenges of developing professional standards. *European Early Childhood Education Research Journal*, 26(5), p. 666.

2) 보육교사의 전문성 발달

영유아 보육교사의 전문성 발달(professional development)은 영유아의 발달을 증진시킬 수 있도록 교사들의 전문적 지식, 기술, 태도 등을 향상시키는 교육이나 훈련의 과정을 의미한다. 지속적인 전문성 발달은 보육현장에서 양질의 전문가로 생각하고 사고하는 데 기여하는 모든 학습을 의미한다고도 볼 수 있다. 교사의 배움이 지속된다는 점을 인정한다는 측면에서 전문성 발달을 전문적 학습(professional learning)이라고 표현하기도 한다.

(1) 전문성 발달의 목적

장기적이고 간접적인 측면에서 볼 때, 보육교사 전문성 발달의 궁극적인 목적은 영유아의 인지적, 상호작용적, 사회정서적, 행동적 영역의 발달을 증진시키는 것이다(Guskey, 2001). 그렇기 때문에 영유아의 발달결과는 전문성 발달 노력이 성공적이었는지를 평가하는 잣대가 될 수 있다. 보다 단기적이고 직접적인 측면에서 볼 때, 보육교사의 전문성 발달에서는 다음 두 가지 중요한 목적을 달성하고자 한다(Sheridan, Edwards, Marvin, & Knoche, 2009).

첫 번째 목적은 보육교사들이 영유아를 보육하고 영유아의 가족을 지원하는 데 필요한 지식, 기술, 성향, 실행을 증진시키는 것이다. 보육 실천가의 지식(practitioner knowledge)은 사실, 개념, 아이디어, 어휘, 교육적 문화와 관련된 측면과 최선의 실행에 대한 것으로 구성된다. 기술(skills)은 관찰이 가능하거나 쉽게 추론이 가능한 행동 단위들로 구성된다. 직접적 지도, 모델링, 모방, 시행착오, 발견 등의 방법을 통해 기술을 습득한다. 또한 피드백, 지도, 실행, 반복연습, 지속적 사용을 통해 기술을 수정하거나 증진시킨다. 성향(dispositions)은 의식적이고 자발적으로 자주 나타내는 행동 패턴의 일반적 경향을 말한다. 성향에는 기술을 사용하고 적용하고자 하는 동기가 포함되고, 보다 광범위하다는 면에서 기술과는 구분이 된다. 지식과 기술, 성향을 표적으로 하는 전문성 발달 노력은 영유아 및 가족과의 상호작용, 의미 있는 학습 환경을 구성하고자 하는 노력, 특정 집단의 영유아를 위한 구체적 교육과정이나 교수전략의 사용, 특정 행동들이나 의미 있는 목표의 사용 등을 증진시킨다.

두 번째 목적은 보육교사 개인과 보육 체계에서 지속적인 전문적 성장을 위한 문화를 촉진하는 것이다. 교사들이 자발적으로 일정 수준의 질을 유지하고 성장을 이끌어내는 활동에 참여하도록 보육교사 개인과 체계를 향상시켜서 양질의 전문적 보육실행이 지속되도록 하는 것이다. 이는 보육현장에서 효과적인 서비스를 제공하고 보육교사로서 지속적 성장과 발달을 촉진할 책임이 바로 보육교사 스스로에게 있다는 점을 시사하기도 한다. 전문성 발달의 초기 단계는 주로 '외부로부터 들어오는 과정'이 된다. 동료나 장학사, 코치, 혹은 컨설턴트의 언어적 조언, 강의, 시연 등을 통해 전해지는 형태로, 외부적 권위로부터 행동 변화나 전문적 성장을 위해 필요한 정보가 생기게 된다. 하지만, 전문성 발달의 후기 단계는, 이상적으로는, '내부로부터 나가는 과정'으로 진일보한다. 즉, 보육교사 개인들이 최신의, 최선의 실천에 대한 연구와 동료들과의 협업으로 성찰을 바탕으로 한 개인적 목표를 설정함으로써 스스로 지속적 성장과 개선을 주도하는 책임을 유지하는 과정이 된다.

(2) 전문성 발달의 방식

영유아보육 분야에서 교사의 전문성 발달을 위해 주로 사용하는 방식으로 정규교육, 자격인증, 재직 중의 직무교육, 코칭이나 상담 상호작용, 실천공동체 혹은 동료 연구 모임 등을 들 수 있다. 이들 중 정규 교육이나 자격인증 등은 보육교사직에 진입하기 전에 거치게 되는 과정이다. 여기서는 현장의 보육교사들을 대상으로 한 전문성 발달에 중점을 두고자 하므로, 직무교육, 코칭이나 상담, 실천공동체 방식을 중심으로 설명할 것이다(Sheridan, Edwards, Marvin, & Knoche, 2009).

먼저, 직무교육(specialized training)은 재직 중인 교사에게 직무수행을 위한 구체적 기술교육이나 기술구축 콘텐츠를 제공하는 것으로, 영유아 프로그램에 전문화된 활동들이다. 이들은 정규교육 체계 밖에서 수행된다. 직무교육은 지식과 정보를 전달해 전문적 실행에 영향을 미치고자 하는 시도로, 워크숍, 회의, 현직 발표, 온오프라인 강의나 토론, 비디오 시연, 행동 예행연습, 안내서, 개인지도 등 다양한 방식으로 진행된다. 유사한 형태의 방식이 정규교육인 예비교사 훈련에서도 사용되지만, 현직 보육교사들을 대상으로 하는 훈련은 상대적으로 기간이 더 짧고, 교수자와의 접촉 기회가 제한적이다. 현직교사를 대상으로 하는 대부분의 훈련 프로그램은 보육교사집단에게 일반화된 지식과 정보를 제공하는데, 보육현장 실행에 대한 피드백이나 후속 지도는 상당히 제한적이다. 교육을 진행하는 사람은 보통 정보를 가지고 있는 전문가이고, 교육을 받는 사람은 지식과 기술을 획득하고자 하는 신임 학습자로 간주된다. 전형적인 방식은 교육을 진행하는 사람과 교육을 받는 사람 간의 짧은, 일회성의 접촉으로, 교육을 진행하는 사람에게서 교육을 받는 사람에게로 일방향적으로 정보가 전달된다. 직무교육 시 습득한 새로운 기술이나 법칙을 가상적 예시 상황이나 참여교사가 말하는 보육환경에 적용하는 연습이 가능하지만, 그런 상황이 교육을 받는 교사들 모두에게 익숙한 상황이기는 어려우며, 연습의 지속시간도 상당히 짧고 강도도 낮은 편이다.

다음으로, 코칭은 높은 수준의 전문성 발달을 위한 방식으로 활용될 수 있다. 코칭(coaching)은 보육교사가 전문성을 갖춘 다른 보육교사에게 새로운 지식이나 기술을 배우고자 할 때 보육전문가들 사이에서 발생하는 자발적, 협력적, 동반자적 관계라고 볼 수 있다. 코칭에서는 보육교사의 학습이나 영유아별 중재 혹은 교수전략적용을 개선시키는 데 중점을 둔다. 영유아 보육맥락에서 코칭의 핵심 요소로 증거기반의 기술 발달과 바람직한 기술 적용의 강화를 들 수 있다. 보육환경의 코칭에는 독립적 관찰이나 공유된 관찰, 활동들(시연, 안내가 있는 실행), 자기성찰, 피드백, 코칭과정 및 관계에 대한 평가가 포함된다. 이러한 과정에서 보육교사의 행동, 태도, 경향을 효과적으로 변화시키기 위해서는 상당 기간의 지속적이고 빈번한 상호작용이 필요하다.

상담(consultation)은 코칭과 밀접히 관련된다. 보육현장의 상담에서 컨설턴트는 즉각적 관심사나 바람직한 목표를 위해 체계적 문제해결, 사회적 영향력, 전문적 지원책을 통해 보육교사가 자신의 서비스 대상자들에게 전문가로서의 책임을 다하도록 지원하는 데 중점을 둔다. 코칭과 유사하게, 컨설턴트와 학습자인 교사 간 접촉 빈도는 상담 초기 단계에는 높다. 시간이 지나면서 교사가 영유아보육 환경에서 사용하는 전략을 획득하고 시연하는 데 보다 능숙해질수록 접촉빈도가 점차 줄어든다.

끝으로, 실천공동체(communities of practice)가 있다. 훈련과 코칭은 상대적으로 단기간에 소규모의 학습을 위해 사용된다. 실천공동체는 영유아 보육현장과 영유아 중재분야에서 보다 널리 사용되고 있는, 지속적인 전문성 발달의 형태이다. 실천공동체는 공통의 전문적 관심사와 참가자들의 지식, 통찰력, 관찰을 서로 공유함으로써 특정 분야에서의 실행력을 증진 시키고자 하는 바람을 토대로 하는 개인들의 모임이다. 실천공동체는 학교맥락이나 영유아 보육프로그램 등 다양한 환경에서 전문성 발달을 지원하는 데 사용되어 왔다. 이들 집단에는 특정 회원들, 위탁기관의 교사들이나 외부 촉진자들이 포함될 수 있다. 실천공동체 회의에는 숙련된 조력자(expert facilitator)가 필요하다(Kennedy, 2004). 숙련된 조력자는 보육 관련 경험과 실제적 지혜를 가지고 집단에서 질문을 하고, 아이디어들을 구축하고 연결하며, 핵심 사항을 확장하고, 유용한 자원이나 경험을 제공하며, 과제에 집중하도록 돕는 역할을 한다. 실천공동체에서는 숙련된 조력자와 참가자들 사이에 정보가 오고 가므로, 실천공동체에서의 관계는 양방향적이라고 볼 수 있다. 대면방식 혹은 전자적인 방식의 가상공간에서 열릴 수 있는 회의에서 참가자들은 자신들의 실제 현장에서 도출된 쟁점, 문제, 성공사례를 다루는 데 중점을 둔다. 따라서 실천공동체 회의 경험은 참가자들과 밀접한 관련이 있고, 이후 현장에 적용하는 것을 가능하게 한다. 실천공동체의 많은 집단에서는 참가자들의 반응을 유발하고, 참가자들이 질문하고 브레인스토밍하도록 이끌기 위해 공식적 프로토콜을 사용한다. 실천공동체의 목적은 연구와 현장실행 간의 격차를 줄이고 자체적으로 유지가 가능한 이해당사자들의 네트워크를 만드는 것이다. 과학자들의 연구결과와 실천가들의 경험적 지식을 통합하여 영유아보육의 질을 증진시키는 데 중점을 둔 네트워크를 만드는 것이다.

이들 전문성 발달 방식은 달성하고자 하는 세부 목표가 무엇인지를 충분히 고려해 선택하는 것이 좋다. 여러 연구결과를 종합해 직무교육의 효과를 분석한 바에 따르면(Fukkink & Lont, 2007; Joyce & Showers, 2002), 직무교육은 실제 영유아 교사들의 태도, 지식, 기술을 포함해 교사의 역량을 증진시키는 것으로 나타났다. 보다 효과적인 직무교육은 교육 중 핵심기술을 실행하는 기회를 제공하거나 새로운 기술을 실행한 것에 대한 피드백을 제공하는 것이었다. 따라서 새로운 기술에 대한 행동적 리허설(예: 역할극)과 개별적 피드백은 전문성 발달 노력에서 중요한 측면이다. 보다 구체적으로, 교육의 목적이 지식습득인 경우, 시연, 실행, 피드백을 정보와 같이 제공하면, 정보만 제공하는 경우보다 교사들의 지식이 많이 높아졌다.

영유아 교사들의 수행력에 대한 피드백, 체계적인 계획 발달과 실행에 대한 장학, 지속적인 도전과 의사결정을 위한 지원에 코치나 컨설턴트를 이용하는 것도 유익한 것으로 나타났다(Ager & O'May, 2001). 실천공동체는 실제 현장의 실천에서 지속적인 변화를 일으키는 데 영향을 미친다(Wesley & Buysse, 2006). 영유아 보육분야에서 실천공동체의 적용과 결과를 살펴본 연구가 많지는 않으나 수행된 연구들(Greene, 2004; Taylor, Pearson, Peterson, & Rodriguez, 2005)은 실천가들의 신념과 실행을 변화시키는 데 있어 관련 인력들의 협업이 유익하다는 것을 강조한다.

(3) 효과적인 전문성 발달의 특성

영유아 환경에서 교수법과 영유아 학습에 관련된 자료들을 검토한 Mitchell과 Cubey(2003)는 효과적인 전문성 발달 혹은 전문적 학습의 특성을 다음 여덟 가지로 정리했다.

전문성 발달은 참가자들의 염원, 기술, 지식, 이해를 학습이 일어나는 맥락으로 이끌어 낸다.	전문성 발달은 참가자들의 염원, 기술, 지식 및 이해를 바탕으로 하며 참가자들이 학습이 일어나는 맥락을 인식하도록 한다. 프로그램들에서 새로운 아이디어를 소개하고 참가자들이 자신의 경험과 견해를 단순히 받아들이지 않고 이에 대한 의문점을 제기할 기회를 제공하는 것이 시발점이 된다.
전문성 발달은 이론적 지식과 내용 지식, 대안이 되는 실행에 대한 정보를 제공한다.	효과적인 교수법에 관련된 이론 및 내용 지식을 제공한다. 이것은 공동 구성학습, 비계, 그리고 학습성향과 같은 일반적인 영역과 초기 문해능력, 수학과 과학의 이해, 창의성과 같은 특정한 영역에 대한 것이다. 내용 지식은 교육학적 지식과 통합된다. 이론 및 내용 지식은 참가자의 지식 기반을 확장한다. 대안이 되는 실행에 대한 정보와 지식을 제공한다.
참가자들이 자신의 보육환경 내 교수법에 대해 연구하게 만든다.	프로그램에서 참가자들이 속한 보육환경의 실제 사례에 대해 연구하도록 한다. 행동 연구(action research)와 같은 방법이 유용하다. 자신이 속한 환경(예: 상호작용과 행동) 내 문제를 연구하도록 하는 것은 참가자들이 자신들에게 중요한 문제나 자신의 교육적 실행을 증진시키는 문제에 대해 연구하도록 독려하게 된다. 외부의 전문성 발달 조력자나 연구자가 이러한 연구를 지원한다.
참가자들은 자신이 속한 보육환경의 자료를 분석한다. 부합하지 않는 자료를 찾아내는 것은 이를 개선시키는 하나의 기제가 된다.	개인의 추측과 이해를 개선하는 데 기여하는 핵심 과정은 참가자가 속한 보육환경에서 "부합하지 않는 자료를 밝혀 놀라움을 자아내는 것"이다. "행동에서의 교수법"을 밝히는 이해 가능한 자료들과 타인의 견해는 이러한 연구에 도움이 된다. 유용한 자료 수집 방법으로 비디오/오디오 녹화, 관찰법, 질문 조사, 학습 평가 등이 있다. 전문성 발달 프로그램이 자료 수집 및 분석을 지원한다.

참가자들이 자신이 추정한 것에 의구심을 갖고 조사하며 자신의 사고를 확장할 수 있도록 만드는 비판적 성찰은 핵심적 측면이다.	비판적 성찰(critical reflection)은 교사나 교육자가 자신의 추측에 도전하고 연구하는 것을 수반한다. 이는 다시, 통찰력과 사고의 전환을 장려하게 된다. 비판적 사고는 특히 인종, 사회경제적 지위, 아동연령, 성별, 부모의 지식과 관련된 결함이 있는 관점에 도전하는 데 있어서 중요하다. 비판적 성찰을 장려하는 상황은 다음과 같다. ① 동료, 전문성 발달 조언가, 부모, 아동 등 타인의 견해를 접하는, 타인과의 협력 상황. ② 심도 있는 이론적 이해나 상이한 이론적 이해를 사용할 때. ③ 저널이나 일기 등을 통한 자신의 사고에 대한 사고를 할 때.
전문성 발달은 다양한 영유아나 가족들을 포괄하는, 교육적 실천을 지원한다.	전문성 발달은 다양한 영유아나 가족들을 그 대상으로 포괄하는 실행을 지원한다. 보육환경 내에서 각각의 영유아들이 보이는 역량과 기술을 이해하고 가치 있게 여기고 확장하는 교수법에 중점을 둔다. 참가자들이 영유아의 경험과 학습에 대해 잘 알고 이를 확장할 수 있도록 가족들과 긴밀하게 협력하도록 지원한다. 포괄적 실천을 지원하는 전문성 발달은 참가자들이 영유아와 주변사람들 간의 관계를 면밀히 관찰하여 얻은 데이터를 분석하고 평가에 사용하며 차별화된 커리큘럼을 제공하도록 돕는다.
전문성 발달은 참가자들이 교육적 실천, 신념, 이해, 태도를 바꾸도록 돕는다.	전문성 발달은 교육적 상호작용의 가시적인 변화와 연관되어 있고, 이것은 다시 보육환경 내 영유아의 학습과 관련된다. 전문성 발달은 참가자들이 교육적 실천, 신념, 이해, 태도를 바꾸도록 돕는다. 참여자들이 공평한 사회를 가로막는 아이디어와 관행을 조사하도록 장려한다. 참가자들은 집단이나 개인의 권한을 빼앗거나 제한하는 방식에 대해 인식하게 될 수도 있다.
전문성 발달은 참여자들이 자신의 사고, 행동, 영향력에 대해 인지할 수 있도록 돕는다.	전문성 발달은 참여자들이 자신에 대한 인식과 통찰력을 발달시키고 교육자로서의 역할이 갖는 힘을 제대로 인식하도록 돕는다.

3. 보육교사의 전문성 과제

직업으로서 보육교사직의 큰 장점 중 하나는 잠재력이 풍부한 영유아들의 발달을 가까이에서 지원하며 이들의 성장을 통해 내적 보람을 느낄 수 있다는 것이다. 즉, 영유아와 함께하고 이들의 성장을 지켜보는 것 자체에서 보육교사직의 수행에 대한 보람과 자긍심을 경험할 수 있다. 나아가 개개 영유아의 바람직한 발달과 성장은 추후 그 사회의 구성원으로서, 중요한 인적 자원으로서의 가치 및 역할수행으로 이어진다는 측면에서 보육교사의 역할이 중요함을 알 수 있다. 이러한 중요성에 대해 보육교사 개인 차원의 인식과 노력뿐 아니라 사회구성원들의 공감대가 형성되고 정책적 지원이 합해진다면 보육교사가 전문적 직업으로서 자리 잡을 수 있을 것이다. 여기서는 보육교사직이 전문직으로 확립되기 위해 필요한 노력과 구체적 과제에 대해 알아보고자 한다.

1) 개인수준의 과제

전문가적 자질과 위상을 갖춘 보육교사로 발전하기 위해 가장 먼저 노력해야 할 사람들은 보육교사 자신이다. 즉, 보육교사 스스로 전문성을 신장하기 위해 전문가로서 보육교사가 지닌 중요성을 인식하고 역할 수행을 위해 요구되는 태도와 자질, 능력을 갖추기 위해 지속적으로 노력해야 한다. 어느 직업이건 자격증을 막 취득해서 해당 직종에 입문한 사람들을 숙련된 전문가로 간주하지는 않는다. 자격증은 해당 직종의 업무를 수행함에 있어서 요구되는 최소한의 능력을 갖추었다는 것을 의미한다고 볼 수 있다. 한 개인이 보육교사가 되기 위한 교육과정을 이수하고 자격증을 취득했다는 것은 보육교사로서 필요한 최소한의 조건을 갖추었다는 것으로 해석할 수 있을 것이다. 다시 말해, 자격증 취득이 전문성을 갖춘 양질의 보육교사임을 나타내는 것은 아니다. 전문성을 갖춘 양질의 보육교사가 되기 위해서는 먼저 보육교사 스스로의 직업에 대한 책임 있는 인식과 지속적인 계발 노력, 다양한 현장 경험, 효율적인 의사소통을 바탕으로 한 적절한 관계 형성, 지속적인 전문적 학습 등이 요구된다.

(1) 직업적 책무 인식과 수행 노력

다음은 양질의 보육과 교육을 수행하기 위해 모든 영유아 보육교사들이 전문가로서 잘 인식해야 하고 수행할 수 있어야 하는 것이 무엇인지를 요약해 놓은 것이다(NAEYC, 1993).

- 영유아발달에 대해 이해하고 이러한 지식을 실제 보육에 적용할 수 있어야 한다.

- 영유아의 행동을 관찰하고 평가해 보육과정 및 방법을 계획해야 한다.
- 영유아에게 안전하고 건강한 환경을 만들고 이를 잘 유지해야 한다.
- 영유아의 사회적, 정서적, 인지적, 신체적 유능성 등을 포함해 발달과 학습의 전 분야를 증진시킬 수 있도록, 영유아에게 발달적으로 적합한 보육과정을 계획하고 수행해야 한다.
- 영유아와 지지적인 관계를 형성하고 영유아 지도와 집단 관리에 있어 발달적으로 적합한 기법을 실행해야 한다.
- 영유아의 가족과 긍정적이고 생산적인 관계를 형성하고 유지해야 한다.
- 개개 영유아는 가족, 문화, 사회적 맥락을 고려할 때 가장 잘 이해될 수 있다는 것을 인식하고 개개 영유아의 발달과 학습을 지원해야 한다.
- 전문적인 영유아보육에 대해 이해하고 전문가적 입장에서 이를 잘 수행해야 한다.

영유아 보육전문가로서 앞서 제시한 이러한 요소들을 효과적으로 실행하기 위해 보육교사들은 영유아 및 아동의 발달과 관련된 지식과 능력을 갖추어야 한다. 각 연령대의 영아 및 유아의 특성, 발달적 문제나 학습 문제를 보이는 영유아의 특성, 다양한 배경의 영유아들이 가진 특성 등에 대해서도 충분한 지식이 필요하다. 이러한 전문적인 지식이나 기술을 획득하기 위해서는 보육현장에서의 실습이나 보육경험 및 고도의 전문성을 갖춘 선임 전문가의 지도나 장학이 필요하다. 예를 들어, 어느 한 연령대의 영유아만을 지도하는 것이 아니라, 영아반 교사, 3세 유아반 교사나 4세 유아반 교사로서의 역할을 수행하는 것과 같이 다른 연령대의 영유아를 직접 보육하는 경험을 통해 보육전문가로서 요구되는 지식과 기술을 획득할 수 있다.

또한 보육교사들이 영유아 보육전문가로서 자리 잡기 위해서는 영유아와의 관계뿐 아니라 영유아의 부모나 동료 보육교사들, 영유아 보육관련 전문가 및 단체들과 생산적인 관계를 형성하고 유지할 수 있어야 한다. 영유아의 부모나 가족들과 효과적으로 의사소통할 수 있고, 보육 전문가집단의 한 구성원으로 효율적으로 일할 수 있으며, 영유아의 발달이나 학습, 복지를 지원하는 다른 전문가나 단체들과 잘 의사소통할 수 있어야 한다.

(2) 지속적인 학습 노력

　　보육교사직에 진입한 후, 보육전문가로서의 소양을 갖추고 유지하는 데는 현장 경험뿐 아니라 보다 심화된 지속적인 교육을 받는 것도 매우 중요하다. 전문적 직업의 발달은 계속해서 진행 중인 과정이어야 하므로, 보육교사는 이미 습득해 수행하고 있는 직업적 지식이나 기술에 새로운 것들을 추가하여 수행능력을 지속적으로 발전시킬 수 있어야 한다. 특히 오늘날과 같이 급변하는 사회나 직업 환경의 변화를 고려할 때 자신이 속한 직업 환경에서 계속해서 학습하는 것은 그 어느 때보다 중요하다고 볼 수 있다. 모든 직업분야의 지식이나 기술 등은 지속적인 연구를 통해 진일보하게 된다. 해당 분야의 최신 연구결과는 어떤 경우에는 현장의 경험을 통해 보육교사들이 이미 알고 있는 지식에 대해 과학적 증거를 제시해 주기도 하고, 어떤 경우에는 오랫동안 받아들여졌던 지식이 잘못된 것임을 알려주기도 한다. 따라서 어떤 분야의 전문가라면 자신의 직무에 영향을 미칠 수 있는 새로운 정보나 경향, 쟁점들에 대해 잘 알고 있어야 한다.

　　지속적인 학습의 형태는 상당히 다양하다. 보육교사는 이들 학습 기회를 통해 영유아보육과 관련된 새로운 지식과 기술을 습득할 수 있다. 다음 〈표 12-8〉은 보육교사가 자격을 유지하거나 승급을 위해 의무적으로 받아야 하는 보수교육을 제외한 계속된 학습의 형태에 대해 간략히 소개한 것이다.

〈표 12-8〉 **영유아 보육교사가 고려할 수 있는 지속적인 학습의 형태**

구분	종류
공식적 학습	• 대학이나 대학원에 입학해 학습 • 인터넷을 이용한 사이버 교육 수강 • 관련 전문가협회나 지역공동체 차원에서 제공하는 연수 참가 • 학회 참가
비공식적 학습	• 개인적 학습 • 자기 성찰 • 토론 집단 참여 • 인터넷 리스트서브를 통한 정보 구독 • 해당 분야 멘토와의 작업 • 보육관련 현장 내 경험 축적

보육교사가 직업적 전문가로서의 발달이나 성취를 위해 할 수 있는 공식적 학습 기회로 특수대학원이나 일반대학원 혹은 대학에 등록하여 학점과 상급 학위를 취득하는 경우를 들 수 있다. 학점을 취득하는 방식은 최근 온라인으로 사이버강의를 제공하는 고등교육기관이 늘어남으로써 선택의 폭이 더 넓어졌다. 학점 취득방식은 아니지만, 보육관련 전문가 단체나 협회 차원에서 특정 주제에 관해 제공하는 단기간의 연수나 세미나에 참여하는 방법도 있다. 또한 보육관련 학회에서 매년 개최하는 학술대회에 참석하는 것도 해당 분야의 최신 정보를 접할 수 있는 좋은 기회가 된다. 이처럼 공식적 방식으로 학습을 한 경우는, 학점을 취득하는 방식이건 이수증을 받는 방식이건 간에 보육교사가 이를 자신의 보육관련 이력에 추가할 수 있다.

보육교사가 비공식적으로 학습을 계속할 수 있는 기회도 다양하다. 개인적 학습이란 보육교사가 최신의 관련 문헌을 읽거나 하는 방식으로 자기 주도적으로 학습하는 것이다. 보육관련 전문가 단체의 일원이라면 관련 논문이나 서평, 최근의 쟁점들을 받아보게 되는데, 이러한 자료들을 살펴보고 공부해 자신이 관심을 가지고 있는 분야에 대한 지식을 심화하는 것을 말한다. 자기 성찰(self-reflection) 방식은 자신의 행동을 평가하고 분석하며, 새로운 기술을 적용하는 과정을 통해 학습하는 것을 말한다. 즉, 보육교사가 새로운 정보나 지식을 학습한 후, 자신이 현장에서 수행한 보육 경험을 고려해 새로운 정보나 지식, 기술을 현장에 적용하고자 하는 과정이 자기 성찰을 통한 학습에 해당된다. 집단 토론 방식은 소수의 보육교사들로 구성된 한 집단에서 영유아나 보육 관련 도서를 선정해 각자 읽은 후 해당 도서에 대한 자신들의 견해에 대해 토론하는 것이다. 인터넷 리스트서브를 통해 보육이나 영유아 관련 정보를 구독하거나 소셜네트워크에 참여해 직업관련 정보를 주고받는 것도 가능하다. 끝으로, 매우 값진 비공식적 학습방식은 경험이 많고 믿을 수 있으며 현명한 멘토를 찾아서 멘토와의 관계를 형성하는 것이다. 멘토를 통해 영유아 및 보육관련 정보를 입수하고, 보육교사 자신의 아이디어에 대한 피드백을 받으며, 직업상 문제 및 쟁점 혹은 딜레마에 대해 논의할 수 있다.

2) 집단수준의 과제

보육교사직이 사회 내 전문적 직업으로 확실히 자리 잡기 위해서는 보육교사 개개인의 독자적 노력만으로는 충분하지 않다. 전문직으로서의 확립을 위한 과제에서 개인 차원에서는 실현하기 어렵지만, 집단이나 단체의 차원에서는 목표의 달성이 보다 수월하고 효과적인 경우가 많다. 따라서 보육교사 개개인의 노력을 지원하고 결집할 수 있는 통합된 전문적 단체로서의 힘이 필요하다. 자격증을 취득하거나 현직에 종사하고 있는 보육교직원의 수를 고려할 때 양적인 팽창을 넘어 질적인 수준을 높일 수 있도록 보육교직원들의 전문적 직업발달을 지원하고 권익을 보호할 전문적 협의회나 단체의 적극적 활동이 뒷받침되어야 한다.

전문적 협의회와 같은 보육교사 단체는 내부적으로는 보육교직원이 직업적 책무를 성공적으로 수행할 수 있도록 지원하고, 외부적으로는 보육교직원의 권익과 복지를 증진시키기 위해 노력해야 한다. 이들 단체에 요구되는 내부적 역할에 대해 살펴보면, 기본적으로 보육교사들이 자신의 직업에서 담당해야 하는 책임과 의무를 충분히 인식하고 이를 성실히 수행하도록 독려해야 한다. 이를 위해 여러 가지 형태로 직무와 관련된 전문적이고 실제적인 정보를 제공할 수 있다. 또한, 보육교사나 어린이집 원장과 같은 보육교직원이 자격증을 취득한 이후에도 지속적으로 자기계발과 전문성 신장을 위해 노력할 수 있는 기회를 알리며 공식적, 비공식적 학습참여를 독려할 필요도 있다. 나아가 보육교직원의 직업상 고충이나 문제를 파악하고 이를 개선하기 위한 노력을 해야 한다.

보육교사 단체의 외부적 역할에 대해 살펴보면, 첫째, 보육교사직의 대외적 이미지 개선을 위해 노력해야 한다. 영유아의 부모나 지역사회 구성원들이 양질의 보육교사들의 사회적 기여에 대해 충분히 인식할 수 있도록 알리고 좋은 이미지를 갖도록 하는 것도 중요하다. 이는 추후 자질과 능력을 갖춘 인력들이 보육교사직을 선택하도록 하는 데도 영향을 미침으로써 인력 양성의 선순환이 이루어지는 데 도움이 된다. 더불어 보육교사의 현 처우와 기여도를 알림으로써 정책적 지원을 받을 수 있는 분위기를 형성할 수 있을 것이다. 둘째, 보육관련 전문가 단체에서는 보육교사들이 전문가로서 성장하기 위한 지속적인 교육을 받고자 할 때 이러한 기회가 보다 용이하고, 이를 위한 사회적 · 경제적 지원이 가능하도록 힘써야 한다. 현장에 근무하고 있는 보육교사들의 지속적인 재교육을 도모하기 위해 지역공동체나 고등교육기관, 협회 등의 협조를 요청할 수 있을 것이다. 셋째, 전문가 단체에서는 영유아 발달과 보육, 보육교사들에 관한 과학적 연구들이 적극적으로 수행될 수 있도록 협력해야 한다. 그 결과, 축적된 연구결과들이 다시 보육현장으로 환원되어 영유아들의 발달결과 및 보육교사들의 전문성 증진을 도모하도록 노력해야 한다.

생각해 보기

1. 국가수준의 중장기보육계획에 포함되어야 하는 보육교사의 전문성 신장 방안과 처우 개선 방안을 하나씩 이야기해 봅시다.

2. 정책, 연구, 실천 측면에서 영유아보육의 전문화를 논의할 때 보육현장 실천가들이 해야 할 역할에 대해 생각해 봅시다.

3. 보육교사직이 전문직으로 자리매김하기 위해 보육교사 집단 수준에서 강화해야 할 기능을 적어 봅시다.

참고문헌

강란혜(2006). 보육교사의 전문성 인식과 교사효능감 및 직무만족도에 관한 연구. 직업교육연구, 25(1), 71-88.

강만호(2010). 감정노동 종사자의 직무스트레스와 직무만족과의 관계에서 자아존중감의 매개효과. 고려대학교 대학원 석사학위논문.

강미자(2012). 보육교사의 역할스트레스가 정서적 고갈에 미치는 영향. 호남대학교 대학원 박사학위논문.

강봉규(1992). 교육심리학. 서울: 형설출판사.

강선보, 박의수, 김귀성, 송순재, 정윤경, 김영래, 고미숙(2008). 21세기 인성 교육의 방향설정을 위한 이론적 기초. 교육문제연구, 30, 1-38.

강인숙, 이희경(2016). 유아교사의 인성과 전문성 발달이 영유아 권리존중 실행에 미치는 영향. 홀리스틱교육연구, 20(4), 49-66.

강정원(2015). 예비유아교사가 지각하는 행복감과 교사효능감과의 관계. 한국엔터테인먼트산업학회논문지, 9(4), 227-242.

강주연, 정정희(2018). 유아교사의 발달단계에 따른 자기장학 활동을 통한 교사 전문성 변화 양상. 열린유아교육연구, 23(2), 247-272.

고동섭(2001). 유아교육과 신입생의 특성. 이화여자대학교 대학원 석사학위논문.

고영미, 유영의, 권혜진(2017). 예비유아교사의 셀프리더십, 기본심리욕구, 내적통제소재, 학업적 자기효능감이 행복감에 미치는 영향. 유아교육연구, 37(1), 29-50.

교육부(2013). 누리과정 컨설팅 장학 운영매뉴얼.

교육부(2020). 제2차 인성교육 종합계획. https://www.moe.go.kr.

구미진(2000). 보육시설 지역사회서비스에 대한 보육교사·학부모의 요구조사. 동덕여자대학교 여성개발대학원 석사학위논문.

구미향(2017). 유아교사가 갖추어야 할 인성은 무엇인가? 유아교육·보육복지연구, 21(2), 127-154.

국가법령정보센터(2020). 영유아보육법. https://www.law.go.kr/%EB%B2%95%EB%A0%B9/%EC%98%81%EC%9C%A0%EC%95%84%EB%B3%B4%EC%9C%A1%EB%B2%95

국립국어원(2020). 표준국어대사전. https://stdict.korean.go.kr/main/main.do.

권미성, 문혁준(2013). 보육교사의 교사효능감 및 전문성 수준이 교사-유아 상호작용에 미치는 영향. 한국보육지원학회지, 9(4), 277-296.

권석만(2004). 인간관계 심리학. 서울: 학지사.

권순임, 구수연(2019). 보육교사의 근무실태와 직무만족도 및 복지요구조사-주40시간 근로제 실행 이후를 중심으로-. 2019년 한국열린유아교육학회 추계학술대회 자료집, 443-448.

권연희(2013). 보육교사의 생활만족에 대한 조직풍토, 자아존중감, 직무스트레스의 영향. 한국영유아보육학, 74, 131-151.

권용수(2006). 사회복지전담공무원의 직무스트레스 유발요인 및 이직의도에 관한 실증적 연구. 한국행정논문집, 18(3), 743-764.

권정윤(2010). 유아교사의 정서지능과 정서노동 및 직무스트레스와의 관계. 유아교육연구, 30(6), 269-289.

김건옥(2016). 보육교사의 정서지능과 직무스트레스가 이직의도에 미치는 영향. 창의인성연구, 5(1), 5-22.

김경령, 서은희(2014). 예비 교사의 교직인성 자기점검도구 개발 연구. 한국교원교육연구, 31(1), 117-139.

김경철, 정혜승(2016). 예비유아교사의 교직선택동기와 교직적성이 교사효능감에 미치는 영향. 열린유아교육연구, 21(6), 135-153.

김경희, 김선희(2016). 보육교사의 자기분화, 자기효능감이 심리적 안녕감에 미치는 영향. 한국콘텐츠학회논문지, 16(4), 289-300.

김교헌, 김경의, 김금미, 김세진, 원두리, 윤미라, 이경순, 장은영(2010). 젊은이를 위한 정신건강. 서울: 학지사.

김규수(1997). 아동중심교육에 관한 프뢰벨과 듀이의 견해 비교연구. 창조교육논총, 1, 107-128.

김난실(2019). 보육교사의 우울, 자아존중감, 동료관계가 스트레스 대처방식에 미치는 영향. 인문사회21, 10(3).

김난실, 이진화(2016). 어린이집 교사의 우울과 스트레스 대처방식이 자아존중감에 미치는 영향. 교육과학연구, 47(2), 133-151.

김리진, 홍연애(2013). 보육교사의 자아탄력성과 심리적 안녕감이 직무스트레스에 미치는 영향. 한국보육지원학회지, 9(4), 55-74.

김명순(2014). 어린이집 교사 재교육 현황 및 전문성 향상을 위한 개선안 모색. 이슈분석, 15호. 서울: (재)한국보육진흥원.

김미량, 김수희, 박미선, 박효진(2005). 보육교사(인성)론. 경기: 공동체.

김미정, 이숙희(2008). 통합적 음악감상 활동에 기초한 유아의 정서지능 프로그램의 개발 및 효과. 미래유아교육학회지, 15(4), 443-467.

김미해, 옥경희(2012). 유아의 공격행동에 대한 교사의 사회화-양육목적, 귀인, 효능감의 영향력. 사회연구, 22(1), 43-68.

김병찬(2000). 교사교육의 패러다임 변화. 한국교사교육, 17(3), 113-141.

김성길(2011). 페스탈로치(Pestalozzi) 교육사상과 평생교육에의 함의. *Andragogy Today: International Journal of Adult & Continuing Education*, *14*(1), 71-90.

김성원, 신정애(2019). 영유아교사 인성 측정도구 개발과 타당화. 육아정책연구, 13(1), 3-27.

김순안(2006). 보육교사의 소진에 영향을 미치는 요인에 관한 연구. 충남대학교 대학원 석사학위논문.

김순환, 박선혜, 남옥선(2014). 예비유아교사를 위한 교직인성 프로그램 개발 및 적용. 유아교육학논집, 18(2), 339-363.

김애경(2001). 예비 유아교사의 성격유형과 자아개념 및 창의성과의 관계. 유아교육연구, 22(2), 5-24.

김양은(2018a). 보육교사와 영유아 학부모가 기대하는 보육교사 전문성에 관한 연구. 학습자중심교과교
　　육연구, 18(22), 1119-1145.

김양은(2018b). 보육교사의 경력에 따라 전문성 유지를 위한 보수교육에 관한 연구. 한국영유아보육학,
　　111, 1-26.

김은설, 김길숙, 이민경(2015). 영유아교사 인성평가 도구 개발 및 교육 강화 방안. 육아정책연구소.

김은설, 문무경, 최은영, 배윤진, 윤지연(2016). 보육교직원 인성교육 프로그램 및 인성평가 문항 개발. 보건
　　복지부, 육아정책연구소.

김은설, 박수연(2010). 보육 시설장・교사 윤리강령 개발 연구. 육아정책연구소 수탁연구보고서, 1-17.

김은설, 안재진, 최윤경, 김의향, 양성은, 김문정(2009). 보육종사자 전문성제고 방안 연구. 육아정책연구소.

김은영, 박은혜(2006). 유치원 교사의 직무분석. 한국교원교육연구, 23(2), 303-323.

김은정(1996). 유아의 성도식 발달과 놀이친구 및 놀이방식 선택. 서울대학교 대학원 석사학위 청구논문.

김은정(2014). 어린이집 교사의 인간관계와 직무소진이 유아교사의 이직에 미치는 영향. 건국대학교 교
　　육대학원 석사학위논문.

김의향, 박진옥(2018). 보육교직원 자격과 재교육 정책 현황 분석 및 발전 방향 고찰. 한국보육학회지,
　　18(2), 129-145.

김정원, 전선옥(2018). 예비유아교사의 자아존중감과 교직적성에 관한 연구. 한국보육학회지, 18(2),
　　167-181.

김지영(2012). 코메니우스와 몬테소리의 교육 사상 비교 -감각교육을 중심으로-. 실천유아교육, 17(2),
　　55-74.

김지영, 윤진주(2010). 보육교사의 전문성 발달 수준에 따른 이야기 나누기와 조형 활동의 수업 전문성
　　평가. 영유아보육학, 60, 39-61.

김창환(1997). 코메니우스의 유아교육사상 연구. 유아교육연구, 17(2), 5-26.

김창환(2005). 한국 교육철학의 학문적 정체성. 교육철학, 33, 7-22.

김태윤, 김미숙(2018). 보육교사의 전문성 발달수준이 권리존중 보육실행에 미치는 영향에서 보육교사의
　　유아권리인식 매개효과. 한국영유아보육학, 108, 97-122.

김해리, 이경화(2019). 보육교사 교사효능감 검사 개발 및 타당화. 한국보육학회지, 19(4), 15-32.

김현주(2008). 철학자로서 교사: 교사 전문성의 재개념화. 교육철학, 42, 109-133.

김현진(2012). 예비유아교사의 교직에 대한 열정, 교사동기 그리고 교사효능감에 관한 연구. 열린유아교
　　육연구, 17(6), 249-275.

김혜경(2012). 보육교사 적성검사 도구 개발. 경희대학교 대학원 박사학위논문.

김혜숙, 박선환, 박숙희, 이주희, 정미경(2013). 인간관계론. 경기: 양서원.

김홍조(2017). 소방공무원의 직무스트레스 및 직무만족이 이직의도에 미치는 영향과 조직몰입의 조절효
　　과. 인제대학교 대학원 박사학위논문.

김희진(2020). 영유아교육기관에서의 행동지도. 서울: 파란마음.

김희진, 김언아, 홍희란(2005). 영아교사를 위한 교사교육 매뉴얼. 서울: 창지사.

나석희, 이현진(2012). 어린이집 교사들이 보육경험과정에서 겪는 인간관계의 어려움과 해결방안. 유아
　　교육학논집, 16(1), 69-94.

노미정(2018). 유아교사의 직무스트레스가 유아훈육방식에 미치는 영향에서 교사효능감이 갖는 매개효
　　과. 한양대학교 교육대학원 석사학위논문.

동아새국어사전(2019). 동아새국어사전. 서울: 동아출판사.

류칠선(1996). 유치원 교사의 교사이미지연구: Q-방법론적 접근. 유아교육연구, 16(2), 125-141.

명지원(2010). 방정환의 아동교육사상에 대한 연구. 열린유아교육연구, 15 (1), 85-110.

문혜옥, 강명혜(1995). 아동중심교육과정의 흐름에 대한 고찰. 경주전문대학논문집, 9, 333-354.

민선우(2004). 유아교사의 자아개념과 직무스트레스와의 관계 연구. 가톨릭대학교 교육대학원 석사학위
    논문.

민성혜, 신혜원, 김의향(2013). 보육교사론(3판). 경기: 양서원.

박경자(1995). 영유아기 타인양육이 학령전 어린이의 사회 정서적 행동에 미치는 영향. 아동학회지,
    13(2), 217-228.

박봉선(2019). 노인 우울감이 자살생각에 미치는 영향 사회적 지지와 자아통합감의 매개효과를 중심으
    로. 한세대학교 대학원 박사학위논문.

박석출(2002). 초·중등학교 교사들의 직무스트레스와 대처방식. 창원대학교 교육대학원 석사학위논문.

박순천(2005). 노인의 자살생각에 영향을 미치는 요인에 관한 연구. 이화여자대학교 대학원 석사학위논문.

박신경(2001). F. Froebel의 교육사상: 신적 품성의 발현을 도와주는 교육. 신학과 목회, 15, 281-306.

박은혜(2014). 유아교사론. 서울: 창지사.

박정남(2013). 노인의 고독감, 생활스트레스, 우울이 자살생각에 미치는 영향. 서울기독대학교 대학원 박
    사학위논문.

박정호(2019). 아동학대에 관한 불교 상담적 접근. 불교상담학연구, 13, 97-119.

박찬옥, 김지현(2015). 영유아교사의 교직윤리의식 측정도구 개발 및 타당화. 유아교육연구, 35(5), 229-253.

박현경, 신은수, 유영의(2004). 유아교사의 놀이에 대한 교수효능감과 놀이 운영 실제 신념에 관한 도구
    개발연구. 유아교육연구, 24(1), 49-69.

박혜정, 오재연(2017). 유아교사의 인성과 교사효능감이 유아의 자아존중감에 미치는 영향. 구성주의유아
    교육연구, 4(1), 1-24.

박혜훈(2009). 예비유아교사의 영아교사에 대한 이미지 연구. 한국교원대학교 대학원 석사학위논문.

방정환(1923). 소년의 지도에 관하여-잡지 '어린이' 창간에 제하여 경성 조정호 형께. 천도교회 일보, 통권 150.

방정환(1930). 궁금풀이. 어린이, 8(4). https://gongu.copyright.or.kr/gongu/wrt/wrt/view.
    do?wrtSn=9029628&menuNo=200019

백선희(1999). 아동보육 사회서비스 프로그램 개발과 평가. 중앙대학교 대학원 박사학위논문.

변호순, 최정균(2016). 빈곤 미혼모의 경제적 어려움과 우울증상, 양육스트레스, 아동학대와 방임이 아동
    의 사회행동발달에 미치는 영향. 한국아동복지학, 53, 1-23.

보건복지부(2014). 2014 어린이집 평가인증 안내(40인 이상 어린이집).

보건복지부(2017). 제3차 중장기보육 기본계획(2018-2022).

보건복지부(2021). 2021년도 보육사업안내.

보건복지부, 육아정책연구소(2018). 2018년 전국보육실태조사.

서경숙(2007). 보육교사직에 대한 보육교사의 인식. 중앙대학교 사회개발대학원 석사학위논문.

서동명, 김숙령(2006). 음악극 활동이 유아의 정서지능에 미치는 영향. 열린유아교육연구, 11(3), 309-325.

서동미, 연선영(2016). 보육교사의 직무스트레스, 영유아학대에 대한 인식과 영유아학대 실제행동에 대
    한 자기평가와의 관계. 유아교육학논집, 20(1), 193-216.

서울대학교 교육연구원(2011). 교육학 용어사전. 서울: 하우동설.

선우미정(2017). 조선시대 유교의 자녀교육론. 양명학, 47, 251-287.

성원경, 김진영(2011). 유아교육과 신입생의 비학문적 자아개념과 교육신념과의 관계 및 교사 이미지 조사. 직업교육연구, 30(3), 197-216.

성은현, 조경자(2005). 예비유아교사의 내외통제성, 자기효능감, 창의성의 관계에 대한 탐색 연구. 미래유아교육학회지, 12(3), 31-52.

손흥숙(2013). 보육교사 전문성 담론의 개념적 쟁점. 교육학연구, 53(1), 196-211.

손흥숙(2015). 보육정책과 보육교사의 전문성: 비판적 담론분석. 한국보육학회지, 15(2), 65-84.

송인섭(2001). 학습자의 자아개념형성에 관련된 교사변인의 재음미. 교육심리연구, 15(4), 253-267.

송준석(2007). 동학의 아동 존중 교육사상과 실천에 관한 연구-소춘과 소파의 사상을 중심으로-. 생태유아교육연구, 6(1), 1-26.

송준식, 사재명(2006). 유아교육의 역사와 사상. 서울: 학지사.

송형석, 강성민, 강화연, 김종훈, 류영민(2016). 가족심리백과. 서울: 시공사.

신고운(2019). 예비보육교사의 교사효능감과 관련변인들 간의 관계 구조분석. 대구가톨릭대학교 대학원 석사학위논문.

신득렬(2003). 현대교육철학. 서울: 학지사.

신미숙(2015). 유아를 위한 지역사회자원 활용 지속가능발전교육 프로그램 개발 및 적용효과. 중앙대학교 대학원 박사학위논문.

신선애, 이성희(2018). 보육교사의 인성자기평가가 영유아인성교육 인식에 미치는 영향. 한국유아교육학회 정기학술발표논문집, 2018, 224.

신양재(1995). 조선시대 교훈서에 나타난 부모역할에 관한 연구. 대한가정학회지, 33(1), 155-168.

신지연(2004). 2세 영아의 어머니와 보육교사에 대한 복합애착과 사회·정서적 행동. 서울여자대학교 대학원 박사학위논문.

신창호(2020). 네오 에듀필로소피: 시대정신을 담기 위한 교육철학의 재고. 서울: 박영스토리.

신혜영(2004). 어린이집 교사의 직무 스트레스와 교사 효능감이 교사 행동의 질에 미치는 영향. 연세대학교 대학원 박사학위논문.

심성경, 백영애, 이희자, 이영희, 변길희, 김은아, 박유미, 박주희(2017). 보육학개론. 경기: 공동체.

심숙영, 임선아(2018). 유아교사의 행복감과 교수효능감이 유아의 사회적 유능성에 미치는 영향: 교사-유아 상호작용 매개효과를 중심으로. 유아교육연구, 38(1), 319-339.

심순애(2007). 보육교사의 자아탄력성 및 사회적 지지와 심리적 소진의 관계. 숙명여자대학교 대학원 석사학위논문.

심영회, 권민균(2018). 영유아교사의 인성, 사회적 지지, 보육헌신, 보육효능감의 외적·내적·자기조절 행복감에 대한 구조관계 분석. 아동교육, 27(4), 75-93.

심익섭, 임권엽(2013). 어린이집 교사의 자아존중감이 책임감에 미치는 영향에 관한 연구. 한국정책연구, 13(4), 55-69.

심정선(2012). 보육교사의 전문성 증진을 위한 실천적 보육장학모형 개발과 적용. 중앙대학교 대학원 박사학위논문.

안경식(2005). 한국 전통 아동교육사상. 서울: 학지사.

안선희, 김지은(2010). 영아 보육교사의 자질 및 역할과 전문성에 관한 심층사례 연구. 대한가정학회지, 48(3), 87-97.

안인희(1983). 교육고전의 이해. 서울: 이화여자대학교 출판부.

안인희, 정희숙, 임현식(1996). 루소의 자연교육사상. 서울: 이화여자대학교 출판부.

양은주, 엄태동(2006). 교사양성교육을 위한 교육철학 수업의 현황과 개선방안: 교육대학교 사례를 중심 으로. 교육철학연구 36, 197-217.

여성가족부(2006). 보육시설 평가인증 지침서(21인 이상 보육시설).

염은하(2020). 보육교사의 인성과 심리적 안녕감의 관계에서 교사 효능감의 매개효과. 칼빈대학교 대학 원 박사학위청구논문.

오채선(2011). 유아교육·보육 정책 변화에 따른 유아교사 전문성 탐색. 유아교육학회지, 15(5), 249-277.

유미림, 탁수연(2010). 예비 영유아교사의 교직 선택동기와 만족기대의 인식. 한국보육학회지, 10(1), 127-141.

유영달, 이희영, 김용수, 이동훈, 하도겸, 유채은, 박현주, 천성문, 이정희, 박성미, 이희백(2013). 인간관계 의 심리: 행복의 열쇠. 서울: 학지사.

유일영, 유현정(2010). 학령전기 아동의 어머니가 인지한 아동의 문제행동 관련요인. 아동간호학회지, 16(2), 112-119.

유현옥(2010). 탈이념 시대에 있어 교육이념 정립의 문제와 교육철학의 과제. 교육철학, 48, 113-136.

윤기영(2005). 원장과 교사를 위한 유아교육기관에서의 학부모 탐구. 경기: 양서원.

윤종건(1996). 포스트모더니즘의 교육적 재해석과 학교경영에의 시사점. 교육행정학연구, 14(2), 280-297.

윤혜미, 노필순(2013). 보육교사의 직무스트레스, 경력몰입, 소진과 이직의도 간 관계. 아동복지학, 43, 157-184.

이경원(2017). 진로스트레스, 경제적 어려움이 진로성숙에 미치는 영향. 이화여자대학교 교육대학원 석 사학위논문.

이금란(2000). 유치원 교사의 이미지에 관한 연구. 이화여자대학교 교육대학원 석사학위논문.

이명순, 염지숙, 조형숙, 김현주(2018). 유아교사론. 서울: 정민사.

이미정(2019). 보육교직원 보수교육 현황 고찰 및 발전 방안. 한국보육학회지, 19(3), 57-69.

이미혜, 최미숙(2010). 자연친화적 유아미술교육 프로그램 개발 및 효과. 유아교육연구, 30(2), 33-56.

이민진, 이완정(2014). 온라인 교육기관을 통한 보육교사 자격취득 동기와 진로의사결정수준. 한국보육지 원학회지, 10(1), 81-94.

이병래, 김진호, 강정원(2005). 영유아교사 양성을 위한 기준교육과정 구성 및 운영 방향 모색-영유아교 사의 덕목에 관한 현직교사의 인식과 평가를 중심으로. 유아교육학논집, 9(1), 53-79.

이병록(2011). 보육교사의 인간관계가 직무만족에 미치는 영향. 한국사회복지행정학, 13(2), 1-21.

이보영(2018). 보육교사의 인성이 직무소진에 미치는 영향. 인문사회 21, 9(1), 533-543.

이선미(2017). 어린이집 교사의 자질과 영유아권리존중 보육실행과의 관계. 중앙대학교 사회복지대학원 석사학위논문.

이선옥(2006). 행동주의 심리학과 몬테소리 발달이론-미국을 중심으로-. 한국일본교육학연구, 11(1), 145-161.

이수정(2008). 보육교사의 직업선택동기, 전문성 인식 및 역할수행에 관한 연구. 남서울대학교 대학원 석 사학위논문.

이순애(2011). 보육교사의 배경변인 및 근무환경에 따른 직무만족도. 계명대학교 교육대학원 석사학위논문.

이순애, 백영숙, 곽민영(2019). 보육교사의 직무스트레스가 보육교사의 이직의도에 미치는 영향에서 원 장-교사 교환관계의 매개효과. 교원교육, 35(4), 239-253.

이순형, 임송미, 성미영(2006). 세계전래동화 및 수상작 동화에 나타난 성역할 전형성 비교. 한국생활과학 회지, 15(2), 197-208.

이승원(1995). 에라스무스의 아동중시 교육사상 연구. 경주전문대학 논문집, 9, 373-389.

이아름(2018). 지역사회자원을 활용한 유아전통문화교육 프로그램 개발 및 적용. 중앙대학교 대학원 박사학위논문.

이연경(2018). 보육교사의 완벽주의 성향, 직무스트레스가 역할수행에 미치는 영향. 성신여자대학교 교육대학원 석사학위논문.

이영실, 임정문, 유영달(2011). 정신건강론. 서울: 창지사.

이예슬(2020). 학교조직풍토와 특수교사 소진 간 관계에서 스트레스 대처전략의 조절효과. 울산대학교 교육대학원 석사학위논문.

이완정(2005). 보육시설 영유아의 권리보호를 위한 각국의 보육종사자 윤리강령 연구. 아동과 권리, 9(4), 789-816.

이용주, 조숙영(2019). 보육교사의 개인변인, 인성, 아동학대 예방행동의 관계. 예술인문사회융합 멀티미디어논문지, 9(12), 235-243.

이윤미(1999). 소파를 통하여 보는 교육사-소파 방정환 교육론의 교육사적 의미. 아동권리연구, 3(2), 145-165.

이윤홍(2004). 국내 부동산 금융시간의 활성화 방안에 관한 연구. 경기대학교 국제문화대학원 석사학위논문.

이은화, 배소연, 조부경 (1995). 유아교사론. 서울: 양서원.

이정빈(2019). 미술관의 지역사회 연계 교육프로그램과 인식 분석 연구. 홍익대학교 미술대학원 석사학위논문.

이정순(2013). 유아교사의 핵심역량에 기반한 유아교육과 교육과정 분석 연구. 원광대학교 일반대학원 박사학위논문.

이종국(2012). 어린이공원 리모델링을 통한 지역커뮤니티 활성화에 관한 연구: 광주광역시 하남 제1어린이공원을 중심으로. 한국청소년시설환경학회지, 10(2), 117-129.

이지영(2012). 보육교사의 자아존중감과 교사효능감이 직무스트레스에 미치는 영향. 고려대학교 교육대학원 석사학위논문.

이지은(2017). 어린이집 교사의 자질과 영유아권리존중 보육실행과의 관계. 중앙대학교 사회복지대학원 석사학위논문.

이지훈(2012). 유아교사와 부모의 동반자적 협력관계와 의사소통. 경남대학교 교육대학원 석사학위논문.

이진석(2019). 단기호흡명상이 성인학습자의 주의집중력 및 수업집중력에 미치는 효과. 대구가톨릭대학교 대학원 박사학위논문.

이현경, 남명자(2009). 예비유아교사의 현장실습 경험 및 자아존중감과 교사효능감. 유아교육학논집, 13(4), 119-135.

이현숙(2005). TV 드라마에 나타난 유아교사의 이미지. 중앙대학교 대학원 석사학위논문.

이현순(2004). 어린이집 아동학대 영향요인에 관한 연구: 전국 어린이집 보육교사의 인식을 중심으로. 건국대학교 대학원 석사학위논문.

이혜정, 나유미(2019). 보육교사인성론. 경기: 공동체.

이혜진(2016). 유아교사의 개인적 및 전문적 자질에 관한 실태. 부산대학교 교육대학원 석사학위논문.

이훈희, 황병순(2015). 보육시설 이용부모가 인식한 보육교사 이미지: 세종특별자치시를 중심으로. 유아교육·보육복지연구, 19(3), 5-28.

임민정(2020a). 영유아교사 전문성 관련 국외 연구 동향. 유아교육학논집, 24(2), 79-103.

임민정(2020b). 보육현장에서의 보육교사 전문성 담론. 유아교육연구, 40(1), 111-134.

임승렬(2002). 유아교사의 교직 윤리의식에 관한 연구. 한국교원교육연구, 19(1), 157-173.

임윤순(2001). 유아교사의 자아개념과 직무만족도와의 관계연구. 가톨릭대학교 교육대학원 석사학위논문.

임예지(2012). 지역밀착형 보육지원시설을 위한 주민참여 계획연구. 연세대학교 대학원 석사학위논문.

임재택(1996). 전문직 보육교사의 역할과 자세. 부산: 부산대학교 보육교사교육원.

장미경, Z. Maoz, 이상희, 정민정, 김유진, 신현정, 김미경, 손금옥, 유미성, 김경남(2013). 정신건강론. 서울: 태영출판사.

장미아(1996). 유치원 교사의 직무스트레스와 대처방법. 이화여자대학교 대학원 석사학위논문.

장연집, 강차연, 손승아, 안경숙(2008). 정신건강. 서울: 파란마음.

장영숙(2004). 예비 유아교사들의 자아개념과 교사역할에 대한 인식과의 관계. 열린유아교육연구, 9(4), 137-153.

장영숙, 최미숙, 황윤세(2004). 유아교육기관 교사의 교육신념 및 교수효능감과 총체적 언어교수법과의 관계. 유아교육연구, 24(2), 23-43.

장현갑, 강성균(1996). 스트레스와 정신건강. 서울: 학지사.

장희선, 안영진(2017). 인성과 행복의 통합 교육프로그램 수강과 실행을 통한 영유아교사의 인식 질적 연구. 한국영유아보육학, 103, 45-74.

전남련, 권경미, 김덕일(2005). 유아관찰평가의 이론과 실제. 서울: 양서원.

전은주(2015). 유아교사의 직무스트레스와 교사효능감이 직무만족도에 미치는 영향. 가톨릭관동대학교 대학원 박사학위논문.

전재선(2011). 유아교사 인성 자기평가도구 개발 및 타당화 연구. 성균관대학교 대학원 박사학위논문.

전홍주, 권현조, 변길진(2018). 보육교사의 교직윤리의식과 교직인성이 교직전문성 인식에 미치는 영향. 한국영유아보육학, 110, 33-57.

정갑순(1996). 부모교육론. 서울: 창지사.

정다우리(2013). 어린이집 교사의 행복감, 관심사 및 교사 인성과 교사-유아 상호작용과의 관계. 한국영유아보육학, 81, 49-70.

정미라, 이희선, 노은호(2004). 유아교육기관의 지역사회 문화교육 실시 현황과 교사의 인식. 유아교육연구, 24(1), 241-258.

정민정, 김유진(2017). 보육교사의 인성이 행복감에 미치는 영향: 회복탄력성의 매개효과. 예술인문사회 융합 멀티미디어 논문지, 7(11), 197-209.

정범모(1962). 교직의 전문성. 오천석 편, 교직과 교사. 서울: 현대교육총서출판사.

정옥분(2008). 아동학 연구방법론. 서울: 학지사.

정옥분(2015a). 영아발달(개정판). 서울: 학지사.

정옥분(2015b). 전생애 인간발달의 이론(제3판). 서울: 학지사.

정옥분(2017). 사회정서발달(개정판). 서울: 학지사.

정옥분(2018). 영유아발달의 이해(제3판). 서울: 학지사.

정옥분, 권민균, 김경은, 김미진, 노성향, 박연정, 손화희, 엄세진, 윤정진, 이경희, 임정하, 정순화, 최형성, 황현주(2019). 보육학개론(4판). 서울: 학지사.

정옥분, 김경은, 김미진, 노성향, 박연정, 엄세진, 임정하, 정순화(2015). 보육교사론. 서울: 학지사.

정옥분, 정순화(2019). 예비부모교육(3판). 서울: 학지사.

정윤경(2013). 교사교육을 위한 교육철학의 역할. 교육사상연구, 27(2), 139-157.

정은경(2011). 만2세 영아-어머니 애착 안정성과 영아-보육교사 관계성간의 관계. 연세대학교 교육대학
　　원 석사학위논문.

정일환, 권상혁(1995). 교사론. 서울: 교육출판사.

정지은, 이유미(2020). 보육교사의 전문성 수준에 따른 교사-유아 상호작용 수준과 보육교사의 교사권리
　　존중 인식. 한국보육학회지, 20(1), 17-29.

정진선, 문미란(2011). 인간관계의 심리: 이론과 실제(제3판). 서울: 시그마프레스.

정찬주, 팽영일, 한상규(1995). 교육철학 및 교육사. 서울: 양서원.

정하성(2002). 주5일제 시행과 청소년여가 활동지도. 평택대학교 논문집, 659-685.

정한나(2017). 보육교사의 직장 내 사회적 지지와 직무 스트레스의 관계: 회복탄력성의 매개효과. 숙명여
　　자대학교 대학원 석사학위논문.

정혜진, 임민욱(2017). 경기도 보육교사 보수교육 개선방안 연구. 경기도가족여성연구원.

조경자, 이현숙(2005). 유아교육과 학생들의 전공 선택 동기와 유아교사직에 대한 인식. 미래유아학회지,
　　12(1), 289-312.

조막래, 이혜수(2018). 서울시 보육교사 보수교육기관 운영실태 및 개선안 마련. 서울시 여성가족재단 연
　　구사업보고서, 1-163.

조미연(2019). 초등학교 보건교사의 행복 구조모형: 스트레스-대처-적응 이론 적용. 이화여자대학교 대
　　학원 박사학위논문.

조성욱(2017). 건축디자인을 통한 유아인성교육 프로그램 개발 및 적용효과. 중앙대학교 대학원 박사학
　　위논문.

조수철, 신민섭(2006). 소아정신병리의 진단과 평가. 서울: 학지사.

조용현(2011). 보육교사 간의 갈등수준과 갈등해결 방법 및 직무만족도. 명지대학교 사회복지대학원 석
　　사학위논문.

조운주(2007). 유아교사와 유아가 인식한 유아교사의 이미지 이해. 유아교육연구, 27(3), 315-335.

조운주(2014). 예비유아교사를 위한 교직적성·인성 검사도구의 타당성 및 개선 방안. 육아지원연구,
　　9(2), 101-123.

조원경(2016. 6. 27). 가장 수익률 높은 투자처는 영유아 교육. 중앙시사매거진. Retrived from https://
　　jmagazine.joins.com/economist/view/311944

조은진, 김미애(2017). 유아교사의 교직윤리에 관한 연구동향 분석. 학습자중심교과교육연구, 17(23),
　　665-687.

조은진, 한세영, 신혜은(2016). 영유아교사의 교직윤리: 윤리강령을 중심으로. 아동학회지, 37(6), 185-200.

조정란(2000). 유아용 그림동화에 나타난 성역할 고정관념 분석. 연세대학교 교육대학원 석사학위논문.

조형숙(2009). 유아교사의 교직윤리관련 딜레마에 나타난 갈등요인. 유아교육학논집, 13(2), 243-276.

조형숙(2012). 유아교사의 교직윤리 의식 함양을 위한 교육과정 모형 개발. 유아교육학논집, 16(4), 373-394.

조희정(2019). 보육교사의 인성과 아동권리인식 간의 관계. 홀리스틱융합교육연구, 23(3), 117-132.

주영흠(2001). 서양교육사상사. 서울: 양서원.

진병춘(2000). 교사 윤리로서 배려의 가치. 전남대학교 교육대학원 석사학위논문.

차성원(2012). 인성교육의 개념의 재구조화. 제53차 KEDI 교육정책포럼, 연구 자료. 3-24.

차주영(2020). 직무스트레스가 공무원의 이직의도에 미치는 영향-직급별 비교를 중심으로-. 서울대학교
　　대학원 석사학위논문.

최경주(2020). 유아교사의 발달단계에 따른 직무스트레스와 스트레스 대처의 관계. 가천대학교 교육대학

원 석사학위논문.

최미곤, 황인옥(2016). 보육교사의 인성과 직무만족도가 교사-영유아 상호작용에 미치는 영향. 사회과학 담론과 정책, 9(2), 169-197.

최선미, 부성숙(2017). 유아교사의 인성과 사회적 관계의 관련성 연구. 육아지원연구, 12(1), 5-27.

최윤경(2013). 보육교사 처우에 비추어 본 보육 발전 방안. 월간 복지동향, 176, 26-33.

최윤경, 김재원(2011). 보육교직원의 보수체계 개선방안 연구. 육아정책연구소.

최일선(2009). 유아교사의 자아개념과 인성개발 효능감의 관계. 유아교육·보육행정연구, 13(2), 217-237.

최재정(2017). 페스탈로치(J. H. Pestalozzi)의 『탐구』에 나타난 '자연(Natur)'의 교육학적 의미 탐색. 교육의 이론과 실천, 22(3), 71-98.

최정웅, 정인숙(2002). Fröbel 교육에서의 상징과 오늘날의 아동교육. 교육학논총, 23(2), 119-134.

최해림(1986). 한국 대학생의 스트레스 현황과 인지-행동적 상담의 효과. 이화여자대학교 대학원 박사학위논문.

최효순(2002). 불교경전에 나타난 아동선지식과 화엄보살도. 동국대학교 교육대학원 석사학위논문.

통계청(2021). 출생·사망통계 잠정결과.

통계청, 여성가족부(2020a). 2020 청소년 통계.

통계청, 여성가족부(2020b). 2020 통계로 보는 여성의 삶.

푸르니보육지원재단(2016). 푸르니 총론 보육프로그램. 서울: 다음세대.

하은옥(2007). 교육실습 전·후에 따른 예비유아교사의 교사 이미지 변화. 열린유아교육연구, 12(3), 19-42.

한경희, 송도선(2019). 듀이 사상에 담긴 노작활동의 영아교육적 함의. 교육철학, 70, 67-100.

한국경제연구원(2019). 15-64세 여성 연령대별 고용률 변화(2018). OECD Stat. https://m.newspim.com/news/view/20191020000101에서 인출.

한국민족문화대백과사전(2019). 철학. https://encykorea.aks.ac.kr/Contents/Item/E0056185 2019년 12월 3일 인출.

한국보육진흥원(2018a). 보육교직원 인성교육 및 평가 사업 현황과 개선방안: 인성 자기진단 문항을 중심으로.

한국보육진흥원(2018b). 우리 아이를 위한 좋은 교사, 좋은 부모.

한국영양학회(2000). 한국인의 영양권장량(제7차 개정). 서울: 한국영양학회.

한수란, 황해익(2006). 유아교사의 반성적 사고 경험을 통한 반성적 사고 수준의 변화. 생태유아교육연구, 5(1), 83-101.

한윤경(2007). 유아의 정서지능과 사회성발달을 위한 그림책을 활용한 미술 프로그램 개발에 관한 연구. 열린유아교육연구, 12(3), 295-316.

한정균, 임성문(2005). 뇌호흡명상과 인지치료가 고등학생의 우울 증상 개선에 미치는 효과. 한국심리학회지: 상담 및 심리치료, 17(4), 855-876.

한종화(2014). 유아교사의 자아존중감과 전문성 인식이 행복감에 미치는 영향. 유아교육학논집, 18(4), 271-287.

한진원(2010). 자아존중감에 대한 유아교사의 인식 및 자아존중감 증진을 위한 교육 요구 분석. 유아교육·보육행정연구, 14(3), 101-128.

허미경, 임승렬(2014). 윤리적 딜레마 해결력 증진 프로그램이 유아교사의 의사결정에 대한 실천적 지식에 미치는 영향. 유아교육연구, 34(4), 465-493.

홍강의, 정도언(1982). 사회 재적응 평가 척도 제작. 신경정신의학, 21, 123-136.

홍승만(2000). 직무스트레스와 직무만족 간 영향요인의 전략적 활용방안. 배재대학교 대학원 박사학위논문.

홍인실, 전정민(2020). 보육교사의 전문성과 직무스트레스가 아동학대 인식에 미치는 영향력. 한국자치행정학회지, 34(2), 189-205.

황경애, 김현주(2005). 영아보육교사의 전문성 인식과 역할 수행에 관한 연구. 전주산업대논문집, 44, 109-128.

황옥경(2012). 보육교사의 처우 현황과 개선방안: 보수 체계를 중심으로. 한국보육지원학회지, 8(3), 249-272.

황준성, 서정화(2015). 인성교육진흥법 입법화 과정 및 쟁점 분석. 교육행정학연구, 33(4), 233-255.

황해익, 김미진, 김병만(2012). 유치원교사와 보육교사가 인식하는 유아교사의 이미지 연구. 아동학회지, 33(5), 201-219.

황현주(2016). 대전지역 어린이집원장의 소진 연구. 대전과학기술대학교 논문집, 42, 239-249.

Adelman, C. (2000). Over Two Years, What did Froebel say to Pestalozzi? *History of Education, 29* (2), 103-114.

Ager, A., & O'May, F. (2001). Issues in the definition and implementation of "best practice" for staff delivery of interventions for challenging behaviour. *Journal of Intellectual & Developmental Disability, 26*, 243-256.

Alexander, K. L., & Entwisle, D. R. (1988). Achievement in the first 2 years of school: Patterns and processes. Monographs of the Society for Research in Child Development, 53(2, Serial No. 218).

Aneshensel, C. S., & Succoff, C. A. (1996). The neighborhood context of adolescent mental health. *Journal of Health and Social Behavior, 37*, 293-310.

Aries, P. (1965). *Centuries of childhood: A social history of family life.* Vintage Books.

Aries, P. (2003). 아동의 탄생 (문지영 역). 서울: 새물결. (원저 출판 1973년).

Asendorpf, J. B. (1991). Development of inhibited children's coping with unfamiliarity. *Child Development, 62* (6), 1460-1474.

Asendorpf, J. B., & Meier, G. H. (1993). Personality effects on children's speech in everyday life: Sociability-mediated exposure and shyness-mediated reactivity to social situations. *Journal of Personality and Social Psychology, 64* (6), 1072-1083.

Baker, J. A. (2006). Contributions of teacher-child relationships to positive school adjustment during elementary school. *Journal of School Psychology, 44* (3), 211-229.

Balaban, N. (1992). The Role of the Child Care Professional in Caring for Infants, Toddlers, and Their Families. *Young Children, 47* (5), 66-71.

Bardapurkar, A. S. (2006). Experience, reason, and science education. *Current Science, 90* (6), 25.

Bates, J. E., & Bayles, K. (1988). Attachment and the development of behavior problems. In J. Belsky & T. Nezworski (Eds.), *Clinical Implications of attachment* (pp. 253-299). Hillsdale, NJ: Erlbaum.

Bates, J. E., Pettit, G. S., Dodge, K. A., & Ridge, B. (1998). Interaction of temperamental resistance to control and restrictive parenting in the development of externalizing behavior. *Developmental Psychology, 34* (5), 982-995.

Baumrind, D. (1991). Effective parenting during the early adolescent transition. In P. A. Cowan & E. M. Hetherington (Eds.), *Advances in family research* (Vol. 2). Hillsdale, New Jersey: Erlbaum.

Baumrind, D. (2012). Authoritative parenting revisited: History and current status. In R. Larzelere, A. S. Morris, & A. W. Harist (Eds.), *Authoritative parenting*. Washington, DC: American Psychological

Association.

Belsky, J. (1988). The effects of infant day care reconsidered. *Early Childhood Research Quarterly, 3* (3), 235-272.

Belsky, J. (2001). Developmental risks (still) associated with early child care. *Journal of Child Psychology and Psychiatry, 42,* 845-859.

Bem, S. L. (1974). The measurement of psychological androgyny. *Journal of Consulting and Clinical Psychology, 42,* 155-162.

Berk, L. (2006). *Child Development* (7th ed.). Boston, MA: Pearson Education Inc.

Bernard, G. (1968). *Sense Relaxation.* NY: Collier.

Birch, S. H., & Ladd, G. W. (1997). The teacher-child relationship and children's early school adjustment. *Journal of School Psychology, 35* (1), 61-79.

Black, B., & Logan, A. (1995). Links between communication patterns in mother-child, father-child, and child-peer interactions and children's social status. *Child Development, 66* (1), 255-271.

Blakemore, J. E. O., LaRue, A. A., & Olejnik, A. B. (1979). Sex-stereotyped toy preference and the ability to conceptualize toys as sex-role related. *Developmental Psychology, 15,* 339-340.

Brenner, S., & Bartell, R. (1984). The teacher stress process: a cross-cultural analysis. *Journal of Occupational Behavior, 5* (3), 183-195.

Brown, K. W., & Ryan, R. M. (2004). Perils and promise in defining and measuring mindfulness: Observations from experience. *Clinical Psychology: Science and Practice, 11* (3), 242-248.

Buber, M. (1977). 나와 너(Ich und Du) (표재명 역). 서울: 문예출판사. (원저 출판 1954년).

Bulotsky-Shearer, R. J., Fantuzzo, J. W., & McDermott, P. A. (2008). An investigation of classroom situational dimensions of emotional and behavioral adjustment and cognitive and social outcomes for head start children. *Developmental Psychology, 44* (1), 139-154.

Burgess, K. B., Wojslawowicz, J. C., Rubin, K. H., Rose-Krasnor, L., & Both-LaForce, C. (2006). Social information processing and coping strategies of shy/withdrawn and aggressive children: Does friendship matter? *Child Development, 77* (2), 371-383.

Bussey, K., & Bandura, A. (1992). Self-regulatory mechanisms governing gender development. *Child Development, 63,* 1236-1250.

Buyse, E., Verschueren, K., Doumen, S., Van Damme, J., & Maes, F. (2008). Classroom problem behavior and teacher-child relationships in kindergarten: The moderating role of classroom climate. *Journal of School Psychology, 46* (4), 367-391.

Cairns, R. B., & Cairns, B. D. (1994). *Lifelines and risks: Pathways of youth in our time.* New York: Cambridge University Press.

Campbell, S. B. (1990). *Behavior problems in preschool children: Clinical and developmental issues.* New York: Guilford Press.

Campbell, S. B. (1995). Behavior problems in preschool children: A review of recent research. *Journal of Child Psychology and Psychiatry, 55* (1), 113-149.

Campbell, S. B. (2007). 유아의 문제행동 (민성혜 역). 서울: 시그마프레스. (원저 출판 1990년).

Campbell, S. B., Shaw, D. S., & Gilliom, M. (2000). Early externalizing behavior problems: Toddlers and preschoolers at risk for later maladjustment. *Development and Psychopathology, 12* (3),

467-488.

Canadian Child Care Federation (2020). Code of Ethics. https://cccf-fcsge.ca/about-canadian-child-care-federation/values/code-ethics/

Cannon, W. B. (1932). The wisdom of the body. NY: W. W. Norton & Co.

Carneiro, P., & Heckman, J. J. (2003). Human capital policy. In J. J. Heckman & A. Krueger (Eds.), *Inequality in America: What role for human capital policy?* (pp. 77-240). Cambridge, MA: MIT Press.

Cascella, M. (2015). Maria Montessori (1870-1952): Women's emancipation, pedagogy and extra verbal communication. *Revista médica de Chile, 143* (5), 658-662.

Chen, J. C., & Silverthorne, C. (2008). The impact of locus of control on job stress, job performance and job satisfaction in Taiwan. *Leadership & Organization Development Journal, 29* (7), 572-582.

Chen, X., & Rubin, K. H. (1995). Family conditions, parental acceptance, and social competence and aggression in Chinese children. *Social Development, 3* (3), 269-290.

Cherrington, S., Shuker, M. J., Stephenson, A., Glasgow, A., Rameka, L., & Thornton, K. (2013). *Evaluation of ministry of education-funded early childhood education professional development programmes.* Final Report, Jessie Hetherington Contre for Educational Research, University of Wellington, Victoria, NZ.

Chung, S., & Walsh, D. J. (2000). Unpacking child-centredness: A history of meanings. *Journal of Curriculum Studies, 32* (2), 215-234.

Ciaran, S. (1997). *Complexities of Teaching: Child-Centred Perspectives.* Routledge.

Clark, C. (1995). *Thoughtful teaching.* NY: Teachers College Press.

Clark, M. S. (1985). Implications of relationship type for understanding comparability. In W. Ickes (Ed.), *Compatible and incompatible relationships.* NY: Basic Book.

Colbert, R. P. (2003). Are Elementary Teacher Education Programs the Real problem of Unqualified programs Teachers [microform], weitman, catheryn J.; Educational Resources information center.

Conger, R. D., Conger, K. J., Elder, G. H., Jr., Lorenz, F. O., Simons, R. L., & Whitbeck, L. B. (1992). A family process model of economic hardship and adjustment of early adolescent boys. *Child Development, 63* (3), 526-541.

Coolahan, K., Fantuzzo, J., Mendez, J., & McDermoff, P. (2000). Preschool peer interactions and readiness to learn: Relationships between classroom peer play and learning behaviors and conduct. *Journal of Educational Psychology, 92* (2), 458-465.

Cooper, C. L., & Marshall, J. (1986). Sources of managerial and white collar stress. *Stress of Work,* 81-105.

Cooper, P. (2011). Teacher strategies for effective intervention with students presenting social, emotional and behavioral difficulties: An international review. *European Journal of Special Needs Education, 26* (1), 7-86.

Coventry, K. R., & Norman, A. C. (1997). Arousal, sensation-seeking and frequency of gambling in off-course horse racing bettors. *British Journal of Psychology 88*, 671-681.

Craig, R. C., Liliana, J. L., Paula, J. F., Joshua, A. M., & Nicole, R. B. (2006). Temperament in context: Infant temperament moderates the relationship between perceived neighborhood quality and behavior problems. *Journal of Applied Developmental Psychology, 27* (5), 456-467.

Crockenberg, S., & Litman, C. (1990). Autonomy as competence in 2-year-olds: Maternal correlates of child defiance, compliance and self-assertion. *Developmental Psychology, 26* (6), 961-971.

Cronkenberg, S. B. (1981). Infant irritability, mother responsiveness, and social support influences on the security of infant-mother attachment. *Child Development, 52* (3), 857-865.

Cunha, F., Heckman, J. J., Lochner, L., & Masterov, D. (2006). Interpreting the evidence on life cycle skill formation. In E. Hanushek & F. Welch (Eds.), *Handbook of the economics of education* (pp. 697-812). Amsterdam: North Holland.

D'Arienzo, R. V., Moracco, J. C., & Krajewski, R. J. (1982). *Stress in teaching: A comparison of perceived occupational stress factors between special education and regular classroom teachers.* Washington, D.C.: University Press of America.

Day, C. (2007). 열정으로 가르치기(A passion for Teaching) (박은혜, 이진화, 위수경, 조혜선 공역). 서울: 파란마음. (원저 출판 2004년).

Dewey, J. (1916). Democracy and Education. In *John Dewey: The Middle Works*, Vol. 14. Carbondale and Edwardsville: Southern Illinois University Press, 1982.

Dewey, J. (1938). Experience and education. In *John Dewey: The later works*, Vol. 13. Carbondale and Edwardsville: Southern Illinois University Press, 1988.

Dishion, T. J., Duncan, T. E., Eddy, J. M., Fagot, B. I., & Fetrow, R. (1994). The world of parents and peers: Coercive exchanges and children's social adaptation. *Social Development, 3* (3), 255-268.

Dix, T., Gershoff, E. T., Meunier, L. N., & Miller, P. C. (2004). The affective structure of supportive parenting: Depressive symptoms, immediate emotions, and child-oriented motivation. *Developmental Psychology, 40* (6), 1212-1227.

Dobbs, J., & Arnold, D. H. (2009). Relationship between preschool teachers' reports of children's behavior and their behavior toward those children. *School of Psychology Quarterly, 24* (2), 95-105.

Dodge, K. A., Pettit, G. A., & Bates, J. E. (1994). Socialization mediators of the relation between socioeconomic status and child conduct problems. *Child Development, 65* (2), 649-665.

Doyle, O., Harmon, C. P., Heckman, J. J., & Tremblay, R. E. (2009). Investing in early human development: Timing and economic efficiency. *Economics & Human Biology, 7* (1), 1-6.

Doyle, W. (1990). Themes in Teacher Education Research. In W. R. Houston, M. Haberman, & J. Sikula (Eds.), *Handbook of Research on Teacher Education* (pp. 3-24). New York: Macmillan Pub. Co.

Duckworth, E. (1986). Teaching as research. *Harvard Educational Review, 56* (4), 481-496.

Dunn, J., & McGuire, S. (1992). Sibling and peer relationships in childhood. *Journal of Child Psychology and Psychiatry, 33* (1), 67-105.

Durst A. (2010). John Dewey and the beginnings of the laboratory school. In *Women educators in the progressive era.* New York: Palgrave Macmillan, http://doi-org-443.webvpn.fjmu.edu.cn/10.1057/9780230109957_2

D'Zurila, T. J., & Sheedy, C. F. (1997). Relation between social problem solving ability and subsequent level of psychological stress in college students. *Journal of personality and social psychology, 61* (5), 841-846.

Early Childhood Australia (2019). ECA Code of Ethics. http://www.earlychildhoodaustralia.org.au/

wp-content/uploads/2019/08/ECA-COE-Brochure-web-2019.pdf

Eisenberg, N., Murray, E., & Hite, T. (1982). Children's reasoning regarding sex-typed toy choices. *Child Development, 53*, 81-86.

Entwistle, H. (2012). *Child-centred education*. London: Routledge.

Erdem, E., & Demirel, O. (2007). Teacher self-efficacy belief. *Social Behavior and Personality, 35* (5), 573-586.

Essa, E. (1996). *Introduction to early childhood education* (2nd ed.). Boston: Delmar Publishers.

Estes, L. S. (2004). *Essentials of child care and early education*. Boston, MA: Allyn & Bacon.

Evetts, J. (1973). *The Sociology of Educational Ideas*. London: Routledge and Kegan Paul.

Evetts, J. (2003). The Sociological Analysis of Professionalism: Occupational Change in the Modern World. *International Sociology, 18* (2), 395-415. doi:10.1177/0268580903018002005.

Eyre, L., & Eyre, R. (1993). *Teaching children sensitivity*. NY: Simon & Schuster.

Fairclough, N. (2003). *Analysing Discourse: textual analysis for social research*. London: Routledge.

Fantuzzo, J., Grim, S., Mordell, M., McDermott, P., & Miller, L. (2001). A multivariate analysis of the revised conners' teacher rating scale with low-income, urban preschool children. *Journal of Abnormal Child Psychology, 29* (2), 141-152.

Farber, B. A. (1991). *Crisis in education: Stress and burnout in the American teacher*. San Francisco: Jassey-Bass.

Feeney, S., & Sysko, L. (1986). Professional Ethics in Early Childhood Education: Survey Results. *Young Children, 42* (1), 15-22.

Feeney, S. D., Christiansen, D., & Moravcik, E. (1983). *Who am I in the lives of children?* (2nd ed.). New York: MacMillan.

Freeman, N. K. (1999, March). Morals and character: The foundations of ethics and professionalism. In *The Educational Forum* (Vol. 63, No. 1, pp. 30-36). Taylor & Francis Group.

Freeman, N. K., & Feeney, S. (2004). The NAEYC code is a living document. *Young Children, 59* (6), 12-17.

Freudenberger, H., & Richelson, G. (1980). *Burn Out: The High Cost of High Achievement*. NY: Bantam Books.

Frost, S. E. (1966). *Historical and Philosophical Foundations of Western Education*. p. 355.

Fukkink, R. G., & Lont, A. (2007). Does training matter? A meta-analysis and review of caregiver training studies. *Early Childhood Research Quarterly, 22*, 294-311.

Fullan, M., & Hargreaves, A. (1992). Teacher development and educational change. In M. Fullan & A. Hargreaves (Eds.), *Teacher development and educational change*. London: Falmer.

Fuller, F. F. (1969). Concerns of teachers: A developmental conceptualization. *American Educational Research Journal, 6* (2), 207-226.

Garbarino, J., & Kostelny, K. (1996). The Effects of Political Violence on Palestinian Children's Behavior Problems: A Risk Accumulation Model. *Child Development, 67* (1), 33-45.

Gardner, F., & Shaw, D. S. (2008). Behavioral problems of infancy and preschool children(0-5). In M. Rutter, D. Bishop, D. Pine, S. Scott, J. Stevenson, E. Taylor, & A. Thapar (Eds.), *Rutter's child and adolescent psychiatry* (5th ed., pp. 882-893). London, UK: Blackwell.

Gerber, E. B., Whitebook, M., & Weinstein, R. S. (2007). At the heart of child care: Predictors of teacher's sensitivity in center-based child care. *Early Childhood Research Quarterly, 22* (3), 327-346.

Germer, C. K. (2005). Teaching mindfulness in therapy. *Mindfulness and Psychotherapy, 1* (2), 113-129.

Goleman, D. (1995). *Emotional intelligence.* New York: Bantam Books.

Greene, K. (2004). *Professional development in inclusive early childhood settings: Can we create communities of practice through lesson study?* Unpublished doctoral dissertation, University of North Carolina at Chapel Hill.

Guilford, J. P. (1988). Some changes in the structure-of-intellect model. *Educational and Psychological Measurement, 48* (1), 1-4.

Guskey, T. R. (2001). Helping standards make the grade. *Educational Leadership, 59,* 20-27.

Guttentag, M., & Bray, H. (1976). *Undoing sex stereotypes.* New York: McGraw-Hill.

Hamre, B. K., & Pianta, R. C. (2001). Early teacher-child relationships and the trajectory of children's school outcomes through eighth grade. *Child Development, 72* (2), 625-638.

Harms, T., Clifford, R. M., & Cryer, D. (1998). *Early childhood environment rating scale.* New York: Teachers College Press.

Havnes, A. (2018). ECEC professionalization-challenges of developing professional standards. *European Early Childhood Education Research Journal, 26* (5), 657-673.

Hay, D. F., & Ross, H. S. (1982). The social nature of early conflict. *Child Development, 53* (1), 105-113.

Heckman, J. J. (2006). Skill formation and the economics of investing in disadvantaged children. *Science, 312,* 1900-1902.

Heckman, J. J. (2013). *Giving kids a fair chance.* Cambridge, MA: MIT Press.

Heckman, J. J., & Mosso, S. (2014). The economics of human development and social mobility. *Annual Review of Economics, 6,* 689-733.

Heckman, J. J., Moon, S. H., Pinto, R., Savelyev, P. A., & Yavitz, A. (2010). The rate of return to the HighScope Perry Preschool Program. *Journal of Public Economy, 94,* 114-128.

Heckman, J. J., Pinto, R., & Savelyev, P. (2013). Understanding the mechanisms through which an influential early childhood program boosted adult outcomes. *American Economic Review, 103* (6), 2052-2086.

Holmberg, M. C. (1980). The development of social interchange patterns from 12 to 42 months of age. *Child Development, 51* (2), 448-456.

Holmes, T. H., & Rahe, R. H. (1967). The Social Readjustment Rating Scale. *Journal of Psychosomatic Research, 11* (2), 213-218.

Honig, A. S. (2002). Twenty Tips for Growing a Baby's Brain. Paper presented at the 2002 National Association for the Education of Young Children (NAEYC) Annual Conference (New York, NY, Nov.).

Horlacher, R. (2019). Vocational and Liberal Education in Pestalozzi's Educational Theory. *Pedagogía y Saberes, 50,* 109-120.

Howes, C., & Ritchie, S. (1999). Attachment organizations in children with difficult life circumstances. *Development and Psychopathology, 11,* 254-268.

Howes, C., & Ritchie, S. (2003). *A matter of trust: Connecting teachers and learners in the early childhood classroom*. New York: Teachers College Press.

Howes, C., Rodning, C., Galluzzo, D., & Myers, L. (1988). Attachment and child care relationships with mother and caregiver. *Early Childhood Research Quarterly, 3*, 403-416.

Huberman, M. A. (1993). *The lives of teachers*. New York: Teachers College Press.

Isabella, R. A. (1993). Origins of attachment: Maternal interactive behavior across the first year of life. *Child Development, 63*, 859-866.

Jalongo, M. P., & Isenberg, J. P. (2000). *Exploring your role: A practitioner's introduction to early childhood education*. New Jersey: Upper Saddle River. Prentice-Hall, Inc.

Jalongo, M. R. (2006). *Early childhood language arts* (4th ed.). Boston: Allyn & Bacon.

Johnson, B., & Christensen, L. (2004). *Educational research: Quantitative, qualitative, and mixed approaches* (2nd ed.). Boston: Peraon Education.

Johnston, J. Q., McKeown, E., & McEwen, A. (1999). Choosing primary teaching: The perspectives of males and females in training. *Journal of Education for Teaching, 25* (1), 55-64.

Jones, W. H., Chernovetz, M. E., & Hansson, R. O. (1978). The enigma of androgyny: Differential implications for males and females? *Journal of Consulting and Clinical Psychology, 46*, 298-313.

Jourard, S. M. (1971). *Self disclosure: An experimental analysis of the transparent self*. NY: Wiley-Interscience.

Joyce, B., & Showers, B. (2002). *Student achievement through staff development* (3rd ed.). Alexandria, VA: Association for Supervision and Curriculum development.

Kagan, J. (1997). Temperament and reactions to unfamiliarity. *Child Development, 68* (1), 139-143.

Kagan, J., Snidman, N., & Arcus, D. (1998). Childhood derivatives of high and low reactivity in infancy. *Child Development, 69* (6), 1483-1493.

Kalleberg, A. L. (1977). Work value and job rewards: A theory of job satisfaction. *American Sociological Review, 42*, 124-143.

Karevold, E., Roysamb, E., Ystrom, E., & Mathiesen, K. S. (2009). Predictors and pathways from infancy to symptoms of anxiety and depression in early adolescence. *Developmental Psychology, 45* (4), 1051-1060.

Katz, L. G. (1972). Developmental stages of preschool teachers. *Elementary School Journal, 73*, 50-54.

Katz, L. G. (1984). *More talks with teachers*. Retrieved from http://files.eric.ed.gov/ fulltext/ ED250099.pdf.

Katz, L. G. (1985). Research currents: Teachers as learners. *Language Arts, 62* (7), 778-782.

Katz, L. G. (1988). Issues in the preparation of teachers of young children. *Elements, 19* (2), 11-14.

Katz, L. G., & Goffin, S. G. (1990). Issues in the preparation of teachers of young children. In B. Spodek & O. Saracho (Eds.), *Yearbook in early childhood education* (Vol. 1): *Early childhood teacher preparation* (pp. 192-208). New York: Teachers College Press.

Katz, P. A., & Walsh, P. V. (1991). Modification of children's gender stereotyped behavior. *Child Development, 62*, 338-351.

Keane, S. P., & Calkins, S. D. (2004). Predicting kindergarten peer social status from toddler and preschool problem behavior. *Journal of Abnormal Child Psychology, 32* (4), 409-423.

Keenan, K., & Shaw, D. (1997). Development and social influences on young girls' early problem behavior. *Psychological Bulletin*, *121* (1), 95-113.

Kennedy, D. (2004). The role of the facilitator in a community of philosophical inquiry. *Meta-Philosophy*, *35*, 744-765.

Kerns, K. A., Klepac, L., & Cole, A. K. (1996). Peer relationships and preadolescents' perceptions of security in the child-mother relationship. *Developmental Psychology*, *32* (3), 457-466.

Kerr, D. C. R., Lunkenheimer, E. S., & Olson, S. L. (2007). Assessment of child problem behaviors by multiple informants: A longitudinal study from preschool to school entry. *Journal of Child Psychology and Psychiatry*, *48* (10), 967-975.

Koglin, U., & Peterman, F. (2011). The effectiveness of the behavioral training for preschool children. *European Early Childhood Educational Research Journal*, *19* (1), 97-111.

Koot, H. M. (1993). *Problem behavior in Dutch preschoolers*. Rotterdam: Erasmus University.

La Paro, K. M., Pianta, R. C., & Stuhlman, M. (2004). The classroom assessment scoring system: Findings from the prekindergarten year. *The Elementary School Journal*, *104* (5), 409-426.

Lavigne, J. V., Gibbons, R. D., Christoffel, K. K., Arend, R., Rosenbaum, D., Binns, H., et al. (1996). Prevalence rates and correlates of psychiatric disorders among preschool children. *Journal of the American Academy of Child and Adolescent Psychiatry*, *35* (2), 204-214.

Lay-Dopyera, M., & Dopyera, J. E. (1990). The child-centered curriculum. In C. Seefeldt (Ed.), *Continuing Issues in Early Childhood Education*. (pp. 207-222). Columbus, OH: Merrill.

Lay-Dopyera, M., & Dopyera, J. E. (1993). *Becoming a teacher of young children*. New York: McGraw-Hill.

Lazarus, R. S., & Folkman, S. (1984). *Stress, appraisal, and coping*. NY: Springer.

Leventhal, T., & Brooks-Gunn, J. (2000). The neighborhoods they live in: The effects of neighborhood residence on child and adolescent outcomes. *Psychological Bulletin*, *126* (2), 309-337.

Lewis, M., Feiring, C., & Rosental, S. (2000). Attachment over time. *Child Development*, *71* (3), 707-720.

Lewis, M., Feiring, C., McGuffog, C., & Jaskir, J. (1984). Predicting psychopathology in six-year-olds from early social relations. *Child Development*, *55* (1), 123-136.

Lortie, D. C. (2003). 교직 사회: 교직과 교사의 삶 (진동섭 역). 서울: 양서원. (원저 출판 1975년).

Mangelsdorf, S. C., Schoppe, S. J., & Burr, H. (2000). The meaning of parental reports: A contextual approach to the study of temperament and behavior problems in childhood. In V. J Molfese & D. L Molfese (Eds.), *Temperament and personality development across the lifespan* (pp. 1-32). Mahwah, NJ: Earlbaum.

Marshall, A. (1890). *Principles of economics*. London: MacMillan.

Martin, C. L., & Halverson, C. F., Jr. (1987). The role of cognition in sex roles and sex typing. In D. B. Carter (Ed.), *Current conceptions of sex roles and sex typing: Theory and research*. New York: Praeger.

Mashburn, A. J., Pianta, R. C., Hamre, B. K., Downer, J. T., Barbarian, O. A., Bryant, D., et al. (2008). Measures of classroom quality in prekindergarten and children's development of academic, language, and social skills. *Child Development*, *79* (3), 732-749.

Maxim, G. W. (1997). *The very young: Developmental education for the early years* (5th ed.). Upper Saddle River, NJ: Merrill/Prentice Hall.

McLoyd, V. C. (1998). Socioeconomic disadvantage and child development. *American Psychologist*, *53* (2), 185-204.

Meagher, S. M., Arnold, D. H., Doctoroff, C. L., Dobbs, J., & Fisher, P. H. (2009). Social-emotional problems in early childhood and the development of depressive symptoms in school-age children. *Early Education and Development*, *20* (1), 1-24.

Mesman, J., & Koot, H. M. (2000). Child-reported depression and anxiety in preadolescence: II. Preschool predictors. *Journal of the American Academy of Child and Adolescent Psychiatry*, *39* (11), 1379-1386.

Mitchell, L., & Cubey, P. (2003). *Characteristics of effective professional development linked to enhanced pedagogy and children's learning in early childhood settings: Best evidence synthesis*. Wellington: Ministry of Education.

Morgan, G. (1997). History views of leadership. In S. Kagan & B. Bowman (Eds.), *Leadership*. NAEYC: Washington, D. C.

Morrison, G. S. (2001). *Early childhood education today* (Revised ed.). Merrill/Prentice Hall, Upper Saddle River, NJ.

NAEYC (1993). A conceptual framework for early childhood professional development. A position statement of the National Association for the Education of Young Children. Washington D.C.: NAEYC.

National Association for the Education of Young Children (2011). Code of Ethical Conduct and Statement of Commitment. https://www.naeyc.org/resources/position-statements/ethical-conduct

National Institute for Occupational Safety and Healthy (NIOSH). (1999). Stress at work. Department Health and Human Services (NIOSH) publication. 99-101.

Nelson, C. A., Zeanah, C., & Fox, N. A. (2007). The effects of early deprivation on brain-behavioral development: The Bucharest Early Intervention Project. In D. Romer & E. Walker (Eds.), *Adolescent psychopathology and the developing brain: Integration brain and prevention science*. New York: Oxford University Press.

Njoroge, W. F. M., & Bernhart, K. P. (2011). Assessment of behavioral disorders in preschool-aged children. *Current Psychiatry Reports*, *13* (2), 84-92.

Norlin, B. (2020). Comenius, moral and pious education, and the why, when and how of school discipline. *History of Education*, *49* (3), 287-312, doi: 10.1080/0046760X.2020.1739759

Oberhuemer, P. (2005). Conceptualising the early childhood pedagogue: Policy approaches and issues of professionalism. *European Early Childhood Education research Journal*, *13* (1), 5-16.

OECD (2012a). *Quality matters in early childhood education and care: Finland, 2012*. OECD Press.

OECD (2012b). *Start Strong III: A Quality Toolbox for Early Childhood Education and Care*. OECD Publishing.

Patterson, M. (1999). *Re-appraising the concept of brand image*. J Brand Manag.

Penning, M. J., &, Wu, Z. (2016). Caregiver Stress and Mental Health: Impact of Caregiving Relationship and Gender. *Gerontologist*, *56* (6), 1102-1113.

Piaget, J. (1952). *The origins of intelligence in children*. New York: International Universities Press.

Piaget, J. (1954). *The construction of reality in the child*. New York: Basic Books.

Piaget, J. (1962). *Play, dreams, and imitation in childhood*. New York: Norton.

Pianta, R. C. (1999). *Enhancing relationships between children and teachers*. Washington, DC: American Psychological Association.

Pianta, R. C., & Walsh, D. J. (1996). *High-risk children in schools: Constructing sustaining relationships*. New York: Routledge.

Pianta, R. C., La Paro, K. M., Payne, C., Cox, M. J., & Bradley, R. (2002). The relation of kindergarten classroom environment to teacher, family, and school characteristics and child outcomes. *Elementary School Journal, 102* (3), 225-238.

Pianta, R. C., Steinberg, M. S., & Rollins, K. B. (1995). The first two years of school: Teacher-child relationships and defections in children's classroom adjustment. *Development and Psychopathology, 7* (2), 295-312.

Pierce, E. W., Ewing, L. J., & Campbell, S. B. (1999). Diagnostic status and symptomatic behavior of hard-to-manage preschool children in middle childhood and early adolescence. *Journal of Clinical Child Psychology, 28* (1), 44-57.

Poulou, M. S. (2015). Emotional and behavioral difficulties in preschool. *Journal of Child and Family Studies, 24* (2), 225-236.

Poulou, M. S. (2017). The relation of teachers' emotional intelligence and Students' social skills to students' emotional and behavioral difficulties: A study of preschool teachers' perceptions. *Early Educational and Development, 28* (8), 996-1010.

Quick, J. C., & Quick, J. D. (1984). *Organizational stress and preventive management*. NY: McGraw-Hill.

Reeb, B. C., Fox, N. A., Nelson, C. A., & Zeanah, C. H. (2008). The effects of early institutionalization on social behavior and understanding neural correlates. In M. de Haan & M. Gunnar (Eds.), *Handbook of social developmental neuroscience*. Malden. MA: Blackwell.

Rimm-Kaufman, S. E. (1996). Infant predictors of kindergarten behavior: The contribution of inhibited and uninhibited temperament types. Unpublished dissertation.

Rimm-Kaufman, S. E., Early, D. M., Cox, M. J., Saluja, G., Pianta, R. C., Bradley, R. H., & Payne, C. (2002). Early behavioral attributes and teacher's sensitivity as predictors of competent behavior in kindergarten. *Journal of Applied Developmental Psychology, 23* (4), 451-470.

Rimm-Kaufman, S. E., Pianta, R. C., & Cox, M. J. (2000). Teachers' judgements of problems in transition to kindergarten. *Early Childhood Research Quarterly, 15* (2), 147-166.

Roopnarine, J. L., & Johnson, J. E. (2009). *Approaches to Early Childhood Education* (5th ed). Pearson.

Rosenberg, M. (1965). *Society and adolescent self-image*. Princeton, NJ: Princeton University Press.

Rothbart, M. K., & Jones, L. (1998). Temperament, self-regulation, and education. *School Psychology Review, 27* (4), 479-491.

Rots, I., Aelterman, A., Vlerick, P., & Vermeulen, K. (2007). Teacher education, graduates' teaching commitment and entrance into the teaching profession. *Teaching and Teacher education, 23* (5), 543-556.

Rubin, K., Burgess, K. B., Dwyer, K. M., & Hastings, P. (2003). Predicting preschoolers' externalizing behaviors from toddler temperament, conflict, and maternal negativity. *Developmental Psychology, 39* (1), 164-176.

Rubin, K. H., & Mills, R. S. L. (1988). The many faces of social isolation in childhood. *Journal of Consulting and Clinical Psychology, 56* (6), 916-924.

Rubin, K. H., Hastings, P., Chen, X., Stewart, S., & McNichol, K. (1998). Intrapersonal and maternal correlates of aggression, conflict, and exter-nalizing problems in toddlers. *Child Development, 69* (6), 1614-1629.

Rudasill, K. M., & Rimm-Kaufman, S. E. (2009). Teacher-child relationship quality: The role of child temperament and teacher-child interactions. *Early Childhood Reserch Quarterly, 24* (2), 107-120.

Russell, A., & Russell, G. (1996). Positive parenting and boys' and girls' misbehavior during a home observation. *International Journal of Behavioral Development, 19* (2), 291-308.

Rydell, A. M., Bohlin, G., & Thorell, L. B. (2005). Representations of attachment to parents and shyness as predictors of children's relationships with teachers and peer competence in preschool. *Attachment & Human Development, 7* (2), 187-204.

Salovey, P., & Mayer, J. D. (1990). Emotional intelligence. *Imagination, Cognition, and Personality, 9* (3), 185-211.

Saracho, O. N. (1988). A study of the roles of early childhood teacher. *Early Childhood Development and Care, 38*, 43-44.

Saracho, O. N., & Spodek, B. (1993). *Professionalism and the preparation of early childhood education practitioner: Early childhood development and care.* Gordon and breach science publisher.

Saracho, O. N., & Spodek, B. (2003). The Preparation of Teachers for the Profession in Early Childhood Education. *Studying Teachers in Early Childhood Settings* (pp. 1-28). Greenwich, CT: Information Age Publishing.

Schweinhart, L., Barnes, H., & Weikart, D. (2003). Significant benefits: The High/Scope Perry Preschool Study through age 27. *Monographs of the High/Scope Educational Research Foundation, 10.* Ypsilanti, MI: HighScope Press.

Schweinhart, L., Montie, J., Xiang, Z., Barnett, W. S., Belfield, C. R., & Nores, M. (2005). *Lifetime effects: The High/Scope Perry Preschool Study through age 40.* Ypsilanti, MI: High/Scope Press.

Schweinhart, L. J., & Weikart, D. P. (1981). Effects of the Perry Preschool Program on youths through age 15. *Journal of Early Intervention, 4* (1), 29-39.

Seefeldt, C. (1980). *Curriculum for preschools* (2nd ed.). Columbus: Charles E. Merrill.

Segal, M., Bardige, B., Woika, M. J., & Leinfelder, J. (2005). *All about child care and early education: A comprehensive resource for child care professionals.* New York: Allyn & Bacon.

Seifer, R., & Schiller, M. (1995). The role of parenting sensitivity, infant temperament, and dyadic interaction in attachment theory and assessment. In E. Waters, B. E. Vaughn, G. Posada, & K. Kondo-Ikemura (Eds.), *Caregiving, cultural, and cognitive perspectives on secure-base behavior and working models: New growing points of attachment theory and research. Monographs of the Society for Research in Child Development, 60* (2-3, Serial No. 244), 146-174.

Seligman, M. E. P. (1974). Depression and Learned Helplessness. In R. J. Friedman, & M. M. Katz (Eds.), *The Psychology of Depression: Contemporary Theory and Research* (pp. 83-113). Washington D.C.: Winston.

Selye, H. (1956). *The stress of life*. NY: McGraw-Hill.

Selye, H. (1976). *Stress in Health and Disease*. Boston: Butterworths.

Shapiro, S. L., Carlson, L. E., Astin, J. A., & Freedman, B. (2006). Mechanisms of mindfulness. *Journal of Clinical Psychology, 62* (3), 373-386.

Shaw, D. S., Winslow, E. B., & Flanagan, C. (1999). A prospective study of the effects of marital status and family relations on young children's adjustment among African American and Caucasian families. *Child Development, 70* (3), 742-755.

Shaw, D. S., Winslow, E. B., Owens, E. B., Vondra, J. I., Cohn, J. E., & Bell, R. Q. (1998). The development of early externalizing problems among children from low-income families: A transformational perspective. *Journal of Abnormal Child Psychology, 26* (2), 95-108.

Sheridan, S. M., Edwards, C. P., Marvin, C. A., & Knoche, L. L. (2009). Professional development in early childhood programs: Process issues and research needs. *Early Education and Development, 20* (3), 377-401.

Spence, J. T., & Hall, S. K. (1994). Children's gender-related self-perceptions, activity preferences, and occupational stereotypes: A test of three models of gender constructs. *Sex Roles, 35*, 659-691.

Spodek, B. (1991). Early childhood curriculum and cultural definitions of knowledge. In B. Spodek & O. Saracho (Eds.), *Issues in early childhood curriculum* (pp. 1-20). New York: Teachers College Press.

Sroufe, L. A. (1985). Attachment classification from the perspective of infant-caregiver relationships and infant temperament. *Child Development, 56*, 1-14.

Sroufe, L. A., Fox, N. E., & Pancake, V. R. (1983). Attachment and dependency in developmental perspective. *Child Development, 54* (6), 1615-1627.

Stafford, L., & Bayer, C. L. (1993). *Interaction between parents and children*. Thousand Oaks, CA: Sage.

Stamp, L. N., & Groves, M. M. (1994). Strengthening the ethic of care: Planning and supporting family involvement. *Dimensions of Early Childhood, 22* (2), 5-9.

Steers, R. M., & Mowday, R. T. (1981). Employee turnover and post-decision accommodation process. In Cummings, L. L., & Staw, B. M. (Eds.), *Research in Organizational Behaviour* (pp. 235-281). Greenwich, CT: JAI Press.

Steinbrunner, R. K. (2001). Professional ethics instruction in early childhood practitioner preparation programs in Virginia. Ph.D., George Mason University.

Stevenson-Hinde, J., & Shouldice, A. (1995). Maternal interactions and self-reports related to attachment classification at 4-5 years. *Child Development, 66*, 583-596.

Stifter, C. A., Coulehan, C., & Fish, M. (1993). Linking employment to attachment: The mediating effects of maternal separation anxiety and interactive behavior. *Child Development, 64*, 1451-1560.

Stipek, D., Rosenblatt, L., & DiRocco, L. (1994). *Making parents young allies. Young Children, 49* (3), 4-9.

Stollar, R. L. (2015). Desiderius Erasmus and the child's right to education. https://rlstollar.wordpress. com/2015/06/05/desiderius-erasmus-and-the-childs-right-to-education/#_edn22

Sulman, L. S. (2004). *The wisdom of practice: Essays on teaching, learning, and learning to teach*. San Francisco: Jossey-Bass.

Tanner, D., & Tanner, L. (1990). *History of the school curriculum*. New York: MacMillan.

Tasi, C. T. (1990). *A survey study of Chinese kindergarten teacher concern*. Unpublished Doctoral Dissertation. University of Illinois.

Taylor, B. M., Pearson, P. D., Peterson, D. S., & Rodriguez, M. C. (2005). The CIERA school change framework: An evidence-based approach to professional development and school reading improvement. *Reading Research Quarterly*, *40*, 40-69.

Thomas, A., & Chess, S. (1977). *Temperament and development*. New York: Brunner/Mazel.

Thomas, A., Chess, S., & Birch, H. (1968). *Temperament and behavior disorders in children*. New York: New York University Press.

Torda, A. (2006). Ethical issues in pandemic planning. *Medical Journal of Australia*, *185* (S10), S73-S76.

Turner, P. J., & Gervai, J. (1995). A multidimensional study of gender typing in preschool children and their parents: Personality, attitude, preferences, behavior, and cultural differences. *Developmental Psychology*, *31*(5), 759-772.

Urban, M. (2008). Dealing with uncertainty: challenges and possibilities for the early childhood profession. *European Early Childhood Education Research Journal*, *16* (2), 135-152.

Van Lier, P. A., & Hoeben, S. M. (1991). Guiding children with relational problems at school: The importance of tuning and embedding. *Pedagogical Study*, *68* (2), 86-100.

Vardin, P. A. (2003). Montessori and Gardner's theory of multiple intelligence. *Montessori Life*, *15* (1), 40.

Vrugt, A. (1994). Perceived self-efficacy, social comparison, affective reactions and academic performance. *British Journal of Education Psychology*, *64* (3), 465-472.

Wakschlag, L. S., Tolan, P. H., & Leventhal, B. (2010). Research review: 'ain't misbehaving': Towards a developmentally specified nosology for preschool disruptive behavior. *Journal of Child Psychology and Psychiatry*, *51* (1), 3-22.

Weber, E. (1984). *Ideas influencing early childhood education: A theoretical analysis*. New York: Teachers College Press.

Weikart, D. P., Bond, J. T., & McNeil, J. T. (1978). The Ypsilanti Perry Preschool Project: Preschool years and longitudinal results through fourth grade. *Monograph of the High/Scope Educational Research Foundation*, *3*. Ypsilanti, MI: High/Scope Press.

Weiser, M. G. (1991). *Infant/toddler care and education*. New York: Macmillan.

Werner, E. E. (1996). Vulnerable but invincible: High risk children from birth to adulthood. *European Child & Adolescent Psychiatry*, *5* (1), 47-51.

Wesley, P. W., & Buysse, V. (2006). Building the evidence base through communities of practice. In V. Buysse & P. W. Wesley (Eds.), *Evidence-based practice in the early childhood field* (pp. 161-194). Washington, DC: Zero to Three Press.

Wichstrom, L., Berg-Nielsen, T. S., Angold, A., Egger, H. L., Solheim, E., & Hamre, Sveen, T. (2012).

Prevalence of psychiatric disorders in preschoolers. *Journal of Child Psychology and Psychiatry*, *53* (6), 695-705.

Wicks-Nelson, R., & Israel, A. C. (2000). *Behavior disorders of childhood*. (4th ed.). NJ: Prentice-Hall.

Winnicott, D. W. (2000). *Child The Family And The Outside World* (Penguin Psychology). Penguin Books.

Wortham, S. (2011). Wondering about dialogic theory and practice. *Journal of Russian and East European Psychology*, *49* (2), 71-76. doi: 10.2753/RPO1061-0405490211

Yager, G. G., & Baker, S. (1979). *Thoughts on androgyny for the counseling psychologist. Paper presented at the Annual convention of the American Psychological Association* (Eric Document Reproduction service Nl. ED 186825).

Yoon, J. (2002). Teacher characteristics as predictors of teacher-student relationships: Stress, negative affect, and self-efficacy. *Social Behavior and Personality*, *30* (5), 485-494.

Zehm, S. J. (1999). Deciding to teaching: Implications of self-development perspective. In R. P. Lipka & T. M. Brinthaupt (Eds.), *The role of self in teacher development*. (pp. 36-62). NY: State University of New York Press.

〈뉴스 및 신문기사〉

KBS 뉴스(2019년 4월 17일). '묻지마 살인'은 '분노조절장애'? … 15초 골든타임, http://news.kbs.co.kr/news/view.do?ncd=4181927&ref=A

News1(2020년 9월 19일). 다툼 끝에 자신의 차를 몰고 편의점으로 질주한 30대 여성, https://www.news1.kr/articles/?4063449)

SBS 뉴스(2016년 6월 15일).

아시아경제(2020년 9월 21일). '화투'치다 살인하고 딸 '그림' 때문에 편의점 돌진 … 분노범죄, 해법 없나, https://www.asiae.co.kr/article/2020092107373779662

아주경제(2020년 12월 16일).

연합뉴스(2019년 5월 30일).

이데일리(2020년 4월 28일). 취준생·대학생 "코로나19로 경제적 스트레스. 우울·무기력 느껴", https://news.v.daum.net/v/20200428102428346

〈웹사이트〉

근로복지넷, https//www.workdream.net

다음 국어사전, https://dic.daum.net

한국도박문제관리센터, www.kcgp.or.kr

한국보육진흥원, 마음성장 프로젝트, https://mindup.kcpi.or.kr/, https://mindup.kcpi.or.kr/biz_guide, https://mindup.kcpi.or.kr/biz_guide/biz_cover, https://mindup.kcpi.or.kr/biz_guide/test_cover

현정신건강의학과, https://blog.naver.com/pigtreee/221944457703

Brain Immune Media(http://www.brainimmune.com/hans-selye-birth-stress-concept)

http://socialservicenetworkorg.

https://www.indeed.com/hire/job-description/child-care-worker.

https://www.pc.gc.ca/apps/dfhd/page_nhs_eng.aspx?id=1570&i=75786

찾아보기

◀ 인명 ▶

저자 소개

정옥분(Chung, Ock Boon)
서울대학교 대학원 석사과정 졸업(아동학 석사)
미국 University of Maryland 박사과정 졸업(인간발달 전공 Ph. D.)
고려대학교 사범대학 교수
고려대학교 사회정서발달연구소 소장
현 고려대학교 명예교수
　　고려대학교 안암병원, 구로병원, 안산병원 어린이집 고문

김경은(Kim, Kyoung Eun)
고려대학교 대학원 박사과정 졸업(아동학 박사)
현 남서울대학교 아동복지학과 교수

김미진(Kim, Mee Jean)
고려대학교 대학원 박사과정 졸업(아동학 박사)
현 고려대학교 가정교육과 겸임교수

노성향(Rho, Sung Hyang)
고려대학교 대학원 박사과정 졸업(아동학 박사)
현 대구대학교 아동가정복지학과 교수

박연정(Park, Youn Jung)
고려대학교 대학원 박사과정 졸업(아동학 박사)
현 경인여자대학교 유아교육과 교수

방은정(Bhang, Eun Jung)
고려대학교 대학원 박사과정 졸업(아동학 박사)
현 고려대학교 가정교육과 겸임교수

서정연(Suh, Jeong Youn)
고려대학교 대학원 박사과정 졸업(아동학 박사)
현 SKT 행복날개 어린이집 원장

엄세진(Eom, Se Jin)
고려대학교 대학원 박사과정 졸업(아동학 박사)
현 부산디지털대학교 아동보육학과 교수

임정하(Lim, Jung Ha)
고려대학교 대학원 박사과정 졸업(아동학 박사)
미국 New York 주립대학교 연구 조교수
현 고려대학교 가정교육과 교수

정순화(Chung, Soon Hwa)
고려대학교 대학원 박사과정 졸업(아동학 박사)
전 고려대학교 가정교육과 전문교수

황현주(Hwang, Hyun Joo)
고려대학교 대학원 박사과정 졸업(아동학 박사)
현 대전과학기술대학교 아동보육과 교수

보육교사인성론
Character and Virtue in Child Care Teacher

2021년 7월 10일 1판 1쇄 인쇄
2021년 7월 15일 1판 1쇄 발행

지은이 • 정옥분 · 김경은 · 김미진 · 노성향 · 박연정 · 방은정
　　　　서정연 · 엄세진 · 임정하 · 정순화 · 황현주
펴낸이 • 김진환
펴낸곳 • (주) **학지사**
　　　　04031 서울특별시 마포구 양화로 15길 20 마인드월드빌딩
대표전화 • 02)330-5114　　　　팩스 • 02)324-2345
등록번호 • 제313-2006-000265호

홈페이지 • http://www.hakjisa.co.kr
페이스북 • https://www.facebook.com/hakjisa

ISBN 978-89-997-2443-5 93370

정가 25,000원

파본은 구입처에서 교환해 드립니다.

출판 · 교육 · 미디어기업 **학지사**

간호보건의학출판 **학지사메디컬** www.hakjisamd.co.kr
심리검사연구소 **인싸이트** www.inpsyt.co.kr
학술논문서비스 **뉴논문** www.newnonmun.com
교육연수원 **카운피아** www.counpia.com